EL EX[...]
BI[...]

LA BIBLIA, LIBRO POR LIBRO

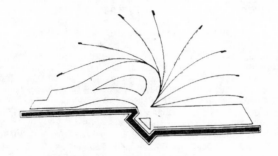

3

1, 2 TESALONICENSES, GALATAS, JOSUE, JUECES, HEBREOS, SANTIAGO, RUT Y 1 SAMUEL

*52 Estudios intensivos de la Biblia
para maestros de jóvenes y adultos*

CASA BAUTISTA DE PUBLICACIONES

CASA BAUTISTA DE PUBLICACIONES

Apartado Postal 4255, El Paso, TX 79914 EE. UU. de A.

Agencias de Distribución

ARGENTINA: Rivadavia 3474, 1203 Buenos Aires, Teléfono: (541)863-6745. **BOLIVIA:** Casilla 2516, Santa Cruz, Tel.: (591)-342-7376, Fax: (591)-342-8193. **COLOMBIA:** Apartado Aéreo 55294, Bogotá 2, D.C., Tel.: (57)1-287-8602, Fax: (57)1-287-8992. **COSTA RICA:** Apartado 285, San Pedro Montes de Oca, San José, Tel.: (506)225-4565, Fax: (506)224-3677. **CHILE:** Casilla 1253, Santiago, Tel/Fax: (562)672-2114. **ECUADOR:** Casilla 3236, Guayaquil, Tel.: (593)4-455-311, Fax: (593)4-452-610. **EL SALVADOR:** Apartado 2506, San Salvador, Fax: (503)2-218-157. **ESPAÑA:** Padre Méndez #142-B, 46900 Torrente, Valencia, Tel.: (346)156-3578, Fax: (346)156-3579. **ESTADOS UNIDOS:** 7000 Alabama, El Paso, TX 79904, Tel.: (915)566-9656, Fax: (915)565-9008; 960 Chelsea Street, El Paso TX 79903, Tel.: (915)778-9191; 3725 Montana, El Paso, TX 79903, Tel.: (915)565-6234, Fax: (915)726-8432; 312 N. Azusa Ave., Azusa, CA 91702, Tel.: 1-800-321-6633, Fax: (818)334-5842; 1360 N.W. 88th Ave., Miami, FL 33172, Tel.: (305)592-6136, Fax: (305)592-0087; 8385 N.W. 56th Street, Miami, FL 33166, Tel.: (305)592-2219, Fax: (305)592-3004. **GUATEMALA:** Apartado 1135, Guatemala 01901, Tel: (5022)530-013, Fax: (5022)25225. **HONDURAS:** Apartado 279, Tegucigalpa, Tel. (504)3-814-81, Fax: (504)3-799-09. **MEXICO:** Vizcaínas Ote. 16, Col. Centro, 06080 México, D.F., Tel/Fax: (525)510-3674, 512-4103; Apartado 113-182, 03300 México, D.F., Tels.: (525)762-7247, 532-1210, Fax: 672-4813; Madero 62, Col. Centro, 06000 México, D.F., Tel/Fax: (525)512-9390; Independencia 36-B, Col. Centro, 06050 México, D.F., Tel.: (525)512-0206, Fax: 512-9475; Matamoros 344 Pte., 27000 Torreón, Coahuila, Tel.: (521)712-3180; Hidalgo 713, 44290 Guadalajara, Jalisco, Tel.: (523)510-3674; Félix U. Gómez 302 Nte. Tel.: (528)342-2832, Monterrey, N. L. **NICARAGUA:** Apartado 2340, Managua, Tel/Fax: (505)265-1989. **PANAMA:** Apartado E Balboa, Ancon, Tel.: (507)22-64-64-69, Fax: (507)228-4601. **PARAGUAY:** Casilla 1415, Asunción, Fax: (595)2-121-2952. **PERU:** Apartado 3177, Lima, Tel.: (511)4-24-7812, Fax: (511)440-9958. **PUERTO RICO:** Calle 13 S.O. #824, Capparra Terrace, Tel.: (809)783-7056, Fax: (809)781-7986; Calle San Alejandro 1825, Urb. San Ignacio, Río Piedras, Tel.: (809)764-6175. **REPUBLICA DOMINICANA:** Apartado 880, Santo Domingo, Tel.: (809)565-2282, Fax: (809)565-6944. **URUGUAY:** Casilla 14052, Montevideo 11700, Tel.: (598)2-394-846, Fax: (598)2-350-702. **VENEZUELA:** Apartado 3653, El Trigal 2002 A, Valencia, Edo. Carabobo, Tel/Fax: (584)1-231-725, Celular (581)440-3077.

EL EXPOSITOR BIBLICO (La Biblia, Libro por Libro. Maestros de Jóvenes y Adultos). Volumen 3. Número 3, 1994. © Copyright 1994. Casa Bautista de Publicaciones. Todos los derechos reservados. No se podrá reproducir o transmitir todo o parte de este libro en ninguna forma o medio sin el permiso escrito de los publicadores, con la excepción de porciones breves en revistas y/o periódicos.

Ediciones: 1994, 1997
Tercera edición: 1997

Clasifíquese: Educación Cristiana

Clasificación Decimal Dewey 220.6 B471

Temas: 1. Biblia—Estudio
2. Escuelas dominicales—Currículos

ISBN 0-311-11253-6
C.B.P. Art. No. 11253

2.5 M 10 97

Printed in U.S.A.

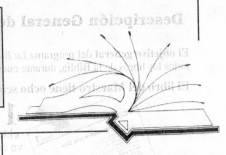

EL EXPOSITOR BIBLICO

PROGRAMA:
"LA BIBLIA, LIBRO POR LIBRO"
MAESTROS DE
JOVENES Y ADULTOS

DIRECTOR GENERAL
José Tomás Poe

DIVISION DE DISEÑO Y DESARROLLO
DE PRODUCTOS

DEPARTAMENTO
DE EDUCACION CRISTIANA

COMENTARISTAS
1 y 2 Tesalonicenses y Gálatas: Ricardo
Garret B.
Josué y Jueces:
Víctor S. Lyons
Hebreos y Santiago:
Dinorah B. Méndez O.
Rut y 1 Samuel:
Roberto Fricke

AGENDAS DE CLASE
1 y 2 Tesalonicenses y Gálatas:
Luis M. Sánchez, Juan A. Aguilar
Josué y Jueces:
Lidia P. de Elizondo
Hebreos y Santiago:
Luis M. Sánchez, Jorge E. Díaz
Rut y 1 Samuel:
Roy B. Cooper, Mario Martínez

EDITORES
Jorge Enrique Díaz F., Mario Martínez

ASISTENTE EDITORIAL
Gladys A. de Mussiett

¡Hágalo Aún Mejor!
Exequiel San Martín

REIMPRESIONES
Y PRODUCCION CONTRATADA
Violeta Martínez

CONTENIDO

CBP
Casa Bautista de Publicaciones
Apartado 4255
El Paso, Texas, 79914
EE. UU. de A.

Descripción General de La Biblia, Libro por Libro

El objetivo general del programa *La Biblia, Libro por Libro* es facilitar el estudio de todos los libros de la Biblia, durante nueve años, en 52 estudios por año.

El libro del Maestro tiene ocho secciones bien definidas:

1 Información general. Aquí encuentra el tema-título del estudio, el pasaje que sirve de contexto, el texto básico, el versículo clave, la verdad central y las metas de enseñanza-aprendizaje.

2 Estudio panorámico del contexto. Ubica el estudio en el marco histórico en el cual se llevó a cabo el evento o las enseñanzas del texto básico. Aquí encuentra datos históricos, fechas de eventos, costumbres de la época, información geográfica y otros elementos de interés que enriquecen el estudio de la Biblia.

3 Estudio del texto básico. Se emplea el método de interpretación gramático-histórico con la técnica exegético-expositiva del texto. En los libros de los alumnos esta sección tiene varios ejercicios. Le sugerimos tenerlos a la vista al preparar su estudio y al enseñar. Un detalle a tomar en cuenta es que las referencias directas o citas de palabras del texto bíblico son tomadas de la Biblia Reina-Valera Actualizada. En algunos casos, cuando la palabra o palabras son diferentes en la Biblia RV-60 se citan ambas versiones. La primera palabra viene de la RVA y la segunda de la RV-60 divididas por una línea diagonal. Por ejemplo: *que Dios le dio para mostrar/manifestar...* Así usted puede sentirse cómodo con la Biblia que ya posee.

4 Aplicaciones del estudio. Esta sección le guiará a aplicar el estudio de la Biblia a su vida y a la de sus alumnos, para que se decidan a actuar de acuerdo con las enseñanzas bíblicas.

4

El objetivo educacional del programa *La Biblia, Libro por Libro* es que, como resultado de este estudio el maestro y sus alumnos puedan: (1) conocer los hechos básicos, la historia, la geografía, las costumbres, el mensaje central y las enseñanzas que presentan cada uno de los libros de la Biblia; (2) desarrollar actitudes que demuestren la valorización del mensaje de la Biblia en su vida diaria de tal manera que puedan ser mejores discípulos de Cristo.

5 Prueba. Esta sección sólo aparece en el libro de sus alumnos. Da la oportunidad de demostrar de qué manera se alcanzaron las metas de enseñanza-aprendizaje para el estudio correspondiente. Hay dos actividades, una que "prueba" conocimientos de los hechos presentados y la otra, que "prueba" sentimientos o afectos hacia las verdades encontradas en la Palabra de Dios durante el estudio.

6 Ayuda homilética. Provee un bosquejo que puede ser útil a los maestros que tienen el privilegio de predicar en el templo, misiones o anexos. En algunos casos, el bosquejo también puede ser usado en la clase como otra manera de organizar y presentar el estudio del pasaje.

7 Lecturas bíblicas para el siguiente estudio. Estas lecturas forman el contexto del siguiente estudio. Si las lee con disciplina, sin duda leerá toda su Biblia por lo menos una vez en nueve años.

8 Agenda de clase. Ofrece los procedimientos y sugerencias didácticas organizadas en un plan de clase práctico con actividades sugeridas para enseñar a los jóvenes y a los adultos. A los maestros se les dicen las respuestas correctas a las preguntas y/o ejercicios que aparecen en los libros de los alumnos.

PLAN GENERAL DE ESTUDIOS

Libro	Libros con 52 estudios para cada año			
1	Génesis		Mateo	
2	Exodo	Levítico Números	Los Hechos	
3	1, 2 Tesalonicenses Gálatas	Josué Jueces	Hebreos Santiago	Rut 1 Samuel
4	Lucas		2 Samuel (1 Crónicas)	1 Reyes (2 Crón. 1-20)
5	1 Corintios	Amós Oseas Jonás	2 Corintios Filemón	2 Reyes (2 Crón. 21-36) Miqueas
6	Romanos	Salmos	Isaías	1, 2 Pedro 1, 2, 3 Juan Judas
7	Deuteronomio	Juan		Job, Proverbios, Eclesiastés Cantares
8	Efesios Filipenses	Habacuc Jeremías Lamentaciones	Marcos	Ezequiel Daniel
9	Esdras Nehemías Ester	Colosenses 1, 2 Timoteo Tito	Joel, Abdías, Nahúm Sofonías, Hageo, Zacarías, Malaquías	Apocalipsis

JOSUE, JUECES, RUT Y 1 SAMUEL
Una introducción

El libro de Josué. El libro consiste de tres grandes partes. La primera parte está formada por los capítulos 1 a 12, describe las doce tribus de Israel cruzando el río Jordán y la conquista de Canaán bajo la dirección de Josué. La segunda parte, los capítulos 13 a 22, describe la división de la tierra incluyendo el establecimiento de las seis ciudades de refugio y las 38 ciudades para los levitas. La tercera parte, formada por los capítulos 23 y 24, recuerda a Israel que la tierra fue un regalo generoso del Señor que podrían perder si lo desobedecían. El propósito del libro es demostrar cómo Dios cumplió la promesa hecha a los patriarcas de darles una tierra.

El libro de los Jueces. El nombre del libro viene de los líderes que Dios levantó para guiar y orientar a Israel. Estos dirigentes temporales fueron héroes militares a quienes Dios usó para librar a los hebreos de sus opresores. Los jueces fueron personas normales con sus grandes cualidades y sus grandes debilidades. El libro está dividido en tres secciones: Primera, con materiales después de la muerte de Josué y antes del advenimiento de los jueces (1:1 a 2:5). Segunda, con la historia de los jueces (2:6 a 16:31). Tercera, con historias acerca de las tribus de Dan y Benjamín (17:1 a 21:25).

Por la naturaleza y el contenido de ambos libros se concluye que fueron escritos durante el tiempo de la monarquía.

El libro de Rut. Nombrado así en honor a la virtuosa moabita que llegó a ser la abuela del rey David. En la división hebrea del Antiguo Testamento: Ley, Profetas y Escritos; Rut aparece entre los Escritos, a veces también llamados "los salmos" (Luc. 24:44). El propósito del libro de Rut es demostrar que Dios cuida y bendice a quienes le obedecen.

El libro de 1 Samuel. Nombrado así en honor de Samuel el gran profeta, sacerdote y juez a quien Dios usó para establecer la monarquía en Israel. El libro comienza con el nacimiento de Samuel en la época de los jueces y concluye con el triste final del Saúl como rey. Acerca de quién fue el escritor del libro no lo sabemos de manera concluyente, pero sin duda se basó en los escritos y notas de Samuel mismo quien fue un buen historiador de los eventos que ocurrieron durante su vida.

Para facilitar el estudio de los libros los hemos dividido en 26 estudios: Josué (14-21), Jueces (22-26), Rut (40-42) y 1 Samuel (43-52).

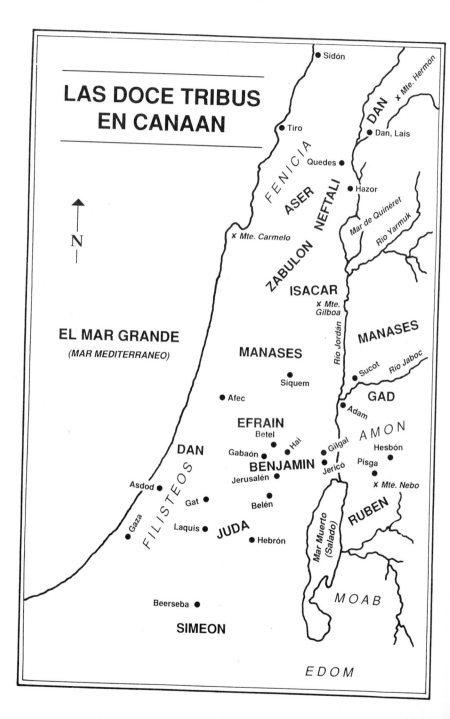

LAS DOCE TRIBUS EN CANAAN

N

EL MAR GRANDE
(MAR MEDITERRANEO)

Sidón

Tiro

DAN

× Mte. Hermón

Dan, Lais

FENICIA

ASER

NEFTALI

Quedes

Hazor

Mar de Quinéret

× Mte. Carmelo

Río Yarmuk

ZABULON

ISACAR

× Mte. Gilboa

Río Jordán

MANASES

MANASES

Sucot

Río Jaboc

Siquem

Afec

GAD

Adam

EFRAIN

Betel

AMON

DAN

Gabaón

Hai

Gilgal

Hesbón

BENJAMIN

Jericó

Pisga

Asdod

Jerusalén

× Mte. Nebo

FILISTEOS

Gat

Belén

Gaza

Laquis

JUDA

Hebrón

Mar Muerto (Salado)

RUBEN

Beerseba

MOAB

SIMEON

EDOM

1, 2 TESALONICENSES, GALATAS, HEBREOS Y SANTIAGO

Una introducción

Primera a los Tesalonicenses. (Estudios 1 a 4.) Después de recibir noticias por parte de Timoteo acerca de la condición de la iglesia en Tesalónica, Pablo escribió la primera carta. Probablemente Pablo estaba en Corinto cuando corría el año 51 d. de J.C. Por medio de esta carta, Pablo les expresa su gozo por la buena marcha de la congregación. Entre los saludos y consejos prácticos acerca de la vida cristiana Pablo escribe para corregir ciertos malos entendimientos acerca de la segunda venida de Cristo.

Segunda a los Tesalonicenses. (Estudios 5 a 7.) Pablo escribió esta carta también desde Corinto. El propósito principal era ayudar a los hermanos a comprender mejor algunos conceptos que expresó en su primera carta y también algunas prácticas de conducta poco deseables, pero que se hacían escudándose en el hecho de la proximidad del regreso del Señor.

Gálatas. (Estudios 8 a 13.) Es llamada la "Carta Magna de la Libertad Cristiana". Trata con asuntos vitales para todo ser humano. Su mensaje básico es de libertad. Cristo nos da la libertad del pecado y la libertad de la ley. Pablo se lanza con todo su ser a proclamar que hay un serio peligro en abandonar el evangelio de la gracia por otro evangelio falso y pervertido.

Hebreos. (Estudios 27-34.) Aunque no sabemos a ciencia cierta quién fue su escritor, el gran mensaje de la carta es señalar la superioridad del cristianismo y específicamente de Jesucristo, sobre el sistema del judaísmo. Es evidente que los lectores eran la "segunda generación" de creyentes y que estaban pasando por un tiempo de persecución, lo cual les hacía propenso a perder el entusiasmo original de la fe cristiana y alejarse de las cosas de Dios.

Santiago. (Estudios 35 a 39.) El escritor hace un esfuerzo bien pensado para aplicar las enseñanzas de Jesucristo a todas las esferas de la vida cristiana. El énfasis no está puesto tanto en la vida interior, sino en la participación del creyente en hacer obras que demuestren en forma clara e inequívoca el cristianismo. Santiago insiste diciendo que el hablar de fe sin mostrarla en buenas obras, es un engaño. Se ha atribuido la carta a Jacobo, el hermano del Señor, como su escritor a la altura del año 72 d. de J.C.

Para facilitar el estudio de los libros los hemos dividido en 26 estudios: 1, 2 Tesalonicenses (1-7), Gálatas (8-13), Hebreos (27-34) y Santiago (35-39).

PANORAMA HISTORICO

CARTA	GOBERNABA GALILEA	GOBERNABA JUDEA	EMPERADOR ROMANO	EVENTO PRINCIPAL
	Herodes 37-4 a. de J.C.	Herodes 37-4 a. de J.C.	Augusto César 27 a. de J.C. a 14 d. de J.C.	Nació Jesús 6-4 a. de J.C.
	Herodes Antipas 4 a. de J.C. a 39 d. de J.C. Herodes Agripa I 39-44 d. de J.C.	Arquelao 4 a. de J.C. a 6 d. de J.C. Poncio Pilato 26-36 d. de J.C. Herodes Agripa I 41-44 d. de J.C.	Tiberio 14-37 d. de J.C. Calígula 37-41 d. de J.C.	Crucifixión y Resurrección de Jesús 30 d. de J.C.
1, 2 Tesalonicenses 51-52 d. de J.C.			Claudio 41-54 d. de J.C.	Viajes de Pablo 47-57 d. de J.C.
Gálatas 57 d. de J.C.			Nerón 54-68 d. de J.C.	Pablo prisionero en Roma 60-62 d. de J.C.
Santiago 61 d. de J.C.			Tito 69-81 d. de J.C.	Destrucción de Jerusalén 70 d. de J.C.
Hebreos 68 d. de J.C.			Domiciano 81-96 d. de J.C.	Caída de Masada 73 d. de J.C.

Notas: Las fechas dadas son aproximadas.
a. de J.C. significa antes de Jesucristo
d. de J.C. significa después de Jesucristo

10

Plan de estudios
1 y 2 TESALONICENSES, GALATAS, JOSUE y JUECES

Escriba antes del número de cada estudio, la fecha en que lo usará

Fecha

Unidad 1: Iglesia vigilante
_____ 1. Gratitud por la iglesia
_____ 2. Preocupación por la iglesia
_____ 3. Viviendo como Cristo
_____ 4. ¡Cristo viene!

Unidad 2: Iglesia en conflicto
_____ 5. Fidelidad en la tribulación
_____ 6. La segunda venida de Cristo
_____ 7. Cristianos responsables

Unidad 3: Iglesia con autoridad
_____ 8. El único evangelio
_____ 9. Unidad en Cristo
_____ 10. Viviendo por la fe
_____ 11. Viviendo como hijos de Dios
_____ 12. Firmes en la libertad de Cristo
_____ 13. Practicando el bien

Unidad 4: Dios guía a Israel a la tierra prometida
_____ 14 Preparativos para entrar a la tierra prometida
_____ 15. Israel entra a la tierra prometida
_____ 16. Exito y fracaso en Jericó
_____ 17. La caída en Hai y los gabaonitas

Unidad 5: Los viajes por el desierto hasta Canaán
_____ 18. Conquista de la tierra prometida
_____ 19. La distribución de la tierra prometida
_____ 20. Ciudades de refugio
_____ 21. Despedida de Josué

Unidad 6: Los jueces de Israel
_____ 22. Apostasía y aflicción
_____ 23. Llamamiento y victoria de Gedeón
_____ 24. La crisis y el voto de Jefté
_____ 25. Sansón un mayordomo irresponsable
_____ 26. Cuando faltó dirección en Israel

Plan de estudios
HEBREOS, SANTIAGO, RUT y 1 SAMUEL

Escriba antes del número de cada estudio, la fecha en que lo usará

Gratitud por la iglesia

Contexto: 1 Tesalonicenses 1:1 a 2:16
Texto básico: 1 Tesalonicenses 1:2-7; 2:3-9, 13
Versículo clave: 1 Tesalonicenses 2:13
Verdad central: La gratitud de Pablo por la iglesia de Tesalónica demuestra que el testimonio basado en la integridad y el interés genuino puede producir resultados de largo alcance.
Metas de enseñanza-aprendizaje: Que el alumno demuestre su conocimiento de los motivos de la gratitud de Pablo por la iglesia de Tesalónica, y su actitud de buscar maneras de mejorar su testimonio personal.

───────────Estudio panorámico del contexto ───────

A. Fondo histórico:
   Tesalónica fue la capital de Macedonia y su ciudad más grande. Macedonia era la provincia romana al norte de Acaya. Hoy la ciudad es un centro industrial de Grecia, llamado Salónica. Pablo, Silas y Timoteo fundaron la iglesia en Tesalónica en el año 49 o 50 d. de J. C. Empezaron la misión a Tesalónica predicando en la sinagoga (Hech. 17:2). Aparentemente los judíos no les permitieron seguir predicando en la sinagoga después de tres sábados, aunque los tres misioneros quedaron en Tesalónica el tiempo suficiente para que Pablo practicara su oficio de coser pieles (1 Tes. 2:9) y *4:16* recibieran más de una ofrenda de Filipos (Fil. 4:6), ciudad ubicada a 100 kms. de distancia. Los misioneros fueron obligados a abandonar la ciudad de manera abrupta cuando los judíos causaron un alboroto (Hech. 17:5, 10).
   A Pablo le inquietó dejar a los nuevos creyentes de Tesalónica tan pronto, y decidió mandar a Timoteo para afirmarlos y animarlos (1 Tes. 3:2). Cuando éste regresó con las buenas nuevas de la firmeza de los cristianos de Tesalónica (3:6), Pablo escribió 1 Tesalonicenses para expresar su gozo. Aparentemente Timoteo también le informó de unas dudas y errores en el pensamiento de los tesalonicenses, y Pablo aprovecha la ocasión para ampliar su instrucción sobre estos temas. La Segunda Venida de Cristo fue el más sobresaliente de éstos.

B. Enfasis:
   Saludos y acciones de gracias, 1 Tesalonicenses 1:1-4. Este saludo es el ejemplo más temprano y más breve de la forma que Pablo emplea en todas sus cartas. Pablo sigue la costumbre de su día en comenzar la carta con la

identificación del remitente y de los destinatarios, seguida de un buen deseo y una acción de gracias por ellos. Pablo es el autor de 1 Tesalonicenses, pero asocia consigo en el saludo a sus colaboradores, Silas y Timoteo. *La iglesia de los tesalonicenses* tiene su fundamento y razón de ser *en Dios Padre y en el Señor Jesucristo.* Pablo tiene gratos recuerdos de los tesalonicenses, porque sus acciones muestran que Dios los ha elegido como suyos.

Un testimonio ejemplar, 1 Tesalonicenses 1:5-10. La elección de Dios también se muestra en la acogida que los tesalonicenses dieron a la predicación de Pablo. La noticia de su conversión ha llegado a lugares lejos de Tesalónica, y apoya la predicación de Pablo en Acaya. Los cristianos de Tesalónica dejaron los ídolos cuando encontraron al Dios vivo y verdadero, y viven en esperanza del regreso de su Hijo al final de la historia. Dios mostró que es el *Dios vivo y verdadero* cuando resucitó al Hijo *de entre los muertos.*

Ministerio de Pablo en Tesalónica, 1 Tesalonicenses 2:1-12. Aparentemente algunos sugerían a los cristianos de Tesalónica que Pablo había predicado a ellos por motivos indignos. Este repasa su conducta en Tesalónica para defenderse de estas críticas y así fortalecer la confianza de los tesalonicenses en el evangelio que oyeron de él.

Pablo estimula a los tesalonicenses, 1 Tesalonicenses 2:13-16. Los tesalonicenses reconocieron que el mensaje que Pablo les predicó era un mensaje divino. Obró con poder divino en ellos, de la misma manera que obraba en Pablo y en los primeros cristianos en Jerusalén; les fortalece para enfrentar la persecución de parte de sus compatriotas. Al pensar en los judíos que persiguieron a los primeros cristianos y a él mismo, Pablo lanza una condenación de ellos semejante a los mensajes de los profetas del Antiguo Testamento.

───────── **Estudio del texto básico** ─────────

1 Saludos y acciones de gracias, 1 Tesalonicenses 1:2-4.

V. 2. Pablo convirtió los elementos acostumbrados de una carta en expresiones profundas de las realidades cristianas. Al saludo griego, "regocijaos", lo sustituyó con "gracia", el favor inmerecido de Dios que es fuente de toda bendición. Con el saludo hebreo, "paz" (*shalom*), expresa la paz que viene solamente como resultado de la gracia de Dios manifestada en Cristo. En el primer siglo, era costumbre expresar una acción de gracias después del saludo. Pablo llena ésta de amor y devoción. Pablo ha de haber dedicado una porción importante de cada día a la oración. Y cada vez que Pablo oraba, dice, mencionaba a los cristianos de Tesalónica.

V. 3. Cada vez que Pablo oraba por los tesalonicenses, recordaba su *fe, amor y esperanza.* Esta combinación se encuentra seis veces en los escritos de Pablo (1 Tes. 5:8; Rom. 5:2-5; 1 Cor. 13:13; Gál. 5:5, 6; Col. 1:4, 5) y dos veces más en otros autores del Nuevo Testamento (Heb. 6:10-12; 1 Ped. 1:21, 22). Es probable que los cristianos del primer siglo regularmente asociaran estas tres gracias. La fe describe nuestra confianza en Dios por medio de Cristo, el fundamento de la vida cristiana. El amor resume la relación que el cristiano debe mantener tanto con Dios como con los demás seres humanos. En el mundo, la esperanza denota con frecuencia un optimismo sin fundamento, un deseo más que una garantía de un futuro positivo. En cambio, la esperanza cristiana es una seguridad en cuanto al futuro que se basa en la experiencia presente del favor de Dios *en nuestro Señor Jesucristo*. Estas tres actitudes que Dios produce en los tesalonicenses les estimularon a obras que correspondían a su fe. Aun se fatigaban por el amor que sentían, y perseveraban a pesar de todos los obstáculos por la esperanza que tenían.

V. 4. La fatiga y la perseverancia de los tesalonicenses en obrar lo que Dios quiere comprueban que son escogidos de Dios. Dios no elige para privilegio, sino para servicio. Sin embargo, esta *elección* es a la vez una expresión del amor de Dios, porque la mayor satisfacción que un ser humano puede experimentar es la de cumplir con el trabajo que Dios le ha asignado en servicio a otros.

2 Un testimonio ejemplar, 1 Tesalonicenses 1:5-7.

V. 5. La elección de Dios también se mostró en la recepción del *evangelio* en Tesalónica. Los misioneros y los que oían su predicación notaban que un poder más que humano acompañaba el mensaje (vea Rom. 1:16). El Espíritu Santo dio una seguridad y convicción especial a Pablo y Silas, y ésta impactó a sus oyentes. Pablo invita a los lectores a recordar su primera impresión de estos mensajeros. Hace varias afirmaciones sobre la manera como les había entregado el evangelio: (1) No solamente por medio de *palabras*. Esto significa que su esfuerzo de comunicación no había sido solamente por medio de un discurso formalmente preparado, como lo hacen los oradores públicos. (2) *En el poder y en el Espíritu Santo*. La palabra "poder" usada aquí se refiere a la energía que impulsa o mueve. No fue tanto el obrar milagros o hacer actos extraordinarios, sino la acción del Señor para mover los corazones y conducirlos a una experiencia de salvación y vida eterna por medio de Jesucristo. (3) *En plena convicción*. Esta es la misma palabra que en Lucas 1:1 se traduce como "ciertísimas". La idea es que, como Lucas dijo, los hechos que relata no son historias, o conceptos que podrían ser probados para ver si dan resultado o no, no son teorías; son eventos que efectivamente sucedieron, que se pueden comprobar históricamente y que no se pueden negar. El evangelio no está basado en mitos, fábulas o suposiciones, es un hecho histórico, es una persona: Jesucristo, y es una experiencia personal. Estas tres razones deben animar a todo creyente a ser un comunicador audaz de la palabra de Dios a toda persona, en todo lugar y en toda manera posible.

V. 6. En adición, el efecto de este mensaje en los oyentes mostró que Dios los había seleccionado para un servicio especial. De la misma manera que Pablo, Silas y Timoteo enfrentaron la persecución en Tesalónica (Hech. 17:5-9) sin perder su confianza, los nuevos cristianos también aceptaron esta tribulación con gozo. Ya que el gozo no es la respuesta normal del hombre a las dificultades, este gozo ha de ser el *gozo del Espíritu Santo*, otra evidencia del poder de Dios obrando en ellos.

V. 7. ¡Los imitadores llegan a ser imitados! Pablo había aprendido del ejemplo del Señor Jesús el gozo en la tribulación. Los tesalonicenses aprendieron de Pablo. Y ahora otros creyentes en la misma provincia y en la que colindaba aprendían de los tesalonicenses. La iglesia de Tesalónica es la única que Pablo llamó *ejemplo*. La palabra "imitar" es algo más que hacer una caricatura o remedar al actor original. Es un esfuerzo consciente para

15

hacer una copia fiel del original. En 1 Coríntios 11:1, Pablo dice a los hermanos: "Sed imitadores de mí; así como yo lo soy de Cristo."

3 Ministerio y estímulo de Pablo en Tesalónica, 1 Tesalonicenses 2:3-9, 13.

Vv. 3, 4. Pablo insiste en que su predicación en Tesalónica fue sincera y que proclamaba la verdad. Si buscara un beneficio personal con un mensaje que en realidad no creía, el maltrato que sufrió en Filipos y el conflicto que enfrentó en Tesalónica (v. 2) lo habrían desanimado. Más bien su conciencia de que Dios le había encargado esta proclamación y su deseo de agradarle lo estimulaban. Pablo reconocía la gran responsabilidad que Dios le había dado, y buscaba cumplirla como un servicio a Dios. Es cierto que Pablo servía a seres humanos, pero su propósito no fue agradarles a ellos, sino presentar una obra aceptable a Dios. Y a Dios no se le puede engañar, porque su vista penetra hasta el fondo del corazón.

Vv. 5, 6. Pablo apela a los tesalonicenses mismos para dar testimonio de que él no usó de lisonjas para luego sacar algún provecho personal de ellos. Dios también sabe que no hubo avaricia en su corazón. No buscaba el dinero de los tesalonicenses ni su *gloria*. La nota al v. 6 explica que las palabras de Pablo pueden referirse al derecho de un apóstol a ser sostenido económicamente, o al respeto que su posición le otorga. Es posible que Pablo use esta expresión para incluir las dos ideas.

V. 7. La diferencia entre la lectura *tiernos* y la de la nota, *niñitos*, es solamente una letra. Hay buenos argumentos para aceptar cualquiera de las dos. En todo caso, Pablo dice que, lejos de imponer su autoridad y exigir el sostén económico, él y sus compañeros tomaron más bien la postura de una madre. Cuidaron a sus conversos con humildad y ternura, como una mamá usa algunas maneras de un niño cuando acaricia a su bebé.

V. 8. La madre que amamanta a su hijo comparte algo de su propio ser en el alimento que proporciona. De manera semejante los misioneros a Tesalónica se encariñaron tanto con sus nuevos amigos, que estaban dispuestos a darles, no sólo el mensaje, sino también sus *propias vidas*. Toda evangelización y enseñanza cristiana verdaderas requieren que el obrero se dé a sí mismo, pero el amor que resulta es uno de los premios más preciosos del servicio.

V. 9. Aunque algunos acusan a Pablo de predicar por motivos económicos, los cristianos de Tesalónica debían saber que tal acusación era absurda. Más bien, Pablo se levantaba de madrugada para terminar su jornada en el taller de pieles temprano en el día. Así podía dedicar más horas a la predicación y todavía sostenerse sin pedir una ayuda de los nuevos creyentes.

V. 13. Pablo estaba consciente de que se le había encargado la *palabra de Dios*. Constantemente da *gracias a Dios* porque los creyentes de Tesalónica también reconocieron que el mensaje que él predicaba no es de origen humano.

——————————Aplicaciones del estudio ——————————

1. El poder de Dios se manifiesta en las personas que escuchan y acep-

tan su evangelio, **1 Tesalonicenses 1:3-7.** Se manifiesta en un esfuerzo arduo por servir a las necesidades de otros (v. 3), en un gozo sorprendente en medio de dificultades (v. 6), y en un testimonio poderoso expresado en acciones y en palabras (v. 7).

2. Dios escudriña los corazones, 1 Tesalonicenses 2:4. Podríamos encubrir un motivo egoísta o indigno de los seres humanos con quienes vivimos, pero la mirada de Dios penetra hasta lo más recóndito de nuestros espíritus. No podemos satisfacerlo con un servicio insincero ni con algo menos que lo mejor.

3. El servicio cristiano es amar hasta entregarse, 1 Tesalonicenses 2:8. El servir no es solamente cumplir una tarea o entregar un mensaje. No es suficiente dar nuestro dinero o nuestro tiempo; hay que darnos a nosotros mismos. Un maestro de escuela dominical digno del que lo llamó, es uno que se identifica con las necesidades de sus alumnos e invierte su vida en servir.

———————————Ayuda homilética ———————————

El servicio cristiano
1 Tesalonicenses 2:4-12

Introducción: El ejemplo de Pablo, Silas y Timoteo en Tesalónica nos proporciona un modelo desafiante para nuestro servicio como cristianos.

I. El cristiano obedece y agrada a Dios, no al hombre (vv. 4-6).
A. El mensaje que proclama es la verdad que Dios le encomienda, sin escatimar partes que no son aceptables a los oyentes (vv. 4, 5).
B. Su sostén y su recompensa vienen de Dios (v. 6).
II. El cristiano sirve a los hombres con la ternura de una madre (vv. 7-9).
A. Los hombres son la razón del servicio que Dios manda.
B. El cristiano se preocupa por los que Dios le ha encomendado como una madre de sus hijos (v. 7).
C. Trabaja arduamente e invierte todos sus recursos, hasta su propia vida, porque ama como Dios ama (vv. 8, 9).
III. El cristiano estimula a sus hermanos con el idealismo de un padre (10-12).
A. Da un ejemplo de conducta que agrada a Dios (v. 10).
B. Anima a sus hermanos a andar como es digno de Dios (vv. 11, 12).

Conclusión: El servicio cristiano requiere todo el esfuerzo y habilidad que tenemos, pero merece que le demos lo mejor, porque es servicio a Dios.

Lecturas bíblicas para el siguiente estudio

Lunes: 1 Tesalonicenses 2:17, 18
Martes: 1 Tesalonicenses 2:19, 20
Miércoles: 1 Tesalonicenses 3:1-3
Jueves: 1 Tesalonicenses 3:4, 5
Viernes: 1 Tesalonicenses 3:6-8
Sábado: 1 Tesalonicenses 3:9-13

AGENDA DE CLASE

Antes de la clase
1. Lleve a la clase suficientes sobres de correo y hojas blancas para cada uno de sus alumnos, y escriba en la pizarra lo siguiente: "Hermano mío, hace ya dos meses que marchaste al extranjero y que estás estudiando en la universidad..." **2.** En base a Génesis 33:1-12 prepare un cuestionario de por lo menos cinco preguntas referentes al reencuentro entre Jacob y Esaú. Ejemplos: 1. ¿Anhelaban ambos este reencuentro? 2. ¿Qué describe el hecho de abrazar, besar y llorar? **3.** Haga la sección *Lea su Biblia y responda.*

Comprobación de respuestas
JOVENES: **1.** Siempre; haciendo mención de ellos en sus oraciones. **2.** La obra de su fe, del trabajo de su amor, de la perseverancia de su esperanza. **3.** c. Elegida. **4.** Fue veraz; buscaba agradar a Dios, no a los hombres; no lisonjero; no buscaba gloria; tierno; cariñoso y trabajador.
ADULTOS: **1.** a. Gracia y paz. b. Agradecido con sus hermanos y que les recuerda siempre en oración. c. La obra de su fe, el trabajo de su amor y la esperanza en Jesucristo. d. Llegó no sólo en palabras, sino que también en poder y en el Espíritu Santo. e. Se convirtieron en ejemplo para los hermanos de aquellas regiones. **2.** La ternura, semejante a la de una madre. **3.** La actitud de los tesalonicenses fue de aceptar la palabra de Pablo, la cual provenía de Dios.

Ya en la clase
DESPIERTE EL INTERES
1. Entregue a cada alumno un sobre y una hoja en blanco, y pida que imaginen que su hermano menor ha marchado al extranjero a estudiar. Ahora, en la hoja escribirán cinco o seis frases que expresen su amor y su deseo de verlo pronto. Que hablen de sus planes para un posible encuentro 2. Pida que abran sus Biblias en Génesis 33:1-12 y que lo lean. Haga las preguntas preparadas y pida que al reverso de la hoja escriban sus respuestas. Que guarden la hoja en el sobre y que lo cierren. Haga mención de que lo que acaban de hacer lo hizo una vez Pablo por sus "hermanos" los tesalonicenses.

ESTUDIO PANORAMICO DEL CONTEXTO
1. Haga una presentación de las condiciones en las que se encontraba Pablo después de su salida de Tesalónica (Hech. 17:10-15). Comente acerca de la preocupación de Pablo por la estabilidad de los hermanos en Tesalónica. **2.** Hable de la decisión que tuvo que tomar Pablo de quedarse solo en beneficio de los tesalonicenses. **3.** Dé especial énfasis al método de Pablo de mostrar profundo interés en la visita personal, el envío de un representante debido a su imposibilidad de hacer una visita y la enorme vida de oración en favor de sus hijos espirituales. **4.** Comente sobre lo que significó para Pablo recibir buenas noticias de los tesalonicenses.

ESTUDIO DEL TEXTO BASICO

1. Examine el anhelo que tuvo Pablo por visitar a los tesalonicenses. Lean 1 Tesalonicenses 2:17-20 y ponga énfasis en el profundo deseo de Pablo y la ternura con la que lo expresa. Promueva el intercambio de opiniones con la pregunta: ¿Qué importancia la daba el Apóstol Pablo a las visitas personales? ADULTOS, revisen la pregunta 1. a y refiérase a la importancia de expresar el amor hacia un ser querido. ADULTOS, revisen la pregunta 1. b, y hable acerca de los impedimentos que pone Satanás para el desarrollo de la obra, pero enfatice el poder de Dios para vencer estos obstáculos.

2. Haga referencia a la iniciativa de Pablo, que aunque se vio imposibilitado de realizar la visita personalmente, soluciona el problema enviando a Timoteo. Pida que lean 1 Tesalonicenses 3:8 y refiérase a la solución que Pablo estaba dando al problema. Enfatice que esto da testimonio de su profunda preocupación. Haga mención del propósito de la visita de Timoteo a los tesalonicenses: Confirmar y exhortar. ADULTOS, revisen la pregunta 1. c, d. Refiérase al efecto que tuvieron en Pablo las buenas noticias de los tesalonicenses. Haga la siguiente pregunta: ¿Quién es bendecido al realizar una visita?, ¿el visitador o el visitado?

3. Las acciones de gracias de Pablo por los tesalonicenses. Lean 1 Tesalonicenses 3:9-13 y destaque el gozo que vino a Pablo al saber del buen estado de los tesalonicenses, y haga mención de su sensibilidad y emotividad. Destaque la insistencia de Pablo en orar a Dios para que en un futuro tenga la oportunidad de visitar a los tesalonicenses. Enfatice la triple petición de Pablo para que los tesalonicenses crezcan en amor, tengan una firmeza en su vida cristiana y la santidad que deben manifestar delante de Dios. Hable sobre la expectativa de Pablo en cuanto a la segunda venida de Jesús, y cómo ésta motivaba su trabajo, al contrario de la postura de algunos tesalonicenses.

APLICACIONES DEL ESTUDIO

1. Destaque el gozo y la satisfacción que uno tiene por invertir tiempo y esfuerzo en la conversión y el crecimiento espiritual de otros. **2.** Enfatice la gran bendición que reciben los recién convertidos y todos los miembros de la iglesia, al sentir la preocupación por sus vidas y recibir las visitas de los miembros de la congregación. **3.** Hable del papel que desempeñan las persecuciones y las pruebas en la vida del cristiano, y cómo éstas son ineludibles y necesarias. **4.** Mencione la importancia del crecimiento en el amor, la firmeza y la santidad.

PRUEBA

1. Invítelos a reflexionar y a orar delante del Señor antes de responder a la sección de Prueba. **2.** Fomente el diálogo animándolos a compartir su propias experiencias en la bendición de ayudar a una persona a conocer y a crecer en Cristo. **3.** Anímelos a comprometerse delante del Señor a realizar una visita de exhortación y consuelo esta semana. **4.** Termine con una oración solicitando a Dios el deseo e interés de visitar a un hermano.

Preocupación por la iglesia

Contexto: 1 Tesalonicenses 2:17 a 3:13
Texto básico: 1 Tesalonicenses 2:17, 18; 3:1-13
Versículo clave: 1 Tesalonicenses 3:12
Verdad central: La preocupación de Pablo por la iglesia en Tesalónica demuestra que debe haber un genuino interés por las necesidades de los demás.
Metas de enseñanza-aprendizaje: Que el alumno demuestre su conocimiento de los diferentes aspectos del interés que Pablo tuvo por los tesalonicenses, y su actitud de interés por alguna persona en necesidad.

Estudio panorámico del contexto

A. Fondo histórico:

En el primer estudio de esta Unidad, notamos que algunos adversarios de Pablo lo acusaban de predicar el evangelio por motivos egoístas y de engañar a los que le escuchaban. Parece que otro cargo en contra de Pablo fue que había abandonado a los creyentes de Tesalónica cuando salió de la ciudad. Habían pasado varios meses, y Pablo no regresaba a Tesalónica como aparentemente había prometido. En esta sección de su carta, Pablo se defiende contra este cargo.

B. Enfasis:

Pablo anhela visitar de nuevo a los tesalonicenses, 1 Tesalonicenses 2:17-20. Lejos de olvidarse de los tesalonicenses, Pablo tenía un deseo acuciante de regresar a ellos. La razón de su ausencia no fue su propia voluntad, sino circunstancias que se lo impedían. Pablo afirma su profundo afecto hacia los cristianos de Tesalónica en palabras llenas de emoción. ¿Cómo podría abandonar a los que son su *esperanza, gozo y corona de orgullo?* Pablo piensa en la segunda venida de Jesús, cuando todo estorbo de Satanás será removido y los verdaderos motivos del corazón de Pablo serán manifiestos a todos. En aquel día, dice, el más alto honor y gozo que Pablo podría esperar será la gloria de haber fundado la iglesia de Tesalónica y de presentar a Cristo a los amigos a quienes escribe.

La misión de Timoteo, 1 Tesalonicenses 3:1-5. Pablo ya había comprobado su interés en los tesalonicenses, porque aceptó el quedarse solo en Atenas para que Timoteo pudiera visitar Tesalónica y confirmar y animar a los miembros de la iglesia en su fe. Ellos sufren persecución, igual que Pablo, y éste teme que las persecuciones hubieran derribado la obra que él dejó en

Tesalónica (v. 5). Inmediatamente antes de llegar a Tesalónica por primera vez, Pablo y Silas habían sufrido una paliza y fueron puestos en la cárcel (Hech. 16:22, 23) por su predicación en Filipos. También en Tesalónica sus adversarios causaron un alboroto y Pablo y Silas fueron obligados a abandonar la ciudad (Hech. 17:5-10). Aparentemente la oposición a la iglesia había continuado, y varios de los creyentes sufrían por su fe.

Informe de Timoteo a Pablo, 1 Tesalonicenses 3:6-8. Ahora Timoteo ha regresado a Corinto y da a Pablo un informe positivo acerca de la iglesia de Tesalónica. Esta noticia da ánimo a Pablo en medio de una situación difícil. Ahora en la emoción que sintió al recibir el informe, escribe la carta que estamos estudiando.

Acciones de gracias de Pablo, 1 Tesalonicenses 3:9-13. Pablo quiere agradecer a Dios las buenas noticias que recibe y el gozo que siente. Encuentra la mejor acción de gracias en el servicio a favor de los amados de Dios. Pide que Dios le permita regresar a Tesalónica y que, vaya él mismo o no, Dios los confirme en amor y en santidad.

─────────── **Estudio del texto básico** ───────────

1 Pablo anhela visitar de nuevo a los tesalonicenses, 1 Tesalonicenses 2:17, 18.

V. 17. Pablo sigue amando a los tesalonicenses, aun cuando no puede estar presente con ellos. Expresa esta verdad en la palabra que usa para describir su separación de ellos. *Apartados* traduce una palabra que se puede usar para describir el estado y la angustia de quedarse huérfano. Sugiere la desolación que Pablo experimentó cuando fue expulsado tan abruptamente de Tesalónica y su regreso prohibido (Hech. 17:9, 10). Esperaba que su ausencia sería solamente *por un poco de tiempo,* e insiste en que nunca fue apartado de ellos en su corazón. Pablo no se había olvidado de los tesalonicenses; más bien, se había esforzado para recobrar la *vista* de aquellos que había perdido.

V. 18. Pablo había hecho varios intentos de regresar a Tesalónica, *pero Satanás nos lo impidió. Una y otra vez* fue una expresión que significaba "más de una vez" o varias veces. En la mayor parte de esta carta, Pablo emplea la primera persona plural, *nosotros,* para referirse a sí mismo, pero aquí usa el singular *(yo Pablo)* para poner énfasis en su deseo de verlos, expresado en acciones concretas. No sabemos cuál fue el impedimento que Satanás puso delante de Pablo. Pudo haber sido una enfermedad, la necesidad de combatir el control de Satanás sobre los que escuchaban el mensaje de Pablo en Atenas y Corinto, o una fianza que Jasón y otros cristianos tesalonicenses habían puesto para garantizar la salida de Pablo de Tesalónica (Hech. 17:9). Lightfoot, un gran comentarista del siglo XIX, sugiere que el impedimento fue el "aguijón en la carne" que Pablo menciona en 2 Corintios 12:7. Pablo describe su primera visita a Corinto, durante la cual escribió 1 Tesalonicenses, como un tiempo de debilidad, temor y mucho temblor (1 Cor. 2:3). Aunque no sabemos cuál fue el impedimento, está claro que Pablo no se ausentaba de Tesalónica voluntariamente.

2 La misión e informe de Timoteo, 1 Tesalonicenses 3:1-8.

V. 1. Los Hechos dice que Pablo llegó a Atenas mientras Silas y Timoteo se quedaban en Berea (17:14, 15). Estos dos se vuelven a mencionar hasta Hechos 18:5, cuando se reúnen con Pablo en Corinto (18:1). Pablo escribió 1 Tesalonicenses inmediatamente después de que ellos llegaron a Corinto. Es posible que Pablo mandara instrucciones a Timoteo desde Atenas, enviándolo a Tesalónica. En tal caso *quedarnos solos en Atenas* quiere decir que Pablo pudiera haber llamado a Timoteo a su lado, pero sacrificó su presencia para el bien de los tesalonicenses. Es más probable que Silas y Timoteo se reunieron con Pablo en Atenas según sus instrucciones en Hechos 17:15, y luego Pablo los mandó de nuevo a Macedonia. Tal vez mandó a Silas a Filipos, donde recibió una ofrenda (Fil. 4:15) que permitió que Pablo dejara su trabajo con pieles para dedicarse completamente a la evangelización en Corinto (Hech. 18:5).

De cualquier manera, Pablo sacrificó la presencia de Timoteo y quedó solo en uno de los tiempos más difíciles de su vida. Esta es otra muestra de que no había perdido su afecto e interés a favor de los cristianos tesalonicenses.

Vv. 2, 3a. La misión de Timoteo fue *afirmaros y animaros en vuestra fe.* Pablo temía que las *tribulaciones* que sufrían hubieran *turbado* a los tesalonicenses, y encargó a Timoteo que los enderezara en las filas cristianas y les animara para la batalla. La firmeza y la motivación del cristiano se basan en su *fe,* su confianza en Dios que produce dependencia de él en toda circunstancia y obediencia total a su voluntad.

Vv. 3b, 4. La persecución no viene como una sorpresa a los tesalonicenses. Ellos saben que parte de la experiencia cristiana son las persecuciones y otras tribulaciones que prueban su fe. Pablo les había enseñado así durante su misión en Tesalónica. Hechos no menciona el contenido de la predicación de Pablo en aquella ciudad, aunque menciona las persecuciones que Pablo sufrió en Filipos (16:22-24), en Tesalónica (17:5-9) y en Berea (17:13, 14). Es posible que podían ver en el cuerpo de Pablo algunas marcas de los azotes que sufrió en Filipos, y Pablo les dijo que ellos también enfrentarían la persecución. *Y así ha acontecido.*

V. 5. Después del paréntesis acerca de su enseñanza anterior, Pablo resume en singular lo que había dicho en plural en los vv. 1-3a. Pablo había encargado a Timoteo que le trajera un informe de la *fe* de los tesalonicenses. Esta es su gran preocupación, no cuánto sufrían o qué posesiones habían perdido, sino que su fe siga firme. Si es así, el *gran esfuerzo* del grupo misionero no fue *en vano.*

V. 6. Timoteo regresa a Pablo con *buenas noticias* acerca de la *fe* de los tesalonicenses y del *amor* que surge de esta fe. Pablo dice literalmente que Timoteo nos ha "evangelizado". Para Pablo, la noticia de la fidelidad de ellos fue un verdadero evangelio. Timoteo le informa también que, a pesar de las críticas de algunos, los creyentes de Tesalónica siguen teniendo una buena opinión de él, y quieren verlo.

Vv. 7, 8. Por su *fe* o fidelidad y firmeza, los tesalonicenses dan nuevo ánimo a Pablo en medio de su *necesidad y aflicción.* Los Hechos 17:15, 16;

18:9, 10 y 1 Corintios 2:3 sugieren las dificultades tanto externas como internas que Pablo enfrenta en este período.

Pablo ha dedicado su vida a compartir con otros la fe en Jesucristo. Entonces el saber que sus conversos en Tesalónica están *firmes en el Señor* es para él gozar de la vida. El *gran esfuerzo* que mencionó en el v. 5 implica la inversión de su vida en esta empresa. Si su esfuerzo fuera *en vano*, Pablo vive en vano, que equivale a no vivir. El gozo que Pablo siente al recibir el informe de Timoteo se puede palpar a través de toda esta carta.

3 Acciones de gracias de Pablo, 1 Tesalonicenses 3:9-13.

Vv. 9, 10. Pablo reconoce que la fidelidad de los tesalonicenses se debe más a Dios que a sus discípulos o aun a los mismos tesalonicenses. Quiere ofrecer a Dios una *acción de gracias* digna del gran gozo que éste ha otorgado. La encuentra en una renovación de su compromiso al servicio de Dios, expresado en servicio al hombre. Esta es ya la tercera vez que Pablo expresa su deseo de dar gracias a Dios por esta iglesia. La idea no es que él tiene algo que puede dar a Dios, más bien es como un deudor que se acerca a su proveedor para pagarle lo que le debe por los beneficios y oportunidades que ya le ha otorgado y que han hecho posible o facilitado el que ahora pueda venir a devolver o pagar la deuda.

Pide de Dios la oportunidad de volver a Tesalónica y *completar* la enseñanza que les falta. Porque no puede viajar ahora, aprovecha esta carta para suplir en parte esta enseñanza. Probablemente los puntos que toca en los últimos dos capítulos de 1 Tesalonicenses se basan en deficiencias que Timoteo reportó después de su visita a Tesalónica.

Vv. 11-13. Pablo expresa en palabras dirigidas a Dios la oración que describe en el v. 10. En el v. 11, pide que Dios le permita visitar a Tesalónica. Sin embargo, fuera él o no, pide crecimiento para los tesalonicenses en su amor, en firmeza y en santidad.

Hay que pedir el verdadero amor en oración, porque nunca lo produce del hombre, sino solamente Dios. La firmeza interior es resultado de este amor que busca lo mejor para los hombres y para Dios, y que gasta la vida en servirlos. La santidad también es una expresión de amor hacia Dios, y el cristiano maduro reconoce que su propia pureza es esencial para servir a sus semejantes.

Pablo termina su oración con una vista hacia la segunda venida de Jesús, tema sobresaliente en las cartas a los tesalonicenses (ver 1:10; 2:19; 4:13-18; 5:1-3, 23). *Todos sus santos* es una reminiscencia de Zacarías 14:5, y por lo tanto parece referirse a los ángeles que vendrán en el séquito de Jesús, aunque puede incluir también a los cristianos.

─────── Aplicaciones del estudio ───────

1. **El mayor gozo y satisfacción en la vida cristiana es invertirla en la conversión y el crecimiento espiritual de otros, 1 Tesalonicenses 2:19, 20; 3:7, 8.**
2. **La persecución y las pruebas son ineludibles y necesarias en la vida**

cristiana, 1 Tesalonicenses 3:3, 4. Son la respuesta natural del mundo a la imagen de Cristo que se está formando en nosotros, y sirven para producir la madurez.

3. Nuestra fidelidad anima a otros a perseverar en su peregrinación con Cristo, 1 Tesalonicenses 3:7, 8.

4. La única "recompensa" digna que podemos ofrecerle a Dios somos nosotros mismos, 1 Tesalonicenses 3:9-13. Hay que entregarnos en servicio constante y abnegado a sus propósitos: el servicio de otros.

─────────── Ayuda homilética ───────────

Una oración para el progreso cristiano
1 Tesalonicenses 3:12, 13

Introducción: Las oraciones de Pablo merecen estudio e imitación. Pueden enriquecer nuestra vida devocional.

I. El progreso cristiano empieza con el amor.
  A. Aprendemos el amor de Dios; él nos ama primero.
  B. El amor es natural entre hermanos cristianos.
  C. Cuando maduramos, este amor se extiende a todos, porque Dios ama a todos.

II. El amor produce santidad.
  A. La santidad no es tanto conformidad con unas reglas como una vida de servicio en las necesidades de otros.
  B. Santidad significa separación para Dios, y el separado imita a Dios, quien ama a todos los seres humanos.
  C. La estabilidad interior (de corazón) es resultado de esta conformidad con la imagen de Dios, porque es el propósito con el cual Dios formó al hombre.

III. Esta vida de amor y santidad será aprobada en el juicio final, a la segunda venida de nuestro Señor Jesús.
  A. Es Dios quien evalúa nuestra conducta y madurez.
  B. Aunque algunos no perciben su presencia hoy, vendrá el día cuando él pondrá fin a la historia y todos lo verán.

Conclusión: Que vivamos en amor y santidad hoy para no ser reprendidos en aquel día.

Lecturas bíblicas para el siguiente estudio

Lunes: 1 Tesalonicenses 4:1, 2   **Jueves:** 1 Tesalonicenses 4:7, 8
Martes: 1 Tesalonicenses 4:3, 4   **Viernes:** 1 Tesalonicenses 4:9, 10
Miércoles: 1 Tesalonicenses 4:5, 6   **Sábado:** 1 Tesalonicenses 4:11, 12

AGENDA DE CLASE

Antes de la clase
1. Escriba en la pizarra las siguientes preguntas: ¿Cuál es nuestro sentir cuando alguien tiene que marcharse de nosotros? ¿Qué actitud tomamos cuando sabemos que esa persona no regresará? **2.** Prepare una hoja de papel que contenga estas dos preguntas. **3.** Conteste las preguntas de la sección *Lea su Biblia y responda.*
Comprobación de respuestas
JOVENES: **1.** Falso. **2.** Para afirmar y animar a los hermanos. **3.** a. La fe y el amor de ellos. b. Multiplicidad y abundancia de amor unos con otros. ADULTOS: **1.** a. Los extraña muy sinceramente y desea verlos personalmente. b. A Satanás. c. Para afirmarlos y animarlos. d. El informe fue de ánimo para Pablo. e. Que se multipliquen y que abunden en amor. **2.** 1-C. 2-E. 3-G. 4-B.

Ya en la clase
DESPIERTE EL INTERES
Pida a los alumnos que reflexionen unos momentos acerca de las preguntas que están en el pizarrón. Comente con ellos que una situación de separación en algunas ocasiones causa conflictos entre las personas. Entregue a cada alumno una hoja con las preguntas. Dé tiempo para que las contesten. Permita que uno o dos expresen de una manera breve lo que escribieron.

ESTUDIO PANORAMICO DEL CONTEXTO
1. De una forma resumida, presente algunos de los conflictos que Pablo y sus acompañantes tuvieron que enfrentar durante su segundo viaje misionero (cf. Hech. 16:11-20:38; 2 Cor. 11:16-33). Puede utilizar un mapa para señalar la ruta. **2.** Ponga énfasis en la actitud de los misioneros ante tales circunstancias. **3.** Mencione que los conflictos se volvieron algo cotidiano en Pablo y sus acompañantes. **4.** Haga hincapié en que las tribulaciones nunca lograron menguar el deseo del Apóstol de predicar y mucho menos la preocupación de ministrar a aquellos a los cuales él consideraba sus hijos espirituales. **5.** Mencione que este deseo y preocupación se pueden palpar a través de los escritos del Apóstol.

ESTUDIO DEL TEXTO BASICO
1. Examine la actitud del apóstol Pablo hacia los tesalonicenses después de que se ve obligado a separarse de ellos. Mencione algo del contexto histórico para ubicar a los alumnos en el momento en el cual el apóstol Pablo escribe esta carta. Pida que lean 1 Tesalonicenses 2:17, 18. Después de que hayan leído, dé énfasis a la actitud de Pablo ahora que se encuentra alejado de los tesalonicenses. Llame la atención sobre el empeño y deseo de él por volver a verlos, y sobre los intentos por parte de Satanás para impedirlo.
2. Analice los motivos y propósitos de la misión de Timoteo a los tesa-

25

lonicenses. Pida a un alumno que lea 1 Tesalonicenses 3:1-5 e invítelo a que lea poniendo énfasis en el sentimiento que Pablo tenía cuando escribió estas palabras. Señale la preocupación y amor que había en el corazón del Apóstol por los tesalonicenses lo cual le motivó a enviar a Timoteo a Tesalónica sin importarle quedarse solo en Atenas. Hable sobre los propósitos que llevaron a Timoteo a Tesalónica. Pregunte: ¿Es importante que en este tiempo los cristianos se preocupen unos por otros?

3. Comente el contenido de las noticias traídas por Timoteo desde Tesalónica. Lean 1 Tesalonicenses 3:6-8. Haga notar el cambio anímico que se obró en Pablo después de recibir las noticias traídas por Timoteo. Resalte la fe y el amor como los elementos sobresalientes de las noticias traídas a Pablo. Hable del efecto que éstas produjeron en su vida. Pregunte: ¿Las actitudes u acciones de otros hermanos pueden edificar y animar nuestras vidas positivamente?

4. Examine los elementos de la oración de Pablo. Lean 1 Tesalonicenses 3:9-13. Explique que el corazón de Pablo estaba tan lleno de regocijo que se le hacía imposible expresar palabras de gratitud. Mencione que al no poder hacerlo, lo que empezó como oración de gratitud, se convirtió en oración de petición. Pida a los alumnos que lean el texto en silencio y busquen los elementos de esta oración de petición. Mencione que la oración consta de dos partes: peticiones personales e intercesión. Ponga énfasis sobre la oración de intercesión. Pregunte: ¿Por qué Pablo no pidió que a los tesalonicenses les fuera quitada la tribulación? ¿Hay límites para el ejercicio del amor entre los cristianos?

APLICACIONES DEL ESTUDIO

1. Señale de nueva cuenta la preocupación e interés del apóstol Pablo por aquellos a los cuales él mismo había conducido a Cristo y de los cuales ahora estaba separado. **2.** Comente sobre la importancia del cuidado pastoral en la iglesia pero no como una responsabilidad únicamente del pastor, sino como una responsabilidad de todo miembro del cuerpo de Cristo para ministrar a los que están a su alrededor. **3.** Ponga énfasis en la importancia que tiene la oración para la vida en comunidad. **4.** Use las aplicaciones de los libros de alumnos y maestros para reafirmar la enseñanza impartida.

PRUEBA

1. Pida a los alumnos que lean las preguntas de la sección *Prueba* y que reflexionen sobre ellas antes de contestarlas. Recuérdeles que una de ellas conlleva una demanda. **2.** Después de contestar las preguntas, dé un tiempo para que alguno de los alumnos comparta sus respuestas. **3.** Mencione que en la próxima clase habrá un tiempo para compartir los resultados de poner en práctica el ejercicio de valorización. **4.** Termine la clase con una oración pidiendo del Señor la capacidad para interesarnos por las necesidades de los demás, y la capacidad para poder suplirlas adecuadamente.

Unidad 1

Viviendo como Cristo

Contexto: 1 Tesalonicenses 4:1-12
Texto básico: 1 Tesalonicenses 4:1-12
Versículo clave: 1 Tesalonicenses 4:7
Verdad central: La exhortación de Pablo a los cristianos para que vivan de manera piadosa revela que Dios espera que le agraden a él y ganen el respeto de los que no son cristianos.
Metas de enseñanza-aprendizaje: Que el alumno demuestre su conocimiento de la manera en que deben vivir los cristianos, y su actitud por mejorar aspectos de su vida que no glorifican a Dios ni pueden ganar el respeto de los no cristianos.

───────── **Estudio panorámico del contexto** ─────────

A. Fondo histórico:
Tesalónica fue una ciudad cosmopolita y un puerto marítimo que recibía influencias de muchos lados. Su moralidad reflejaba las normas del mundo, no las de Dios. Los cristianos de Tesalónica, en su mayoría gentiles, salieron de tal ambiente y todavía luchaban para librarse de algunas prácticas que no eran dignas del cristiano.
La fe se completa con la vida de santidad. Pablo empieza su enseñanza acerca de "lo que falta de vuestra fe" (3:10) con unas exhortaciones morales, acerca de la pureza sexual, el amor fraternal y el trabajo del cristiano. La razón es que no se puede desarrollar una fe completa y plena hasta que el creyente hace suyas estas virtudes cristianas.

B. Enfasis:
La conducta que agrada a Dios, 1 Tesalonicenses 4:1, 2. Pablo empieza su exhortación moral recordando las instrucciones que les dio a los tesalonicenses durante su visita a ellos (2:11, 12). Les recuerda que la meta de la ética cristiana no es cumplir con una pauta teórica o ser respetado por los hombres, sino *agradar a Dios.*
Un llamamiento a la santificación, 1 Tesalonicenses 4:3-8. La primera área de la moralidad que Pablo trata en esta sección es el uso del sexo. Les recuerda a los tesalonicenses que *la voluntad de Dios,* a quien deben agradar (v. 1), es que sean puros.
Permanencia del amor fraternal, 1 Tesalonicenses 4:9, 10. Pablo pasa del

tema del sexo al *amor fraternal*. Los tesalonicenses ya lo están practicando, tanto dentro de su congregación, como hacia cristianos que visitan el puerto de Tesalónica. Pablo los felicita y también exhorta a que sigan *progresando cada vez más*.

El trabajo honrado, 1 Tesalonicenses 4:11, 12. Aparentemente la esperanza de la segunda venida de Cristo (4:13 a 5:3) había causado, en algunos de los miembros de la iglesia de Tesalónica, una excitación que impedía sus actividades normales. Pablo exhorta a todos los miembros a vivir en tranquilidad, cumpliendo con el trabajo a que se dedican como medio para ganar su sustento diario, de tal manera que den un testimonio positivo a los inconversos y para cubrir sus propias necesidades económicas.

——————————**Estudio del texto básico**——————————

1 La conducta que agrada a Dios, 1 Tesalonicenses 4:1-8.

V. 1. Pablo ruega y exhorta a sus *hermanos* a seguir progresando en santidad (3:13). Los dos verbos *rogamos y exhortamos* y la fórmula *en el Señor Jesús* hacen hincapié en la importancia de lo que les pide. No les va a dar nueva enseñanza, sino a recordar la que ya impartió cuando estuvo con ellos. El verbo traducido *os conviene* tiene más bien la idea de obligación; sería mejor traducirlo "debéis". *Andar* es una figura que Pablo usa con frecuencia para describir la vida cristiana, especialmente la conducta moral. La palabra no es común, en este sentido figurativo, a los otros autores del Nuevo Testamento, aunque Juan la emplea así algunas veces.

Pablo reconoce que los cristianos tesalonicenses ya están *andando* según la enseñanza que les había dejado. Un principio importante de la enseñanza y de la exhortación es reconocer y felicitar el progreso que los alumnos ya han hecho. La satisfacción que el alumno siente por tales cumplidos no impide su progreso futuro; más bien le da una fuerte motivación. Así Pablo los estimula para que *sigáis progresando*. Nunca llegamos a la perfección en esta vida, por mucho que hayamos sido transformados moralmente por el Espíritu Santo, todavía es necesario seguir progresando.

V. 2. La palabra traducida *instrucciones* denota con frecuencia órdenes militares. Esta palabra y la expresión *de parte del Señor Jesús* enfatizan la autoridad detrás de los principios morales que Pablo les ha dado y que ahora repite.

V. 3. *La voluntad de Dios* para cada cristiano es que sea santo, apartado de las normas egoístas del mundo para servir en los intereses de Dios. Pablo aplica el ideal de la santidad particularmente al área *sexual*. Desde la creación del hombre, el sexo y sus implicaciones ha tenido una relación estrecha entre el ser humano y Dios (Gén. 1:27). La voluntad de Dios es que el sexo se use como una expresión del amor íntimo y exclusivo entre un hombre y una mujer. Este ideal es muy distinto del uso del sexo que se hacía en Tesalónica en el primer siglo y como se hace en el mundo actual. Dios clasifica como *inmoralidad sexual* cualquier relación sexual fuera del matrimonio exclusivo de un hombre y una mujer. Sin embargo, en la opinión general del mundo griego y romano del primer siglo, estas relaciones que prohíbe eran ofensas menores o aun actos normales. *Vuestra santificación* en esta área, entonces, demandaba un esfuerzo para resistir el pensamiento del ambiente en que vivían los cristianos tesalonicenses.

Vv. 4, 5. La nota al v. 4 en la versión Reina-Valera Actualizada explica que la traducción literal es "su propio *cuerpo*". Los estudiosos están divididos entre la interpretación de esta palabra como *cuerpo* o como *esposa*. Los antiguos comentaristas griegos entendían que Pablo habló del "cuerpo", pero la interpretación "esposa" concuerda mejor con el verbo que usa. Este verbo se emplea en el sentido de "tomar una esposa" en la traducción griega de Rut 4:10 y en otros documentos. Pablo quería decir que los cristianos deben aprender a usar del sexo según el mandamiento de Dios: exclusivamente en la relación matrimonial. Esta práctica muestra que nuestra *santificación* consiste en separarnos de las normas del mundo para adoptar el ideal de Dios. A la vez, el hombre o la mujer que practica el sexo así da *honor* a su cónyuge y a Dios en lugar de usar el sexo para satisfacer sus propios deseos egoístas. El placer egoísta como el único propósito del sexo es una opinión de *los gentiles que no conocen a Dios,* los no creyentes.

Vv. 6, 7. Pablo recuerda a sus lectores que la ofensa sexual no es simplemente violar un código abstracto, sino atropellar los derechos de un *hermano* (este puede ser creyente o inconverso) y es un fraude contra él. Es obvio que el adúltero toma lo que pertenece a otro, pero la fornicación también defrauda al futuro cónyuge de cada uno de los participantes.

Pablo también dice que Dios toma esta ofensa contra otro ser humano como una ofensa contra él. En su exposición del Gran Mandamiento (Mar. 12:29-31), Jesús implica que uno no puede amar a Dios sin amar al prójimo. De manera que el maltratar a un ser humano es maltratar a Dios. *El Señor es el que toma venganza en todas estas cosas,* aun cuando las autoridades humanas no las consideran ofensas que merezcan castigo. Dios nos ha llamado para estar separados del mundo y ser parecidos a él, no para conformarnos a la *impureza* que es la norma de este mundo.

V. 8. Quizá alguno, entre los cristianos tesalonicenses, que considerara esta enseñanza una mera opinión de Pablo. A tal persona Pablo advierte que esta "opinión" es más bien el ideal de Dios. El Espíritu que recibimos cuando Dios nos salvó es el *Espíritu Santo.* Si nuestra experiencia con él es genuina, viviremos vidas santas.

2 Permanencia del amor fraternal, 1 Tesalonicenses 4:9, 10.

V. 9. En el área de las relaciones sexuales, los tesalonicenses todavía no habían salido completamente de las prácticas de los inconversos que los rodeaban. *Pero con respecto al amor fraternal,* ya practicaban el modelo celestial que Dios quiere. *Enseñados de Dios,* sin necesidad de instrucción, mostraban amor *los unos a los otros* como una expresión natural de la nueva naturaleza y nueva relación que Dios les había dado.

V. 10. Aun incluían en este amor, enseñado por Dios, a los cristianos de *toda Macedonia.* Probablemente hubo miembros de otras iglesias de Macedonia que se encontraban de vez en cuando en el puerto de Tesalónica por necesidad, por negocios u otros motivos. Estos necesitarían hospitalidad, ya que los mesones y hospedajes de aquel día no eran lugares respetados. Seguramente hubo también otras necesidades como cuando estas visitas sufrían enfermedad, robo u otra peripecia. Pablo reconocía que sus lectores se destacaban en atender a estas necesidades, pero también exhorta a que progresen aun más en el amor. Siempre hay campo para profundizar el amor mutuo que Dios ha dado, y para expresarlo con más sensibilidad en cuanto a las verdaderas necesidades de los hermanos.

3 El trabajo honrado, 1 Tesalonicenses 4:11, 12.

V. 11. Tal vez algunos cristianos se inquietaban por la incertidumbre acerca del tiempo del regreso de Cristo. Pablo usa una paradoja para exhortarles a la *tranquilidad*. Su expresión se podría traducir: "que vuestra ambición sea no ser ambiciosos" o "buscad con inquietud estar quietos". Parece que algunos habían abandonado su trabajo y Pablo les dice que más bien deben llenar el tiempo que les resta en este mundo con trabajo productivo. Parece que algunos, supuestamente ocupados en esperar al Señor, se ocupaban más bien en asuntos ajenos, y Pablo les exhorta a ocuparse en sus *propios asuntos*. Aparentemente este problema no era nuevo en Tesalónica, porque ya había *mandado* acerca de él. Tampoco se acabó el problema pues Pablo lo vuelve a tratar en 2 Tesalonicenses 3:10-12.

V. 12. Los judíos valoraban el trabajo manual mientras que los griegos lo consideraban una ocupación para los esclavos. Pablo recuerda a sus amigos gentiles que el trabajo de las manos es honrado, y permite un testimonio positivo ante el mundo. El cristiano debe mostrar una vida honesta o decorosa, y debe proveer a sus propias necesidades económicas. Los que habían dejado de trabajar dependían del *amor fraternal* (v. 9) de los demás. Pablo insiste en que el ideal cristiano es que cada quien trabaje y da cuando menos dos buenas razones: (1) Se debe trabajar para dar un buen testimonio para los no creyentes. Es importante que hablemos de Cristo a los que no le conocen, pero también es importante que nuestra forma de vivir sea tal que ellos puedan ver en nosotros una vida honesta. Es así como somos un espectáculo para el mundo, entonces procuremos dar un buen espectáculo por medio de una vida ordenada, honrada y trabajadora. (2) Como una consecuencia de lo anterior, si se trabaja no se caerá en la pobreza. Tenemos la promesa de Dios de que un hijo suyo jamás mendigará un pan. Dios hace prosperar a sus hijos que se dedican con esfuerzo al trabajo.

Aplicaciones del estudio

1. El sexo es parte de la creación de Dios y por lo tanto es bueno cuando se practica según su voluntad, 1 Tesalonicenses 4:3, 4. Debemos seguir denunciando la práctica del sexo fuera de la relación matrimonial como un acto egoísta. A la vez, debemos enseñar que el sexo es una práctica *santa* cuando expresa y profundiza la relación permanente entre un hombre y una mujer comprometidos el uno con el otro en matrimonio.

2. El amor fraternal es una expresión natural de nuestra nueva naturaleza en Cristo, 1 Tesalonicenses 4:9. Sin embargo, aun las tendencias naturales de la nueva vida en Cristo tienen que ser cultivadas (v. 10).

3. El trabajo es parte del plan de Dios para el hombre, 1 Tesalonicenses 4:11, 12. La responsabilidad en cumplir el compromiso laboral y en el sostén económico de la familia es parte de nuestro testimonio cristiano.

---------------Ayuda homilética ---------------

La santificación del sexo
1 Tesalonicenses 4:3-8

Introducción: El sexo es parte de la creación de Dios y tiene un papel positivo en la vida humana (Gén. 1:31). Como todas las cosas buenas y hermosas que Dios ha creado, el sexo también puede ser pervertido y usado para satisfacer el egoísmo y las pasiones humanas. Por su misma importancia, el abuso del sexo es un error grave. Observemos lo que pasa:

I. El sexo se debe expresar con pureza y honor (v. 4).
    A. El plan de Dios es que el sexo sea la expresión física de una relación permanente y exclusiva entre un hombre y una mujer, el matrimonio.
    B. Empleado así, ayuda a la santificación de la pareja en los propósitos de Dios y expresa el respeto que sienten uno por el otro.

II. Entre los que no conocen a Cristo, el sexo se usa para satisfacer pasiones egoístas (v. 5).
    A. Unos lo usan para recibir placer y no para expresar amor a la otra persona.
    B. Se expresa con más de una pareja, diluyendo su verdadero sentido.

III. Todo abuso del sexo es una ofensa al hombre y a Dios (vv. 6-8).
    A. Defrauda a otros seres humanos. A algunos directamente y a todos en general por promover un ambiente de ligereza y deslealtad a las relaciones establecidas por Dios (v. 6a).
    B. Ya que Dios creó el sexo y estableció su uso correcto, todo abuso es una ofensa contra él (vv. 7, 8).
    C. En el desorden de la sociedad, en enfermedades y en la ignorancia general del plan de Dios para el sexo, vemos el castigo que Dios aplica a estos abusos (v. 6b).

Conclusión: Proclamemos y practiquemos el ideal de Dios sobre el sexo.

Lecturas bíblicas para el siguiente estudio

Lunes: 1 Tesalonicenses 4:13, 14   **Jueves:** 1 Tesalonicenses 5:4-11
Martes: 1 Tesalonicenses 4:15-18   **Viernes:** 1 Tesalonicenses 5:12-22
Miércoles: 1 Tesalonicenses 5:1-3   **Sábado:** 1 Tesalonicenses 5:23-28

AGENDA DE CLASE

Antes de la clase
1. Prepare para la clase dos letreros que digan : "LO QUE AGRADA A DIOS" y "LO QUE NO AGRADA A DIOS". Consiga algunos títulos de espectáculos, revistas y anuncios que vayan contra aquellas cosas que agradan a Dios. **2.** Elabore dos horarios de trabajo. En uno haga resaltar aquellas faltas que se cometen en el trabajo de manera muy natural: como llegar tarde, tomar más tiempo del descanso, hacer otras tareas que no son parte del trabajo, salirse más temprano, etc. En el otro, lo que debiera ser el cumplimiento más allá del deber: como llegar diez minutos antes de la hora de entrada, esforzarse por ser el mejor empleado, tener buena presentación, etc. **3.** Disponga el salón de tal manera que cuando sus alumnos lleguen se sienten uno frente al otro y puedan charlar unos minutos y saludarse entre sí.

Comprobación de respuestas
JOVENES: **1.** a. Cómo andar con Dios. b. Cómo agradar a Dios. **2.** Apartándose de inmoralidad sexual. **3.** a. Vivir en tranquilidad. b. Ocuparse en sus propios asuntos. c. Trabajar con sus propias manos. ADULTOS: **1.** a. Dando su propio ejemplo y agradando a Dios. b. Que el cristiano ande en santidad. c. Santificación y honor. d. De Dios. e. El comportamiento del cristiano deber ser honesto. **2.** La santificación, el amar al prójimo y el trabajar activamente.

Ya en la clase
DESPIERTE EL INTERES
1. Esté listo y con toda calma para recibir a sus alumnos, salúdelos por su nombre. Dé la indicación de buscar a quien menos conozcan en el grupo y puedan sentarse juntos a platicar unos momentos.
2. Invite a algunos de sus alumnos a dramatizar la siguiente escena: "Fernando llega apurado a la oficina pues se le ha hecho tarde. Entra preguntando si está el jefe. Juan su compañero de trabajo le dice que no y ambos empiezan a platicar de las cosas que hicieron el fin de semana; se ponen de acuerdo para salir a almorzar en una hora más y deciden ponerse a trabajar, pues se quieren ir temprano.
3. Dirija a sus alumnos a hacer el análisis del sicodrama. Hágales reflexionar en aquellas cosas que agradan a Dios y aquellas que no. Pida a la clase que señale algunas de ellas y haga los listados bajo los letreros. Llame la atención a los anuncios y revistas con los cuales somos bombardeados y que de alguna manera se están haciendo cotidianos en nuestra vida.
4. Dirija al grupo en una oración. pidiendo la dirección del Señor en el estudio de esta mañana para que a la luz de su Palabra podamos rectificar en nuestra vida aquellas cosas que estamos haciendo y no agradan a Dios.

ESTUDIO PANORAMICO DEL CONTEXTO
1. Presente los tres temas que Pablo enfatiza en esta sección y llame la atención a la manera en que Pablo exhorta a los tesalonicenses acerca de las direc-

trices fundamentales para la vida cristiana.

2. Recuérdeles que Tesalónica era un puerto y algunas de sus costumbres eran influidas por mucha de la gente que llegaba, lo que contradecía los principios de Dios.

ESTUDIO DEL TEXTO BASICO

1. Lean juntos el pasaje de 1 Tesalonicenses 4:1-8. Llame la atención a que en este pasaje Pablo estará hablándonos acerca de la vida que agrada a Dios.

2. Guíeles a remontarse al tiempo de Pablo. En ese tiempo las prácticas sexuales eran bastante depravadas. Influidas por las prácticas religiosas, no se consideraban falta moral, más bien ellos las veían como prácticas religiosas. Llame la atención a que la voluntad de Dios para nuestras vidas es la santificación. El llamado de Dios a la santidad no es vivir "chapado a la antigua", sino un deseo a vivir de acuerdo con su voluntad.

3. Lléveles a reflexionar en la manera en que Satanás se introduce en la vida del creyente para apartarlo de hacer la voluntad de Dios para su vida. Lo hace muy sutilmente.

4. Lean juntos los versículos 9 y 10. Pregunte a sus alumnos: ¿A cuántos hermanos conocen por nombre en la iglesia, y no solamente por "hermano"?

5. Enfatice en la necesidad de ser más miembros "unos de los otros". Cite algunos aspectos a los que Pablo exhorta en sus diferentes cartas con la expresión "unos a los otros".

6. Permita al grupo señalar algunos de los trabajos que realizaron en la semana. Lleve a sus alumnos a reconocer la bendición y la importancia de tener un trabajo, y la necesidad de cuidar del mismo siendo los mejores en puntualidad, cumplimiento y buenas relaciones con todos.

APLICACIONES DEL ESTUDIO

Afirme en su clase que el seguir los requerimientos del Señor para nuestra vida no es optativo. La conducta que agrada a Dios es el ambiente que Dios mismo ha creado para los suyos: su voluntad es nuestra santificación. Enfatice algunos aspectos sencillos por los cuales podemos mostrar nuestro amor a los hermanos. Lleve a los hermanos a comprometerse para que durante la semana muestren su amor hacia alguno de los hermanos.

PRUEBA

Pida que cada alumno en lo individual realice esta actividad y que comprueben sus resultados en parejas. Enfatice la necesidad de poner en práctica lo que aprendimos entendiendo que el conocer lo que el Señor demanda de nuestras vidas es importante, pero el hacerlo es primordial porque será lo que el mundo vea.

¡Cristo viene!

Contexto: 1 Tesalonicenses 4:13 a 5:28
Texto básico: 1 Tesalonicenses 4:13-18; 5:1, 2, 8-10, 12-18
Versículo clave: 1 Tesalonicenses 4:16
Verdad central: La certeza de la segunda venida de Cristo nos alienta a estar vigilantes viviendo de acuerdo con lo que él espera de sus seguidores.
Metas de enseñanza-aprendizaje: Que el alumno demuestre su conocimiento de las enseñanzas de Pablo acerca de la certeza de la segunda venida de Cristo, y su actitud hacia un estilo de vida que da evidencia de estar en espera de la segunda venida de Cristo.

---Estudio panorámico del contexto ---

A. Fondo histórico:

La segunda venida de Jesucristo. La certeza de la segunda venida de Cristo se asoció con la idea de su proximidad y se produjo una doctrina que trajo ansiedad y tensión entre los creyentes.

¿Qué pasa con nuestros seres queridos que ya murieron? Esta fue una pregunta válida para aquellos cristianos. Se preguntaban si había algo que ellos podían hacer a favor de sus seres amados. Pablo responde a estas interrogantes.

Mientras esperamos, ¿qué podemos hacer? Cada cristiano generó su propia respuesta. Algunas de las respuestas no fueron las más adecuadas por eso el Apóstol tuvo que escribir sobre el tema.

B. Enfasis:

Esperanza de la venida de Cristo, 1 Tesalonicenses 4:13-18. Por el informe de Timoteo (3:6), Pablo descubre que los cristianos de Tesalónica se preocupan por los que ya murieron. Para corregir este malentendido, Pablo les recuerda la *esperanza* única que los cristianos tenemos, basada en la acción de Dios en la historia: la resurrección de Jesús (vv. 13, 14). Entonces les comunica una *palabra del Señor* (v. 15), que puede ser algo que Jesús dijo en su ministerio terrenal o una visión profética. Esta *palabra* les asegura que la situación de los *muertos en Cristo* (v. 16) es tan segura como la de los cristianos que *habremos quedado hasta la venida del Señor.*

El tiempo del retorno de Cristo es desconocido, 1 Tesalonicenses 5:1-3. Cuando Pablo estuvo presente en Tesalónica, no les enseñó específicamente sobre la situación de los cristianos que duermen cuando ocurra la segunda venida del Señor (4:13). Acerca del tiempo de este evento les enseñó que *vendrá como ladrón de noche* (5:2). Vendrá en un momento que los incrédulos se sienten seguros, y les traerá *destrucción.*

Necesidad de estar vigilantes y ser fieles, 1 Tesalonicenses 5:4-11. Si el día del Señor representa destrucción para los incrédulos, para los creyentes será como un gozoso amanecer. Los cristianos son *hijos del día* en dos sentidos. Pertenecen a la luz y no a las tinieblas del pecado, y también tienen una relación estrecha con el "Día del Señor" que marcará el fin de este mundo. Pablo aplica esta verdad en una exhortación a estar alertas y fieles a la luz moral que les ilumina (vv. 6-8). Cierra esta sección, de manera semejante a la de 4:13-18, con una descripción de la esperanza cristiana (vv. 9, 10) y con la invitación a usar estas enseñanzas para darnos ánimo y ser edificados mutuamente (11).

Exhortación a cumplir con los deberes, 1 Tesalonicenses 5:12-22. Acercándose a la conclusión de su carta, Pablo da unas exhortaciones generales a la iglesia de Tesalónica. Describe cómo deben tratar a sus líderes (vv. 12, 13), a hermanos con problemas especiales (v. 14) y a todos (v. 15). Habla del optimismo cristiano (vv. 16-18) y exhorta a evitar dos extremos en cuanto a las profecías: menospreciarlas (vv. 19, 20) y aceptarlas sin evaluarlas (v. 21). Les exhorta a evitar el *mal* en todas sus manifestaciones (v. 22).

Deseos y saludos finales, 1 Tesalonicenses 5:23-28. Pablo termina su carta con una oración por la prosperidad espiritual de sus lectores (v. 23); la confianza en que Dios la contestará (v. 24); una petición de que correspondan orando por él (v. 25); saludos (v. 26). Quiere que todos los miembros de la iglesia escuchen sus palabras (v. 27) y cierra la carta con la misma palabra con la cual empezó: *gracia.*

────────── **Estudio del texto básico** ──────────

1 Esperanza de la venida de Cristo, 1 Tesalonicenses 4:13-18.

Vv. 13-16. Pablo describe tres aspectos de la manera como Cristo pondrá fin a la historia: su regreso a la tierra, la resurrección de los santos muertos, y el arrebatamiento de los santos vivos. Las expresiones que utiliza vienen de la literatura apocalíptica, de la cual tenemos ejemplos en Marcos 13 con sus paralelos en Mateo 24 y Lucas 21, y en el Apocalipsis. Son expresiones simbólicas y no descripciones literales. Antes de que se cumplan, es imposible describir exactamente cómo serán los eventos que estos símbolos representan, pero tenemos la seguridad de que Cristo regresará victorioso. Cristo *descenderá* "de la misma manera como le habéis visto ir al cielo" (Hech. 1:11). Es probable que la *aclamación*, la *voz de arcángel* y la *trompeta de Dios* son tres descripciones de un mismo anuncio o mandato que el Padre hará para comenzar la última etapa de la historia de este mundo. Cuando Cristo regrese, los que murieron, confiando en él, *resucitarán* como su Señor resucitó (v. 14). Así que ellos no perderán este evento culminante. *Resucitarán primero,* antes del arrebatamiento de los cristianos vivos (v. 15). Pablo no menciona a los que no confiaron en Cristo y por lo tanto no dice cuándo resucitarán. Otros pasajes sugieren que todos resucitarán en el mismo momento (Juan 5:28, 29; Dan. 12:2).

V. 17. Los cristianos que hayan muerto y los que todavía vivan, ahora reunidos, subirán unidos al encuentro del Señor quien desciende. La palabra traducida *venida* en el v. 15 se usaba para la visita de un gobernante a una ciudad sujeta a él, y la que aquí se traduce *encuentro* se usaba para describir a la delegación que salía para darle la bienvenida y acompañarlo en su entrada a la ciudad. Estas palabras sugieren que los santos encontraremos a Cristo en el aire y descenderemos con él a la tierra para el juicio final. La gente del primer siglo consideraba *el aire* el dominio de la maldad (Ef. 2:2), entonces encontrarse con el Señor *en el aire* demuestra su victoria total sobre las fuerzas de Satanás. Lo más alentador de esta *palabra del Señor* es que *estaremos siempre con el Señor*. La experiencia más dulce del cristiano en esta vida es su comunión con Dios por medio de Cristo. Dios promete por estas palabras de Pablo que toda la eternidad será la continuación e intensificación de esta comunión.

V. 18. *Estas palabras* que Pablo escribió para consolar y alentar a un grupo pequeño de cristianos en Tesalónica; han servido para consuelo y aliento a millones a través de veinte siglos; y seguirán cumpliendo este propósito hasta que sucedan los eventos que sus palabras profetizan.

2 Necesidad de estar vigilantes y ser fieles, 1 Tesalonicenses 5:1, 2, 8-10.

Vv. 1, 2. Pablo ya había instruido a los tesalonicenses *acerca de los tiempos y de las ocasiones*, cuando estuvo presente con ellos. La misma figura del *ladrón* se aplica a la segunda venida del Señor también en 2 Pedro (3:10) y en Apocalipsis (3:3; 16:15). Jesús mismo fue el primero en aplicar este símil a su regreso (Mat. 24:43). Todos estaremos sorprendidos cuando Cristo venga para juntar a los suyos y juzgar el mundo.

V. 8. *Somos del día*. Dios ha dado a los cristianos una nueva naturaleza, de acuerdo con la luz pura de su propio carácter. Así que son de la luz (v. 5) y encontrarán su verdadero hogar en el *día* que venga Cristo. La mención de la sobria vigilancia (v. 6) trae a él mente de Pablo una figura que usa con frecuencia, la del soldado. Esta figura a su vez le recuerda Isaías 59:17, que habla de la armadura de Dios. Pablo exhorta a sus lectores a vestirse de la misma armadura. Pero donde Isaías habló de la justicia, Pablo la sustituye por *la fe* y el *amor*, que son las expresiones de la justicia en el cristiano hacia Dios y hacia el hombre respectivamente.

También añade la palabra *esperanza* a la expresión de Isaías *casco de la salvación*. Así repite la tríada que había mencionado en 1:3, y que hará famosa en 1 Corintios 13:13. Desarrollará más la figura de la armadura en Efesios 6:10-18.

Vv. 9, 10. Pablo describe la *esperanza* cristiana que mencionó en el v. 8. El "Día del Señor" será un día de *ira* para los que han rechazado a Dios y a su Hijo, pero para el cristiano será un día de *salvación*. Esta salvación es posible solamente por medio de una relación personal con el *Señor* Jesucristo, porque él la compró con su muerte. El *murió* para que nosotros *vivamos*, y su resurrección quitó la amargura de la muerte. Una mirada de conjunto a este pasaje nos permite encontrar tres exhortaciones prácticas para la vida diaria: (1) Estar vigilantes sobre nuestra conducta cristiana, pues no sabemos en qué momento el Señor Jesús vendrá. Debemos estar preparados y haciendo lo que él nos ha mandado hacer. (2) Estar sobrios. Esto significa libres de cualquier influencia extraña que haga que no podamos pensar y razonar correctamente. Debemos evitar cualquier cosa que nos impida relacionarnos inteligentemente con nuestro Creador. (3) Animar y edificar a todos los hermanos de nuestra familia de fe para que cada uno sea todo lo mejor que puede ser.

3 Exhortación a cumplir con los deberes, 1 Tesalonicenses 5:12-18.

Vv. 12, 13. Aparentemente la ansiedad sobre la segunda venida del Señor (4:11, 12) había causado algunas disensiones en la iglesia. Pablo exhorta a sus lectores a reconocer el valor de sus líderes. Estos *trabajan* para edificarlos, *presiden* o guían y *dan instrucción* en la vida cristiana. Los demás miembros deben respetarlos y amarlos, porque así apoyarán *su obra* a beneficio de todos. También deben buscar *la paz* con todos, una relación de respeto mutuo.

Vv. 14, 15. El pastoreo y aliento que es la obra especial de los líderes, también es responsabilidad de todos los miembros de la iglesia. Deben amonestar a *los desordenados,* quienes no acatan las normas cristianas. La expresión incluye a los que no trabajan (4:11, 12). Otros están desanimados; sus hermanos deben alentarlos.

Los *débiles* necesitan el apoyo de compañeros. Para todos la actitud cristiana debe ser la *paciencia,* no críticas o condenación. No deben vengarse o retirarse de los que han hecho un *mal* a la congregación o a los líderes, sino buscar su bien y su progreso. El cristiano debe tener esta actitud de servicio hacia *todos,* aun fuera de la iglesia.

Vv. 16-18. Estos versículos describen la actitud hacia la vida que es necesaria para servir a todos de la manera descrita en el v. 15. El cristiano puede estar *siempre gozoso* solamente porque su gozo no depende de sus circunstancias. Más bien mana de la realidad interior de su relación con Dios por medio de Cristo. Aun cuando esta relación es una realidad, se necesita una comunicación constante con Dios en oración para mantener la conciencia de ella que permite el gozo constante.

Finalmente, la actitud de gozo es también una actitud de gratitud. El creyente puede dar *gracias en todo* por su confianza en que Dios controla todas sus circunstancias en amor. Este optimismo, expresado en gozo y en gratitud y apoyado en la oración, *es la voluntad de Dios* para los que son sus hijos *en Cristo Jesús.*

—————————— Aplicaciones del estudio ——————————

1. La esperanza cristiana de la segunda venida de Cristo incluye a los que mueren en él, 1 Tesalonicenses 4:13-18. Enfrentamos con confianza aun al enemigo final, la muerte. El hecho que un creyente muera no significa que Dios lo ha abandonado, más bien significa que Dios lo ha llamado a disfrutar de su presencia en una manera más total y completa e ilimitada.

2. No debemos ocuparnos en especulaciones sobre la fecha del día del Señor, sino en las obras del día que el Señor nos ha asignado, 1 Tesalonicenses 5:1-11. El cristiano fiel no es el que anticipa la hora del regreso de su Señor, sino el que cumple fielmente con la tarea que él le ha encomendado, y mientras lo hace se mantiene apartado de las prácticas indignas de su Señor.

3. La acción de Dios en Cristo hace posible en nosotros el optimismo en toda circunstancia, 1 Tesalonicenses 5:15-18. Dios siempre nos está enseñando alguna cosa. Muchas veces pensamos que Dios nos ha dejado, pero podemos decir con confianza que él nunca se aparta de nosotros. Por esta certeza es que los creyentes podemos estar agradecidos con Dios por todo lo que nos pasa. Esto no quiere decir que debemos dar gracias a Dios porque estamos enfermos, o pasando por algún problema; quiere decir que estamos seguros de que en medio de ese problema está Dios.

Ayuda homilética

La esperanza cristiana
1 Tesalonicenses 4:13-18

Introducción: La esperanza y el optimismo caracterizan la vida cristiana. Esta actitud distingue el cristiano de los que no lo son (v. 13).

I. Nuestra esperanza se basa en la muerte y resurrección de Cristo (v. 14).
   A. Dios ha entrado en la historia a nuestro favor.
   B. Su intervención nos da esperanza para el futuro: la esperanza de la resurrección.

II. Nuestra esperanza es que el mismo Jesucristo regresará para poner un fin justo a este mundo (vv. 15-17).
   A. Cristo descenderá al mandato divino (v. 16a).
   B. Su regreso significará resurrección para todos los que murieron creyendo en él (v. 16b).
   C. Todos seremos reunidos, no sólo con el Señor, sino también con los hermanos cristianos de quienes la muerte nos ha separado (17a).

Conclusión: Estas palabras han servido para alentar a generaciones de cristianos. Que fortalezcan también nuestra esperanza cristiana.

Lecturas bíblicas para el siguiente estudio

Lunes: 2 Tesalonicenses 1:1, 2
Martes: 2 Tesalonicenses 1:3, 4
Miércoles: 2 Tesalonicenses 1:5
Jueves: 2 Tesalonicenses 1:6-8
Viernes: 2 Tesalonicenses 1:9, 10
Sábado: 2 Tesalonicenses 1:11, 12

AGENDA DE CLASE

Antes de la clase
1. Prepare unos carteles con las siguientes preguntas: ¿Qué pasará con los cristianos que mueren antes de la segunda venida de Cristo? ¿Qué pasará con los cristianos que aún vivan cuando Cristo venga? ¿Cuál es la fecha en que Jesús regresará a este mundo por segunda vez? **2.** Escriba también carteles con los pasajes donde se encuentran las respuestas a estas preguntas (1 Tesalonicenses 4:16, 17; 5:1-3). Cada cartel estará cubierto con otro. Conforme al desarrollo del estudio se irán descubriendo cuando se estudien los pasajes. **3.** Haga la sección *Lea su Biblia y responda*.

Comprobación de respuestas
JOVENES: **1.** a-4, b-3, c-5, d-2, e-6, f-1. **2.** a. Reconocer a los que trabajan. b. Tener a los siervos en alta estima. c. Vivir en paz unos con otros. d. Amonestar a los desordenados. e. Alentar a los de poco ánimo. f. Apoyar a los débiles.
ADULTOS: **1.** a. Los cristianos tienen esperanza. b. que el cristiano vendrá con el Señor. c. Con el Señor. **2.** a. F, b. F, c. V, d. V, e. V, f. V.

Ya en la clase
DESPIERTE EL INTERES
1. Pida a los alumnos que lean los carteles en el pizarrón y que reflexionen unos momentos acerca de las preguntas planteadas en ellos. **2.** Pregunte cuántos de ellos alguna vez se han hecho esta clase de preguntas. Si algunos declaran que sí se las han hecho, dé tiempo para que alguno de ellos comparta su punto de vista respecto a tales preguntas. **3.** Mencione que a través de la clase se estarán dando respuestas bíblica a dichas preguntas.

ESTUDIO PANORAMICO DEL CONTEXTO
1. Haga mención de algunas de las características que Pablo había alabado de los Tesalonicenses (p. ej. 1 Tesalonicenses 1:2-10). Haga la aclaración que el hecho que la iglesia de Tesalónica fuese una iglesia "modelo", no indicaba que fuera una iglesia exenta de problemas. **2.** Pida a un alumno que lea 1 Tesalonicenses 4:13. Pida a varios de los alumnos que contesten cuál es el significado de los siguientes términos: *los que duermen, los otros que no tienen esperanza*. Tenga una respuesta preparada. **3.** Describa cuáles eran las inquietudes de algunos de los tesalonicenses respecto a la segunda venida. Ponga énfasis en que esta situación estaba creando conflictos entre ellos.

ESTUDIO DEL TEXTO BASICO
1. Examine cuáles son algunos aspectos relacionados con la segunda venida mencionados en 4:16-18. Dé énfasis a la actitud tomada por algunos de los tesalonicenses respecto a sus muertos. Mencione algo sobre el contraste que hay entre la reacción de los no cristianos frente a la muerte y la manera de reaccionar de los cristianos. Mencione que algunos de los

39

tesalonicenses se estaban comportando como los *que no tienen esperanza*. Descubra los dos primeros carteles para ver los pasajes en los que hay respuesta a las preguntas. Mencione que los eventos descritos en estos pasajes son promesas hermosas del Señor que describen la manera en que los cristianos, muertos o vivos, serán bendecidos por él.

2. *Reflexione acerca de la actitud que los cristianos debemos tener respecto al tiempo de la segunda venida de Cristo.* Descubra el cartel que contiene el pasaje que da respuesta a la tercera pregunta. Pida que alguien lo lea. Mencione que a pesar de que Pablo ya había enseñado a los tesalonicenses sobre detalles relacionados con el tiempo en que Jesús regresaría, ellos simplemente lo estaban ignorando. Resalte que Pablo no está dando una enseñanza nueva (5:2) sino simplemente recordándoles algo que ellos ya sabían. Ponga énfasis en que el tiempo de la venida del Señor es algo que nadie puede saber o calcular. Anime a los alumnos a pensar más bien en la manera en que el cristiano debe vivir ante la expectativa de no saber cuándo regresará Jesús. Exhórtelos a armarse de las virtudes que se mencionan en 5:8, invitándoles a pensar que son elementos que les ayudarán a esperar al Señor con una actitud vigilante aunque no conozcan el tiempo de su venida.

3. *Ante la venida del Señor, los cristianos son responsables de vivir con una ética cristiana que los motive a cumplir con deberes básicos.* Pida a un alumno que lea 1 Tesalonicenses 5:12-18. Mencione el hecho que algunos cristianos pueden vivir engañados al pensar que ya no tienen responsabilidad de hacer absolutamente nada por el simple hecho de que el Señor viene pronto. Dé énfasis a que debido a la inminencia del regreso del Señor el cristiano debe vivir con actitudes correctas hacia los demás realizando obras que demuestren su deseo ser hallado viviendo fiel a su Señor.

APLICACIONES DEL ESTUDIO

1. Mencione otra vez la actitud que tenían algunos de los tesalonicenses respecto a la venida del Señor. **2.** Haga hincapié en las declaraciones que se dan en las aplicaciones del estudio respecto a la segunda venida de Cristo. **3.** Comente sobre la importancia que tiene el hecho de creer y confiar en lo que la Biblia dice respecto a dicho evento. **4.** Anímelos para que alienten a otros creyentes a vivir una vida de consagración y testimonio dentro y fuera de la iglesia en la expectativa del regreso del Señor.

PRUEBA

1. Antes de contestar a las preguntas de la *Prueba* invite a sus alumnos a reflexionar acerca de lo estudiado a través de la lección. **2.** Pregunte a algunos de ellos si su concepciónacerca de la segunda venida cambió o se reafirmó. **3.** Anímeles a que en sus repuestas reflejen el impacto la lección les dejó. **4.** Exhórteles a poner en práctica el desafío presentado en la pregunta de valoración de la *Prueba*. **5.** Termine la clase pidiendo a uno de los alumnos que ore, pidiendo al Señor que cuando él venga por segunda vez, nos encuentre fieles y haciendo su voluntad.

Fidelidad en la tribulación

Contexto: 2 Tesalonicenses 1:1-12
Texto básico: 2 Tesalonicenses 1:1-12
Versículos clave: 2 Tesalonicenses 1:6, 7
Verdad central: La exhortación de Pablo a los tesalonicenses nos enseña que se debe perseverar en medio de las adversidades ante la perspectiva del triunfo final de la justicia divina.
Metas de enseñanza-aprendizaje: Que el alumno demuestre su conocimiento de las bases de la exhortación de Pablo a los tesalonicenses para que perseveren en medio de las adversidades, y su actitud de aplicar esas bases para su crecimiento espiritual.

─────────── Estudio panorámico del contexto ───────────

A. Fondo histórico:

Fieles en medio del sufrimiento. Unas semanas después de mandar su primera carta a los tesalonicenses, Pablo recibe más noticias de ellos. Siguen enfrentando persecuciones por Cristo, pero las enfrentan con fidelidad y valor (1:4).

Dos problemas. Algunos interpretan mal su enseñanza acerca de la segunda venida del Señor y piensan que ya llegó (2:2). Otros, han dejado su vida normal y su trabajo, por creer que el regreso de Cristo es inminente (3:10-12). Entonces Pablo, todavía en Corinto, escribe su segunda carta a los tesalonicenses para felicitarlos por su fidelidad y corregir el malentendido.

B. Enfasis:

Gracia y paz en la tribulación, 2 Tesalonicenses 1:1, 2. En su saludo acostumbrado, Pablo presenta los recursos que los tesalonicenses necesitan para enfrentar la tribulación: la *gracia* de Dios y la *paz* que ésta produce en los que la reciben.

Fidelidad en medio de la tribulación, 2 Tesalonicenses 1:3, 4. Pablo expresa su gran gozo al saber que los tesalonicenses siguen creciendo en *fe* y *amor,* aun en medio de persecución. Este gozo estimula a Pablo a dar gracias a Dios, la fuente del crecimiento (1:2), y aun a gloriarse ante otras iglesias del progreso de los tesalonicenses.

Recompensa de la fidelidad, 2 Tesalonicenses 1:5-10. Este progreso es evidencia de que Dios los ha escogido para ser justificados y formar parte de su reino. Es *el Señor Jesús* quien vendrá para ejecutar este juicio, cuyas decisiones serán eternas.

La gloria de la fidelidad, 2 Tesalonicenses 1:11, 12. Pablo concluye esta sección de su carta con una oración a favor de los tesalonicenses que habían creído por el testimonio de los misioneros. Ora para que Dios cumpla en ellos los ideales a los cuales los había llamado. Así Dios glorificará a Jesús con una gloria en la cual participarán todos los que creen en él. Pablo reconoce que el éxito cristiano que él describe no se puede lograr por esfuerzo humano, sino solamente *según la gracia* del Padre y del Hijo.

────────────── Estudio del texto básico ──────────────

1 Gracia y paz en la tribulación, 2 Tesalonicenses 1:1, 2.

V. 1. Los tres misioneros que iniciaron la obra en Tesalónica siguen juntos en Corinto. Como en su primera carta, Pablo menciona a *Silas y Timoteo* por cortesía; él es el autor único de las cartas. Al primero de estos compañeros, Pablo (y Pedro, 1 Ped. 5:12) siempre le llama Silvano según la versión RV-60, una forma latinizada de su nombre. En Hechos, Lucas usa la forma Silas, que puede ser un nombre semítico o griego. La iglesia a la cual Pablo escribe tiene una dirección más importante que "en Tesalónica"; está *en Dios nuestro Padre y en el Señor Jesucristo.* Su carácter y su vida son determinados más por su identificación con el Dios trino que por las circunstancias que los rodean.

V. 2. El saludo que Pablo incluye en todas sus cartas, tiene una fuerza intensificada en ésta, por las persecuciones que los recipientes enfrentan (v. 4). A pesar de sus tribulaciones, gozan de *paz* por la *gracia* que Dios les otorga. La *gracia* es la bendición de salvación, bienestar, vida eterna, descrita como don de Dios. La *paz* es la misma bendición descrita por su efecto en el hombre. La *gracia* es la fuente divina; la *paz* es el río que fluye en el creyente. Esta bendición se origina en *Dios nuestro padre* y el *Señor Jesucristo.* Con la coordinación de estos dos nombres, Pablo expresa su convicción de que el hombre Jesús fue en realidad "Dios con nosotros", y que el eterno Hijo de Dios se ha identificado con nuestra humanidad de la manera más completa.

2 Fidelidad en medio de la tribulación, 2 Tesalonicenses 1:3, 4.

V. 3. En su acción de gracias en 1 Tesalonicenses, Pablo mencionó la fe, el amor, y la esperanza de sus amigos (1 Tes. 1:3). En ésta, omite la esperanza, aunque el v. 4 menciona la *perseverancia* que ella produce según 1 Tesalonicenses 1:3. Las *gracias* se deben *a Dios,* porque la fe y el amor verdaderos no son obras humanas, sino dones de Dios. Pablo había pedido que Dios le permitiera completar la fe de los tesalonicenses y que hiciera abundar su amor (1 Tes. 3:10, 12); ahora puede reconocer con gozo que Dios ha contestado su oración. La abundancia del crecimiento de la fe y del amor en los tesalonicenses es otra prueba de que Dios es su fuente, porque la generosidad *sobremanera* es característica de él.

V. 4. Pablo no puede contener su orgullo acerca de los tesalonicenses. Se gloría de ellos *en las iglesias de Dios,* sin duda usando la iglesia de Tesalónica como un ejemplo que las otras iglesias deben seguir. Una de las manifestaciones de una *fe* creciente es la *perseverancia.* El verdadero creyente sigue confiando y crece en su confianza y fidelidad, aun en medio de *persecuciones y aflicciones.* La tribulación de la iglesia en Tesalónica empezó mientras Pablo todavía estaba con ellos (Hech. 17:5, 6).

Estos dos versículos nos muestran las tres cosas por las que Pablo se siente obligado a agradecer a Dios con respecto a los hermanos de Tesalónica. (1) Por su crecimiento en la fe. Pablo ve este crecimiento como una respuesta a su oración (1 Tes. 3:10). Este crecimiento ha sido abundante, de calidad, y bien fundamentado. No es un crecimiento o engorde de grasa, sino de puro músculo. (2) Por el amor que abunda. También esto era otra oración contestada (1 Tes. 3:12). Recordemos que amor es buscar que se haga la voluntad de Dios en el prójimo, y ésto habían hecho los creyentes de Tesalónica. (3) Por su perseverancia en la tribulación. El resultado de las dos victorias anteriores, fue que ellos pudieron ser guardados fielmente en las tribulaciones. La razón es que tienen una firme esperanza. Es interesante que la palabra perseverancia se puede traducir como paciencia y también como esperanza. De esta manera se vuelve a repetir la clásica trilogía de Pablo: la fe, la esperanza y el amor.

3 Recompensa y gloria de la fidelidad, 2 Tesalonicenses 1:5-12.

V. 5. Es esta evidencia de la actividad de Dios en los tesalonicenses, y no los sufrimientos mismos, lo que da gozo a Pablo. Si Dios actúa en ellos, él los ha escogido para incluirlos en su *reino.* Para este fin, Dios aplica su poder para justificarlos, y parte de su preparación para el reino son las aflicciones que ayudan a perfeccionarlos.

Vv. 6, 7a. El *juicio de Dios,* que Pablo mencionó en el v. 5, culminará en el juicio final cuando regrese Cristo. Este regreso es un tema principal de 2 Tesalonicenses, y ahora Pablo empieza a desarrollarlo. Aquel juicio invertirá la suerte de muchos. Los que tienen poder en este mundo y lo usan para afligir a los que buscan vivir en fidelidad a Dios, serán recompensados *con aflicción.* Los que son *afligidos* por su fe recibirán *descanso* en aquel día. Pablo les recuerda a los tesalonicenses que él y sus compañeros participarán en el mismo descanso que los lectores, porque también sufren persecución.

Vv. 7b, 8. La retribución que Pablo describe será parte de la manifestación de Jesucristo en su segunda venida. Un propósito principal de este regreso de Cristo es hacer justicia a todos los que no la recibieron dentro de la historia humana. En su regreso, manifestará que un Dios justo controla este mundo y aplica la justicia, a favor de los que sufren injustamente y en contra de los que les hacen sufrir. *Sus poderosos ángeles* podría traducirse "los ángeles de su poder"; éstos no vienen en su propio poder, sino como manifestación del poder del *Señor Jesús.* El descenderá *desde el cielo* (compare Hech. 1:11), envuelto en *llama de fuego,* un símbolo de su pureza que consumirá todo lo inmundo. La figura viene de Isaías 66:15, donde se aplica a Dios. La venida de Dios que los judíos esperaban, será la venida de Jesús. Vendrá *para dar* castigo a los que rechazaron la salvación que ofreció por su primera venida. Algunos intérpretes entienden que *los que no han conocido a Dios* se refiere a gentiles, y *los que no obedecen el evangelio de nuestro Señor Jesús* a los judíos. Tal vez la distinción es más bien entre los que no escucharon el evangelio y los que lo escucharon y rechazaron, aunque este último grupo en efecto incluye a todos los judíos en el pensamiento de Pablo, porque las Escrituras de los judíos hablan de Cristo.

V. 9. Su castigo será *eterna perdición*. Perderán todo lo que da valor y sentido a la vida, porque rechazaron al *Señor* que comprende todo esto en su persona. Los que eternamente serán *excluidos de la presencia del Señor* serán solamente los que se excluyen porque prefieren vivir sin él. En su juicio, Dios simplemente ratificará la decisión de ellos, que por lo tanto será permanente. En una carta posterior (Rom. 3:23), Pablo menciona la *gloria* de Dios como lo que el hombre pierde cuando peca. Esta gloria parece incluir el reflejo de su carácter que se llama en Génesis 1:26, 27 la "imagen" de Dios. Esta semejanza a Dios es el propósito de Dios para su creación. De manera que parte del castigo es que la persona que rechaza a Cristo y a Dios nunca llega a cumplir el propósito de su existencia.

V. 10. En fuerte contraste con este cuadro de castigo merecido es la recompensa de los fieles. Estos *santos* reflejarán *la gloria* del *poder* de Cristo que se revela en su Venida. Pablo dice literalmente que el Señor será *admirado* "en" *los que creyeron;* tal vez quiera decir que no solamente ellos se asombrarán, sino también otros. Estos otros pueden incluir al resto de la humanidad y a poderes celestiales (ver Ef. 3:10). Pablo está seguro de que sus amigos tesalonicenses estarán entre el número de estos santos que creyeron, *porque nuestro testimonio ha sido creído entre vosotros.*

V. 11. Sin embargo, entre el día de hoy y el juicio final, hay la necesidad de crecimiento espiritual. Pablo pide que, por el poder Dios, sus lectores vivan a la altura del ideal al cual Dios los ha llamado.

V. 12. Si la vida de buenos propósitos y obras de fe surge solamente del poder de Dios, también glorificará a Dios y a su Hijo, *nuestro Señor Jesús.* Sin embargo, la unión del cristiano con él por la fe es tan estrecha, que nosotros también gozaremos de esta gloria. Pablo termina su oración con otro recuerdo de que nuestro ideal se realizará solamente *según la gracia de nuestro Dios y del Señor Jesucristo.*

─────────────── **Aplicaciones del estudio** ───────────────

1. Nuestra fe y nuestro amor deben crecer, 2 Tesalonicenses 1:3. La fe cristiana es dinámica y viva; por naturaleza crece y produce más amor hacia los hombres. El crecimiento es una evidencia de que la fe es genuina, producida por Dios. Solamente el poder y la gracia de Dios producen la fe y la hacen crecer (vv. 11, 12).

2. Las acciones de esta vida traen consecuencias eternas, 2 Tesalonicenses 1:5-10. Los que están tentados a vivir en oposición a los propósitos de Dios deben recordar que hay un mundo futuro donde se recompensarán sus acciones. Y los que sufren persecución por su fidelidad a los propósitos de Dios en Cristo pueden alentarse con la confianza de que en aquel mundo les espera descanso y justificación.

Ayuda homilética

Dignos de su llamamiento
2 Tesalonicenses 1:11, 12

Introducción: Esta oración presenta un ideal para la vida cristiana; podemos pedir lo mismo que Pablo pide tanto para nosotros como para nuestros hermanos cristianos.

I. **Dios nos ha llamado a un ideal alto.**
   A. La conversión nos da grandes beneficios y también responsabilidades. Nos da un nuevo propósito (11).
   B. Tal vida glorifica el nombre (la persona y carácter) del Señor que servimos, Jesús (12).

II. **El llamamiento de Dios se realiza por poder divino, no por esfuerzo humano.**
   A. Por esto Pablo expresa este ideal en oración y no en exhortación.
   B. Dios pone los buenos propósitos en nuestro corazón, y luego nos infunde su poder para cumplirlos (11).
   C. Nuestras obras glorifican al Hijo de Dios, Jesús, porque estas obras son producto de la gracia divina, y no de esfuerzos humanos (12).

Conclusión: En el momento cuando Dios nos salva por medio de Jesucristo nos confiere los dones espirituales para que podamos servirle y cumplir con las tareas que él desea. Nuestra responsabilidad es doble: (1) Descubrir lo que Dios desea que hagamos y (2) Responder con fidelidad a su llamamiento. Que Dios nos haga *dignos de su llamamiento.*

Lecturas bíblicas para el siguiente estudio

Lunes: 2 Tesalonicenses 2:1, 2
Martes: 2 Tesalonicenses 2:3, 4
Miércoles: 2 Tesalonicenses 2:5, 6
Jueves: 2 Tesalonicenses 2:7, 8
Viernes: 2 Tesalonicenses 2:9, 10
Sábado: 2 Tesalonicenses 2:11, 12

AGENDA DE CLASE

Antes de la clase

1. Recuerde a sus alumnos cuáles son algunas de la necesidades que están enfrentando. Prepare un nota sencilla para cada uno de ellos. Por ejemplo: *"¡Que alegría verte de nuevo! Estoy orando por ti. Sé que no es fácil el momento por el que pasas, pero también estoy seguro de que Dios te ama y tiene un propósito muy especial para tu vida. ¡Sé fuerte y confía en Dios! Que el Señor te bendiga en todo."*

2. Consiga motivos de oración y particularmente por personas o países que están sufriendo persecución.

3. Haga letreros grandes y llamativos de la sección *Lea Su Biblia y piense.*

4. Haga las lecturas que conforman el contexto del presente estudio.

5. Responda las preguntas dadas en el libro del alumno en la sección *Lea su Biblia y responda*, del presente estudio.

Comprobación de respuestas

JOVENES: **1.** Persecuciones y aflicciones. **2.** Con fidelidad. **3.** a. Aflicción a los que aflige. b. Descanso a los afligidos.

ADULTOS: **1.** a. Gracia y paz. b. Por la fe y el amor entre hermanos. c. Si pasa tribulación por el reino de Dios. **2.** a-F, b-V, c-F, d-V, e-V.

Ya en la clase

DESPIERTE EL INTERES

1. Entregue la nota a sus alumnos y permita que cada uno en lo particular la lea.

2. Exponga a la clase los motivos de oración por aquellos que están en tribulación y dirija a la clase en unos momentos de oración. Pida que todos inclinen sus cabezas y usted ore por estos motivos de persecución.

3. Utilizando la técnica de Phillips 66 analicen las situaciones de prueba, tribulación y consuelo. Esta técnica consiste en dividir la clase en grupos de 6 personas y en seis minutos cada uno de los participantes compartirá una prueba o tribulación y cómo el Señor le ha dado el consuelo necesario. En el grupo debe nombrarse quién dirija la dinámica y quién tome el tiempo.

4. Pida que cada grupo anote una de sus participaciones e introduzca el tema del día.

ESTUDIO PANORAMICO DEL CONTEXTO

1. Mencione que el apóstol Pablo decide escribir nuevamente a los tesalonicenses. Enfatice el propósito de la carta. **2.** Dirija a la clase a pensar en qué significa ser perseguidos y atribulados en la actualidad. Puede recordar alguna de las peticiones expuestas anteriormente o puede llevarlos a pensar en las presiones que los cristianos sufren en el trabajo, en la escuela, en el vecindario, etc. **3.** Recuérdeles la promesa del Señor Jesucristo: "Yo estoy con vosotros todos los días, hasta el fin del mundo."

4. Señale el testimonio viviente del mismo apóstol Pablo que por encima de todo lo que había pasado podía declarar con firmeza: "atribulados mas no angustiados; en apuros mas no desesperados; perseguidos, mas no desamparados." A través de la tribulación el nombre de Dios siempre debe ser glorificado.

ESTUDIO DEL TEXTO BASICO

1. Presente el primer letrero de esta sección y llame la atención a las palabras "Gracia y paz". Mencione a la clase que mucha gente se abate por sus problemas, se enferma, se angustia, sufre; el pensamiento de los incrédulos es que esto es causa de la vida misma o de Dios. A diferencia de ello, el cristiano en la tribulación puede comprobar la bendición de Dios.

2. Pida a dos de sus alumnos que definan los términos "Gracia y paz". Que también respondan a la pregunta: ¿Por qué utilizó Pablo tanto estos términos en sus cartas?

3. Llame la atención de la clase al siguiente letrero y enfatice la necesidad de mantenerse fieles al Señor a pesar de las circunstancias.

4. Pida la participación de la clase en recordar vidas de hombres de Dios, bíblicos y no bíblicos, que sufrieron grande persecución por el evangelio, pero que se mantuvieron firmes en el Señor.

5. Señale la importancia de no confundirnos entre aquellos que no confían en el Señor y se desesperan con facilidad. Debemos más bien dar testimonio de Aquél a quien hemos creído, y ante cada prueba dar evidencia de nuestra fe.

6. Presente el tercer letrero y mediten en los resultados de permanecer fieles al Señor.

APLICACIONES DEL ESTUDIO

Lleve a sus alumnos a reflexionar en la manera en la que se puede enseñar al mundo la gracia y la paz de Dios en medio de cualquier situación. Enfatice en la importancia de entender bien que el Señor no ha dicho que en la vida del creyente todo será bueno y agradable siempre, pero que sí todo será para bien.

PRUEBA

Dirija a sus alumnos en la evaluación de la clase y dé atención al punto número dos del LIBRO DE ALUMNOS, llevándolos al compromiso de poner en práctica lo aprendido este día.

La segunda venida de Cristo

Contexto: 2 Tesalonicenses 2:1-12
Texto básico: 2 Tesalonicenses 2:1-12
Versículos clave: 2 Tesalonicenses 2:1, 2
Verdad central: Las aclaraciones de Pablo acerca de la segunda venida de Cristo nos enseñan que debemos estar alertas en cuanto a las falsas enseñanzas de ese evento.
Metas de enseñanza-aprendizaje: Que el alumno demuestre su conocimiento de las enseñanzas de Pablo acerca de la segunda venida de Cristo, y su actitud hacia las enseñanzas correctas de ese evento.

Estudio panorámico del contexto

A. Fondo histórico:

En la primera carta que escribió a los tesalonicenses les enseñó acerca de algunos aspectos de la segunda venida de Cristo. Su propósito era consolar a los cristianos que estaban inquietos acerca de la situación de sus seres queridos que habían muerto antes de este evento. En su segunda carta, Pablo, da más instrucción sobre el mismo tema en respuesta a algunos que decían que *el día del Señor* ya había llegado. Esta frase se originó en el tiempo del Antiguo Testamento (Amós 5:18-20; Isa. 2:12-18; Sof. 1:14-16). Describe la intervención de Dios en la historia para humillar a sus adversarios y establecer la justicia. Después de la ascensión de Jesús, los cristianos asociaron el término con su segunda venida, porque vendrá con el mismo propósito. Cuando Cristo regrese, se cumplirán las profecías del Antiguo Testamento acerca del día del Señor.

B. Enfasis:

Advertencia contra las falsas enseñanzas, 2 Tesalonicenses 2:1, 2. Los cristianos de Tesalónica se interesaron mucho en profecías acerca del regreso de Cristo y los últimos días. Este interés llegó al extremo de inquietarlos y alarmarlos. Pablo les exhorta a mantener la tranquilidad y examinar la fuente de las ideas que los están alborotando.

El hombre de iniquidad, 2 Tesalonicenses 2:3-10. Pablo recuerda a los tesalonicenses que él les había enseñado que antes del *día del Señor* tenía que suceder una gran *apostasía* de la religión verdadera, culminando en la manifestación de un gran adversario de Dios. No es posible que el día del Señor ya haya llegado, porque esta última gran manifestación de la maldad todavía está detenida por algún poder que los tesalonicenses conocen por la enseñanza de Pablo. Vendrá el día en que Dios quite este estorbo, y *el misterio de la iniquidad* se revelará para obrar un tiempo breve y luego ser destruido por Jesús en su venida. Mientras tanto, este misterio está engañando a los que rechazan *la verdad* del evangelio.

Los que no creen la verdad son condenados, 2 Tesalonicenses 2:11, 12. Este engaño (10) es parte del castigo de los que rechazan a Dios. Porque no quieren creer *la verdad*, están condenados a creer *la mentira*, y este credo perverso les lleva a una vida de *injusticia* y luego a la condenación.

───────── **Estudio del texto básico** ─────────

1 Advertencia contra las falsas enseñanzas, 2 Tesalonicenses 2:1, 2.

V. 1. Pablo declara el motivo principal para escribir esta carta. *Venida*, la misma palabra que Pablo usó en 1 Tesalonicenses 4:15, sugiere una presencia o visita oficial. En su carta anterior, explicó que los cristianos nos reuniremos con Cristo cuando venga.

V. 2. Algunos entre los cristianos tesalonicenses afirman que ya ha *llegado el día del Señor*. Aparentemente dicen que Jesucristo ya está regresando a la tierra, y que la segunda venida sucederá en un tiempo que ellos pueden precisar. Pablo menciona tres autoridades en que estos maestros pueden basar su afirmación: *espíritu*, una revelación a un profeta cristiano; *palabra*, su interpretación de algún dicho de Jesús, de Pablo o de otro maestro cristiano; y *carta*, su interpretación de algo que leyeron en 1 Tesalonicenses o en una carta falsificada y presentada como de Pablo. En 1 Tesalonicenses Pablo repitió la enseñanza cristiana general, que Cristo "vendrá como ladrón de noche" (1 Tes. 5:2). Nadie sabe cuándo será hasta que el mismo Señor se manifieste públicamente. La información que Pablo da en 2 Tesalonicenses 2:3-10 acerca de los eventos que precederán a la segunda venida de Cristo no tiene el propósito de ayudarnos a fijar la fecha de este regreso. Más bien, Pablo escribe para corregir a algunos que creen que es posible fijar esta fecha.

2 El hombre de iniquidad, 2 Tesalonicenses 2:3-10.

Debemos interpretar esta sección con humildad, reconociendo que no tenemos el beneficio de la instrucción oral que Pablo había dado a los tesalonicenses (v. 5). Tenemos que aceptar que no entenderemos los detalles específicos de esta profecía hasta que ella se cumpla en la segunda venida de Cristo.

Vv. 3, 4. Pablo afirma que antes de la segunda venida de Cristo habrá una gran deserción de los que profesan fe en Dios. Los judíos en general creían que habría una *apostasía* antes del día del Señor. Pablo adapta esta idea a la escatología (enseñanza acerca de las últimas cosas) cristiana. En medio del movimiento religioso que Pablo prevé, aparecerá un líder sobresaliente. Promoverá la *iniquidad* y *se opondrá* a Dios y a todo lo relacionado con él.

Aun afirmará que él mismo es divino. Pero su éxito será breve, porque su fin es la *perdición*. Pablo usa lenguaje del libro de Daniel en esta descripción. Compárese especialmente Daniel 11:36, 37. Parece claro que Pablo anticipa días difíciles al fin de la historia humana, en los cuales habrá un líder humano que encabezará la oposición a Dios.

Vv. 5, 6. Pablo ya había tocado este tema en su visita a Tesalónica. Desafortunadamente nosotros no contamos con ningún informe de esta instrucción oral. Por lo tanto, es inevitable que nos quedaremos con más dudas y preguntas que los lectores originales de esta carta. Especialmente nos falta la clave para identificar qué *detiene* a este hombre de iniquidad. Pablo parece identificarlo con una persona en el v. 7, porque se refiere a él en género masculino. (En el v. 6 la referencia está en el género neutro.) Se ha sugerido que Pablo se refiere al Imperio Romano y al Emperador, al principio de ley y gobierno, a algún ser angélico, al estado judío, al Padre, al Espíritu Santo, o al evangelio. La verdad es que simplemente no sabemos. Hay objeciones válidas a cada una de estas identificaciones, y es posible que la referencia de Pablo no es a ninguna de ellas.

Sin embargo, podemos afirmar que el futuro humano está en las manos de Dios, y que aun los poderes de la maldad están sujetos a él. No habrá ninguna crisis, la final o alguna anterior, fuera de *su debido tiempo*, y es Dios quien determina este tiempo.

V. 7. Las fuerzas de *la iniquidad* ya están obrando en nuestro mundo, pero en forma encubierta. Pablo describe esta obra secreta como *el misterio de la iniquidad*. Pero los planes de los malos y aun los planes de Satanás están sujetos al control de Dios, y Dios en su misericordia ha establecido en el mundo poderes benignos y personas que *detienen* la maldad. Pablo anticipa que *el que ahora lo detiene* será quitado de esta función al final de la historia, y la maldad aumentará. Sin embargo, esta calamidad sucederá solamente con el permiso de Dios, y él limitará estrictamente el alcance de esta manifestación final de la maldad.

V. 8. Pablo parece señalar una manifestación más intensa de la maldad inmediatamente antes de la segunda venida de Jesús. Esta manifestación estará concentrada o encabezada por una persona, *aquel inicuo*, pero su carrera de maldad será corta, porque *el Señor Jesús* lo *matará con el soplo de su boca y destruirá con el resplandor de su venida*. Aunque la maldad es poderosa, el poder divino de Cristo es superior, y él la derrotará con una simple palabra y con la fuerza de su presencia.

Vv. 9, 10. Pablo adelantó la descripción de la destrucción del *inicuo* para enfatizar que su poder no se compara con el de Cristo. Sin embargo, el inicuo tendrá un poder sobrenatural, dado por *Satanás*. La figura que Pablo describe es muy semejante al Anticristo que 1 Juan 2:18, 22; 4:3 menciona y, parece ser el mismo. Hará milagros, pero no por el poder de Dios. Satanás también es capaz de hacer *señales y prodigios*. Estos milagros engañarán a los que *no recibieron el amor de la verdad para ser salvos*. Cuando uno no acepta la verdad del evangelio, se expone al *engaño de injusticia*. Los que creerán en el anticristo son los que han rechazado el amor de Dios; de esta manera ellos también perecen, juntamente con el hombre de iniquidad. Ya se ha dicho que este perecer no es que van a ser aniquilados, sino que serán atormentados para siempre. Hay un dato más en el versículo 10, Pablo usa la forma del presente del verbo "perecer", dice: *los que perecen* para referirse a los que ya están siguiendo al anticristo. El Apóstol estaba viendo ya los alcances del engaño, pues ya estaba en formación un pueblo de seguidores del inicuo.

3 Los que no creen la verdad son condenados, 2 Tesalonicenses 2:11, 12.

Pablo vuelve a recalcar que las fuerzas de maldad no son ignoradas por Dios (vv. 7, 8). Dios usa aun el *engaño* que Satanás hace, como parte del castigo del pecado. Dios creó al hombre para creer, y el que rechaza *la verdad* es condenado a creer *la mentira*. En el plan original de Dios, el deleite del hombre iba a ser Dios mismo. El que rechaza este plan está condenado a complacerse *en la injusticia*. Pablo describe la corrupción progresiva de la persona que rechaza a Dios. Primero *la mentira* se apodera de su mente, su sistema de valores se confunde y comienza a llamar "bueno" a lo malo y lo malo trata de explicarlo de alguna manera para que lo parezca. Segundo, *la injusticia* llena su conducta. Ahora pasa del pensamiento a los hechos, a las realidades de la vida cotidiana. De manera obstinada y persistente pone en práctica las maldades que ha concebido en su mente; pero tristemente ya ha perdido la capacidad de darse cuenta de que está haciendo lo malo. El que rechaza servir a Dios se condena por su propia decisión a ser esclavo de la maldad.

Estos dos versículos hacen sobresalir otra verdad: Dios tiene control sobre todo lo que pasará. En última instancia, todo lo que pasa, inclusive el hecho de que son engañados, está permitido por la soberanía de Dios. Recalcamos, Dios siempre ha tenido y tendrá control sobre lo que pasa en la historia. El contraste es marcado, por un lado han rechazado el amor a la verdad, y por otro han creído en la mentira. Consecuentemente, Dios permitirá la manifestación del hombre de iniquidad con el propósito de castigar al que no ha creído, para a su vez, castigar a aquellos que se *complacieron en la injusticia*. Es un cuadro bastante triste, la gente no solamente sigue el engaño, sino que está muy contenta en hacerlo; se está gozando en el pecado, y este gozo, no es sino parte de la condenación a la que ya están sometidos.

──────────── **Aplicaciones del estudio** ────────────

1. El poder de Dios en Cristo es superior al poder de la maldad, 2 Tesalonicenses 2:6-8. Aun cuando reconocemos que un poder maligno opera en este mundo, y que este poder supera nuestras fuerzas, podemos confiar en alguien que limita y destruirá la maldad. Dios ejerce su poder dentro de la historia para poner límites a la operación de la maldad (v. 6). Y el regreso de Cristo significa la destrucción final de toda fuerza e influencia mala (v. 8). Para esta destrucción no hará falta una batalla prolongada; bastará con la presencia de Cristo y una palabra de su boca. Mientras tanto, los creyentes en Cristo tienen a su alcance el mismo poder que levantó a Cristo de entre los muertos para sostenerles, guiarles y fortalecerlos a lo largo y ancho de su peregrinación. Recordemos: el poder de Cristo es superior al poder de la maldad.

2. Cada ser humano se identifica por decisión propia con la verdad o con la mentira, 2 Tesalonicenses 2:11, 12. Podemos creer la verdad del evangelio de Cristo y deleitarnos en Dios y en sus acciones justas, o podemos creer la mentira y complacernos en la injusticia. No hay una tercera opción. No hay ninguna justicia independiente de Dios, ni hombre que encuentre "su propio camino" a la verdad.

───────────────── **Ayuda homilética** ─────────────────

La mentira y la verdad
2 Tesalonicenses 2:11, 12

Introducción: Dios ha dado una clara alternativa: podemos servirlo a él, o podemos servir a la maldad. Esa maravillosa libertad para escoger, es la que nos hace los únicos responsables delante de Dios. El resultado de la decisión que tomemos es trascendental. El asunto es más serio cuando nos damos cuenta de que la decisión no es opcional, tenemos que decidir.

I. Cada hombre decide qué va a creer.
   A. Dios ha revelado la verdad del evangelio, su amor y perdón para todos los que lo aceptan (12).
   B. Los que no creen la verdad son condenados a creer la mentira y las falsas promesas de Satanás (11).

II. Esta decisión determina la conducta de uno.
   A. El que acepta la verdad de Dios vivirá más y más según el carácter de Dios reproducido en él.
   B. El que sigue la mentira vivirá en la injusticia (12).

III. Esta decisión determina el destino eterno de uno.
   A. Dios es el que creó este mundo y controla su curso (11).
   B. Dios controla, limita y utiliza aun las fuerzas de maldad que se oponen a él (11).
   C. El que rechaza a Dios no tendrá el compañerismo y la ayuda del Señor.
   D. El que le acepta encuentra la verdad, la paz y la satisfacción.

Conclusión: La decisión que usted tome en cuanto a creer o no en Cristo, determina la totalidad de su vida presente y futura.

Lecturas bíblicas para el siguiente estudio

Lunes: 2 Tesalonicenses 2:13-17   **Jueves:** 2 Tesalonicenses 3:10-12
Martes: 2 Tesalonicenses 3:1-5   **Viernes:** 2 Tesalonicenses 3:13-16
Miércoles: 2 Tesalonicenses 3:6-9   **Sábado:** 2 Tesalonicenses 3:17, 18

AGENDA DE CLASE

Antes de la clase
1. En una concordancia busque algunos pasajes del Antiguo y Nuevo Testamentos relacionados con el término "día del Señor". Anótelos en papeles que repartirá al principio de la clase para ser buscados y leídos. **2.** Investigue la definición del término "día del Señor" desde el punto de vista de los dos Testamentos. Escriba en el pizarrón lo que haya encontrado. **3.** Haga la sección *Lea su Biblia y responda* en el libro del alumno.

Comprobación de respuestas
JOVENES: **1.** a. Apostasía. b. Manifestación del hombre de iniquidad. c. El hombre de iniquidad se hace pasar por Dios. d. Destrucción del hombre de iniquidad. **2.** Movidos en su modo de pensar por espíritu. b. Por palabra. c. Por carta.
ADULTOS: **1.** a. Que no seamos movidos fácilmente de nuestro modo de pensar. b. 1. La autoridad de la palabra. 2. La del espíritu. 3. La de carta o escritos. c. 1. El hijo de perdición. c. 2. El inicuo. d. 1. Se opondrá contra todo lo que se llama Dios. 2. Se alzará contra todo lo que se llama Dios. 3. Realizará prodigios falsos, hará señales y vendrá con todo poder. **2.** a-V, b-F, c-V.

Ya en la clase
DESPIERTE EL INTERES
1. Reparta a los alumnos que hayan llegado los papeles donde están los pasajes que hablan acerca del "día del Señor". **2.** Permita que lean los pasajes en voz alta. **3.** Llame la atención a las definiciones escritas en el pizarrón y haga notar, que en su sentido particular, cada definición señala hacia situaciones específicas ya sea del pueblo de Israel o los cristianos del Nuevo Testamento. **4.** Indique que en esta lección se estudiará el concepto del "día del Señor" desde la perspectiva del Nuevo Testamento y su relación con la segunda venida de Cristo.

ESTUDIO PANORAMICO DEL CONTEXTO
1. Mencione algo de lo que se estudió en la lección cuatro respecto a la segunda venida de Cristo. Llame la atención al hecho de que a pesar de que Pablo había dado ya una enseñanza sobre el tema, al parecer algunos de la iglesia de Tesalónica habían prestado atención a una enseñanza errónea respecto a esta doctrina cardinal de la Palabra de Dios. **2.** Haga notar que esta situación había provocado conflictos en la iglesia, razón por la cual Pablo se ve en la necesidad de ampliar su enseñanza en algunos de los puntos que estaban provocando dichos conflictos.

ESTUDIO DEL TEXTO BASICO
1. Examine los datos que se encuentran en 2 Tesalonicenses 2:1, 2 respecto a las maneras en que los tesalonicenses estaban siendo objeto de enseñanzas

falsas. Haga notar que de alguna manera algunos de la iglesia de Tesalónica estaban muy interesados en asuntos relacionados con la segunda venida de Cristo. Mencione que esta situación había sido hallada propicia para que falsos maestros pudieran dar una enseñanza equivocada respecto al tema. Hable de que algunos de esos falsos maestros intentaban distorsionar las enseñanzas del apóstol Pablo, ya sea enseñando cosas diferentes o simplemente haciendo burla de lo que él enseñaba. Resalte la exhortación que Pablo hace a los tesalonicenses para que éstos no se dejen mover fácilmente y mucho menos se dejen confundir por esos falsos maestros. Pregunte si alguno de los alumnos ha tenido una experiencia similar a la de los tesalonicenses.

2. *Examine la enseñanza de Pablo respecto a los eventos que deben suceder antes de la segunda venida del Señor Jesucristo.* Lean 2 Tesalonicenses 2: 3-10. Al mencionar el primer evento pregunte si alguien puede definir el término "apostasía". Esté preparado con una definición. Enfatice el hecho de que apostatar no significa aquí caer de la gracia. Aunque será una deserción por parte de aquellos que fueron alcanzados por el evangelio. Al hablar del segundo evento haga hincapié en que no podemos definir con exactitud quién es el personaje mencionado. Mencione cuáles son sus características y cuáles acciones realizará para engañar a la gente. De la misma manera haga notar que tampoco podemos decir con exactitud quién es el que detiene el obrar de este personaje. Mencione que a pesar de no conocer la identidad de ambos, sí estamos en la capacidad de saber que después de la aparición del *hombre de iniquidad* el Señor Jesús hará su aparición. Una aparición que no sólo impedirá el obrar del *hombre de iniquidad*, sino también lo destruirá por completo.

3. *Resalte los resultados que vendrán a la vida de aquellos que fueron detrás del hombre de iniquidad.* Mencione que cuando una persona se obstina por vivir una vida de mentira, el Señor no puede hacer nada por ella.

APLICACIONES DEL ESTUDIO
1. Permita que los alumnos lean las aplicaciones del estudio. 2. Dé énfasis a la importancia que tiene el seguir el criterio de las Escrituras respecto a temas que son controversiales y que algunos tratan de aprovecharlos para confundir a los cristianos. 3. Resalte el hecho de que el Señor tiene bajo su control cada una de las cosas que pasan.

PRUEBA
1. Permita que los alumnos contesten la preguntas de la *Prueba.* Invite a dos de ellos a que compartan sus respuestas con el grupo. 2. Invítelos a pensar seriamente sobre cuál es la actitud con la que viven esperando la venida del Señor. 3. Anímelos a poner en práctica el ejercicio de valoración de la *Prueba.* 4. Para terminar pida a uno de los alumnos que ore al Señor pidiendo ayuda para poder vivir con la actitud correcta respecto al regreso del Señor Jesucristo.

Cristianos responsables

Contexto: 2 Tesalonicenses 2:13 a 3:18
Texto básico: 2 Tesalonicenses 3:1-18
Versículo clave: 2 Tesalonicenses 3:10
Verdad central: La dirección de Pablo sobre las relaciones responsables revela que cada creyente debe contribuir para la buena marcha de todo el cuerpo de Cristo que es la iglesia.
Metas de enseñanza-aprendizaje: Que el alumno demuestre su conocimiento de las enseñanzas de Pablo acerca de las relaciones responsables, y su actitud por identificar maneras en las que él puede contribuir para la buena marcha de su iglesia.

Estudio panorámico del contexto

A. Fondo histórico:

Después de hablar de la rebelión final y del castigo que Dios aplica a los que le rechazan (2:13-17), con alivio Pablo dice a los tesalonicenses que Dios les ha escogido a ellos para un propósito totalmente distinto, y los está preparando para compartir *la gloria de nuestro Señor Jesucristo* (vv. 13,14). Pablo les exhorta a cooperar en este propósito de Dios con fidelidad a las enseñanzas que les había dado (v. 15), y ora que Dios los estimule y confirme en su esfuerzo (vv. 16, 17).

B. Enfasis:

Pablo pide que oren por su ministerio, 2 Tesalonicenses 3:1, 2. Después de su oración por los tesalonicenses (2:16, 17), Pablo pide que ellos oren a su favor. Los motivos que menciona son que el evangelio tenga el mismo éxito en Corinto que está teniendo en Tesalónica, y que Dios le libre de los adversarios *perversos y malos.* Aun cuando la palabra *se difunda,* no todos la aceptan.

La confianza de Pablo en los tesalonicenses, 2 Tesalonicenses 3:3-5. Aunque no todos los hombres son fieles, Dios siempre lo es. El mantendrá a los tesalonicenses firmes y protegidos. Por tanto Pablo puede confiar tanto en Dios como en la fidelidad de ellos a sus instrucciones. Pablo cierra esta sección con otra oración breve: que Dios los llene de amor y de perseverancia.

Cómo relacionarse con los indisciplinados, 2 Tesalonicenses 3:6-13. En sus exhortaciones finales, Pablo manda que la iglesia enfrente el problema de los desordenados que han dejado su trabajo y andan inquietando a los demás. Apela a su propio ejemplo de trabajar *hasta la fatiga* y cita un proverbio que les había enseñado: *si alguno no quiere trabajar, tampoco coma.*

Cómo relacionarse con los desobedientes, 2 Tesalonicenses 3:14, 15. Pablo da instrucciones a la comunidad en cuanto a cómo deben tratar a alguien que no obedece los principios que acaba de mencionar. Deben apartarse de él para que se dé cuenta de su error y recapacite. Pero es importante que muestren una actitud fraternal en esta disciplina, y no traten al ofensor como a un enemigo.

Oración final y saludos, 2 Tesalonicenses 3:16-18. La conclusión de esta carta es semejante a la de 1 Tesalonicenses, aunque más breve. Como en muchas de sus cartas, Pablo menciona la *paz*, y como en todas, termina con el deseo de *la gracia* de Dios para sus lectores.

─────────────── **Estudio del texto básico** ───────────────

1 La confianza de Pablo en los tesalonicenses, 2 Tesalonicenses 3:1-5.

Vv. 1, 2. En medio de los problemas y oposición que Pablo enfrenta en Corinto (Hech. 18:6), recuerda el éxito que su predicación encontró en Tesalónica. Pide las oraciones de los tesalonicenses para que *la palabra del Señor* tenga la misma rápida difusión y honor que experimenta en la ciudad de Tesalónica. En otras palabras, Pablo desea que la palabra del Señor pueda ser comunicada a otras personas, y que además cumpla el propósito divino de salvación en los oyentes; al dar fruto la palabra en las personas, éstas sin duda glorificarán al Señor. Así, exactamente, había sucedido entre los tesalonicenses. Aquí encontramos un desafío y un compromiso para que nos interesemos en otras personas, orando para que la palabra de Dios pueda dar el mismo fruto que está dando en nosotros.

Pablo también pide oraciones por su protección personal. Sus adversarios han tomado una posición de oposición deliberada y activa al mensaje de fe que él predica. Pablo explica que es natural que haya tales, porque *no es de todos la fe*. Es interesante que el pedido de oración se halla escrito en tiempo presente en el griego, lo que implica que Pablo conocía que la congregación ya estaba orando por él. La frase se podría traducir: "seguid orando, como ya lo estáis haciendo". Otra traducción sugiere que bien podría leerse: "así como permanecéis firmes en la doctrina, hacedlo en la oración". Como quiera que sea, sacamos aquí una enseñanza personal: las personas que no son de la fe muy posiblemente serán las que nos aflijan, y esto es normal pues sus valores e intereses no son iguales a los del reino de Dios.

Vv. 3, 4. Elaborando sobre la idea de *la fe* (v. 2), Pablo afirma que, aunque no todos los hombres la aceptan, *el Señor* siempre es *fiel*. En el original existe un juego de palabras, la última palabra del versículo dos es "fe" *(pistis)*, la primera del versículo tres es "fiel" *(pistos)*, sí hay hombres que son infieles, lo más grande que tenemos es que Dios, pese a esta infidelidad, permanece fiel. El mantendrá en pie a los cristianos y los *guardará del mal*. La palabra *mal* puede ser masculina o neutra; parece que en este contexto (2:3-9; 3:2) la referencia es personal, al Maligno. La *confianza* que Pablo tiene es primeramente *en el Señor* y luego en los cristianos de Tesalónica. La fidelidad de Dios asegura la fidelidad de ellos. Por lo tanto, Pablo los instruye con confianza en su obediencia tanto en el presente como en el futuro.

V. 5. Esta oración pide de Dios el progreso interior y espiritual de los tesalonicenses. Pablo ora que experimenten *el amor de Dios* de tal manera que lo reproduzcan en sus relaciones con otros. También pide que *la paciencia* o constancia *de Cristo* ante sus sufrimientos sea ejemplo y motivación para que ellos perseveren en el camino que Dios les ha trazado.

2 Cómo relacionarse con los indisciplinados y desobedientes, 2 Tesalonicenses 3:6-15.

V. 6. Pablo ya mencionó a los "desordenados" en 1 Tesalonicenses 5:14, pero el problema se ha agudizado en los meses que han pasado después de aquella carta. La espera del regreso inmediato de Cristo (2 Tes. 2:2) ha animado a algunos de los hermanos a dejar su trabajo, y se dedican a persuadir a otros a que se unan a esta espera ociosa (3:11). Pablo apela a su autoridad como apóstol *(en el nombre de nuestro Señor Jesucristo)* para mandar a la congregación que se aparte de estas personas.

Vv. 7-9. Cuando estuvo en Tesalónica, Pablo enseñó una actitud diligente a los tesalonicenses tanto por palabra como por ejemplo. El y sus compañeros vivieron una vida "ordenada". No dieron la idea a los incrédulos o a los nuevos creyentes que el siervo de Dios es perezoso, o que la obra de Dios se puede terminar en unas pocas horas. Más bien, trabajaron una jornada completa en su oficio secular y después otra jornada en el testimonio y la enseñanza. Empezaron el día en las horas, todavía oscuras, de la madrugada para sostenerse sin depender económicamente de los creyentes. Pablo aclara que no es obligación del líder cristiano sostenerse con un trabajo secular. Tiene la *autoridad* o derecho de ser sostenido por aquellos a quienes sirve, pero Pablo trabajó *arduamente* para darnos *un ejemplo a imitar.*

V. 10. Aparentemente, cuando estuvo en Tesalónica, Pablo había notado en algunos la tendencia a una vida desordenada. Les instruyó oralmente en que cada uno debe trabajar para ganar su propio sostenimiento, y él mismo insistió en trabajar doble para dar un buen ejemplo, aun cuando la iglesia de Filipos le mandaba ofrendas (Fil. 4:16). El proverbio que cita puede ser una frase que él formuló o un proverbio judío basado en Génesis 3:19.

Vv. 11, 12. Algunos miembros de la congregación en Tesalónica no viven una vida ordenada. Están demasiado ocupados en "las cosas del Señor", como profetizar el momento de su regreso, para atender a un trabajo honrado. Sin embargo, nunca les falta tiempo para indicar a otros lo que deben hacer, sin que éstos pidan sus consejos. Enseñan por precepto y ejemplo que el mejor cristiano es el que abandona su trabajo para "dedicarse al Señor", pero se sostienen a costa de los que todavía no adoptan su modelo. Pablo da una orden y una exhortación *a los tales*: que se tranquilicen y busquen trabajo para que tengan la satisfacción de comer *su propio pan.*

V. 13. A los demás cristianos tesalonicenses, Pablo les exhorta a que no deben dejar de *hacer el bien* simplemente porque otros no lo hacen. Tampoco deben suprimir toda ayuda a los necesitados porque algunos se han aprovechado de su generosidad.

Vv. 14, 15. Pablo da instrucciones en esta *carta* con autoridad apostólica, "en el nombre de nuestro Señor Jesucristo" (vv. 6, 12). Si algún miembro de la congregación no las obedece, la congregación debe ejercer la disciplina para que reconozca su error y se arrepienta. "No tener trato" con él es equivalente a "apartarse de" él (v. 6).

Algunos estudiantes de la carta piensan que esto significa excluir al ofensor de las comidas de la comunidad; otros piensan que lo excluyeron de los cultos o de la cena del Señor. De cualquier manera, Pablo enfatiza la necesidad de la disciplina, y establece normas para ella. Debe ser con el propósito de restauración (*para que le dé vergüenza*), y debe aplicarse con amor *(amonestadle como a hermano),* no con espíritu de venganza. También notamos que Pablo recomienda la disciplina antes del arrepentimiento, y no después.

3 Oración final y saludos, 2 Tesalonicenses 3:16-18.

V. 16. La oración final de 2 Tesalonicenses se dirige al *mismo Señor de paz.* De manera semejante, 1 Tesalonicenses 5:23 es una oración al "mismo Dios de paz". En el concepto judío la *paz* incluye salud, tranquilidad, prosperidad, todo el bienestar.

V. 17. Pablo toma la pluma de la mano de su amanuense (el secretario a quien Pablo dictó la carta) para escribir la despedida. Llama la atención de los lectores a la apariencia de su letra, aparentemente porque sospecha que circula en Tesalónica una carta falsa que lleva su nombre (2:2).

V. 18. Pablo termina todas sus cartas con el deseo de *gracia* para sus lectores, aunque en Romanos y 1 Corintios añade una nota final después de este deseo. La gracia es el favor activo de Dios, lo más valioso que Pablo puede desear para sus hermanos. Aquí Pablo repite la misma frase con que terminó 1 Tesalonicenses, solamente añadiendo la palabra *todos.* Algunos intérpretes de la carta piensan que Pablo incluyó esta palabra para enfatizar que su buena voluntad se extiende aun a los "desordenados" (vv. 6-12).

──────────Aplicaciones del estudio ──────────

1. Dios es la única fuente de progreso en la vida espiritual, 2 Tesalonicenses 3:1-5. Debemos mirar a él para nuestro crecimiento (v. 5), y por lo tanto, podemos ser optimistas acerca de nuestro futuro (v. 3). A la vez, debemos desarrollar una disciplina de intercesión a favor del progreso de la palabra de Dios entre otros y en toda la tierra (vv. 1, 2).

2. Aprendemos y enseñamos más por ejemplo que por precepto, 2 Tesalonicenses 3:7. Cada maestro de la iglesia, consejero o dirigente debe esforzarse para que su propia vida sea un modelo digno. También debemos escoger los mejores modelos para seguir en nuestro desarrollo personal.

3. No debemos permitir que los malos ejemplos nos afecten negativamente, 2 Tesalonicenses 3:13. Siempre que vemos que algunos no responden a la dirección de Dios, somos tentados a decir: "Si él no cumple, yo tampoco." No debemos permitir que las debilidades de otros, sean pretextos para no confesar y superar, en el poder de Dios, nuestros errores.

La disciplina en la iglesia
2 Tesalonicenses 3:14, 15

Introducción: Una de las responsabilidades que el Nuevo Testamento asigna a la iglesia es la disciplina de sus miembros. Muchas iglesias con la intención de no ofender a nadie, de complacer a otros, o por simple descuido han olvidado la responsabilidad que tienen de ayudar a cada uno de sus miembros a crecer sanos y fuertes en sus creencias, su conducta y su estilo de vida. Así como en la familia los padres son responsables de formar los valores y conducta de sus hijos, la iglesia tiene la misma responsabilidad hacia los miembros de la familia de Dios. Examinemos estas instrucciones de Pablo para hacerlo correctamente.

I. El ideal es que cada creyente se discipline (v. 14a).
   A. Debemos esperar lo mejor de cada hermano mientras él mismo no muestre otra cosa.
   B. La disciplina nunca debe convertirse en un sistema de vigilancia.
II. El propósito de la disciplina es restaurar (v. 14b).
   A. Es necesario en algunos casos limitar algunos o todos sus privilegios como miembro, pero nunca se debe aplicar la disciplina para castigar o vengar, o para poner un ejemplo para advertir a otros.
   B. Si el propósito es restauración, la disciplina no debe continuar después de que el ofensor siente vergüenza y se arrepiente de su pecado.
III. El espíritu de la disciplina debe ser fraternal (v. 15).
   A. La disciplina en la iglesia no tiene el propósito de depurar a la congregación de elementos corruptos; todos somos pecadores.
   B. En cada paso del proceso de disciplina, hay que recordar que tratamos con un hermano, quien merece nuestro respeto y amor.
   C. Disciplinar en amor fraternal requiere del poder de Dios, y por tanto de la oración.

Conclusión: La disciplina fortalece los lazos del amor en una congregación, provee un sentido de unidad, afirma los valores y el estilo de vida de los hijos de Dios y estimula el crecimiento espiritual de todos.

Lecturas bíblicas para el siguiente estudio

Lunes: Gálatas 1:1-5   **Jueves:** Gálatas 1:13-17
Martes: Gálatas 1:6-9   **Viernes:** Gálatas 1:18-20
Miércoles: Gálatas 1:10-12   **Sábado:** Gálatas 1:21-24

AGENDA DE CLASE

Antes de la clase
1. Elabore una lámina con los nombres y las ocupaciones de sus alumnos.
2. Prepare dos títulos en láminas grandes. Uno que diga: "LAS BENDI-CIONES DE TRABAJAR" y otro: "LOS PROBLEMAS DE NO TRABA-JAR".
3. Prepare de antemano el salón, arréglelo en forma diferente al domingo pasado; por ejemplo, la posición de las sillas, el acomodo de los muebles, etc.
4. Haga una pequeña investigación acerca de la vida de oración del apóstol Pablo: sus motivos, su disciplina, las bendiciones recibidas en lo personal, etc. Se recomienda ver las oraciones de Pablo en la carta a los Efesios.
5. Consiga unos marcadores de colores y dos pliegos de papel tamaño cartulina.
6. Prepare un letrero grande que diga: "¿EN QUE ESTOY TRABAJANDO PARA EL SEÑOR?" Colóquelo en un lugar visible para todos dentro del salón.
7. Responda las preguntas dadas en el libro del alumno en la sección *Lea su Biblia y responda*.

Comprobación de respuestas
JOVENES: **1.** C. **2.** E. **3.** D. **4.** A. **5.** B.
ADULTOS: **1.** a. Que oren por él y que sea librado de hombres malos. b. que harán como él les manda. c-1. No fue desordenado. C-2. No comió el pan gratuitamente. c-3. Trabajó arduamente día y noche. d. El que no trabaje que no coma. e. Que trabajando sosegadamente coman su propio pan.

Ya en la clase
DESPIERTE EL INTERES
1. Presente el tema del día y dirija a la clase en una oración para que Dios les hable este día.
2. Llame la atención a la lámina en donde están escritos los nombres y ocupaciones de sus alumnos, sensibilice a su clase respecto a la bendición del Señor de poder tener un trabajo que desarrollar.
3. Divida al grupo en dos, y utilizando la técnica de "lluvia de ideas", pida a uno de los subgrupos que trabaje aportando sus puntos de vista acerca de "LAS BENDICIONES DE TRABAJAR", y al otro respecto a "LOS PRO-BLEMAS DE NO TRABAJAR."
4. Reúna nuevamente al grupo y permítales compartir sus conclusiones con todos.
5. Introduzca el tema del día.

ESTUDIO PANORAMICO DEL CONTEXTO
1. Pregunte a sus alumnos cuándo vendrá el Señor Jesucristo por segunda vez. A menudo escuchamos frases como "Jesús viene pronto," "¡Ven Señor Jesús!", pero ¿cómo nos estamos preparando para este maravilloso evento? Lléveles a pensar en que el Señor quiere que esperemos y anhelemos su

segunda venida de una manera activa y no pasiva, pues solamente en el movimiento es que los demás pueden darse cuenta de nuestro testimonio.

2. Señale aquellas cosas que Pablo pide a los tesalonicenses que realicen. Orar porque el evangelio sea extendido, por él mismo y su equipo y por aquellos que se escudan en las cosas del Señor para no hacer lo correcto.

ESTUDIO DEL TEXTO BASICO

1. Señale la importancia que Pablo le da a la oración. Comparta los resultados de su investigación acerca de la vida de oración de Pablo. Pregunte a sus alumnos acerca de su propia vida de oración.

2. Las bases del comportamiento de un cristiano. Conduzca a su clase a evaluar la siguiente afirmación: "La generación actual es sumamente práctica y funcional. Ellos prefieren ver la acción de una doctrina que escuchar su filosofía. El cristianismo debe ser una realidad espiritual interior manifestada en acciones concretas." Saquen sus propias conclusiones.

3. Ayude a su clase a reconocer que aquellos que quieran recibir bendiciones del Señor deben ser cumplidos con aquello que es su responsabilidad. Servir al Señor no implica hacerlo sólo dentro del templo, sino en todo lugar donde el cristiano se mueva.

4. Lléveles a reflexionar que la vida cristiana tiene directrices muy claras acerca de cómo debemos conducirnos. No hay lugar para aquellos que quieren cambiar los valores divinos y establecer sus propias normas.

5. Invite a participar a dos de los alumnos de la clase para que pasen al frente. En los dos pliegos de papel, pida que uno de ellos escriba, con la ayuda de la clase, algunos valores absolutos que el Señor establece en su Palabra. El otro alumno, también con la ayuda de la clase, escribirá los "valores" del hombre contrarios a los valores divinos previos.

APLICACIONES DEL ESTUDIO

Pida que diferentes alumnos lean las aplicaciones que aparecen en sus libros y las comenten. Comente cómo la oración es un elemento vital en la vida del cristiano, es vínculo con el Señor y la fuente de todo poder.

PRUEBA

Llame la atención de la clase acerca del letrero "¿EN QUE ESTOY TRABAJANDO PARA EL SEÑOR?" Deje bien claro que cada miembro de la iglesia que tiene un trabajo honrado su verdadero y último patrón es el Señor mismo. No trabajamos solamente para complacer a nuestro patrón sino principalmente para glorificar a Dios.

Concluya la clase con un período de oración conversacional. Anime a cada uno de los alumnos a estudiar su lección pues estaremos iniciando el estudio de la carta de Pablo a los Gálatas.

El único evangelio

Contexto: Gálatas 1:1-24
Texto básico: Gálatas 1:3-9, 13-17, 23, 24
Versículos clave: Gálatas 1:11, 12
Verdad central: Pablo declara que la finalidad del evangelio que predica es guiar a sus oyentes a creer en Cristo y a adoptar un nuevo estilo de vida.
Metas de enseñanza-aprendizaje: Que el alumno demuestre su conocimiento de que el evangelio que predicó Pablo, tiene como finalidad guiar al hombre a un encuentro con Cristo, y su actitud de adoptar las verdades del evangelio como su norma de fe y práctica.

─────── **Estudio panorámico del contexto** ───────

Fondo histórico:

Galacia fue una provincia romana en el centro de Asia Menor. Tomó su nombre de los galos que habitaron el norte de la provincia. Estos galos son del mismo origen de los pobladores de la región que hoy es Francia.

En cuanto a la fecha cuando se escribió la carta a los gálatas. La reunión en Jerusalén que Pablo describe en Gálatas 2:1-10 parece ser la misma que se narra en Hechos 15, y ésta se verificó alrededor de 50 d. de J.C. Entonces Pablo escribió la carta en el año 51. Sin embargo, las semejanzas de Gálatas con 2 Corintios y las emociones que expresa al exponer sus argumentos en la carta a los Romanos, sugieren que fue escrita entre estas dos, en 57 d. de J. C. Para este estudio, tomaremos la fecha de 57 d. de J.C. como hipótesis.

El motivo de la carta. En su primer viaje misionero (Hech. 13:1 a 14:28), Pablo y Bernabé guiaron a muchas personas a la fe en Cristo, pero no se les ocurrió pedir que los nuevos convertidos que no eran judíos fueran circuncidados o hicieran el compromiso de guardar todo el sistema legal de los judíos como parte del hecho de ser creyentes en Cristo, y mucho menos, como condición para su salvación. Algunos agitadores han llegado a Galacia, enseñando a los cristianos gentiles que Pablo y su compañero, Bernabé estaban equivocados y que ellos deben circuncidarse y guardar la ley de Moisés para progresar en su relación con Dios (Gál. 5:2; 3:3). Probablemente estos perturbadores son judíos cristianos de Palestina. Pablo escribe para persuadir y exhortar a los gálatas a rechazar este "evangelio diferente" (1:6) y perseverar en fidelidad al evangelio de gracia que él les ha enseñado.

La carta a los Gálatas es una carta escrita a las iglesias de la región para corregir esos errores. Su tono es altamente polémico y mantiene un espíritu de controversia, especialmente los primeros cuatro capítulos hasta el 5:12. Pablo no retrocede ni un centímetro en su posición de que la salvación viene por la fe en Cristo, sin observar los rituales de la ley o pretender conseguir la salvación por medio de las buenas obras.

Enfasis:

Saludos, Gálatas 1:1, 2. Pablo amplía su saludo acostumbrado para enfatizar que Dios le dio su autoridad como apóstol. Aparentemente los agitadores han atacado la autoridad de Pablo junto con el mensaje que enseña. *Todos los hermanos que están conmigo,* pueden ser los compañeros de viaje de Pablo que se mencionan en Hechos 20:1-6, ya que es probable que Pablo escribió Gálatas durante este viaje.

La obra de Jesucristo, Gálatas 1:3-5. Pablo amplía también su deseo de prosperidad (*gracia y paz*) para describir la obra de Cristo para librarnos del mal.

El único evangelio, Gálatas 1:6-9. Pablo se asombra de que los gálatas tan fácilmente están dejando el evangelio que describió en el versículo cuatro para seguir un evangelio falso de esclavitud a reglas y ceremonias. Pablo pronuncia la maldición apostólica sobre los que promueven este error entre los gálatas.

El evangelio no es de origen humano, Gálatas 1:10-12. Las palabras fuertes que Pablo emplea en los vv. 8, 9 deben mostrar la falsedad de otra acusación de sus adversarios: que él cambia su mensaje según su audiencia. Pablo dice que su evangelio no es humano; lo recibió directamente de Dios en la *revelación de Jesucristo* en el camino hacia Damasco. Por lo tanto, él no se atreve a ajustarlo según los gustos de su audiencia.

El evangelio de Pablo recibido por revelación, Gálatas 1:13-17. La vida de Pablo antes de su conversión fue tal que solamente Dios pudo haberlo cambiado. Cuando sucedió este cambio, Pablo no fue a Jerusalén para aprender de los apóstoles más antiguos, sino a Arabia para escuchar a Dios.

Pablo visita a los apóstoles, Gálatas 1:18-24. Pablo narra sus visitas subsiguientes a Jerusalén para enfatizar que fueron cortas y no con el propósito de aprender el evangelio. En su primera visita, tres años después de su conversión, habló solamente con Pedro y Santiago, y no fue conocido por los miembros de la iglesia en general. Los datos que Pablo narra, concuerdan en general con los que leemos en Hechos 9, 11 y 15, aunque incluyen detalles distintos.

Si la visita que Pablo narra en Gálatas 2 es la de Hechos 15, entonces él omite la visita de Hechos 11:29, 30. El propósito de Pablo en esta sección de Gálatas es mostrar que su contacto con los apóstoles de Jerusalén fue limitado y que no recibió el evangelio por medio de ellos. En Hechos 11, la iglesia sufría persecución, los apóstoles estaban dispersados o encarcelados, y Pablo tuvo que entrar en la ciudad en secreto y no encontró a ninguno de los doce. Tal vez por esto omite esta visita de su narración en Gálatas. Como quiera que sea Pablo desea hacer hincapié en el hecho que el evangelio que él proclama lo recibió del mismo Señor y no por medio de los apóstoles o de otros creyentes que aun se encontraban en el proceso de elaborar sus doctrinas.

──────────── **Estudio del texto básico** ────────────

1 La obra de Jesucristo, Gálatas 1:3-5.

V. 3. En el quinto estudio, tratamos los términos clave de esta fórmula que Pablo incluye al principio de todas sus cartas. Entonces, le sugerimos dar un repaso a todos estos conceptos.

Vv. 4, 5. Pablo describe la obra *del Señor Jesucristo*, y así da la esencia del evangelio. Hace hincapié en el sacrificio de Jesucristo porque la enseñanza de los maestros falsos en Galacia implica que éste no fue suficiente. Cristo *se dio a sí mismo* en la muerte, por razón de *nuestros pecados*. El resultado de este sacrificio en la vida del creyente es libertad; ya no es esclavo *de la presente época malvada*. En contraste con el reino de Dios que viene, el tiempo presente está caracterizado por la maldad.

El sacrificio de perdón y liberación no fue solamente un proyecto de Jesucristo; se realizó *conforme a la voluntad de nuestro Dios y Padre*. Toda la plenitud de la deidad se dirige a nuestra salvación y libertad. Esta verdad nos estimula a prorrumpir con Pablo en alabanza de *la gloria* eterna de Dios.

2 El único evangelio, Gálatas 1:6-9.

Vv. 6, 7. Pablo se maravilla por la inconstancia de los cristianos de Galacia. *Tan pronto* oyen las enseñanzas de los agitadores judaizantes, están contemplando seriamente seguir su *evangelio diferente*. En realidad solamente hay un evangelio, y la nueva enseñanza es una perversión del *evangelio de Cristo*. Seguir este evangelio falso sería apartarse *del que os llamó por la gracia de Cristo,* es decir, abandonar a Dios y a su gracia. ¿Cómo puede uno mejorar su condición si sacrifica el favor de Dios y su poder desplegado para salvar, por cualquier otra "ventaja"?

V. 8. Pablo declara solemnemente que el evangelio que él y sus compañeros proclamaron en Galacia es la única verdad que da esperanza de reconciliación con Dios. Cualquier camino alternativo es falso, y el que lo predica merece el *anatema*, aunque sea uno de los misioneros originales o un *ángel*. Originalmente, el *anatema* era la palabra para designar un animal y apartarlo para el sacrificio a Dios. De allí, adquirió el sentido de la destrucción pronunciada sobre una persona que se rebela contra Dios en una manera extraordinaria.

V. 9. Pablo repite y hace específico el principio general del v. 8. Les recuerda a los gálatas que ya pronunció este *anatema* cuando estuvo con ellos. Los que predican este falso *evangelio* están equivocados y son dignos de condenación.

3 La experiencia de Pablo, Gálatas 1:13-17, 23, 24.

Vv. 13, 14. Pablo menciona su vida antes de que Cristo lo encontrara, para mostrar el cambio radical que había sufrido. Tal cambio tiene que ser obra de

Dios, y por tanto el mensaje que Pablo recibió como parte de este cambio tiene que ser un mensaje divino, no humano. Pablo había sido un enemigo de la iglesia, buscando destruirla. Fue de los legalistas más estrictos, sobresaliente en el judaísmo que había aprendido desde niño.

Vv. 15, 16a. Pero todo esto cambió en un solo día, el día que Dios eligió. Pablo reconoce, como Jeremías (1:5) e Isaías (49:1), que Dios tenía un plan para su vida aun antes de que él saliera del *vientre* de su *madre*. Dios reveló *a su Hijo* a Pablo en el camino a Damasco, tanto con una manifestación exterior como desde adentro (*en mí*). Dios siempre nos habla desde adentro, aun cuando usa un evento exterior. También nos llama con un propósito de servicio. Dios salvó a Pablo para que Pablo *lo anunciase entre los gentiles*.

Vv. 16b, 17. Los agitadores que han llegado a Galacia intentan rebajar la autoridad de Pablo, diciendo que él es inferior a los apóstoles originales (a quienes los agitadores pretenden representar). Alegan que Pablo aprendió el evangelio de aquellos líderes en Jerusalén. Pablo replica que su primer acto al recibir a Cristo no fue consultar con los apóstoles de *Jerusalén* ni con ningún hombre. Más bien fue al desierto de *Arabia*, donde Moisés (Exo. 3:1) y Elías (1 Rey. 19:8) habían oído la voz de Dios. El cambio radical en la vida de Pablo y su acción después de su experiencia afuera de Damasco son evidencias de que recibió su evangelio de Jesucristo (v. 12).

Vv. 23, 24. Aparentemente Pablo no se reunió con toda la iglesia en su primera visita como cristiano a Jerusalén (v. 22). Lucas no menciona este detalle (Hech. 9:26-30), pero indica que Pablo "discutía con los helenistas". Podemos concluir que asistía a las reuniones de la sinagoga de los helenistas y no a las reuniones de los cristianos. Esto puede explicar por qué *las iglesias de Judea* (v. 22) no conocían a Pablo.

Si Pablo *proclama* el mensaje *que antes asolaba*, está claro que Dios ha intervenido. Aunque ahora algunos de Judea dicen a los gálatas que Pablo es un engañador ambicioso (vv. 10-12), en aquellos días los cristianos de Judea reconocieron que Dios había hecho una obra genuina en él, y *daban gloria a Dios por causa de* él.

──────────── Aplicaciones del estudio ────────────

1. El mensaje de la Biblia y de la iglesia se centra en el sacrificio de Jesucristo, Gálatas 1:3, 4. El sufrió en la cruz para que haya buenas nuevas ("evangelio") para nosotros y para todos los hombres.

2. No hay otra esperanza de salvación fuera de Cristo, Gálatas 1:6-9. Se cuenta de una señora, creyente en Cristo, que solía visitar a los enfermos que estaban en el hospital. Con la intensión de dar ánimo a un hermano de la iglesia que sufría de una enfermedad terminal le dijo tiernamente: "Si Dios va a salvar a alguien, ese será usted. Nadie ha hecho tanto bien a sus vecinos, a la iglesia y a su familia, nadie ha vivido tan rectamente como usted." El hombre la miró a los ojos y con la misma dulzura, pero con firmeza respondió: "Sí, yo se que soy salvo, pero no por causa de mis buenas obras. Hace muchos años la gracia de Dios por medio de Jesucristo tocó mi corazón y yo puse mi fe en él. Mi esperanza y confianza radican en lo que Cristo hizo por mí para limpiar mis pecados y no en algunas buenas obras o buena actuación de parte mía." Bien dicho. ¡No hay otra esperanza de salvación fuera de Cristo!

3. La transformación del creyente es obra de Dios, Gálatas 1:15, 16, 23, 24. Es por la iniciativa y el poder de Dios que encontramos la vida de libertad a través de Jesucristo. Por tanto, debemos depender de él para el desempeño de todas nuestras actividades en esta vida. Es más, en agradecimiento por nuestra salvación, debemos hacer nuestros mejores esfuerzos para comunicar a otros lo que Cristo está haciendo por nosotros cada día.

―――――――――――― **Ayuda homilética** ――――――――――――

Buenas nuevas para el hombre
Gálatas 1:3-5

Introducción: Se hace indispensable que expresemos con claridad el contenido básico del evangelio. Hay muchas personas confundidas, algunas están optando por un agnosticismo práctico por no saber qué o a quién creer. Pablo en el saludo de esta carta da un resumen de estas "buenas nuevas".

I. El Señor Jesucristo se dio a sí mismo por nuestros pecados (4a).
  A. Las "malas noticias" son que nos hemos rebelado contra Dios, y la paga de este pecado es muerte.
  B. Cristo la pagó en la cruz del Calvario.

II. El sacrificio de Cristo nos libra de la presente época malvada (4b).
  A. La rebelión contra Dios ha producido una época de maldad.
  B. Pablo la llama la época presente porque hay la esperanza de una época futura en la cual Dios reinará y la maldad será eliminada.
  C. Por el sacrificio de Cristo, podemos vivir en la época perfecta.
  D. La nueva vida que Cristo nos da es una vida de libertad; libertad de la esclavitud de nuestros deseos malos y para realizar el potencial que Dios creó en el hombre.

III. El sacrificio de Cristo nos guía a la voluntad de Dios y Padre (4c).
  A. Dios dio su hijo voluntariamente para librarnos de la maldad que habíamos escogido.
  B. El deseo de Dios no es castigarnos sino restaurarnos; podemos conocerlo como Amigo y Padre.
  C. Todos los recursos ilimitados de Dios están comprometidos para nuestro bien.

Conclusión: Este evangelio es "buenas nuevas" para nosotros solamente si lo aceptamos por la fe.

Lecturas bíblicas para el siguiente estudio

Lunes: Gálatas 2:1-5   **Jueves:** Gálatas 2:14
Martes: Gálatas 2:6-10   **Viernes:** Gálatas 2:15, 16
Miércoles: Gálatas 2:11-13   **Sábado:** Gálatas 2:17-21

AGENDA DE CLASE

Antes de la clase
1. Prepare un mapa donde pueda localizar las regiones tanto de Galacia del Norte como de Galacia del Sur. Coloque el mapa en el pizarrón y escriba las citas del libro de Los Hechos donde se mencionan los viajes de Pablo por la provincia de Galacia.
2. Lea un comentario sobre la carta a los Gálatas para documentarse bien respecto a las posturas tanto del lugar a donde Pablo escribió esta carta, así como también la fecha en que fue escrita.
3. Haga la sección *Lea la Biblia y responda* del libro del alumno.

Comprobación de respuestas
JOVENES: **1.** a. hombres — hombre. b. asombrado. c. anatema. **2.** a. 17. b. 15. c. 18. d. 21. e. 14
ADULTOS: **1.** a. Jesucristo y Dios Padre. b. Que los gálatas se estaban apartando del verdadero evangelio. c. Como un anatema. d. Lo recibió por revelación de Jesucristo. e. Fue a Arabia. f. Que el que antes les perseguía, ahora proclamaba las buenas nuevas. **2.** El de mezclar la gracia de Dios con la ley de Moisés.

Ya en la clase
DESPIERTE EL INTERES
1. Mencione que con esta lección se da inicio a la tercera Unidad de estudio. Indique que seguimos estudiando temas relacionados con la iglesia pero ahora desde la perspectiva de la carta a los Gálatas.
2. Haga la siguiente pregunta: ¿Cuántas veces estuvo Pablo en Galacia? Use los pasajes de Hechos para contestarla.
3. Haga uso del mapa para mostrar las regiones tanto de Galacia del Norte como del Sur.
4. Haga uso de la investigación que realizó. Mencione que tener diferentes posturas no altera el mensaje de la carta.

ESTUDIO PANORAMICO DEL CONTEXTO
1. Haga mención de que la fecha de composición de la carta depende del lugar donde Pablo la escribió. Comente respecto a las fechas probables.
2. Mencione que en las iglesias de Galacia se habían introducido herejes con ideas contrarias a la enseñanza de Pablo. No solamente engañaban a los cristianos sino que aun atacaban a Pablo, a quien no aceptaban como verdadero apóstol.
3. Haga notar que los herejes eran cristianos-judíos que creían firmemente en la necesidad de que cualquier convertido guardara la ley judía. Mencione que Pablo, a través de la carta, echa por tierra los argumentos de aquellos que querían privar de su libertad en Cristo a estos hijos espirituales de él.

ESTUDIO DEL TEXTO BASICO
1. *Examine el saludo de Pablo para las iglesias de Galacia, haciendo resaltar el énfasis que pone en la obra de Jesucristo.* Pida a un alumno que

lea Gálatas 1:3-5. Ponga énfasis en que la obra de Jesucristo por nosotros no fue realizada únicamente porque nos amaba, sino también porque anhelaba agradar al Padre celestial en todo. Resalte la manera en que Pablo presenta a Jesucristo, no como alguien que se ve obligado a hacer algo por otros, sino como alguien que se da a sí mismo motivado por su amor infinito. Pregunte a los alumnos qué significado tiene eso para ellos.

2. *Analice las razones por las cuales Pablo da énfasis a la pureza del evangelio que él predica.* Que otro alumno lea Gálatas 1:6-9. Resalte cuál fue la reacción del Apóstol ante la actitud que los gálatas habían tomado respecto a la enseñanza del evangelio que él les había dado. Mencione que los gálatas simplemente estaban prestando atención a aquella forma de evangelio que proclamaba la necesidad de ser justificados por las obras de la ley y no únicamente por medio de la fe. Mencione la manera categórica en que Pablo declara que no existe otro evangelio. Resalte la convicción del Apóstol que declara como maldito, se incluye él mismo, a todo aquel que quiera pervertir ese evangelio puro y sincero que él recibió directamente de Jesucristo.

3. *Analice los hechos de la vida de Pablo que demuestran su llamamiento a ser apóstol de Cristo.* Pida a un alumno que lea Gálatas 1:13-17, 23, 24. Mencione que el pasaje es una defensa de Pablo de su apostolado. Enfatice que sus enemigos no solamente pretendían ir en contra de sus enseñanzas, sino también en contra de su llamamiento. Sus enemigos negaban que realmente él fuera un verdadero apóstol. Destaque las partes de la experiencia de Pablo que dan testimonio de su llamamiento a ser apóstol. Mencione que algunos datos históricos mencionados aquí no aparecen registrados en el libro de Los Hechos. Hable sobre el hecho de que Pablo tuvo que luchar para vencer actitudes de los mismos cristianos a los cuales se les dificultaba creer que aquel que antes los perseguía ahora pertenecía a la familia de la fe. Pregunte si alguno de los alumnos ha sido atacado por alguna persona por causa de sus convicciones y experiencias.

APLICACIONES DEL ESTUDIO

1. A la luz de las aplicaciones de los libros de jóvenes y adultos haga hincapié en la importancia de la obra salvadora de Cristo proclamada a través del evangelio que él ha dado a sus siervos para que lo prediquen. **2.** Permita que varios alumnos den lectura en voz alta a los puntos en que estén divididas las aplicaciones. **3.** Haga uso de las aplicaciones que vienen en el libro del maestro.

PRUEBA

1. Anime a los alumnos a contestar las preguntas de la *Prueba* reflexionando muy bien acerca de las respuestas que darán. **2.** Invítelos a que durante la semana puedan poner en práctica lo estudiado en la lección así como también los retos presentados en el ejercicio de valoración de la *Prueba*. **3.** Termine invitando a los alumnos a que hagan las lecturas recomendadas para el próximo estudio. Que uno de los alumnos ore pidiendo la dirección del Señor en sus vidas.

Unidad en Cristo

Contexto: Gálatas 2:1-21
Texto básico: Gálatas 2:1-5, 9, 11-13, 15-21
Versículo clave: Gálatas 2:2
Verdad central: La explicación que Pablo hace de la naturaleza del evangelio enseña que las personas son salvas por su fe en Cristo.
Metas de enseñanza-aprendizaje: Que el alumno demuestre su conocimiento de la explicación que Pablo hace del evangelio, y su actitud que valoriza el hecho de que la salvación es por gracia a través de la fe en Cristo.

———————Estudio panorámico del contexto ———————

A. Fondo histórico:

Para una buena comprensión de los temas que Pablo trata en la carta a los gálatas (2:1-10 particularmente), conviene hacer una lectura cuidadosa de todo el capítulo 15 de Los Hechos.

B. Enfasis:

La diversidad del ministerio de la iglesia, Gálatas 2:1-10. La cuestión tratada en la visita de Pablo a Jerusalén es la misma que Pablo trata en estos versículos: ¿tienen los gentiles que observar la ley de los judíos, especialmente la circuncisión, para ser cristianos? Pablo menciona una conferencia privada con los líderes (v. 2), e implica que luego hubo una reunión pública, en la cual algunos insistían en la necesidad de la circuncisión (vv. 3, 4). Pablo recuerda que los líderes en Jerusalén estuvieron de acuerdo con su posición en cuanto a Tito; reconocieron que este gentil fue cristiano sin circuncidarse. Además "las columnas" (v. 9) de Jerusalén reconocen que Pablo predica el mismo evangelio que ellos (v. 6) aunque en un campo distinto. El mismo Señor había comisionado y habilitado tanto a Pedro como a Pablo (vv. 7, 8). Pedro y ellos trabajaban entre los judíos, y Pablo y Bernabé entre los gentiles (v. 9). Solamente pidieron que Pablo y Bernabé promovieran una ayuda para los cristianos pobres de Jerusalén. Los dos misioneros a los gentiles ya habían traído una ofrenda a Jerusalén (Hech. 11:27-30).

Diplomacia "versus" compromiso, Gálatas 2:11-13. Pablo narra otro encuentro que tuvo con Pedro para mostrar su independencia de los primeros apóstoles. En una visita a Antioquía, Pedro expresó la libertad que Cristo da, comiendo con los hermanos gentiles en Antioquía de Siria, pero cuando vinieron algunos judíos de Jerusalén, Pedro dejó de comer con los gentiles.

Todo hombre es justificado por la fe, Gálatas 2:14-19. Pablo amonestó a

Pedro públicamente, porque su conducta daba a entender que los cristianos gentiles son inferiores a los cristianos judíos. Es difícil saber dónde termina la cita de las palabras de Pablo a Pedro, pero todo el resto del capítulo es un argumento basado en aquellas palabras. El evangelio requiere que los judíos reconozcan que han pecado, igual que los gentiles. Cristo no provoca el pecado de los judíos, sino que lo revela. Así que no es Cristo el ministro del pecado, sino el cristiano que quiere volver al camino de la ley que no puede guardar. La ley no salva de la muerte, sino que nos hace conscientes de la necesidad de renunciar a la imposibilidad de la justificación por la ley; al hacerlo así encontramos la verdadera vida en la gracia de Dios.

Unidos por fe en Cristo, Gálatas 2:20, 21. Pablo resume lo que encontró en Cristo como una muerte a la condenación de la ley y una nueva vida de gracia. Murió con Cristo, y ahora Cristo vive en él. Esta salvación es totalmente ajena al esfuerzo para cumplir la ley y así justificarse; es identificación con Cristo por la fe.

──────── **Estudio del texto básico** ────────

1 La diversidad del ministerio de la iglesia, Gálatas 2:1-5, 9.

V. 1. Pablo dice que este concilio sucedió *catorce años* después de su visita (vea Gálatas 1:18-20, aunque es posible que quiera decir *catorce años* después de su conversión). Si se trata del mismo concilio que Lucas narra en Hechos 15, sucedió alrededor del año 50 d. de J.C. Pablo menciona la presencia de*Tito* con él y Bernabé, porque la circuncisión de este gentil será el enfoque de la controversia entre Pablo y los judaizantes en Jerusalén.

V. 2. *De acuerdo con una revelación* indica que Dios comunicó, a Pablo o a la iglesia que lo mandó (Hech. 15:2), que esta visita fue hecha por la voluntad del Señor. En una conferencia privada con los apóstoles y los líderes de la iglesia de Jerusalén, Pablo presentó el mensaje que predicaba a los gentiles. Los versículos que siguen aclaran que la intención de Pablo no fue ajustar su mensaje según el criterio de estos líderes, sino determinar si ellos iban a estorbar su obra entre los gentiles. Esto es lo que querían hacer los judaizantes en Antioquía, quienes decían representar a los apóstoles (Hech. 15:1).

Vv. 3-5. El resultado fue la confirmación de la posición de Pablo. Los líderes, y después la iglesia en general, reconocieron que Tito era un cristiano genuino, y no dijeron que fuera necesario circuncidarlo. Esta opinión, sin embargo, no fue unánime. Algunos *falsos hermanos* insistían en que Tito tenía que ser circuncidado. Esto implicaba que todo cristiano gentil tendría que sujetarse a los ritos judíos. Pablo consideró esta posición como *esclavitud*, y la resistió para preservar *la verdad del evangelio* de libertad a favor de los creyentes gentiles. En los capítulos doctrinales de esta carta (Gál. 3 y 4) Pablo dará la justificación teológica de su posición.

V. 9. Pablo da los nombres de tres de los líderes de la iglesia en Jerusalén. *Jacobo*, medio hermano de Jesús, fue el líder de la iglesia en Jerusalén. *Pedro y Juan*, líderes de los doce discípulos originales, tenían un ministerio más amplio que Jacobo en sentido geográfico. Estos tres reconocieron los dones y el llamamiento de Pablo y Bernabé, y formalmente reconocieron que Dios les había encargado la evangelización en el campo de *los gentiles*, de la misma manera que a ellos los había enviado para evangelizar a judíos.

2 Diplomacia *versus* compromiso, Gálatas 2:11-13.

V. 11. Este último incidente que Pablo narra, sirve de transición al argumento doctrinal de la carta. Pedro y Pablo se encuentran juntos en Antioquía, tal vez en la ocasión mencionada en Hechos 18:22. Pablo muestra que no se siente subordinado a Pedro. Cuando éste está mal, Pablo siente la libertad de decírselo e invitarle a recapacitar.

V. 12. Pablo explica la ocasión. Por las lecciones que Pedro aprendió en la casa de Cornelio (Hech. 10) y en el concilio de Jerusalén (Hech. 15), siente la libertad de comer a la misma mesa con gentiles, una práctica prohibida por las ideas judías de santidad. Llegan algunas personas de Jerusalén, diciendo que representan a Santiago, el líder de la iglesia allí. Pedro decide apartarse de los gentiles, porque es la práctica que estos cristianos judíos tienen.

V. 13. Pedro es un líder de' los cristianos judíos, y su ejemplo pesa con los demás judíos en la iglesia de Antioquía, así que ellos también se alejaban de los gentiles, siguiendo lo que Pablo llama la *hipocresía* de Pedro. No sabemos si Pedro se avergonzó de su comunión íntima con gentiles, o si pensaba evitar un choque con los visitantes, pero su acción animaba a una división en la iglesia de Antioquía.

Sin duda las heridas emocionales de esta confrontación entre Pablo y Pedro ya habían cicatrizado. Ambos ya se habrían saludado cariñosamente antes de la reunión, entonces surge la pregunta: ¿Por qué Pablo vuelve a mencionar el asunto? Sin duda Pablo no estaba recordando los errores de Pedro sino reforzando el concepto de la salvación por gracia por medio de la fe y no por las obras. Cuando estamos actuando de buena fe no debemos permitir que nadie nos intimide. Los cristianos no somos como los camaleones que cambian su color de acuerdo con las circunstancias, no cambiamos nuestras convicciones cuando una nueva persona, a quien consideramos "importante" aparece en la escena. Tampoco debemos permitir que nuestro deseo de obtener una mejor posición o aprobación nos haga tener miedo de asociarnos con alguien que no goza de la aceptación de nuestros hermanos. Aunque Pedro fue un gran intérprete de la fe cristiana, no era una persona perfecta. ¡Solamente Jesús mantuvo esa calidad! Como creyentes en Cristo debemos hacer lo que Dios dice y no solamente ser guiados por lo que otros hacen o dicen.

3 Unidos por la fe en Cristo, Gálatas 2:15-21.

Vv. 15, 16. La palabra *nosotros* sugiere que Pablo continúa narrando lo que dijo a Pedro en Antioquía. Los judíos cristianos han reconocido que están en la misma condición que *los gentiles*, a quienes los judíos consideran *pecadores* (lea Mat. 26:45 comparado con Luc. 18:32). El único camino a la justificación es por medio de la fe que reconoce y confiesa el pecado. Es imposible ser justificado por cumplir perfectamente con la ley; Pablo cita el Salmo 143:2 para confirmar esta verdad. ¿Cómo, pues, pueden los cristianos judíos tomar una acción que sugiere que los gentiles son inferiores?

Vv. 17, 18. Se puede concluir que *Cristo* es un *servidor del pecado*, porque los que creen en él abandonan sus esfuerzos para justificarse por medio del cumplimiento perfecto de la ley; son *hallados pecadores*. Pablo rechaza esta conclusión enfáticamente. Cristo no los hizo pecadores ni a él, ni a Pedro ni a otros judíos. Más bien el encuentro con Cristo reveló el pecado escondido debajo del legalismo judío. El que en realidad está promoviendo el pecado es el que vuelve a la vida legalista y a las divisiones entre hombres que caracterizaban la vida de los judíos antes de conocer a Cristo. Con esta descripción, Pablo alude a los que perturbaron la paz de los cristianos en Antioquía. Ahora algunos que sostienen la misma posición están perturbando a los gálatas con su insistencia en la observancia de ceremonias y leyes judías. Cuando Pedro y otros judíos en Antioquía cedieron a tales presiones, estaban edificando *de nuevo las mismas cosas* que habían derribado.

V. 19. La ley llevó a Pablo a la muerte espiritual, porque estableció requisitos que él no podía cumplir para vivir según ella. Pero esta muerte lo preparó para recibir el mensaje de la vida en Jesucristo, y así para una nueva vida *para Dios*: de confianza en Dios y de obediencia a él por el poder que ofrece en Cristo. Esta vida unifica a judíos con gentiles, porque el evangelio ofrece a todos esta misma muerte al pecado y vida para Dios.

V. 20. La muerte a la ley, es la identificación del creyente con la crucifixión de Cristo, y la nueva vida es la de Cristo. *La carne*, el problema que la ley no pudo resolver, ahora es el instrumento de esta vida victoriosa, que Pablo tiene por *la fe*, su dependencia total de Cristo y obediencia completa a él. Pablo proclama maravillado que, cuando Cristo murió por el mundo, *se entregó ... por mí*. Cristo no murió por "la humanidad", sino por cada individuo personalmente.

V. 21. Las obras que Pablo hace en la carne son fruto de *la gracia de Dios* que obra en él. Si las obras de *la ley* pudieran justificar, entonces la muerte de Cristo habría sido sin propósito. Es *la gracia de Dios*, su amor que busca al rebelde, aunque éste no lo merece, que lo rescata y restaura.

──────────────**Aplicaciones del estudio**──────────────

1. Todos los cristianos somos socios en la evangelización, aun cuando Dios nos ha asignado campos diversos, Gálatas 2:9. La misma *gracia* divina obra por medio de todos, y debemos reconocer a otros obreros como nuestros compañeros y no como nuestra competencia.

2. Nuestra infidelidad a la voluntad de Dios influye en otros, Gálatas 2:13. Nuestra conducta como cristianos no es algo privado. Otros se alejan o se acercan a Dios y a la fe por nuestro ejemplo.

3. La única manera de ser aceptado por Dios es por medio de la dependencia total de Jesucristo y su sacrificio por nosotros, Gálatas 2:16. No podemos purificarnos para entrar a la presencia de Dios por ningún esfuerzo propio.

4. La vida que comenzamos por la fe también continúa por medio de la fe en Cristo y en la gracia de Dios, Gálatas 2:20, 21. Nunca llegamos a un punto en que podamos satisfacer a Dios en nuestro poder, sin depender costantemente de Cristo.

──────────────── **Ayuda homilética** ────────────────

La vida de Cristo en mí
Gálatas 2:20

Introducción: La vida que el cristiano vive, en su naturaleza, su dinámica y la fuente de su poder.

I. La naturaleza de la vida cristiana es Cristo.
   A. La persona egoísta ha muerto en identificación con la cruz del Calvario.
   B. Ahora vive para lograr los propósitos y el honor de otro, de Cristo quien murió por ella.
   C. El crecimiento cristiano es asemejarse más y más al amor y a la santidad de Cristo.

II. La dinámica de la vida cristiana es la fe.
   A. El cristiano ya no depende de sus propios recursos, sino del poder divino de Cristo.
   B. La fe implica obediencia; si confiamos en Cristo, vamos a seguirle.
   C. Esta vida de fe nos libra del temor del fracaso; podemos confiar en que Dios nos está guiando y usando.

III. La fuente de poder para la vida cristiana es la autoentrega de Cristo.
   A. La vida cristiana es una vida de amor porque empezó con el amor profundo y eterno de Dios, que motivó la entrega del Hijo.
   B. Cristo murió para librarnos del pecado y del egoísmo y para proveer el poder que recibimos por la fe.
   C. Cristo me ama a mí personalmente; tengo la motivación de alguien que confía en mí y me ayuda a perseverar y vencer.

Conclusión: Encontramos esta vida de propósito, confianza y victoria solamente por confiar en Cristo. ¿Ha entregado usted su vida al que lo *amó y se entregó a sí mismo* por usted?

Lecturas bíblicas para el siguiente estudio

Lunes: Gálatas 3:1-5   **Jueves:** Gálatas 3:15-18
Martes: Gálatas 3:6-9   **Viernes:** Gálatas 3:19-29
Miércoles: Gálatas 3:10-14   **Sábado:** Gálatas 4:1-7

AGENDA DE CLASE

Antes de la clase

1. Prepare el título de la clase y los títulos de la sección *Lea su Biblia y piense* en pedazos de cartulina visibles para toda la clase. **2.** Arregle el salón. Forme pequeños círculos de cuatro a seis sillas cada uno. **3.** Tenga listos plumones y hojas de rotafolio. **4.** En un mapa de las tierras bíblicas localice Jerusalén y Antioquía de Siria. **5.** En un diccionario de la Lengua Española o un diccionario bíblico busque la palabra "apologética" y haga una breve investigación de ella. **6.** Así mismo, en algún comentario o libro de referencia bíblica busque acerca de los llamados "judaizantes". **7.** Prepare en una cartulina la siguiente cronología de Pablo:

Acontecimiento	Año	Cita Bíblica
Conversión en Damasco	35 d. de J.C.	(Hech. 9:19)
Estancia en Damasco y Arabia	35-38 d. de J.C.	(Gál. 1:17)
Visita a Jerusalén (2 semanas)	38 d. de J.C.	(Gál. 1:18, 19)
Tarso y Cilicia	38-43 d. de J.C.	(Gál. 1:21)
Llamado a Antioquía de Siria	43 d. de J.C.	(Hech. 11:25, 26)
Primer viaje misionero	46-48 d. de J.C.	(Hech. 13:2 a 14:28)

Comprobación de respuestas

JOVENES: **1.** Bernabé y Tito. **2.** falsos hermanos. **3.** Jacobo, Pedro y Juan. **4.** Pedro quería que los gentiles vivieran como judíos. Pedro actuaba con hipocresía.

ADULTOS: **1.** a. Transcurrieron quince años. b. Por causa de una revelación. c. No se sometió a los falsos hermanos para que la verdad del evangelio permaneciera. d. Que se acordaran de los pobres. **2.** a-V. b-F. c-F. d-V. e-F. f-V.

Ya en la clase

DESPIERTE EL INTERES

1. Distribuya a sus alumnos en círculos, y diríjalos a tener unos momentos de oración. **2.** Dirija a los pequeños grupos, y usando la técnica de estudio de caso, lléveles a hacer un estudio de Gálatas 2. Pídales que lean primero el pasaje completo y después hagan un análisis de los que aparecen en el relato: Pablo, Pedro, los gálatas, Bernabé y los discípulos. ¿Cuál es la actuación de cada uno en el pasaje? **3.** Abra los círculos y escuche las aportaciones de los subgrupos. Pregunte lo que vieron de cada uno de los personajes que aparecen allí. Escriba en el pizarrón o bien en las hojas de rotafolio el análisis que hicieron del pasaje.

ESTUDIO PANORAMICO DEL CONTEXTO

1. Presente a la clase su investigación acerca de la palabra "apologética". Examine juntamente con la clase la defensa presentada por Pablo con respecto a su ministerio y cómo la palabra "apologética" se aplica a lo que hizo Pablo en ese momento. **2.** Muestre a la clase cuál fue la línea de acción en la defensa de Pablo de su ministerio. Mencione que en otras partes del Nuevo Testamento aparecen defensas que Pablo hizo respecto a su ministerio (cp.

Hech. 22:1-29; 1 Cor. 9). Enfatice el valor que tenía para Pablo saberse completamente capacitado para predicar el evangelio, libre de toda acusación. **3.** Enfatice la importancia que Pablo da a su testimonio como apóstol de Jesucristo, por encima del judaísmo y de todo lo que la ley implicaba. **4.** Presente ante la clase la cronología preparada previamente. Enfatice sobre los trece años que transcurrieron entre Hechos 9:1-19 y Hechos 15. Mencione que cuando se lee Hechos parece que entre su conversión y su primer viaje misionero pasaron apenas unos cuantos meses. **5.** Señale el hecho que muchas veces gustamos más de agradar a los hombres que a Dios.

ESTUDIO DEL TEXTO BASICO

1. Señale en el mapa de las tierras bíblicas la localización de Jerusalén y Antioquía de Siria. Mencione que desde Antioquía tuvieron que subir a Jerusalén Pablo, Bernabé y Tito.

2. Lean juntos una vez más Gálatas 2:1-5, 9. Presente el título de esta sección y señale la importancia de moverse dentro de la voluntad de Dios.

3. Exponga a la clase los resultados de su investigación acerca de los judaizantes. Estos son descritos por Pablo en Gálatas 2:4 como "falsos hermanos". Ciertamente Gálatas es el lugar donde más directamente se trata el asunto "judaizante" pero no es el único en todo el Nuevo Testamento (cp. Hech. 15:1; Col. 2:18-23).

4. Presente el segundo punto de la lección, y lléveles a reflexionar acerca de lo que cuidamos hacer a los ojos de los hombres. Muchas veces estas acciones no agradan a Dios. Enfatice que nuestra relación con los hombres debe tener su base en nuestra relación íntima con Dios.

5. Lea en voz alta el versículo 16. Llame la atención al mismo y presente el título de esta sección. Ponga énfasis sobre el hecho que ya no estamos bajo la condenación de la ley, eso pertenece al pasado. Ahora tenemos el camino "más excelente", el amor de Dios. *6. Señale la importancia de depender completamente del Señor y no de nuestros actos religiosos.* Mencione que el cristianismo es una relación con el Dios vivo y verdadero y no una serie de prácticas religiosas estériles.

APLICACIONES DEL ESTUDIO

Divida la clase en tres grupos y pida que analicen cada una de la aplicaciones que aparecen en su libro de texto. Enfatice que una vida limpia y en dependencia del Señor, no tendrá problemas para conocer cuál es la voluntad de Dios. Reflexione sobre el hecho de que en la medida que nuestro testimonio es transparente, nuestra defensa será efectiva.

PRUEBA

Pida que en grupos resuelvan las actividades de la Prueba del Estudio.

75

Viviendo por la fe

Contexto: Gálatas 3:1 a 4:7

Texto básico: Gálatas 3:7-14, 24-29; 4:4-7

Versículo clave: Gálatas 3:11

Verdad central: La explicación de Pablo de la doctrina de la justificación declara que las personas que confían en Cristo son justificadas por la fe y no por las obras, y así entran en una nueva relación con Dios.

Metas de enseñanza-aprendizaje: Que el alumno demuestre su conocimiento de la afirmación de Pablo de la justificación por la fe, y su actitud hacia la nueva relación con Dios lograda por la fe en Cristo.

Estudio panorámico del contexto

A. Fondo histórico:

En los últimos versículos de Gálatas 2, Pablo ha introducido la doctrina principal de esta carta, la justificación por la fe aparte de obras de la ley (v. 16). En los capítulos 3 y 4, pasa de la narración de sus experiencias a argumentos doctrinales. Busca comprobar con citas del Antiguo Testamento y por la lógica que la fe salva, y no las obras.

B. Enfasis:

No por la ley sino por la fe, Gálatas 3:1-5. Pablo empieza sus argumentos invitando a los gálatas a recordar su propia experiencia de conversión. ¿Recibieron el Espíritu Santo, o sea la presencia de Dios con ellos, por creer el mensaje que oyeron o por alguna obra que hicieron? ¿Hay manifestaciones del poder de Dios en vidas transformadas y otras *maravillas* como resultado de las enseñanzas de los legalistas que han llegado a Galacia? Una experiencia que comenzó por el poder del Espíritu otorgado a los creyentes, no puede terminar por el esfuerzo humano.

El ejemplo de Abraham, Gálatas 3:6-9. Pablo apoya la evidencia subjetiva de la experiencia con la evidencia objetiva de la Escritura. Apela al ejemplo de Abraham, el "padre de los fieles". Su justificación fue resultado de su fe, y no de cumplir con una ley. La misma Escritura predice que las naciones (gentiles) compartirán la bendición de Abraham, que según Génesis 15:6 es la justificación por la fe.

Los que se basan en la ley son malditos, Gálatas 3:10-14. En contraste con la fe de Abraham, el intentar cumplir con la ley lleva solamente a la maldición. Pero la maldición que merecemos por no cumplir la ley, Cristo la sufrió en la cruz para que todos los que creemos recibamos el Espíritu en cumplimiento de la promesa que Dios hizo a Abraham.

La verdadera descendencia de Abraham, Gálatas 3:15-18. Pablo cita otro argumento de las Escrituras. La promesa que Dios hizo a Abraham no puede depender de una ley que vino siglos después. Condicionar así la promesa, como quieren hacer los legalistas, sería abrogarla. En el v. 16, Pablo también usa un argumento rabínico, basado en el número singular de la palabra *descendencia* en Génesis 12:7, para dar énfasis al proceso de elección que Dios usa para otorgar la bendición. Este proceso culmina en un solo hombre, Jesucristo, y nosotros recibimos la promesa solamente por nuestra identificación con él.

Relación de la ley con la fe, Gálatas 3:19-29. El propósito de la ley no es rescatarnos del pecado, sino hacernos conscientes de él, por marcar los límites de la voluntad de Dios. Así la ley clarifica nuestra necesidad de la salvación que Dios ofrece. Sirve como carcelero para mantenernos encerrados hasta la venida del Libertador. La ley nos lleva a Cristo, y en él encontramos la unidad y la herencia que Dios prometió a Abraham y a su descendencia.

Nuestra adopción en Cristo, Gálatas 4:1-7. Antes de la venida de Cristo, el mundo era esclavo de principios espirituales equivocados o incompletos. Aunque Dios creó a los hombres para la libertad y el privilegio del compañerismo con él, tuvieron que pasar primero por la disciplina de la ley. Pero ahora Dios nos ha dado la redención, la adopción y la herencia a través de su Hijo.

───────── **Estudio del texto básico** ─────────

1 Los que se basan en la fe son benditos, Gálatas 3:7-9.

V. 7. Es posible que los legalistas hayan usado el ejemplo de Abraham cuando era un incircunciso, como los gálatas, quien siguió a Dios y luego fue circuncidado. Pablo replica que más bien Abraham fue justificado ante Dios por su fe (v. 6), de manera que los que dependen de las acciones de Dios, y no de sus propias acciones, son los verdaderos hijos de Abraham.

Vv. 8, 9. Dios había prometido a Abraham (Gén. 12:3) que *todas las naciones* serían benditas en él. Pablo toma esta promesa como una anticipación del evangelio, y afirma que su cumplimiento se ve en la bendición que los *gentiles* reciben por la fe. *Gentiles* y *naciones* en este versículo son traducciones de la misma palabra. Pablo rechaza la enseñanza de los legalistas, en el sentido de que hay una bendición especial para los cristianos cuando se someten a la circuncisión y las ceremonias de la ley. Más bien, dice Pablo, la bendición que Dios prometió a todas las naciones en Abraham viene por confiar en Dios, porque Abraham fue *el hombre de fe.*

2 Los que se basan en la ley son malditos, Gálatas 3:10-14.

V. 10. La promesa a Abraham que Pablo citó en el v. 8 (Gén. 12:3), contiene también una maldición. Pablo declara que *maldito* es el que busca justificarse por cumplir *la ley,* porque no puede cumplir todo lo que ésta dice. Su definición de la maldición se basa en Deuteronomio 27:26.

Vv. 11, 12. Habacuc 2:4 habla de vivir por la fe, y Levítico 18:5 de vivir por la ley. La ley y la fe son principios opuestos, y el que quiere vivir una vida justa tiene que escoger el uno o el otro. El que busca la vida y la justificación por medio de la ley, intenta obligar a Dios a aceptarlo. El hombre de fe más bien reconoce su falta de mérito y confía en que Dios lo aceptará por su misericordia. El legalista se presenta ante Dios como justo y aceptable; el creyente se presenta sin mérito, pidiendo que Dios lo haga justo y aceptable.

V. 13. Deuteronomio 21:23 también habla de una maldición. (Pablo cita la traducción griega, que prefiere *colgado en un madero* por "ahorcado".) Antes de su conversión, Pablo pensaba que Jesús, lejos de ser el Mesías de Dios, era *maldito.* Ahora entiende que la maldición que él sufrió en la cruz fue la que *nosotros* merecemos por no permanecer en las cosas escritas en la Ley (v. 10).

V. 14. Por medio de este sufrimiento de Cristo Jesús, Dios ofrece su bendición a todos los que creen, judíos y gentiles. Así son "benditas todas las familias de la tierra" (Gén. 12:3) en cumplimiento de la *promesa* de Dios a Abraham. El *Espíritu* que produce esta bendición viene a nuestras vidas *por medio de la fe* (vea el v. 2).

3 Relación de la ley con la fe, Gálatas 3:24-29.

Vv. 24, 25. La ley no es un camino alternativo a Dios, sino una preparación para la fe en Cristo. *Tutor* describe el esclavo que cuida y disciplina al niño. Cuando éste llega a la madurez, ya no está bajo el *tutor.*

De la misma manera Dios dio la ley para mostrar al hombre la gravedad del pecado y así prepararlo para aceptar la liberación y el perdón en Cristo. Ahora que somos justificados por fe en él, no estamos sujetos a la disciplina antigua.

Vv. 26, 27. *Por medio de la fe en Cristo Jesús* alcanzamos la libertad de *hijos* adultos. Compartimos la naturaleza de Cristo, el Hijo de Dios, porque nuestra fe nos identifica con él. Esta fe se simboliza en el bautismo, que representa nuestra identificación con la muerte y resurrección de Cristo. El que se bautiza se pone ropa seca después, y de la misma manera se reviste espiritualmente *de Cristo* por la fe.

V. 28. *En Cristo Jesús* se restaura la unidad de la humanidad que fue rota por el pecado. La ley estableció divisiones entre comidas, días, y personas; Cristo establece unidad. Las distinciones de raza, de clase y de sexo siguen existiendo, pero no afectan la relación con Cristo.

Más bien enriquecen, con su variedad, al pueblo de Dios. La enseñanza de los judaizantes, quienes querían mantener la división entre judío y griego, es ajena al Espíritu de Cristo.

V. 29. Este Cristo, en quien estamos unidos, es la *descendencia de Abraham* a quien Dios prometió la herencia (v. 16). Por tanto, nosotros los miembros de Cristo también somos *herederos.*

Somos descendientes de Abraham porque vivimos por la misma fe que él ejerció en la promesa de Dios. Heredamos esta promesa, como una sola *descendencia*, los miembros de Cristo.

4 Nuestra adopción en Cristo, Gálatas 4:4-7.

Vv. 4, 5. La humanidad pasó su infancia sujeta a la ley o engañada por la idolatría, pero Dios ya había fijado un *tiempo* para la redención. Este tiempo llegó cuando Dios tenía todo preparado: Las religiones paganas estaban en bancarrota en cuanto a su influencia moral, y el hombre anhelaba la redención de su esclavitud.

Los efectos nefastos del pecado eran muy obvios en la sociedad romana. El idioma griego se entendía en todo el Imperio Romano, y los famosos caminos de este Imperio, algunos de los cuales todavía se usan hoy, estaban preparados como medios de comunicación para difundir el mensaje de la redención. Entonces *su Hijo* tomó nuestra condición; llegó a ser un ser humano sujeto a *la ley*. Su propósito fue redimirnos de *la ley* que no podíamos cumplir y hacernos *hijos* de Dios por nuestra identificación con su Hijo Jesucristo.

Vv. 6, 7. Dios nos ha dado la seguridad interna de que somos sus hijos por enviarnos el Espíritu Santo, quien es tanto Espíritu de Dios como *Espíritu de su Hijo*. El nos habilita para orar con sinceridad y convicción, *"Abba, Padre"*. "Abba" es la forma diminutiva de la palabra aramea para padre, y sin duda es la expresión con que Pablo como niño se dirigió a su padre terrenal. Corresponde a nuestro "papi" o "papito". El Espíritu nos da la confianza de la relación más íntima con Dios. Ya no somos *esclavos* sujetos a una ley que no podemos cumplir, sino *hijos* con el privilegio de recibir una rica herencia de nuestro Padre celestial. Las copias más antiguas de Gálatas difieren en cuanto a las palabras que siguen a *heredero,* pero la idea de Pablo queda clara: somos hijos de Dios por la gracia de Dios.

Sin duda la conocida parábola sobre "el hijo pródigo" (Luc. 15) nos ilustra bien, por contraste, el concepto de Pablo en este pasaje. Cuando el muchacho se da cuenta de su condición miserable y de su desesperación, toma la decisión de volver a su padre, le pedirá que lo tome ya no como un hijo sino como a uno de sus esclavos. De su condición de hijo quiere llegar a ser un esclavo. Por supuesto, su mala conducta le había llevado a la conclusión: "ya no merezco ser llamado hijo". Lo que Pablo esta diciendo es que los hermanos de Galacia que ahora gozan del privilegio de ser hijos y herederos de Dios, por causa de la influencia de los falsos maestros, están a punto de decidir un retorno a la esclavitud de la ley.

─────────── **Aplicaciones del estudio** ───────────

1. Nuestra relación con Dios, desde su principio hasta su fin, se basa en la fe, Gálatas 3:3. Las obras de obediencia son resultado natural de nuestra fe en Dios, no un pago a él.

2. Cristo ha sufrido el castigo que nuestra rebelión merece, Gálatas 3:13. Los cristianos vivimos liberados de la esclavitud y condenación que el pecado trae; por lo tanto, debemos vivir en gratitud humilde.

3. Dios nos muestra nuestro pecado para que acudamos a él en busca de redención, Gálatas 3:22-24. Dios no castiga el pecado con espíritu vengador; más bien quiere mostrarnos la seriedad de nuestra situación de rebelión. Su deseo es que abandonemos el camino del pecado y creamos en Jesucristo para encontrar una relación restaurada con el Padre.

─────────── **Ayuda homilética** ───────────

Las nuevas relaciones del cristiano
Gálatas 3:26-29

Introducción: Pablo describe las cuatro nuevas relaciones que encontramos en la nueva vida en Cristo. Creer en Cristo nos ubica en una nueva situación. Debemos conocer y vivir esas nuevas dimensiones en la relación con Dios por medio de Cristo.

I. Una nueva relación con Dios: somos sus hijos (v. 26).
   A. Es común en el mundo la idea de que Dios está lejos y que no quiere ayudarnos, o aun que no puede ayudarnos porque no existe.
   B. En Cristo, descubrimos que Dios llega a ser nuestro padre, proveyendo para nuestras necesidades con sus recursos ilimitados.

II. Una nueva relación con Cristo: identificación (v. 27).
   A. Por la fe, conocemos a Cristo y empezamos a ser transformados en su imagen
   B. "Revestirnos de Cristo" es tomar su vida como nuestra: sus propósitos, su poder, sus valores.
   C. El bautismo es un símbolo de esta identificación con Cristo.

III. Una nueva relación con otros seres humanos: unidad (v. 28).
   A. Lo que tenemos en común por causa de nuestra relación con Cristo es más que todas las diferencias que nos podrían separar.
   B. Diferencias de raza, clase social o sexo ya no deben causarnos prejuicio; veamos a cada cristiano como otro que se identifica con Cristo.

IV. Una nueva relación con los creyentes del pasado.
   A. Al encontrar a Cristo, nos unimos a una línea de creyentes que se extiende a través de milenios.
   B. Somos herederos y beneficiarios de las mismas promesas que Dios hizo a Abraham y "a su descendencia" (v. 16).

Conclusión: Transformar la vida es, en gran parte, transformar las relaciones. Dios ha hecho esto en Cristo. Gocemos de las nuevas relaciones que nos ha dado.

Lecturas bíblicas para el siguiente estudio

Lunes: Gálatas 4:8-11	**Jueves:** Gálatas 4:21-24
Martes: Gálatas 4:12-14	**Viernes:** Gálatas 4:25-27
Miércoles: Gálatas 4:15-20	**Sábado:** Gálatas 4:28-31

AGENDA DE CLASE

Antes de la clase

1. Prepare el pizarrón de su clase con el siguiente anuncio:
"Se solicitan personas que deseen vivir justificadas delante de Dios. Unicos requisitos: que vivan por fe y que llenen un cuestionario".

2. Prepare un cuestionario con preguntas como las siguientes (si lo desea puede incluir otras preguntas): Nombre del que desea vivir justificado; ¿Conoce la manera en que Abraham demostró lo que significa vivir por fe? ¿Conoce cuáles son algunas de las bendiciones que uno recibe cuando vive por fe? ¿Sabe a través de quién somos justificados cuando vivimos por fe? ¿Está dispuesto a seguir el ejemplo de Abraham y vivir por fe? Firma.

3. Lea en la Biblia la historia de Abraham.

4. Prepare la definición de algunas palabras que lo necesiten, por ejemplo, "tutor", "redención", "ley".

5. Haga la sección *Lea la Biblia y responda*.

Comprobación de respuestas

JOVENES: **1.** a. F. b. V. c. F. d. V. e. V. **2.** Redimir de la ley. Recibir la adopción. El Espíritu.

ADULTOS: **1.** a. Fue presentado como crucificado. b. Comenzaron en el Espíritu y estaban terminando en la carne. c. le fue contada por justicia. d. Permanecen bajo maldición. e. Nos redimió al hacerse él mismo maldición por nosotros. **2.** a-5, b-1, c-2, d-4, 2-3.

Ya en la clase

DESPIERTE EL INTERES

1. Llame la atención al anunció puesto en el pizarrón. Pregunte quién de los alumnos está interesado en responder afirmativamente a la solicitud.

2. Entregue el cuestionario que preparó y permita que lo contesten. Anímeles a que contesten las preguntas de acuerdo con su propio conocimiento y experiencia. No recoja los cuestionarios.

3. Ore al Señor pidiendo sabiduría y entendimiento sobre la lección de este día.

ESTUDIO PANORAMICO DEL CONTEXTO

1. Resuma brevemente parte de las dos lecciones anteriores en donde se puede apreciar la actitud de los gálatas y la postura de Pablo respecto al evangelio que él predicaba. Mencione que los gálatas estaban actuando equivocadamente porque habían permitido una enseñanza errónea que invalidaba la salvación por gracia.

2. Resalte el uso que Pablo del Antiguo Testamento para demostrar que su enseñanza respecto a la justificación por gracia es real y verdadera.

ESTUDIO DEL TEXTO BASICO

1. Examine la experiencia de Abraham presentada por Pablo con el propósito de encontrar los beneficios que el cristiano obtiene cuando decide vivir una vida de fe. Lean Gálatas 3:7-9. De lo que estudió sobre Abraham mencione algo que sirva para ilustrar la declaración de que Abraham creyó, y le fue contado por justicia. Invite a los alumnos a pensar que en los cristianos se cumple la promesa dada por Dios a Abraham de una descendencia imposible de contar (3:7). Resalte la importancia que Pablo da a las Escrituras en las cuales se encuentran revelados los propósitos eternos de Dios. Mencione dos de estos propósitos mencionados en 3:8.

2. *Analice los hechos presentados por Pablo a través de los cuales él declara la incapacidad de la ley para justificar al ser humano de sus pecados.* Mencione que en 3:10 Pablo cita de una manera modificada el pasaje de Deuteronomio 27:26 con el propósito de dar una definición de lo que significa "maldición". Haga hincapié sobre el hecho de que uno no puede confiar en las obras para alcanzar la salvación, sino que ésta solamente se logra mediante la fe. Mencione que cualquier persona, en cualquier momento y situación puede recurrir al remedio de Dios para la salvación del hombre: Jesucristo. Solamente necesita reconocer su incapacidad para alcanzar algo por sí mismo.

3. *Examine de qué manera el apóstol presenta la relación entre la ley y la fe.* Lea otra vez Gálatas 3: 24-29. Para ilustrar esa relación mencione que en los tiempos de Pablo las funciones de un tutor eran las de custodiar, vigilar la conducta, acompañar y disciplinar. Ponga énfasis en que esa era la función original de la ley. Mencione que cuando una persona ha ejercitado su fe en Jesucristo ya no es necesaria la presencia de ese tutor en su vida. Resalte el hecho de que aquí el bautismo no significa salvación.

4. *Comente sobre algunos de los beneficios que menciona Pablo en Gálatas 4:4, 5 para aquellos que ejercitan su fe en Cristo.* Mencione que Pablo afirma una verdad muy importante respecto a la venida de Jesucristo: Que Dios cumplió sus propósitos redentores en el tiempo preciso en que la humanidad lo necesitaba. Haga uso de las definiciones que preparó para las palabras "redención" y "adopción".

APLICACIONES DEL ESTUDIO

1. Destaque nuevamente el significado de ser justificados por la fe y no por las obras de la ley. Haga hincapié en la función que la ley desempeñó antes de que la gracia de Dios se manifestara por medio de Jesucristo. **2.** Invite a los alumnos a que en silencio lean las aplicaciones y mediten unos momentos en ellas. **3.** Permita que dos o tres alumnos presenten lo que respondieron a las preguntas del cuestionario que les entregó al principio de la clase. Pregunte de qué manera la lección modificó o confirmó lo que ellos escribieron.

PRUEBA

1. Permita que los alumnos usen unos momentos con el propósito de que contesten la *Prueba.*
2. Anímeles a que acepten el ejercicio de valoración de la *Prueba* como algo que tienen que poner en práctica inmediatamente. Que un alumno ore al Señor pidiendo por convicciones firmes respecto a la salvación de cada uno de sus compañeros.

Unidad 3

Viviendo como hijos de Dios

Contexto: Gálatas 4:8-31
Texto básico: Gálatas 4:8-16, 19-26, 29-31
Versículo clave: Gálatas 4:29
Verdad central: La exhortación de Pablo a permanecer firmes en la libertad de Cristo nos advierte contra el peligro de caer de nuevo en la esclavitud del pecado.
Metas de enseñanza-aprendizaje: Que el alumno demuestre su conocimiento del llamamiento de Pablo a permanecer firmes en la libertad en Cristo, y su actitud de eliminar barreras que le impidan permanecer en esa libertad.

Estudio panorámico del contexto

A. Fondo histórico:

Pablo continúa su enseñanza a los hermanos de la iglesia en Galacia con una advertencia: están siendo atraídos al mismo tipo de religión que abandonaron cuando aceptaron a Cristo (4:8-11). Pablo hace su apelación con una súplica personal y emocional basada en el cariño mutuo (12-20), y con un argumento que usa una alegoría (21-31).

B. Enfasis:

La locura de volver atrás, Gálatas 4:8-11. Aceptar los ritos judíos como un requisito para el crecimiento cristiano es volver a un sistema religioso semejante al que los gálatas dejaron para venir a Cristo. Pablo teme que no entendieran la libertad que Cristo ofrece.

Una exhortación de amor, Gálatas 4:12-20. En medio de su argumento lógico y bíblico, Pablo cambia su tono y exhorta a los gálatas con un recuerdo del amor que compartieron. Ellos le dieron el mismo respeto y amor que hubieran dado al Señor a pesar de las circunstancias de su primera visita. Ahora los cristianos de Galacia parecen simpatizar más con los judaizantes; Pablo dice que es bueno interesarse en otros, pero no olvidarse de él cuando está ausente. Pablo sufre por sus hermanos como una madre en dolores de parto; lamenta que no esté presente con ellos para saber cómo convencerlos.

Nuevo sentido de una vieja historia, Gálatas 4:21-31. Pablo continúa sus argumentos a favor de la libertad y en contra del legalismo con un argumento alegórico, un método favorito de los rabinos de su día. Afirma que hay dos tipos de hijos de Abraham, hijos de esclavitud e hijos libres que heredan el privilegio. Los que buscan cumplir la ley del antiguo pacto corresponden al hijo de Agar, la esclava; los cristianos corresponden al hijo de Sara, nacido por la promesa y el poder de Dios. Lo que los legalistas traen a Galacia no es una disciplina espiritual superior, sino la misma persecución que Ismael y sus descendientes siempre han ofrecido a los *hijos de la promesa.*

─────────── **Estudio del texto básico** ───────────

1 La locura de volver atrás, Gálatas 4:8-11.

V. 8. Pablo recuerda a los gálatas la esclavitud de la cual Cristo los rescató. Estaban en servidumbre a "dioses" que en realidad no fueron más que seres (como ángeles) creados por el verdadero Dios o aun creaciones de la imaginación de sus adoradores.

V. 9. Ahora, en contraste, los gálatas han conocido el verdadero Dios. Pablo añade *mejor dicho... habéis sido conocidos por Dios* para subrayar que es la acción e iniciativa de Dios, y no de ningún hombre, lo que crea esta nueva relación. Pregunta con asombro cómo es que prefieren la esclavitud a la libertad. Aunque hay mucha diferencia entre el judaísmo y las religiones paganas, Pablo señala las semejanzas. Las dos fueron religiones *débiles y pobres,* que no podían transformar al pecador ni hacerlo aceptable a Dios. Las dos pueden ser usadas por Dios para revelar el problema del pecado, pero solamente Cristo lo puede resolver. ¿Querrán los que han encontrado el cumplimiento volver a la preparación?

Vv. 10, 11. Por la influencia de los legalistas judaizantes, los gentiles cristianos de Galacia han empezado a observar las fiestas judías. *Los días* que observan son los sábados o días de reposo; *los meses* se refiere a las ceremonias de luna nueva; *las estaciones* describe las fiestas anuales como Pascua, Pentecostés, Tabernáculos, y otros; *los años* puede ser una referencia al séptimo año y al año del jubileo (Lev. 25:4, 10). Viendo esta situación, Pablo teme que su trabajo entre los gálatas fuera un esfuerzo perdido. Las acciones de éstos sugieren que no han aprendido nada de Pablo en cuanto a la naturaleza espiritual de la verdadera religión, ni en cuanto a la libertad que Cristo ofrece en contraste con la esclavitud de la ley.

2 Una exhortación de amor, Gálatas 4:12-16, 19, 20.

V. 12. Pablo ha hablado con dureza a los gálatas (3:1) y ha presentado sus argumentos con fuerza. Ahora ruega con amor que recapaciten. Pablo sacrificó las costumbres de su pueblo para evangelizar a los gálatas. ¿Cómo es posible que ellos adopten estas mismas costumbres ajenas a su propia cultura? No está claro qué habrían hecho que se podría considerar un *agravio;* es posible que se refiera a un incidente desconocido por nosotros.

Vv. 13, 14. Pablo parece indicar que no llegó a Galacia en la primera ocasión (tal vez Hech. 16:6) con el propósito de evangelizar. Tuvo que quedarse en Galacia por una enfermedad, sin embargo, se ocupó en predicar a Cristo. Los gálatas respondieron con entusiasmo, al grado que Pablo fue atendido con tanta dignidad como si fuera un ser sobrenatural o aun el mismo Señor Jesucristo.

Hay varias sugerencias acerca de la naturaleza de la enfermedad que Pablo padecía. La referencia a los *ojos* en el v. 15 sugiere a algunos una enfermedad de la visión. Otros sugieren una jaqueca, el paludismo o la epilepsia. No hay evidencia suficiente para determinar de qué enfermedad sufrió Pablo. La frase *prueba para vosotros* y 2 Corintios 12:7 pueden indicar que esta enfermedad causaba vergüenza pública. Para entender la situación de los gálatas, es suficiente saber que habían recibido a Pablo y el evangelio con entusiasmo, a pesar de las dificultades que les causó.

Vv. 15, 16. Los gálatas se habían sentido bienaventurados por conocer a Pablo; les pregunta qué ha cambiado su actitud. Estaban dispuestos aun a darle sus *ojos*. Es posible que Pablo mencionara los ojos porque es lo que le faltaba, o que sea simplemente una manera gráfica de expresar un sacrificio grande. Pablo pregunta si ahora van a cambiar su opinión de él y considerarlo *enemigo* simplemente porque les dice *la verdad*. Sugiere que sus rivales están ganando la amistad de los gálatas por decirles mentiras. El v. 17 confirma esta sugerencia. Su celo es egoísta, no amor genuino. Quieren aislar a los cristianos de Galacia de la verdad de Dios, para atarlos a sí mismos.

V. 19. Pablo sufre por sus discípulos como una madre sufre para dar a luz. Esta figura expresa tanto el dolor que Pablo sufre en su ministerio como el gran valor de la meta que persigue: la vida misma. Esta vida es *Cristo formado* y viviendo en ellos.

V. 20. Pablo siente la distancia geográfica entre él y estos cristianos a los cuales ama como si fueran sus hijos. Está *perplejo* y *quisiera estar* con ellos para entender lo que piensan y encontrar la manera de convencerles. Así podría *cambiar el tono* de su voz y usar los argumentos más convincentes. Es lógico lo que le ocurre a Pablo, imagine ¿cómo se sentiría usted si el grupo de alumnos a los cuales ha enseñado por varios años de repente negaran todo lo que les ha enseñado? Su gran deseo es que los creyentes en Cristo crezcan y se desarrollen hasta que lleguen a ser más como Jesús.

3 Nuevo sentido de una vieja historia, Gálatas 4:21-26, 29-31.

Vv. 21, 22. La Biblia de los primeros cristianos es nuestro Antiguo Testamento, porque el Nuevo todavía no existía en el día de Pablo. Los judaizantes enfatizan ciertas reglas que encuentran en la primera parte de las Escritura, la Ley. Pablo invita a los gálatas a leer la historia de Abraham de la misma obra. Si los judaizantes dicen que observar la ley hace a uno hijo de Abraham, Pablo replica, ¿hijo de qué tipo? Según Génesis, Abraham tuvo un hijo con la esclava y otro con la mujer libre.

V. 23. El hijo de la esclava nació *según la carne*, por procesos naturales de este mundo sin una intervención especial de Dios. Es más, *carne* aquí puede referirse a la voluntad humana pecaminosa, porque el nacimiento de Ismael fue resultado de la incredulidad y desobediencia de Abraham y Sara. Ellos buscaron este hijo en lugar de esperar que Dios cumpliera su promesa con poder divino. En contraste, el nacimiento de Isaac fue un milagro, producido por la fidelidad de Dios a su promesa cuando no hubo ninguna esperanza humana de tener hijos.

Vv. 24, 25. Pablo hace una aplicación alegórica de esta historia. La interpretación alegórica fue un método muy usado por los rabíes, y Pablo lo conocía y usaba magistralmente. Sin embargo, hay una diferencia marcada entre esta alegoría de Pablo y las de los rabinos judíos. Estos usaron la alegoría para sacar de un pasaje un sentido muy distinto del literal; Pablo más bien presenta el contenido moral de la historia, y dice que Dios sigue manifestándose de la misma manera en el presente.

El monte *Sinaí* queda en *Arabia,* y los árabes se llaman "hijos de Agar" en la literatura judía. Los mismos árabes dieron prominencia en sus leyendas a Agar. Pablo aplica estos hechos diciendo que *Agar es el pacto del monte Sinaí* que Dios dio a Moisés, y *corresponde a la Jerusalén actual* que sigue viviendo bajo este pacto. Pablo usa el nombre de la capital judía, Jerusalén, para representar a todos los judíos. Viven en esclavitud a las leyes de Dios que no pueden cumplir, porque no han encontrado la libertad que Dios proveyó en "la plenitud del tiempo" (vv. 4, 5).

V. 26. Los cristianos, en contraste, gozan de un pacto de libertad. Fue muy común y corriente entre los judíos del primer siglo la idea de una *Jerusalén* celestial que corresponde a la ciudad terrenal. Juan utiliza este concepto en Apocalipsis 3:12 y 21:2ss, para describir una realidad principalmente futura. Pablo lo usa para ilustrar una realidad espiritual: que los cristianos gozan de la presencia espiritual de Dios. *Nuestra madre* es el nuevo pacto (v. 24), que da libertad en lugar de esclavitud. ¿Cómo pueden los cristianos de Galacia preferir el pacto anterior de esclavitud?

Vv. 29, 30. En Génesis, el hijo de la carne persiguió al hijo que nació por el poder del Espíritu de Dios. Lo mismo pasó en las agresiones de los árabes, descendientes de Ismael, contra Israel. Ahora, los legalistas judaizantes continúan la misma tradición con sus críticas contra Pablo y por medio de las leyes que quieren imponer a los cristianos gentiles. Sin embargo, Abraham resolvió este problema en su día expulsando a la esclava y a su hijo de la casa. Parece que Pablo está sugiriendo que la aplicación en las iglesias de Galacia debe ser la expulsión de los que están turbándolas con sus enseñanzas legalistas.

V. 31. Pablo repite la enseñanza principal de esta alegoría: Los cristianos tienen un pacto de libertad, no de esclavitud.

Aplicaciones del estudio

1. La esencia de la vida cristiana es una relación dinámica con Dios, no cumplir con ciertas reglas, Gálatas 4:9, 10. Nuestras prácticas religiosas son ayudas para acercarnos a Dios; debemos vigilar que siempre sirvan este propósito y no sean un fin en sí.

2. El ministerio cristiano trae sufrimiento, Gálatas 4:19. Los *dolores de parto* son de los dolores más agudos que se pueden sufrir físicamente. A quien Dios llama a servir a otros debe estar preparado para sufrir dolores agudos en su corazón.

3. La vida cristiana es una vida de libertad, Gálatas 5:31. Cuando aceptamos a Cristo como Señor y Salvador, Dios crea en nosotros una nueva naturaleza que hace su voluntad con gusto, y no por obligación. Aunque todavía luchamos con el pecado, podemos confiar en que Dios está alimentando esta nueva vida.

─────────── **Ayuda homilética** ───────────

El peligro del legalismo
Gálatas 4:8-11

Introducción: La tentación de buscar la justificación ante Dios por obras legalistas y no por su gracia es constante. Pablo escribió en Gálatas una defensa de la gracia contra el legalismo. En estos versículos, enseña que el legalismo es en efecto regresar a las religiones paganas.

I. **La relación personal con Dios que Cristo provee, nos libra de los principios elementales del mundo (v. 9).**
   A. Los que no conocen a Cristo intentan evitar la condenación de Dios por cumplir con ciertas prácticas que se imaginan que le agraden.
   B. Ya que ésta es básicamente una religión que se centra en uno mismo, no puede agradar a Dios.
   C. Cristo nos muestra que Dios nos ama a pesar de lo que merecemos; así nos libra de la esclavitud de requisitos imposibles.

II. **El que busca quedar bien con Dios por cumplir reglas ha regresado a la esclavitud anterior (vv. 9, 10).**
   A. Cuando convertimos la vida cristiana en una serie de reglas, de las cuales depende el favor de Dios, hemos regresado a la esclavitud anterior.
   B. El motivo de nuestro servicio debe ser la nueva naturaleza que Cristo nos da y la gratitud y el amor que tenemos hacia Dios.
   C. Prácticas religiosas como días especiales, lectura de la Biblia, oración, etc. sirven para crecer en esta nueva naturaleza y nueva relación, no para cumplir con un contrato.

III. **La proclamación de la gracia de Dios es vana para el legalista. (v. 11).**
   A. Cristo proclamó una religión distinta a toda otra, antes o después.
   B. El que adopta la meta y los métodos de las religiones humanas no ha entendido la verdad más básica del evangelio de Cristo.

Conclusión: Gocemos de la libertad que Cristo nos trajo. Vivamos en la libertad de servir a Dios, no en la esclavitud del legalismo.

Lecturas bíblicas para el siguiente estudio

Lunes: Gálatas 5:1-6   **Jueves:** Gálatas 5:16-18
Martes: Gálatas 5:7-12   **Viernes:** Gálatas 5:19-21
Miércoles: Gálatas 5:13-15   **Sábado:** Gálatas 5:22-26

AGENDA DE CLASE

Antes de la clase
1. Prepare los tres argumentos de Pablo que aparecen en el LIBRO DE ALUMNOS ADULTOS. Cada uno escrito en hojas por separado.
2. Consiga trozos de alambre de 30 cm.
3. Consiga varios títulos de programas, revistas y demás situaciones que llamen con facilidad la atención y gusto. Un buen material para esto puede ser anuncios de productos comerciales o anuncios de películas.
4. Arregle el salón. Decore con los letreros llamativos de los programas y revistas.
5. Elabore un cartel que diga: "¿COMO VIVIR CON DIOS EN UN MUNDO QUE LO NIEGA?" y colóquelo en un lugar visible dentro del salón.
6. Consultando un diccionario de la lengua española o un diccionario bíblico, haga una breve investigación sobre el término "alegoría".
7. Tenga una hoja de rotafolio para escribir en ella y plumones o gises de colores.

Comprobación de respuestas
JOVENES: **1.** a. A los que no son dioses. b. Estaban dispuestos a darse a Pablo. **2.** a-D. b-A. c-B. d-C.
ADULTOS: **1.** a. Porque no habían conocido a Dios. b. Principios elementales. c. Como a un ángel de Dios. d. Hasta que Cristo sea formado en vosotros. e. Muy perplejo. **2.** a-F. b-V. c-V. d-V.

Ya en la clase
DESPIERTE EL INTERES
1. Llame la atención al cartel que dice "¿COMO VIVIR CON DIOS EN UN MUNDO QUE LO NIEGA?"
2. Anime una lluvia de ideas y escriba las respuestas en la hoja de rotafolio o en el pizarrón.
3. Conduzca a su clase a reflexionar en lo siguiente: Regularmente en la vida de los pueblos, existen ciertos personajes populares conocidos como "charlatanes," en México se les llama "merolicos"; son personas que se dedican a vender ciertos artículos, que según ellos son los mejores. Pueden vender desde un ungüento que cura el cáncer hasta una fragancia que trae el éxito. Pasando por "cruces magnéticas", "pirámides mágicas", etc., ellos engañan a la gente buscando vender. ¿Cuánto se le debe creer a estas personas? ¿Por qué venden artículos tan "buenos" a precios tan cómodos? ¿De qué calidad es lo que ellos venden?
4. Diríjalos en la sección *Lea su Biblia y Responda.*

ESTUDIO PANORAMICO DEL CONTEXTO
1. Forme tres grupos y a cada uno dé los escritos de los argumentos presentados por Pablo que aparecen en el LIBRO DE ALUMNOS. Dé tiempo para que los estudien e invítelos a que presenten un reporte breve a la clase.
2. Pida a cada grupo que conteste una de las siguientes preguntas: "¿Quién es un judío?" "¿Quién es un gentil?" "¿Qué significa conversión?"

3. Reflexione sobre lo que implicó para Pablo hacerse como un gentil siendo un judío. Para tener la perspectiva del mismo apóstol Pablo se puede consultar Filipenses 3:4-9.

4. Guíe a la clase a la consideración de la posible enfermedad del apóstol Pablo.

5. Presente a la clase un breve reporte de su investigación sobre el término "alegoría".

ESTUDIO DEL TEXTO BASICO

1. Lleve a la clase a recordar cómo era su vida antes de conocer al Señor Jesucristo. Proporcione a cada uno un trozo de alambre y pida que lo usen para hacer una figura que represente su vida pasada. Haga hincapié en que el apóstol Pablo apenas podía creer que los gálatas querían regresar a su antigua manera de vivir, es decir, someterse a la esclavitud de la servidumbre.

2. Invite a la clase a reflexionar en qué consiste la libertad en Cristo. Mencione el hecho que la libertad en Cristo no es libertad para pecar, sino libertad del pecado.

3. Señale cómo el amor de Pablo se hace presente una vez más en esta carta. Si bien es cierto que en la mayor parte de la carta Pablo está sumamente molesto por la actitud de los gálatas, en esta sección aparece su ternura y su preocupación por sus hijos espirituales.

4. Lléveles a reflexionar que cuando uno ama a una persona o a Dios, la vista no está puesta en el pasado sino en el futuro. Considerando el pasado no se puede hacer nada, Dios ha cerrado ese capítulo de nuestra vida, ahora hay una nueva oportunidad de tener más y mejor.

5. Considere junto con la clase que la ley, como medio de salvación, no ha sido cumplida ni siquiera por el pueblo judío. ¿Por qué entonces aferrarse a algo que ha demostrado no funcionar? Nadie tira un vestido nuevo y se pone el viejo, aunque en otro tiempo haya sido muy bueno.

6. Llame la atención a los anuncios y letreros puestos en el salón y señale el cuidado que debe tenerse con aquello que pretende desviar el propósito del cristiano. Mencione el aspecto llamativo y hasta "engañoso" utilizado en los anuncios comerciales que tiene el propósito de "enganchar" a la gente.

7. Tomando como referencia la expresión de Pablo "dolores de parto", explique a su clase la calidad de amor del apóstol Pablo.

APLICACIONES DEL ESTUDIO

Permita que cada miembro de la clase lea las aplicaciones del estudio que aparecen en su libro de texto, y solicite sus comentarios. Deje claro en la mente y en el corazón de sus alumnos que Dios no quiere "religiosidad", ni sacrificios. El quiere que nos entreguemos a él.

PRUEBA

Pida que por parejas realicen estas actividades.

Firmes en la libertad de Cristo

Contexto: Gálatas 5:1-26
Texto básico: Gálatas 5:1-3, 13-23
Versículo clave: Gálatas 5:1
Verdad central: Es posible vivir en la libertad de Cristo por medio del poder y la dirección del Espíritu Santo.
Metas de enseñanza-aprendizaje: Que el alumno demuestre su conocimiento del llamamiento que el apóstol Pablo hace a los creyentes a vivir en la libertad de Cristo, y su disposición para buscar el poder y la dirección del Espíritu Santo.

Estudio panorámico del contexto

A. Fondo histórico:

El ritual de la circuncisión. Fue ordenado por Dios a Abraham (Gén. 17:12, 13) como un símbolo de la admisión del recién nacido como miembro del pueblo de Israel. La práctica fue tomada muy en serio por la nación hebrea al punto que cualquier incircunciso era considerado impuro. La pregunta que se levantó para los nuevos creyentes en las iglesias de los gentiles era si debían ser circuncidados o no como "complemento" para su salvación.

Libertad y libertinaje. La nueva relación con Cristo da al creyente un sentimiento de plenitud, de libertad y el deseo de disfrutar la vida en todas sus dimensiones. Además crea un vínculo de relación afectiva entre los otros creyentes que desea expresarse abiertamente. El dilema que se plantea es hasta qué punto la libertad y el amor deben expresarse sin llegar a ser prácticas contradictorias a la ética y buena conducta.

B. Enfasis:

Advertencia contra el legalismo, Gálatas 5:1-12. Los gálatas empezaron bien su nueva vida en Cristo, pero ahora alguien está estorbando su progreso insistiendo en que deben circuncidarse para hacer completa la obra de Cristo en su salvación. Los que así les enseñan les contaminan como levadura que penetra una masa. Pablo confía en que la mayoría continuará en el camino de la fe, y rechazará a los perturbadores.

Advertencia contra el libertinaje, Gálatas 5:13-15. La libertad cristiana no es libertad para pecar, sino para amar. Este amor es el verdadero cumplimiento de la ley. Las divisiones que los perturbadores causan no honran la ley, sino que amenazan con destruir la comunidad cristiana.

Exhortación a andar en el Espíritu, Gálatas 5:16-18. El cristiano debe usar su libertad para hacer la voluntad del Espíritu de Dios. Si la usa para hacer los deseos de su vieja naturaleza, se produce un retorno a la misma esclavitud en la cual vivía antes. Solamente el andar en el Espíritu produce libertad.

Las obras de la carne y el fruto del Espíritu, Gálatas 5:19-23. Pablo presenta un catálogo de las obras de la carne y otro de los frutos del Espíritu para que los gálatas puedan reconocer cuándo andan en la carne y cuándo están siguiendo al Espíritu.

Viviendo en el Espíritu, Gálatas 5:24-26. Con frecuencia Pablo describe la vida cristiana como estar "en Cristo". Aquí describe las implicaciones éticas de esta verdad. El cristiano se ha identificado con Cristo en su muerte, y esta muerte significa que el cristiano ya no vive según los principios y valores de este mundo. *La carne*, la persona egoísta y sensual, está muerta. Pero hace falta que el cristiano acepte esta muerte y nueva vida, andando voluntariamente *en el Espíritu.*

--------------- Estudio del texto básico ---------------

1 Advertencia contra el legalismo, Gálatas 5:1-3.

V. 1. Esta amonestación se basa en la alegoría de 4:21-31. Pablo ilustra los dos pactos que Dios ha hecho con su pueblo, con los dos hijos de Abraham. Ismael nació de la esclava Agar, aún bajo la ley, la cual produce esclavos a los requisitos legales. Isaac, nacido de Sara, representa la libertad. Este versículo (5:1) hace un resumen del argumento presentado en esa alegoría. Algunos estudiantes de la Biblia y traductores han sugerido que este versículo debiera ser considerado como la conclusión del capítulo cuatro. Sin embargo, también es cierto que con este versículo comienza la segunda sección principal de esta carta. Recordemos que Pablo solía dividir sus cartas en dos partes: la primera doctrinal, para poner los cimientos teológicos; la segunda de aplicaciones prácticas, es decir las aplicaciones para la formación de un estilo de vida a la luz de las enseñanzas. Cristo nos ha librado de la necesidad de cumplir perfectamente con la ley como condición para ser hijos de Dios. Somos hijos libres, por la acción de Dios en cumplimiento de su promesa. No debemos dejar esta libertad para regresar a la *esclavitud.* Cristo produce en nosotros un carácter moral con altos niveles éticos en todas las áreas de nuestra conducta. Recordemos que, solamente una vida transformada puede transformar a otras vidas. Un juego de reglas y leyes, por muy buenas que sean, no pueden producir un cambio en la vida; pueden dar a conocer ciertas debilidades de aquel que trata de vivir por medio de ellas. Solamente Cristo nos hace libres.

Vv. 2, 3. Pero esto es exactamente lo que hace un cristiano que acepta la circuncisión. *He aquí yo, Pablo* da solemnidad a esta declaración. La circuncisión no añade nada a los beneficios que Cristo nos ofrece. Agregar cualquier requisito a la fe en Cristo es en realidad restar el poder de Cristo, disminuir su importancia. La fe tiene que ser exclusiva; Cristo es todo o nada en la vida. La circuncisión representa el compromiso de cumplir la ley de Dios. Como tal, es una contradicción de la fe que confiesa que no puede cumplir la ley. Uno puede escoger el camino de cumplimiento (y no llegar al fin) o el camino de la fe, pero no puede seguir los dos caminos a la vez. Por esto Pablo dice en el v. 4 que el cristiano que acepta la ceremonia judía de circuncisión se ha apartado de Cristo y de la gracia.

2 Advertencia contra el libertinaje, Gálatas 5:13-15.

V. 13. Es posible que los legalistas acusan a Pablo de promover *la carnalidad* con su énfasis en la libertad. Pablo responde que la libertad cristiana es más bien libertad para servir a otros en el nuevo espíritu de amor que hemos recibido. Pablo produce una paradoja al utilizar la palabra, *servíos*, que significa literalmente "haceos esclavos". El cristiano encuentra libertad en servir. El que ama se siente limitado solamente cuando no puede servir; la única libertad que quiere es libertad para servir.

V. 14. Con su característico atrevimiento, Pablo afirma que el amor cumple la ley contra la cual había dirigido sus argumentos en los capítulos 2, 3 y 4. El que ama cumple toda la ley, porque busca siempre el bien de su prójimo. Cuando recibimos a Cristo, el amor es parte de la libertad que Dios nos da. Así que el cristiano cumple la ley por naturaleza, y no por obligación. Desde luego, mientras vivimos en este mundo, esta naturaleza cristiana todavía no es todo lo que debe ser y hay que estar atentos a no usar *la libertad como pretexto para la carnalidad* que persiste en nuestra vieja naturaleza.

V. 15. La obra de los legalistas judaizantes no ha aumentado el amor entre los creyentes de Galacia. Enfatizan detalles externos de la ley, y no el amor que es su meollo; producen divisiones y pleitos. Pablo les advierte a los gálatas que estas prácticas llevarán a la destrucción de la comunión cristiana. Irónicamente, no es la predicación de la ley, sino el mensaje de libertad en Cristo, lo que produce el cumplimiento de la ley de Dios.

3 Exhortación a andar en el Espíritu, Gálatas 5:16-18.

V. 16. Pablo describe la vida de amor como andar *en el Espíritu*. El amor cristiano siempre es producto del poder y de la voluntad de Dios, no un producto humano. Es la carne que produce las divisiones entre los creyentes (v. 15), y el único remedio es obedecer y depender del Espíritu. El Espíritu nunca guía al cristiano a satisfacer un deseo *de la carne*; por el contrario, su poder y su dirección es nuestra única esperanza de salir de la esclavitud a nuestra vieja naturaleza.

Vv. 17, 18. Los deseos del Espíritu de Dios son totalmente opuestos a los deseos egoístas. Pablo recuerda a los gálatas la parálisis moral que ellos han experimentado por esta oposición. La única solución a ella es el poder del Espíritu que nos libra de la esclavitud. En el v. 18, Pablo sustituye *carne* por *ley*. Las dos operan en la misma esfera, la de lo externo y material. Esta es la debilidad de la ley. El Espíritu, en contraste, nos guía y nos ayuda a hacer lo que agrada a Dios. Así encontramos verdadera libertad.

4 Las obras de la carne y el fruto del Espíritu, Gálatas 5:19-23.

Vv. 19-21. Parece haber cuatro divisiones en la lista que Pablo da de *las*

obras de la carne. Menciona tres pecados sexuales, luego la *idolatría* con la — /
hechicería que la acompaña, entonces ocho violaciones de las buenas relaciones personales, y finalmente dos pecados de intemperancia. El mal uso
del sexo es resultado de no entender la naturaleza del ser humano, y ésta no
se puede entender si uno no entiende la naturaleza de su creador, Dios. Un
bajo concepto de Dios se expresa en la *idolatría,* y como resultado produce — 2
un pobre concepto de la naturaleza humana que resulta en degradar la
relación sexual hasta la *fornicación, la impureza y el desenfreno.* La misma
equivocación abre la puerta a la *hechicería,* que pretende manejar la esfera
espiritual para fines egoístas. Las malas relaciones humanas como las *ene-* — 3
mistades, pleitos, etcétera, son otro resultado del concepto equivocado acerca
de Dios y del hombre, y la intemperancia: *borracheras, orgías,* es una falta — 4
de respeto hacia uno mismo que resulta de la falta de respeto hacia Dios.

Vv. 22, 23. Pablo cambia su expresión de *obras* a *fruto* con toda intención. Las *obras* son producto de un esfuerzo propio, con la sugerencia de
fatiga; el *fruto* es el producto natural de la vida, que madura en reposo y da — $Jl.30.15$
gozo. Estas nueve cualidades se pueden dividir en tres grupos; el fruto del
Espíritu se manifiesta en la relación con Dios: *amor, gozo, paz;* con el prójimo: *paciencia, benignidad, bondad;* y consigo mismo: *mansedumbre y
dominio propio.* La *fe* puede ser confianza en otros, y caber en el segundo
grupo, o fidelidad, y caber en el tercer grupo. *con dios*

El *amor* es la fuente de todas las otras cualidades. Es principalmente amor
hacia Dios, pero éste siempre produce amor hacia el hombre. Esta relación
positiva y plena con Dios produce *gozo* y contentamiento. La vida cristiana
es una vida de gozo, aun en las dificultades, porque éstas no estorban nuestra
relación con Dios sino que la promueven. La *paz* incluye todo aspecto de la
vida abundante porque se basa en la paz con Dios.

Las tres cualidades de las relaciones con el prójimo progresan de una
pasiva, la *paciencia,* a una neutral, la *benignidad,* y llegan a su clímax en una
activa, la *bondad.* La benignidad es buena voluntad hacia otros; la bondad es
el esfuerzo activo para descubrir y satisfacer sus necesidades.

Si la *fe* es confianza en los otros, es el miembro final del segundo grupo,
la relación con el prójimo. Confiar en alguien es uno de los mejores estímulos del desarrollo humano. Si *fe* aquí más bien significa fidelidad, es una
cualidad personal que el Espíritu produce en todo cristiano. Las dos inter-
pretaciones caben bien en este catálogo de la obra del Espíritu en nosotros.

La *mansedumbre* con frecuencia describe sumisión optimista a los
propósitos de Dios, apertura para aprender aun de experiencias difíciles.
Aquí se refiere a una consecuencia de esta sumisión: el reprimir los derechos
de uno mismo para satisfacer los derechos y las necesidades de otros. El
dominio propio es control y disciplina para resistir los deseos bajos y dedicarse a la voluntad de Dios.

─────────────── **Aplicaciones del estudio** ───────────────

1. Depender de Cristo es un absoluto, Gálatas 5:2. No podemos ejercer
la fe en Cristo que salva y a la vez depender de otra cosa, como el cumpli-

miento de requisitos legales. Lealtad evidencia de es una fe genuina.

2. La libertad cristiana es libertad para servir y amar, Gálatas 5:13-15. A la vez que Dios nos libra de la ley que no podemos cumplir, crea en nosotros una nueva naturaleza con el deseo de servir y amar a nuestros semejantes.

─────────── **Ayuda homilética** ───────────

La libertad cristiana
Gálatas 5:1-3, 13, 14, 22, 23

Introducción: El mensaje central de Gálatas es la libertad que Cristo da a quien pone su confianza en él. Aquí encontramos tres verdades importantes acerca de esta libertad.

I. **Cristo nos ha librado de la obligación cumplir con una ley que no podíamos satisfacer (vv. 1-3).**
   A. Somos salvos por depender de lo que Cristo hizo, y no por un acto nuestro.
   B. Si entendemos esta verdad básica, no podemos imaginarnos que nuestro cumplimiento con ciertas reglas pueda añadir algo a nuestro mérito ante Dios.
   C. La dependencia total de Cristo no puede coexistir con esfuerzos para cumplir con la ley con el fin de obligar a Dios a aceptarnos.

II. **Sin embargo, debemos usar esta libertad, no para continuar en las prácticas pecaminosas de nuestro pasado, sino para servir a nuestros semejantes en amor (vv. 13, 14).**
   A. Aunque el cristiano ya no es esclavo de la ley, Dios ha puesto en él el amor que produce el deseo de servir como esclavo a los demás.
   B. La ironía de este servicio es que el amor permite al cristiano cumplir la ley que no podía cumplir por esfuerzos egoístas.

III. **Este deber del amor no es un nuevo legalismo, sino el resultado natural de la presencia del Espíritu de Cristo en nuestras vidas (vv. 22, 23).**
   A. La compulsión a servir a otros viene desde adentro, del Espíritu que Cristo pone en nosotros, y no desde afuera, de una ley.
   B. Es el Espíritu de Cristo, y no nuestra naturaleza que se ha rebelado contra Dios, el que produce estas cualidades en nosotros.

Conclusión: Cuando confiamos en Cristo para salvarnos, somos libres. Usemos esta libertad en gozoso servicio para suplir las necesidades de otros.

Lecturas bíblicas para el siguiente estudio

Lunes: Gálatas 6:1, 2 **Jueves:** Gálatas 6:9, 10
Martes: Gálatas 6:3-5 **Viernes:** Gálatas 6:11-15
Miércoles: Gálatas 6:6-8 **Sábado:** Gálatas 6:16-18

AGENDA DE CLASE

Antes de la clase

1. Prepare una hoja grande para pegar en el pizarrón. En la hoja dibuje dos árboles. Ponga debajo de ellos los siguientes títulos "Carne" y "Espíritu". También dibuje en cada árbol unos círculos que asemejen frutos. En cada círculo debe haber espacio suficiente para escribir las obras de la carne y las virtudes del fruto del Espíritu.

2. También escriba en el pizarrón la siguiente pregunta: ¿Qué clase de fruto estás dando?

3. Haga la sección *Lea la Biblia y responda*.

Comprobación de respuestas

JOVENES: 1. a-F. b-V. c-V. d-V. **2.** a. Idolatría, hechicería, enemistades, pleitos, celos, ira, contiendas, disensiones, partidismos, envidia, borracheras. b. Amor, gozo, paz, paciencia, benignidad, bondad, fe, mansedumbre y dominio propio.

ADULTOS: 1. a. De nada. b. Implica a cumplir toda la ley. c. "Amarás a tu prójimo como a ti mismo." **2.** a-F. b-V. c-F. d-V. e-V.

Ya en la clase

DESPIERTE EL INTERES

1. Invite a los alumnos a buscar el pasaje que se encuentra en Gálatas 5:19-23. Pida a un alumno que lo lea poniendo énfasis tanto en las obras de la carne como en las virtudes del fruto del Espíritu. Invite a dos alumnos a que escriban lo que corresponde a cada dibujo.

2. Pregunte: ¿En este momento, qué refleja mejor tu condición espiritual, las obras de la carne o el fruto del Espíritu? Permita que algunos compartan su experiencia.

3. Ore pidiendo al Señor por dirección para el estudio de este día.

ESTUDIO PANORAMICO DEL CONTEXTO

1. Invite a alguno de los alumnos a que comente algo sobre las dos últimas lecciones. Amplíe con algunos comentarios lo expresado por el alumno. Ponga énfasis en que Pablo ha demostrado categóricamente que el cristiano no debe vivir sujeto a la ley sino bajo la gracia.

2. Comente otra vez sobre la actitud de los judaizantes que pretendían minar la libertad de los gálatas sometiéndolos al deber de vivir bajo la ley.

3. Mencione que a través del estudio bíblico vamos a hablar de la libertad. Haga las siguientes preguntas: ¿Qué significa libertad? y ¿Qué significa libertinaje? Dé tiempo para que expresen sus respuestas.

ESTUDIO DEL TEXTO BASICO

1. Examine los motivos por los cuales el apóstol Pablo hace una advertencia en contra del legalismo de los judaizantes. Pregunte cuál es el significado de la palabra "legalismo". Pida a un alumno que lea Gálatas 5:1-3. Pregunte de qué manera el "legalismo" se había manifestado en las iglesias de Galacia. Haga notar que a partir del capítulo cinco los argumentos doctrinales sobre los que Pablo venía trabajando dan un giro importante para convertirse en exhortaciones hacia aspectos prácticos de la vida de los creyentes. Haga incapié en la exhortación hecha por Pablo para que los gálatas se mantengan firmes en la libertad de Cristo.

2. *Comente sobre los motivos por los cuales Pablo da una advertencia sobre el libertinaje.* Pida a otro alumno que lea Gálatas 5:13-15. Ponga énfasis en que el propósito por el cual fuimos libertados por Cristo es el servicio. Mencione que libertinaje va totalmente en contra de lo anterior. Resalte la importancia que el amor tiene en todo el proceso de vivir en la libertad de Cristo. Haga notar que en Galacia probablemente había congregaciones divididas por los judaizantes. Unos estaban a favor de sus enseñanzas, otros entendían y practicaban la enseñanza dada por Pablo. Mencione que las luchas internas debilitan a las iglesias.

3. *Analice la solución que Pablo da para evitar andar en las obras de la carne.* Lean todos juntos Gálatas 5:16-18. Permita que un alumno mencione la solución dada por Pablo. Haga la siguiente pregunta: ¿Qué significa andar en el Espíritu? Dé lugar a la respuesta de varios de los alumnos. Pregunte a sus alumnos quién está teniendo en este momento una guerra espiritual en su interior. Todos debieran dar una respuesta afirmativa. Si hay quien declara que no, recalque que el cristiano constantemente vive una lucha espiritual.

4. *Analice el contraste que hay entre las obras de la carne y el fruto del Espíritu.* Pida a un alumno que lea las obras de la carne escritas en el dibujo y pregunte qué áreas de la vida afectan. Pida a otro alumno que lea las virtudes del fruto del Espíritu y pregunte qué áreas de la vida afectan. Invite a que reflexionen sobre la relación de la libertad con el fruto del Espíritu. Dé lugar a comentarios.

APLICACIONES DEL ESTUDIO

1. Vuelva a dar énfasis a las advertencias de Pablo sobre el peligro de caer en el legalismo y el libertinaje. Mencione que el cristiano debe estar alerta contra todo aquello que trate de minar su libertad en Cristo.

2. Afirme en sus alumnos la convicción de que, a pesar de vivir en una constante lucha espiritual, el cristiano puede salir victorioso si escoge vivir bajo la guía del Espíritu Santo.

3. Use las aplicaciones de los libros de maestros y alumnos.

PRUEBA

1. Pida a los alumnos que lean las preguntas de la *Prueba* y que reflexionen sobre ellas antes de contestarlas. Recuérdeles que una de ellas requiere de una acción específica que cumplir.

2. Permita que alguno de los alumnos presente sus respuestas y las acciones específicas que realizará. Anime a los demás a que durante la semana pongan en práctica el ejercicio de valorización.

3. Termine la clase pidiendo al Señor el poder de su Espíritu para vivir en la libertad espiritual que él nos ofrece.

Unidad 3

Practicando el bien

Contexto: Gálatas 6:1-18
Texto básico: Gálatas 6:1, 2, 7-18
Versículo clave: Gálatas 6:2
Verdad central: Al poner en práctica las actitudes cristianas, el creyente experimenta relaciones saludables para con Dios, con sus semejantes y con él mismo.
Metas de enseñanza-aprendizaje: Que el alumno demuestre su conocimiento de las instrucciones de Pablo acerca de las actitudes cristianas en acción, y su disposición de practicar algunas acciones de servicio para ministrar a alguien que lo necesite.

————— Estudio panorámico del contexto —————

A. Fondo histórico:

Pablo termina esta carta con algunos consejos acerca de la vida cotidiana de la iglesia (vv. 1-10). La vida de la iglesia debe continuar aun en medio de las controversias doctrinales. Pablo toma la pluma en su propia mano y escribe la conclusión, enfatizando el argumento que ya había dictado a su amanuense (v.11).

B. Enfasis:

Solidaridad cristiana, Gálatas 6:1, 2. La vida cristiana requiere mansedumbre, no vanidad (5:26). El manso buscará la restauración de su hermano caído, siempre dispuesto a ayudar al hermano a llevar su carga cuando ve que ya no puede.

Cada uno tiene responsabilidad, Gálatas 6:3-5. El que responde al pecado de su hermano con condenación en lugar de buscar la manera de ayudar a su restauración, no entiende su propia debilidad. Se engaña a sí mismo y debe examinar su propia vida. El vanidoso se goza en secreto de la caída de su hermano, porque imagina que él mismo es superior al caído. Debe juzgarse más bien a sí mismo, porque cada quien tendrá que dar cuenta de su propia conducta.

Se debe reconocer a los líderes, Gálatas 6:6. Al recibir un beneficio, recibimos también una responsabilidad. Pablo menciona la responsabilidad de sostener a los que enseñan la Palabra de Dios. Tres décadas después de la muerte y resurrección de Cristo, encontramos ya maestros pagados en las iglesias.

Siembra y cosecha, Gálatas 6:7-10. Pablo saca un principio general del consejo anterior. Debemos emplear todos nuestros recursos según la dirección del Espíritu Santo; así invertiremos para la eternidad. Podemos estar seguros de que habrá una cosecha, aunque no en este mundo. El v. 10 resume los consejos de los vv. 1-9 en un consejo generalizado.

Conclusión, Gálatas 6:11-18. Pablo escribe con su propia mano la conclusión de la carta para hacer hincapié en el engaño de los judaizantes y la importancia de la obra de Cristo en la cruz. Luego se despide expresando su deseo de que sus lectores tengan la prosperidad espiritual y recordando lo que él ha sufrido en el servicio de Cristo.

──────── Estudio del texto básico ────────

1 Solidaridad cristiana, Gálatas 6:1, 2.

V. 1. En 5:26, Pablo dio un ejemplo negativo del cumplimiento de su exhortación en 5:25 de lo que significa andar en el Espíritu. Ahora da un ejemplo positivo. Pablo llama *espirituales* a los que andan en el Espíritu (5:25) o son guiados por el Espíritu (5:18). Cuando encontramos a un hermano enredado en un pecado, el Espíritu no nos guía a condenarlo con una actitud altanera. Más bien, debemos reconocer nuestra responsabilidad de restaurarlo. En esta sección de consejos prácticos, tal vez Pablo piense que la restauración a la comunión de la iglesia puede ayudar al hermano que ha pecado a recapacitar y a buscar la comunión con Dios. La *mansedumbre* es la actitud opuesta a la altanería. El que restaura debe tomar la actitud de un *hermano* y no de un superior, porque todos somos humanos y estamos sujetos a las mismas tentaciones y debilidades.

V. 2. Pablo alude, con ironía, al legalismo que tienta a los gálatas a imponerse *cargas*, que son de sus hermanos quienes han caído en transgresión o están enfrentando situaciones difíciles. Si lo hacen así, cumplirán *la ley*, no de Moisés, sino *de Cristo*. Su ley no es una serie de mandatos, sino el principio del amor que produce la ayuda mutua.

2 Siembra y cosecha, Gálatas 6:7-10.

Vv. 7, 8. El que quiere recibir los beneficios de la iglesia sin aceptar su responsabilidad para compartir lo que tiene (v. 6) está burlándose de Dios. Dios tendrá la última palabra; en el día del juicio, cada uno cosechará lo que ha sembrado en esta vida. El que vive según sus propios deseos egoístas *siembra para su carne,* haciendo obras como las de Gálatas 5:19-21. El resultado de semejante vida es *corrupción*, la pérdida de todo lo permanente y positivo en la vida. En cambio, él que busca seguir la dirección del Espíritu Santo y vivir en su poder producirá el fruto del Espíritu (5:22, 23) en esta vida y tendrá la *vida eterna* en el día del juicio. Es posible fingir una vida espiritual y generosa y engañar a los hombres o aun a uno mismo, pero el juicio de Dios será totalmente justo y atinado.

V. 9. La seguridad de la cosecha es una advertencia para el hermano falto de sinceridad, pero es un estímulo para el que tiene el deseo de *hacer el bien.* El camino cristiano es largo y a veces nuestro ánimo decae. Tenemos que recordar que Dios es fiel y que habrá una cosecha abundante si sembramos según su voluntad. Parece que algunos de los cristianos gálatas estaban perdiendo su motivación, y Pablo les exhorta a considerar la meta y no desmayar.

II Tes. 3:13

V. 10. Pablo termina esta sección de consejos prácticos con un principio para la conducta cristiana: en vista de la bondad de Dios para con nosotros, debemos aprovechar cada oportunidad que se nos presente para hacer *el bien*, a quien sea. Especialmente debemos estar conscientes de las oportunidades que tenemos para ayudar o estimular los que son nuestros hermanos *de la familia de la fe,* quienes tienen la misma relación con Cristo. Ayudar a un cristiano es doble ayuda, porque él a su vez usará la bendición que recibe para ser bendición a otros.

3 Una regla para la vida diaria, Gálatas 6:11-18.

V. 11. Era común en el primer siglo emplear un "amanuense" o "secretario" para escribir una carta. El autor dictaba la carta, palabra por palabra, o a veces solamente expresaba sus ideas, y el amanuense las expresaría en la mejor forma por escrito. Para mostrar que era una carta genuina, el autor escribía con su propia mano el saludo final (2 Tes. 3:17). Aquí Pablo toma la pluma de su ayudante, y menciona las *grandes letras* con que él mismo escribe. Fue común que la letra del autor fuera más grande y más ruda que la del amanuense, porque éste con frecuencia fue un escritor profesional. Sin embargo, es posible que aquí Pablo usa una letra más grande que la que acostumbraba, por la emoción que siente por el peligro en que se encuentran los cristianos de Galacia o para dar énfasis al mensaje de su carta.

V. 12. Acusa a los que enseñan acerca de la circuncisión de tener motivos carnales. No están sirviendo a Dios; más bien quieren quedar bien con los que miden a otros por las normas carnales del mundo. Buscan evitar la vergüenza de *la cruz de Cristo* y la necesidad de *ser perseguidos* como lo fue Cristo.

Rom. 2:25

V. 13. Los adversarios de Pablo se presentan como celosos de *la ley*, pero su lealtad a ella no significa guardarla ellos mismos. Pasan por alto sus mandamientos de amor y de humildad, y buscan solamente ganar más adherentes para su posición y así poder presumir (*gloriarse*) de sus logros. Su gloria es carnal; no están actuando por los principios del Espíritu ni según su voluntad.

Fil. 3:2-8

V. 14. La gloria de Pablo es más bien *la cruz de nuestro Señor Jesucristo,* que es irónicamente un escándalo en este mundo carnal. Sin embargo, en la realidad espiritual, es el evento que trae la salvación. Pablo se gloría entonces en su humillación en este mundo, pero también se gloría en el poder de Dios. La cruz es la revelación más clara tanto del pecado del hombre como del poder redentor de Dios. Pablo describe la cruz como la crucifixión del mundo para él y de él para el mundo, porque cada ser humano, ante esta cruz, tiene que identificarse con el pecado o con la redención. Entonces, cuando Pablo aceptó el sacrificio de Jesús, rompió su relación con el mundo carnal. El mundo perdió su poder de atraerlo y Pablo ya no participa en las propósitos y métodos de este mundo.

V. 15. Pablo repite la negación de Gálatas 5:6. En Cristo, el cumplimiento externo de la ley (*circuncisión*) o la falta de éste no es lo importante. Algunos judíos pensaban que su circuncisión los hacía superiores, y algunos gentiles pensaban que la circuncisión era una mutilación ofensiva del cuerpo. A los dos grupos, Pablo dice que la cruz de Cristo no produce ni ritos ni libertad de ritos, sino hombres nuevos. El poder de Dios, revelado en la cruz, está creando una nueva humanidad, santa e íntegra; la iglesia es la expresión de esta nueva creación.

V. 16. La gloriosa verdad del v. 15 es también una *regla* para guiar la vida. Tenemos que andar en la nueva vida que Dios nos ha dado; la obligación ética de los cristianos es que "seamos lo que somos" actuemos como verdaderos cristianos. *Anden* traduce un término militar. La vida cristiana debe ser un avance diligente, constante y victorioso. Sobre todos los que participan en esta marcha, Pablo pronuncia la bendición de *paz y misericordia*. Ellos constituyen *el Israel de Dios*, su verdadero pueblo. La marca de este pueblo no es la física de la circuncisión, sino la transformación que Dios ha creado (v. 15) y la fe y el amor (5:6).

V. 17. Cerrando su carta, Pablo expresa la agitación que le han causado los ataques de los legalistas judaizantes. Sin embargo, no habla de derrota o frustración. Más bien reclama su libertad como un soldado veterano, con cicatrices, pero victorioso. A veces los esclavos fueron marcados a fuego con la identificación de su amo. También las personas dedicadas al servicio de alguna deidad llevaban una marca quemada en su piel. Pablo compara las cicatrices de sus persecuciones por Cristo con estas marcas. Los judaizantes quieren evitar el sufrimiento en la causa de Cristo, pero Pablo lleva en su *cuerpo* las evidencias de su identificación con Cristo y con sus sufrimientos.

V. 18. Pablo acostumbra cerrar sus cartas como las abre (1:3), con el deseo de que sus lectores gocen de *la gracia*. Esta gracia es *de nuestro Señor Jesucristo* quien la trajo del Padre y la manifestó en su vida; su muerte en la cruz la pone al alcance del hombre. Conocer a Cristo es tener la gracia salvadora. *Vuestro espíritu* aquí representa la persona total, pero enfatiza la dimensión espiritual por donde entra la gracia de Dios a nuestras vidas.

Después de las advertencias fuertes y la polémica acalorada de esta carta, Pablo termina llamando a los cristianos de Galacia *hermanos*. Así expresa su confianza en que ellos genuinamente conocen a Cristo y que reconocerán la verdad acerca de la libertad cristiana y la ley judía. *Amén*, añade: Así sea.

──────────────── Aplicaciones del estudio ────────────────

1. El compañerismo cristiano incluye la restauración de los que se salen de la conducta cristiana, Gálatas 6:1. Cuando un creyente inadvertidamente, sin darse cuenta, se envuelve en actividades indebidas, toda la congregación tiene la responsabilidad de ayudarlo a que se restaure. No se trata de ser indulgentes o permisivos y hacer como si nada ha pasado con el hermano. Se supone que el ofensor se siente arrepentido, apenado y deseoso de volver los pasos al camino del Señor. Aun Dios no puede perdonar a una persona hasta que no se acerca a él arrepentido y humillado. Cuando Dios ha perdonado a alguien lo trae a una nueva relación con él y eso es lo que Pablo dice que debemos hacer nosotros. Por nuestra parte, conviene que oremos con constancia a Dios acerca de cómo llevar a cabo esta obra de gracia y restauración amorosa hacia nuestros hermanos que la están buscando.

2. Nuestra obediencia a la dirección del Espíritu Santo tiene consecuencias eternas, Gálatas 6:7-10. Podemos *hacer el bien* con la confianza en que nuestro esfuerzo llevará fruto, aun cuando éste no se vea.

3. Lo que vale eternamente es la acción creadora de Dios en nuestro interior, Gálatas 6:15. Progresamos en el camino cristiano por el poder divino que recibimos por la fe y la obediencia, y no por nuestro esfuerzo propio.

─────────── **Ayuda homilética** ───────────

El ministerio de la restauración
Gálatas 6:1, 2.

Introducción: La restauración es un aspecto importante de la vida de la iglesia. Todos estamos sujetos a tentación, y todos somos pecadores, por lo tanto hay un lugar para el ministerio de la restauración.

I. Las características esenciales para el ministerio de restauración (v. 1).
   A. Debe ser hecho por los que sienten la dirección del Espíritu Santo (5:16, 18, 25).
   B. Debe hacerse con mansedumbre.
      1. El manso es el que acepta la dirección y la enseñanza.
      2. Solamente el que tiene esta actitud es digno de guiar o enseñar a otros.
   C. El que restaura debe acercarse al alejado como un hermano y no como un juez.
   D. La caída de nuestro hermano no es prueba de nuestra superioridad, sino un recordatorio de nuestra debilidad.

II. El papel del ministerio de la restauración en la obra de Cristo (v. 2).
   A. Es una manera de sobrellevar las cargas de los otros, ayudándoles en su peregrinaje espiritual.
   B. Es parte de la voluntad (ley) de Cristo para su cuerpo, la iglesia.

Conclusión: Cada congregación debe ejercer el ministerio de la restauración, y uno de sus propósitos debe ser ayudar a los creyentes a seguir adelante en el camino cristiano.

Lecturas bíblicas para el siguiente estudio

Lunes: Josué 1:1-6   **Jueves:** Josué 2:1-7
Martes: Josué 1:7-9   **Viernes:** Josué 2:8-14
Miércoles: Josué 1:10-18   **Sábado:** Josué 2:15-24

AGENDA DE CLASE

Antes de la clase

1. Pida a un alumnos de la clase que haga una investigación acerca de la relación que debe existir entre la teoría y la práctica en cualquier disciplina.

2. Pida a otro alumno de la clase que haga una investigación respecto a "las secciones prácticas" de las cartas de Romanos, Efesios y 1 Timoteo. Deberá analizar estas cartas e investigar dónde empiezan estas secciones y qué aspectos importantes tocan en cada una de ellas.

3. Haga un dibujo o consiga una ilustración de un hombre que está sembrando. Tenga a la mano una ilustración de un fruto que está colgando aún de la rama del árbol

4. Así mismo, lleve a la clase diferentes tipos de semillas, como por ejemplo, frijol, maíz, semillas de naranja, de sandía, de papaya, etc.

5. Haga una investigación breve acerca de la cruz. ¿Quién la inventó como instrumento de muerte? ¿Qué significaba morir sobre ella? etc.

6. Responda las preguntas dadas en el libro del alumno en la sección *Lea su Biblia y responda*, del presente estudio.

Comprobación de respuestas

JOVENES: **1.** Restaurarlo con espíritu de mansedumbre. **2.** A los de la familia de la fe. **3.** Para gloriarse en la carne.

ADULTOS: **1.** a. La actitud debe ser de restauración. b. Con mansedumbre. c. Se debe considerar al espiritual, porque puede que el espiritual también sea tentado. d. La ley de Cristo es sobrellevar las cargas los unos de los otros. e. Que todo lo que se siembra eso se cosechará. f. Que el cristiano siembra para el Espíritu y cosechará vida eterna. **2.** a-F. b-V. c-V. d-V. e-V.

Ya en la clase
DESPIERTE EL INTERES

1. Con el dibujo del fruto que permanece unido a la rama frente al grupo, analicen la siguiente expresión: "El fruto es la manifestación externa de la relación interna con la rama." Escuche atentamente las opiniones del grupo y apúntelas en el pizarrón.

2. Pida a tres personas que participen en la siguiente dramatización: "Pedro es un miembro de la iglesia y continuamente está luchando con su vieja naturaleza. Juan, otro miembro de la iglesia se ha enterado de una grave falta moral de Pedro. Elvira es una hermana que se considera espiritual y al enterarse de la falta de Pedro lo enfrenta y lo acusa de carnal y pecador. Le advierte de la condenación a la que seguramente llegará y se despide de él. Pero Juan lo llama y lo exhorta a que confiese su pecado delante de Dios y que le solicite su intervención para superar aquel momento y lograr vencer ese pecado."

3. Pregunte a la clase: ¿Con qué se identifican más cuando saben de algún hermano de la iglesia que falló, con Juan o con Elvira? ¿Quién de los dos está mostrando madurez espiritual al tratar el asunto? ¿Qué efectos tendrá la actuación de Juan y de Elvira en la vida de Pedro?

ESTUDIO PANORAMICO DEL CONTEXTO

1. Solicite al miembro de la clase que investigó acerca de la relación que existe entre teoría y práctica, haga su presentación frente al grupo. Juntos como clase reflexionen en lo que implica esta relación y lo fácil o difícil que es llevarla a cabo.

2. Así mismo, solicite al otro miembro de la clase que informe acerca de su investigación, y posteriormente analicen la expresión: "Pablo siempre terminaba sus cartas con los pies bien plantados en la tierra."

ESTUDIO DEL TEXTO BASICO

1. Juntamente con el grupo, haga una lista de actitudes propias de un "cristiano espiritual" que restaura con espíritu de mansedumbre, y otra lista de un "cristiano espiritual" que manda a los débiles en la fe al mismo centro del infierno.

2. Guíe a la clase a analizar la expresión "sobrellevad los unos las cargas de los otros". Saquen casos y conclusiones concretas. De ser posible, hagan referencia a cierta experiencia que hayan vivido últimamente como iglesia, ya sea positiva o negativa.

3. Presente a la clase el dibujo del hombre que está sembrando. Mencione la ley de la cosecha y haga su aplicación a la vida del creyente.

4. Deposite en las manos de algunos de sus alumnos las diversas semillas preparadas. Pida que las sientan y que traten de identificar de qué semillas se trata. Después pida que digan el nombre del fruto o de la semilla que aparecerá en caso de que sea sembrada. Nuevamente haga su aplicación a la vida cristiana: "Todo lo que se siembra se cosecha."

5. Presente a la clase su investigación acerca de la cruz. En base a esto, invite a la clase a reflexionar en el dicho de Pablo que aparece en 6:14: "Lejos esté de mí gloriarme sino en la cruz de Jesucristo."

6. Pablo hace referencia en 6:17 acerca de las marcas de Jesús en su cuerpo. Reflexione juntamente con la clase qué pudo haber dejado en el cuerpo de Pablo estas marcas.

7. Medite en la intención de Pablo al poner en forma enfática en su despedida la palabra "gracia".

APLICACIONES DEL ESTUDIO

Divida la clase en tres grupos y pida que analicen cada una de la aplicaciones que aparecen en su libro de texto.

PRUEBA

Pida que en grupos resuelvan las actividades de la Prueba del Estudio.

Preparativos para entrar a la tierra prometida

Contexto: Josué 1:1 a 2:24
Texto básico: Josué 1:1-3, 8, 9; 2:1-4, 12-14
Versículo clave: Josué 1:9
Verdad central: La manera como Dios guió a Israel para entrar a la tierra prometida nos enseña cómo trabaja Dios para llevar a cabo su soberana voluntad.

Metas de enseñanza-aprendizaje: Que el alumno demuestre su conocimiento de los preparativos que los israelitas tuvieron que hacer para entrar a la tierra prometida, y su disposición de prepararse para cumplir el plan que Dios tiene para su vida.

──────────Estudio panorámico del contexto ──────────

A. Fondo histórico:

El libro de Josué. El libro recibe su título del actor principal, Josué (cuyo nombre significa "Jehovah es salvación"). El libro se divide en dos secciones: 1) La conquista de la tierra de Canaán (caps. 1-12); 2) La distribución y entrega de la tierra a las tribus de Israel (caps. 13-24). El tema central del libro de Josué es el cumplimiento de las promesas de Jehovah en cuanto a la tierra prometida a los hebreos (1:3, 4).

El río Jordán. Su extensión va desde el mar de Galilea hasta el mar Muerto. Mientras el valle de Jordán ocupa una extensión de 105 kilómetros, el río Jordán hace un recorrido de aproximadamente 320 kilómetros. El río forma una defensa natural para Canaán, especialmente durante el comienzo del verano cuando la nieve del monte Hermón se descongela y hace que se salga de sus bordes.

La ciudad de Jericó. Canaán era un territorio compuesto de ciudades-estados que existían con cierta independencia producida por el debilitado imperio de Egipto. Una de esas ciudades-estados era Jericó. Jericó era una ciudad antigua, con una existencia de más de 9,000 años a. de J.C. Jericó estaba protegida con una muralla edificada 8,000 años a. de J.C. Estas fechas muestran que la ciudad tenía unos 7,000 años de vida cuando los hebreos entraron a la tierra de Canaán. Jericó estaba a la entrada de Canaán; una ciudad establecida en un oasis, con una vegetación muy verde. Su estructura política era dirigida por un rey.

Josué un digno sucesor de Moisés. Josué era nieto de Elisama, jefe de la tribu de Efraín. El primogénito de Elisama se llamaba Nun. Josué fue asignado por su tribu para ir a espiar la tierra de Canaán (Núm. 13:8). Su preparación incluía sus experiencias al lado de Moisés. El había sido el joven general de Moisés en el campo de batalla contra Amalec (Exo. 17:8-13); el ayudante de Moisés en el monte Sinaí y después ante el tabernáculo (Exo. 24:13; 32:17). Josué y Caleb mostraron un coraje y una viva fe en Jehovah cuando rechazaron los informes exagerados y pesimistas de sus colegas que fueron con ellos a observar la tierra prometida (Núm. 14:9, 10). Años después (aproximadamente 1,200 años antes de Jesucristo) Josué fue elegido por Jehovah para ser el sucesor de Moisés (Núm. 27:15-23; Deut. 31:14, 15, 23; 34:9)

B. Enfasis:

Las órdenes de Dios a Josué, Josué 1:1-9. El libro de Josué empieza y termina con algunas palabras de Dios a Josué (1:2-9; 24:2-13). Son las palabras divinas que orientan y dirigen al actor principal del libro, Josué, hijo de Nun.

El evento de la muerte de Moisés une el libro de Josué con el libro de Deuteronomio (Jos. 1:1 y Deut. 34:5), e inicia el liderazgo de Josué y la conquista de la tierra prometida. La participación de Dios es agresiva e intensa, no es meramente observadora ni decorativa (ejemplos: 3:7, 8; 4:2, 3, 16; 6:2-5). Observemos que la muerte de Josué une el libro de Josué con el libro de Jueces (Jos. 24:29 y Jue. 1:1).

Las órdenes de Josué al pueblo, Josué 1:10-18. Estando en las llanuras de Moab, a la entrada de Canaán, Josué se dirige a los oficiales de las tribus (v. 11) y después se dirige en forma específica a las dos tribus de Rubén y Gad y a la media tribu de Manasés (vv. 12-15). La respuesta de las tres tribus es inmediata y positiva. Aunque la herencia de esas tribus ya ha sido conquistada en la Transjordania, ellos siguen luchando al lado de sus hermanos en Canaán.

La misión de los espías, Josué 2:1-7. El relato es muy resumido. Describe el envío de dos espías por Josué y su estadía en Jericó. Nos cuenta cómo el rey busca a los dos espías y el sorpresivo apoyo de Rajab al esconderlos.

La promesa hecha a Rajab, Josué 2:8-14. El nombre Rajab significa "ancho". De ella sabemos que era la dueña de una casa de huéspedes y era una prostituta. Los espías muestran sabiduría cuando eligen la casa de Rajab para esconderse y desde aquí espiar la fortaleza de la ciudad. Ya las historias de las victorias hebreas sobre los amorreos y su paso del mar Rojo abundaban en Jericó según el testimonio de Rajab (2:10). La ciudad estaba en un estado de desmoralización y de espanto. Es interesante figura en la genealogía de Jesús en Mateo 1:5. Se la encuentra entre los héroes de la fe en Hebreos 11:31 y también Santiago 2:25 habla de Rajab, la prostituta, quien por la fe actuó a favor de los espías.

El regreso de los espías, Josué 2:15-24. Los espías obedecieron las palabras de la cananea astuta y se escondieron en las montañas de Canaán hasta que los soldados de Jericó regresaron a la ciudad. Durante tres días los soldados del rey de Jericó mantuvieron su vigilancia sobre el camino hacia el río Jordán. Por fin, los espías regresan y cuentan la maravillosa noticia que la tierra era fácil para conquistar con el estado de desánimo de los cananeos.

1 Las órdenes de Dios a Josué, Josué 1:1-3, 8, 9.

V. 1. Moisés, el dirigente, el estadista, el instrumento de libertad para su pueblo ha muerto. Las palabras más descriptivas de quién era Moisés son: *siervo de Jehovah.* La palabra "siervo" tiene el sentido literal de "esclavo" y Moisés había sido fiel a la voluntad de Dios durante toda su vida, se sometió a cumplir fielmente la palabra divina.

Le toca el turno a Josué como *hijo de Nun,* quien es de la tribu de Efraín, destinado a ser jefe de su tribu. Se lo identifica como *ayudante de Moisés.* Josué ya era un hombre bastante maduro, quizás de unos ochenta o noventa años (la misma edad de Moisés cuando fue llamado por Dios para ir a librar su pueblo de Egipto). Hasta ahora Josué había ocupado siempre un lugar secundario al lado de Moisés; daba tranquilidad saber que alguien que conocía mucho de los asuntos internos de la administración de la nación ocuparía el cargo, sin embargo Josué iba a necesitar el apoyo de Dios para ser respetado como líder (vea 3:7; 4:14; 6:27).

V. 2. Es fácil captar la emoción de las primeras palabras de la exhortación de Jehovah a Josué en el texto original en el idioma hebreo. El orden de las palabras pone énfasis en "Moisés" y "mi siervo". Aquí no hay un Dios con un corazón de piedra, sino un Dios vivo que siente el amor y la compasión. *Mi siervo Moisés ha muerto.* De inmediato, sin embargo, Dios se dirige a Josué y le dice que es el tiempo de actuar: *Ahora, levántate,* significa poner fin a la espera en el campamento de las llanuras de Moab. El "pasa" de Dios era una orden que requería la obediencia de Josué y del pueblo.

V. 3. Dios estaba por cumplir su promesa a Moisés de entregar la tierra de Canaán al pueblo de Israel. Todo el territorio desde el río Eufrates hasta Egipto, y desde el Gran Mar (el Mediterráneo) hasta el río Jordán. Los eventos que estudiaremos más tarde nos indican que durante la administración de Josué solamente se logró la conquista de dos tercios del territorio aquí mencionado; fue hasta los días de Salomón cuando se somete toda la tierra, incluyendo Moab en la transjordania.

V. 8. La relación entre Moisés y Josué había sido muy estrecha. El propio nombre de Josué había recibido la atención de Moisés. Su nombre original era Oseas que significa "salvación". Moisés cambió su nombre a Josué que significa "Jehovah (es) salvación" (Núm. 13:16). Como ayudante de Moisés, Josué conocía los requisitos de su alto cargo. Su compromiso espiritual y moral con *este libro de la Ley* era determinante en el éxito o fracaso de su misión. Una absoluta integridad era esencial en la conquista de la tierra prometida. La meditación sobre la Palabra de Dios y el cumplimiento estricto de sus preceptos eran aspectos fundamentales en el éxito de su liderazgo.

V. 9. El llamado a ser audaz frente a los obstáculos no es algo nuevo, se repite la misma idea desde los versículos 6 y 7 (además vea Deut. 31:8). Dios sabía que ser dirigente de un pueblo conlleva muchos momentos de de desánimo. Josué ha de ser muy valiente si espera conquistar la tierra prometida. Su garantía es la presencia de Jehovah. Repitiendo la misma idea Dios le dice: "Como estuve con Moisés, estaré contigo..." (v. 5). Dios no abandona a sus siervos, él es fiel en caminar paso a paso junto a ellos.

2 La misión de los espías, Josué 2:1-4.

V. 1. La misión asignada era explorar la tierra de Canaán, especialmente la ciudad de Jericó. Al llegar a Jericó los espías deciden pasar la noche en la casa de Rajab. Quizás esa casa era un lugar donde se acostumbraba recibir a los extranjeros sin mayores consultas sobre su persona o su destino, además, todo el mundo conocía la condición moral de Rajab y por lo tanto era un buen lugar para engañar a las autoridades de Jericó.

Vv. 2-4. Algunas personas de Jericó reconocieron a los espías como *de los hijos de Israel* y dieron aviso al rey quien de inmediato envió a sus soldados a buscar a aquellos hombres. La inteligencia y sagacidad de Rajab es sorprendente. De hecho, la historia recuerda el nombre de una prostituta de Jericó, pero no el nombre del rey de Jericó. Ella protege a los espías negando el propósito y el origen de los espías. Ella está convencida de que el Dios de los hebreos era el "Dios arriba en los cielos y abajo en la tierra" (2:11). La llegada de los dos espías era la oportunidad para Rajab de manifestar su fe en Jehovah.

3 La promesa hecha a Rajab, Josué 2:12-14.

Vv. 12, 13. La petición de Rajab es una súplica: *por favor, juradme por Jehovah*. Ella cita su misericordia hacia ellos como base para pedirles la liberación de la "casa de mi padre" de la destrucción. Después específicamente menciona a su padre, a su madre, a sus hermanos, a sus hermanas y a los suyos (siervos y parientes en la casa).

Ella está convencida de que la muerte es el futuro de todos ellos. Los espías convienen con ella y establecen una señal "un cordón rojo a la ventana" (v. 18), que ella cuelga inmediatamente (v. 21).

V. 14. Lo que Rajab pide de los dos espías no es la decisión exclusiva de ellos. Al contrario, Josué era el líder en Israel y ellos eran sus enviados. Sin embargo, ellos ofrecen a ella lo que ella había arriesgado por ellos, es decir sus propias vidas. Sin embargo, ella debe guardar todo el asunto en secreto absoluto.

───────────── **Aplicaciones del estudio** ─────────────

1. El creyente y el tiempo apropiado, Josué 1:2. A veces es difícil esperar el tiempo apropiado para actuar. Josué esperó durante 40 años para entrar a la tierra prometida, aunque quiso entrar cuando era uno de los jóvenes espías. Sin embargo, su paciencia le hizo esperar hasta escuchar la palabra: "AHORA", de los labios de Jehovah. Cuánto necesitamos esperar el "ahora" del Señor y no intentar apresurar el tiempo o los eventos.

2. El creyente que ha recibido bienes materiales tiene una obligación hacia aquellos que necesitan su ayuda, Josué 1:13, 14, 15. Las tribus de Gad y Rubén, además de la media tribu de Manasés, recibieron su territorio antes de la entrada a Canaán en la Transjordania. Josué les recuerda su responsabilidad de ayudar a sus hermanos que todavía tienen un arduo trabajo para conquistar la tierra de Cisjordania (Canaán). Así Dios nos llama a nosotros para da una mano de ayuda y apoyo a nuestros hermanos más necesitados. Cuán fácil es ignorar las necesidades de otros cuando lo nuestro anda bien.

3. El nuevo creyente rechaza las prácticas inmorales de la sociedad, Josué 2:4, 5, 9, 10, 11, 12. Rajab tuvo que elegir entre Jericó, su rey, su profesión y su estilo de vida o Jehovah, la vida de los hebreos, un nuevo estilo de vida. El nuevo creyente ve el valor y la excelencia de una nueva vida en Dios y abandona su viejo estilo de vida para adoptarlos.

Ayuda homilética

El llamamiento de Josué
Josué 1:1-9

Introducción: Dios llamó a Josué para cumplir una misión específica. Josué tenía las condiciones necesarias para cumplir con la misión, pero necesitaba recordar los requisitos espirituales básicos.

I. Josué tenía la preparación para dirigir a Israel (v. 1).
A. Josué hijo de Nun, sería el jefe de su tribu.
B. Josué fue el ayudante más cercano de Moisés.

II. Josué tenía una misión dada por Dios (vv. 2-4).
A. Primero, cruzar el río Jordán con el pueblo.
B. Segundo, conquistar la tierra prometida.
C. Tercero, entregar la tierra a las tribus de Israel.

III. Josué tenía un compromiso que cumplir (vv. 5-9).
A. El compromiso de esforzarse al máximo.
B. El compromiso de meditar y cumplir fielmente la ley.
C. El compromiso de ser audaz y valiente.

IV. Josué recibió una promesa de Dios (vv. 5, 8, 9).
A. La promesa de la presencia permanente de Dios.
B. La promesa del éxito en su tarea.

Conclusión: Cada creyente puede cumplir la misión a la cual Dios le ha llamado si cumple con las condiciones que Dios le propone.

Lecturas bíblicas para el siguiente estudio

Lunes: Josué 3:1-13
Martes: Josué 3:14-17
Miércoles: Josué 4:1-24

Jueves: Josué 5:1-9
Viernes: Josué 5:10-12
Sábado: Josué 5:13-15

AGENDA DE CLASE

Antes de la clase
1. Realice todas las lecturas que conforman el contexto de este estudio.
2. De ser posible consiga un mapa de Palestina y muestre la tierra de Canaán. **3.** Con tiempo pida a un alumno que haya cambiado de ciudad que cuente la experiencia de moverse de una ciudad a otra. **4.** En una cartulina escriba las partes del texto básico. **5.** En un friso de papel escriba el título de la lección. **6.** Conteste las preguntas de la sección *Lea su Biblia y responda.*

Comprobación de respuestas
JOVENES: **1.** a) falso. b) falso. c) verdadero. **2.** a) No apartarse de la ley de Moisés. b) Que Dios no se apartaría de él. **3.** v.2, v.1, v.3, v.4.
ADULTOS: **1.** a) Josué, porque Moisés había muerto. b) Hijo de Nun, ayudante de Moisés. c) Que pasará el Jordán con todo el pueblo y llegará a la tierra prometida. d) Es una respuesta personal. e) Leyes que escribió Moisés. f) Para tener éxito y que todo salga bien. g) v.2, v.8, v.9. h) Que Jehovah tu Dios estará contigo dondequiera que vayas. 2) a) Falso. b) Verdadero. c) Falso. d) Falso. e) Falso. **2.** a) Así haréis vosotros con la familia de mi padre. b) Nuestra vida. c) Haremos contigo misericordia y verdad.

Ya en la clase
DESPIERTE EL INTERES
1. Sentar a los alumnos en círculo y pedirle al alumno escogido que nos narre su experiencia de cambiar de ciudad. **2.** Planear las siguientes preguntas para propiciar la discusión: ¿Qué debemos saber sobre el lugar elegido? ¿De quién debemos recibir instrucciones? ¿Qué debemos llevar? ¿Qué obstáculos podríamos encontrar? ¿Cómo solucionaríamos los obstáculos?.

ESTUDIO PANORAMICO DEL CONTEXTO
1. Presente el libro de Josué como libro histórico. **2.** Relate cómo Josué fue escogido para que llevara al pueblo a la tierra prometida. **3.** Señale en el mapa la tierra de Canaán y el río Jordán. **4.** Explique por qué Josué manda dos espías a Jericó. **5.** Mencione el papel que desempeña Rajab en la misión de los espías.

ESTUDIO DEL TEXTO BASICO

1. Enfatice en los versículos donde Dios da mandatos a Josué después de la muerte de Moisés. Muestre cómo Dios se preocupa por su pueblo y cumple la promesa hecha a Moisés bajo el mando de Josué. Las órdenes son determinantes, demuestran que Dios tiene un plan concreto.

2. Resalte la promesa hecha por Dios a Josué. Que nunca lo abandonará si él cumple con la ley de Moisés. Que Dios escoge a los hombres que le son útiles para sus propósitos.

3. Ponga como ejemplo al alumno que narró su historia sobre lo que hizo al vivir en otra ciudad. Compare la decisión de Josué de mandar dos espías a la ciudad para ver cómo se encontraba. Josué no deseaba equivocarse al llevar a su pueblo a una ciudad que desconocía.

4. Dirija su atención hacia la mujer que ayudó a los espías y cómo ella usa esta situación para declarar su firmeza y lealtad a Jehovah. Josué respeta el trato hecho con la mujer. Es respetada ella y su familia. Los espías le prometen que cuando hereden su tierra ella también recibirá misericordia y bendición.

5. Ayude a sus alumnos a que se pongan en la situación de un pueblo que espera la promesa de Dios. En la valentía de Josué de aceptar la responsabilidad que Dios le daba al darle el mando de su pueblo.

6. Pida a los alumnos que hagan una lista de obstáculos que tendrían en una situación semejante a la del pueblo de Dios, y como los resolverían.

APLICACIONES DEL ESTUDIO

Pida a tres alumnos que lean cada uno las aplicaciones del estudio y que las comenten. Que digan si han tenido algún llamamiento de parte de Dios y no han respondido. Puede dar oportunidad para que algún alumno dé testimonio de su servicio a Dios. Enfatice de que Dios cuando promete cumple, pero que el hombre debe hacer un esfuerzo. Anime a sus alumnos a que comenten alguna promesa cumplida por Dios.

PRUEBA

Dirija a los alumnos para que en pares contesten el cuestionario. Tengan un tiempo de comentarios libres. Pida una oración especial por los siervos del Señor.

Unidad 4

Israel entra a la tierra prometida

Contexto: Josué 3:1 a 5:15
Texto básico: Josué 3:3-5, 14-17; 4:21-24
Versículo clave: Josué 4:24
Verdad central: El ingreso de Israel a la tierra prometida nos enseña que Dios guía y bendice al pueblo cuando le obedece.
Metas de enseñanza-aprendizaje: Que el alumno demuestre su conocimiento de los eventos que ocurrieron cuando Israel ingresó a la tierra prometida, y su disposición de responder a las oportunidades que Dios le presenta.

--------- **Estudio panorámico del contexto** ---------

A. Fondo histórico:

El arca del pacto era el símbolo central de la presencia permanente y el cuidado activo de Jehovah entre los hebreos. El arca contenía las dos tablas de la Ley, normalmente estaba en el tabernáculo, era un objeto impresionante cubierto de oro (lea la descripción en Exo. 25:10-16). Solo los hombres consagrados al servicio de Jehovah podían llevarla, es decir los sacerdotes y los levitas.

El paso del río Jordán. Los detalles de la detención de las aguas del río Jordán son asombrosos. Era la estación de la siega al comienzo del verano, antes de que ocurriera la descongelación de la nieve en el monte Hermón ubicado como a 26 kilómetros de Jericó. Estas condiciones dejaban el río en seco por unos 30 a 50 kilómetros, espacio suficiente para que para que pase un grupo grande de personas. Además, hay dos ejemplos de la historia moderna relacionados con la sequía del Jordán: en el año 1266, según un informe musulmán, un derrumbe de tierra secó el río durante 10 horas; luego en el año 1927 un terremoto derrumbó la orilla occidental cerca del lugar conocido como Adam, secando el río durante 21 horas.

La ubicación geográfica de Gilgal es difícil por el número de lugares con este mismo nombre en la historia de Israel. La palabra significa "círculo" (¿círculo de las doce piedras?). El lugar representa la ubicación del primer culto de adoración de parte de los hebreos en Palestina, la tierra prometida.

El rito de la circuncisión involucraba cortar el prepucio del varón dándole una señal visible en su cuerpo de su compromiso con Jehovah y su identificación con el pueblo hebreo.

B. Enfasis:

⚔ *Instrucciones para cruzar el Jordán, Josué 3:1-13.* El relato empieza en el lugar de Sitim ubicado como a 13 kilómetros del río Jordán. De Sitim Josué mandó a los dos espías (2:1). Al recibir el informe alentador de los espías, Josué movió al pueblo de Israel más cerca al río. Josué *se levantó muy de mañana.* Durante la noche, los hebreos escucharon el sonido del río y al amanecer ven cómo el agua llena sus bordes (vv. 1, 15). ¿Cómo van a cruzar el río? Los jefes de las tribus, "oficiales", instruyen al pueblo. Todos deben seguir el arca del pacto dejando una distancia de 900 a 1,000 metros entre el arca y el pueblo. Todos deben purificarse el día antes de la entrada a Canaán (v. 5). La purificación podría significar el lavado de los vestidos (Exo. 19:10), la abstención de relaciones sexuales (Exo. 19:15) o alguna otra abstención. Estos ritos externos interrumpían las actividades cotidianas para que el pueblo se dedicara a Dios y tomara conciencia del hecho que, mañana Jehovah hará maravillas entre vosotros (v. 5).

Jehovah habla con Josué acerca de lo que debían hacer al día siguiente. Los sacerdotes tenían que entrar en el río, al llegar al centro detenerse. Mientras el arca y los sacerdotes están en el medio del río, un hombre de cada tribu debe presentarse (más tarde se nos cuenta que es para recoger una piedra con la cual se construirá un monumento memorial).

⚫ *Los israelitas ingresan a Canaán, Josué 3:14-17.* Como leímos antes la manera, el tiempo y el propósito cuando el pueblo hebreo cruzó el Jordán se conjugaron de tal manera que confirman que todo era la obra de Jehovah.

⚫ *¿Qué significan estas piedras?, Josué 4: 1-24.* Este pasaje contiene algunas instrucciones muy específicas de Jehovah a Josué (vv. 2, 3, 16). Además hay dos monumentos de piedra construidos para recordar el paso del río Jordán (vv. 9, 20). Josué colocó un monumento de doce piedras en medio del Jordán en el mismo lugar donde el arca y los sacerdotes se detuvieron mientras el pueblo pasaba. El otro monumento se construyó en Gilgal donde se hizo una importante renovación del pacto. Estos monumentos tenían un doble propósito: aumentar el fervor y la fe hacia Jehovah y educar a las siguientes generaciones acerca del evento de cruzar el Jordán en seco (vv. 6, 7, 22, 23, 24).

La expresión *hasta el día de hoy* se encuentra a través del libro de Josué para indicar la evidencia que todos la podían ver (4:9; 5:9; 7:26; 8:28, 29; 9:27; 10:27; 13:13; 14:14; 15:63; 16:10). El estudio de estos pasajes nos ayuda a establecer que el libro de Josué fue escrito antes del reinado de David y Salomón. Y que unos 40.000 soldados hebreos cruzaron el río el día 10 del mes primero (que corresponde a nuestros meses de marzo-abril).

⚫ *La circuncisión en Gilgal, Josué 5:1-9.* Los reyes de los amorreos y de los cananeos se desaniman al escuchar las noticias de la sequía de las aguas del río Jordán. Los versículos 2 a 9 describen la ratificación de la circuncisión en preparación para la celebración de la Pascua. Recordemos que durante 40 años ningún varón había sido circuncidado y la Pascua no se había celebrado.

⚔ *Celebración de la Pascua, Josué 5:10-12.* Los hebreos salieron del Jordán el 10 del mes primero y renovaron la celebración de la Pascua el 14 del mes primero, cuatro días mas tarde (4:19; 5:10). Los hebreos ya estaban en las llanuras de Jericó esperando su primera confrontación con los cananeos. Las instrucciones para celebrar la Pascua fueron dadas por Moisés (Exo. 12:11, 21, 27, 43, 48; 23:15). Esta comida de Pascua era el rito más importante para conmemorar la liberación de Egipto. El día después de la celebración de la Pascua, los hebreos empezaron a comer "del fruto de la tierra (de Canaán)". El mismo día la provisión de maná cesó. Durante 40 años esta sustancia, cuyo "sabor era como de galletas con miel" (Exo. 16:31), había sido la dieta básica de los hebreos. De aquí en adelante tenían que vivir del fruto de la tierra de Canaán.

   Josué y el Jefe del Ejército del Señor, Josué 5:13-15. Josué estaba mirando hacia Jericó cuando de repente vio un hombre con una espada en la posición de confrontación. Josué se acercó al hombre y le preguntó acerca de su lealtad (¿hebreo? o ¿de Jericó?). Se identifica como el *Jefe del Ejército de Jehovah* y advierte a Josué que se encuentra en tierra santa. En un evento parecido al que pasó Moisés. Josué ha de quitar sus sandalias (Exo. 3:5 y Jos. 5:15).

────────── **Estudio del texto básico** ──────────

1 Instrucciones para cruzar el Jordán, Josué 3:3-5.

Vv. 3, 4. Los hebreos van a empezar una nueva etapa en su desarrollo como un pueblo. Pronto van a construir sus casas y establecer sus comunidades, viviendo en una tierra abundante y amplia. Había muchas cosas absolutamente nuevas, como los oficiales les dijeron: *vosotros no habéis pasado antes por este camino.* El arca iba a dirigir al pueblo de Dios por un camino seguro en esta nueva etapa de su existencia como verdadero "pueblo de Dios". Ningún hombre iba a recibir la gloria del éxito de esta aventura sino Jehovah. Durante tres días, los líderes de las tribus fueron por el campamento instruyendo al pueblo.

   V. 5. Las instrucciones de los jefes de las tribus reciben una exhortación adicional de Josué. *Purificaos,* significa consagrarse o santificarse, apartarse de las actividades cotidianas para ser sensibles a la actividad divina. Aquí no hay indicación específica de las abstenciones, pero normalmente incluían la limpieza del cuerpo, la ropa, las cosas y abstenerse de las relaciones sexuales. El propósito de esta purificación era para estar en condiciones de experimentar las maravillas de Jehovah al siguiente día. Aquí no hay una explicación de la maravilla esperada, solamente se anuncia que Dios iba a obrar a favor de su pueblo. De alguna forma, las maravillas divinas dependían del cumplimiento de las instrucciones dadas por los oficiales y por Josué. Hacía 40 años un pueblo incrédulo perdió las bendiciones de la tierra prometida, pero ahora esta segunda generación se preparaba por la fe para ver las maravillas de Dios.

2 Los israelitas ingresan a Canaán, Josué 3:14-17.

V. 14. *Sucedió* es un verbo histórico muy neutral para describir lo que estaba ocurriendo. Se describe una procesión que cumple fielmente las instrucciones dadas. El espíritu de pionero y conquistador corría en la sangre de cada hebreo porque hoy era un nuevo comienzo para el pueblo de Dios. Como un símbolo, el arca declaraba que Dios mismo iba delante de Israel, abriendo paso y conquistando terreno.

Vv. 15-17. En el momento preciso cuando *los pies de los sacerdotes* (que llevaban el arca) *se mojaron en la orilla del agua* (del Jordán...) *las aguas que venían de arriba se detuvieron como en un embalse...*

Y aunque hay ciertos fenómenos físicos que podrían explicar esta escena tan anormal, no se puede contestar la pregunta: "¿Por qué ahora? ¿Por qué aquí?" Solo la fe puede contestar a estas preguntas, dando testimonio a la experiencia sagrada de los hebreos.

La respuesta era simple: ¡Jehovah había hecho una maravilla! Se calcula (v. 16) que entre 30 a 50 kilómetros del río se secaron. Lo que Josué había prometido a los hebreos (v. 13), había ocurrido. Por lo tanto, los sacerdotes *estuvieron en seco, firmes en medio del Jordán.*

3 ¿Qué significan estas piedras?, Josué 4:21-24.

V. 21. Las doce piedras llevadas del medio del río Jordán y usadas para construir un monumento memorial, eran un símbolo de la maravilla que Jehovah había hecho. La frase que se repite en este pasaje es *Jehovah vuestro Dios* (3 veces) y *la mano de Jehovah.* El es el corazón del evento del Jordán. El arca era un símbolo, pero su presencia y su poder fueron los motores del evento. No fue un acto de magia, al contrario "Dios obró a favor de su pueblo". Entonces se anticipa una pregunta de parte de la siguiente generación que no vio el evento, pero sí verá un monumento: *¿Qué significan estas piedras?* Las respuestas pueden ser diversas: "Nosotros cruzamos el Jordán y empezamos a conquistar a los fuertes pueblos de Canaán", o "Nosotros aprovechamos un fenómeno raro de la naturaleza y cruzamos al río pues la suerte estaba a nuestro lado", o "Hay que recordar a los antepasados que se sacrificaron para conquistar y darles esta tierra". Estas y otras contestaciones podrían elevar el valor y sacrificio del hombre, casi eliminando a Dios del evento.

Vv. 22-24. *Israel cruzó en seco este Jordán. En seco* es una expresión enfática del texto bíblico en hebreo. Eso es lo que debe ser recordado. Hay una referencia directa al evento del mar Rojo, una renovación de parte de Dios del pacto con los hebreos.

El evento implicaba dos cosas: En primer lugar, mostrar el poder de Jehovah a los cananeos a fin de crear las condiciones mentales y emocionales que les pondrían en actitud de derrota frente a los hebreos. Los cananeos sabían que el Dios de los hebreos era mucho más poderoso que cualquiera de los dioses que ellos tenían. En segundo lugar, aumentar la fe de los hebreos en Jehovah. Dios había manifestado a su poder a través de su hecho maravilloso, ahora los hebreos tenían que testificar a la siguiente generación acerca de lo que el Señor les había hecho. Los hijos han de saber lo que Dios ha hecho y lo que él es capaz de lograr en sus vidas. Es un proceso de enseñanza de padres a hijos, buscando perpetuar la información de la historia de Israel.

---------------- **Aplicaciones del estudio** ----------------

1. La impureza del creyente es un impedimento a la obra de Dios, Josué 3:5. Es dudoso que Dios hubiese hecho el milagro del Jordán si el pueblo no se hubiera preparado física, mental, emocional y espiritualmente delante de Dios.

2. El líder genuino espera que Dios sea quien lo coloque ante los ojos de su pueblo, Josué 3:7; 4:14. Creando publicidad de "éxito" casi pagano, algunos líderes, exigen a sus seguidores una obediencia casi absoluta. El líder cristiano ha de seguir las instrucciones de Dios, dirigir con coraje a su pueblo, y esperar los resultados de la evaluación que Dios le hará.

---------------- **Ayuda homilética** ----------------

"¿Qué significan estas piedras?"
Josué 4: 15-24

Introducción: Dios instruyó a Israel para que edificaran monumentos memoriales como un recurso para recordar a los padres la responsabilidad de enseñar a sus hijos acerca de Dios.

I. **Por la obediencia a Dios Josué y los hebreos hacen su primer campamento en la tierra prometida (vv. 15-20).**
   A. En obediencia cruzan el río Jordán en seco.
   B. En obediencia se preparan para la batalla.
   C. En obediencia construyen un monumento memorial con las doce piedras tomadas del medio del Jordán.

II. **El monumento memorial tiene tres propósitos (vv. 21-24).**
   A. Recordar a los cananeos el poder de Jehovah (v. 24).
   B. Aumentar la fe en Jehovah para sus próximas confrontaciones, (v. 24).
   C. Educar a las futuras generaciones acerca de los hechos maravillosos de Dios (vv. 22-24).

Conclusión: Los hechos de Dios son parte de la vida de su pueblo y deben ser recordados y compartidos con las nuevas generaciones.

Lecturas bíblicas para el siguiente estudio

Lunes: Josué 6:1-6
Martes: Josué 6:7-21
Miércoles: Josué 6:22-27
Jueves: Josué 7:1-5
Viernes: Josué 7:6-21
Sábado: Josué 7:22-26

AGENDA DE CLASE

Antes de la clase

1. Proveerse de un gráfico del arca descrita en Exodo 25:10-16. **2.** En una cartulina escriba la verdad central del estudio. **3.** Tenga preparado el mapa de Palestina para localizar el río Jordán. **4.** Prepare tarjetas blancas y lápices para que hagan una lista de las cosas que hizo el pueblo de Dios antes de cruzar el río. **5.** En un diccionario bíblico consulte la palabra purificación y escriba su significado en un cartel.

Comprobación de respuestas

JOVENES: **1.** a) Cuando los sacerdotes llevaron el arca del pacto. b) 2.000 codos (900-1000 metros.) c) Purificarse. **2.** a) Pacto. b) Desbordarse. c) Jericó. d) Seco. **3.** a) v. 21. b) v. 22. c) v. 23.

ADULTOS: **1.** a) Guía. b) Dos tablas de madera grabadas con las palabras de Dios. c) 2000 codos. d) 900-1000 metros. e) Apartarse de la rutina y se hagan más sensibles a la dirección de Dios. f) Para que el hombre recordara que Dios iba a manifestarse en él y deberían estar preparados. **2.** a) Cuando los sacerdotes del arca mojaron sus pies en el agua del río. b) Respuesta personal. c) Hacia Jericó. **3.** a) Pregunten, hijos, padres, ¿Qué significan estas piedras? Israel pasó en seco por este Jordán. b). Jehovah secó, Jordán, hasta que habéis pasado, en el mar Rojo, pasamos. c) Todos, pueblos de la tierra, mano de Jehovah es poderosa, Jehovah vuestro Dios.

Ya en la clase
DESPIERTE EL INTERES

1. Por medio de preguntas haga un recordatorio del estudio pasado apoyándose en el mapa bíblico. **2.** Haga una breve descripción geográfica del río Jordán. **3.** Pida a un alumno que lea el pasaje de Exodo 25:10-16 y comenten la descripción del arca apoyándose en el cartel preparado.

ESTUDIO PANORAMICO DEL CONTEXTO

1. Guíe a sus alumnos a que lean *El estudio panorámico del contexto.* Pregunte: ¿Qué harían ustedes frente a un caudaloso mar si la única solución para llegar a su meta es cruzarlo? Pida a la clase que hagan sus comentarios al respecto. **2.** Permita a los alumnos que busquen en sus Biblias o en un diccionario la equivalencia de 2000 codos. **3.** Lance la pregunta: Si el pueblo de Dios tenía un arca del pacto como guía, ¿el pueblo cristiano qué tiene ahora?

ESTUDIO DEL TEXTO BASICO

1. Dirija a los alumnos a contestar las preguntas de la sección Lee tu Biblia y responde. Que sea en forma individual. Al terminar compartan sus respuestas.

2. En el pasaje estudiado el pueblo de Dios tenía que prepararse para cruzar el río Jordán. Permita que sus alumnos escriban en las tarjetas blancas una lista de lo que Israel hizo antes de cruzar el río. Pueden hacerlo en parejas.

3. Una de las grandes cosas que tenía que hacer el pueblo era purificarse. Dirija la atención hacia el cartel con el significado (para los JOVENES). Para los ADULTOS se sugiere que den comentarios personales del significado de la palabra.

4. El río Jordán era un impedimento para el pueblo de Dios para llegar a la tierra prometida. ¿Cuándo hizo Dios lo mismo para que el pueblo huyera de la mano del maligno? Permita que la clase responda y haga comentarios. Recuérdeles que Dios siempre está con su pueblo. Si no se apartan de él ni de sus palabras, él cumple sus promesas.

5. En el pasaje de Josué 4:21-24 resalte el significado de las doce piedras. Era un monumento de la lealtad de Dios para su pueblo, que quedaría para la posteridad. Jehovah abrió el Jordán, no el arca del pacto en sí misma, aún cuando ella representaba la presencia de Dios. El monumento celebraba el acto poderoso del Señor.

6. Los elementos naturales son una demostración del poderío de Dios. Quizá algunos puedan decir que son actos milagrosos. Cuide que en su clase quede claro que sólo Dios propicia las cosas y que en la solución de sus planes el hombre no interviene. Haga notar que tomar la decisión de obedecer a Dios es fácil y él cuidará de su pueblo.

APLICACIONES DEL ESTUDIO

Haga hincapié en que todo lo que se emprenda en la vida debe estar basado en la dirección de Dios. Dios nos proporciona todas las estrategias posibles para su resolución. El pueblo de Dios debe estar preparado para trabajar en conjunto. Para una sola persona es pesada la carga. Los jóvenes son el futuro de nuestra iglesia, permita que cada uno de ellos encuentre cómo puede servir a Dios en su iglesia.

PRUEBA

Si el número de la clase lo permite haga de tres a cuatro equipos y contesten las preguntas de esta sección. Dé un tiempo de meditación y oren por todos los ministerios de la iglesia. Anímeles a que hagan sus lecturas diarias para que sigan creciendo espiritualmente.

Exito y fracaso en Jericó

Contexto: Josué 6:1 a 7:26
Texto básico: Josué 6:2-5, 23, 24; 7:11-13, 24, 25.
Versículo clave: Josué 7:13
Verdad central: El éxito de Israel en Jericó y su fracaso en Hai nos enseñan que el pueblo de Dios debe obedecerlo a fin de lograr los propósitos que él tiene y evitar las consecuencias de la desobediencia.
Metas de enseñanza-aprendizaje: Que el alumno demuestre su conocimiento del significado del éxito y las razones del fracaso de Israel en Jericó, y su actitud de hacer las correcciones que sean necesarias en su vida a fin de cumplir con la voluntad de Dios.

────────────── Estudio panorámico del contexto ──────────

A. Fondo histórico:

La ciudad de Jericó. Como dijimos en el estudio anterior era una ciudad antigua, que había pasado por su mejor época y era como cualquiera otra ciudad cananea en aquel entonces. Su posición geográfica era estratégica para guardar a Canaán de la invasión de pueblos extranjeros.

El concepto de "anatema" aparece repetidas veces en el libro de Josué (13 veces, de las 29, que se menciona en el Antiguo Testamento). La palabra "destruir" o "exterminar" con la misma idea de "anatema" aparece 14 veces en el libro de Josué. Todo era anatema (algo que se debía exterminar), excepto "toda la plata, el oro y los utensilios de bronce y de hierro" que "serán consagrados a Jehovah y formarán parte del tesoro de Jehovah" (v. 19). La conquista de Canaán cumpliría la promesa de Dios a Abraham, Moisés y al pueblo hebreo, pero dependía de la obediencia a las instrucciones de Jehovah.

B. Enfasis:

La estrategia de Dios para derrotar a Jericó, Josué 6:1-6. Primero, había que crear el desánimo y el pánico dando una vuelta alrededor de la ciudad durante seis días. La procesión será precedida por el arca del pacto, con siete sacerdotes caminando delante de ella y tocando una corneta cada uno. El séptimo día se darán siete vueltas a la ciudad y los siete sacerdotes sonarán largamente las cornetas. Al final de la última vuelta el pueblo gritará y el muro de la ciudad se derrumbará.

La caída de Jericó, Josué 6:7-21. El pueblo cumple fielmente las instrucciones de Jehovah. El número siete es una figura prominente en el relato:

siete sacerdotes, siete cornetas, siete días, siete vueltas el séptimo día, sugieren la idea de un plan perfecto para la toma del Jericó, la primera ciudad cananea confrontada por los hebreos. En el versículo 16 Josué dijo al pueblo: "¡Gritad, porque Jehovah os entrega la ciudad!" ¿Será que los gritos tendrán la fuerza para derrumbar los muros? ¡Imposible! Es más bien un grito de alabanza, de fe y confianza en la victoria de Jehovah.

Rajab y su familia son rescatados, Josué 6:22-27. En medio de la sangrienta toma de Jericó se desarrolla una escena de salvación. Josué manda a los dos espías a cumplir la palabra dada a Rajab (v. 22). Rajab y la familia de su padre son puestos en tiendas, fuera del campamento de Israel, ya que ellos no son hebreos (v. 23). Después de la masacre, la ciudad es quemada y Josué pronuncia una maldición contra el lugar. Esta maldición tuvo su efecto unos 500 años más tarde cuando el rey Jiel de Betel quiso edificar otra vez Jericó y murieron sus hijos (1 Rey. 16:34). Esta parte del relato nos dice que la "fama" de Josué se divulgó por toda la tierra porque el Señor estaba con él (v. 27).

Israel derrotado en Hai, Josué 7:1-5. La segunda confrontación entre los hebreos y los cananeos ocurrió en la ciudad de Hai, ubicada a unos 16 kilómetros de Jericó. Antes de entrar en los detalles sobre la pelea, el escritor del libro nos permite ver la actitud hostil de Jehovah hacia Israel porque un tal Acán tomó algo que era anatema. Josué manda espías para explorar la ciudad de Hai. El informe de los espías es muy optimista, consideran que pueden ocupar la ciudad con una fuerza de 2,000 a 3,000 soldados (hay unos 40,000 en total). Josué está de acuerdo. Van a la confrontación. Los hebreos pierden la batalla y tienen que huir. Al evaluar los resultados: la muerte de 36 soldados y un pueblo totalmente desanimado.

El pecado de Acán, Josué 7:6-21. El nombre Acán significa "destrucción". Su pecado fue la causa de la derrota de los hebreos en Hai. Josué y los ancianos se humillaron ante el arca de Jehovah hasta la noche, rasgaron sus ropas y echaron polvo sobre sus cabezas. En seguida Josué empieza a razonar con Jehovah, pensando que la entrada a Canaán había sido un error. La emoción de la oración se puede percibir en las expresiones: "¡Ay, Señor Jehovah!" "¿Por qué?" "¡Oh, Señor!" "¿Que diré...?" "¿Qué harás tú...?" Las preocupaciones de Josué son múltiples: el bienestar del pueblo, la posibilidad de que fueran exterminados por los cananeos, haber puesto en entredicho la grandeza de Jehovah ante su pueblo. La respuesta de Jehovah a Josué muestra su poca preocupación acerca de su imagen frente a los cananeos. Jehovah no iba a bendecir a los hebreos si ellos iban a ser un pueblo rebelde, y a la larga ser un pueblo inmoral como los mismos cananeos. Sus palabras van al grano: "Israel ha pecado" (v. 11). Josué aprende que el fracaso contra Hai fue resultado del pecado: el robo de algo declarado "anatema" (condenado) de Jericó. Además, Jehovah advierte a Josué: Yo no estaré más con vosotros, si no destruís el anatema de en medio de vosotros (v. 12). Después, Jehovah explica un método para descubrir al culpable. Quien fuera el culpable sufriría el mismo destino del anatema, sería quemado. Josué cumple el plan y Acán es identificado como el culpable. Acán confiesa que ha tomado un excelente manto babilónico, aproximadamente 2 kilos de plata y como medio kilo de oro y que los bienes estaban escondidos en su tienda, bajo la tierra.

El pecado castigado, Josué 7:22-26. Acán y toda su descendencia son apedreados según la Ley, y quemados según la forma de destrucción del anatema en el valle de Acor. Solamente un montón de piedras quedó como testimonio de aquella tragedia causada por la desobediencia.

─────────────── **Estudio del texto básico** ───────────────

1 La destrucción de Jericó, Josué 6:2-5.

V. 2. Josué se preparaba para enfrentar a la ciudad de Jericó con todos sus hombres de guerra. Los espías que había mandado habían vuelto con el informe. Una celebración al Señor se había observado y el pueblo estaba animado para tomar la tierra prometida. Sin embargo, los planes de Dios eran distintos. La primera batalla no se iba a lograr por la fuerza humana, sino por el plan y presencia de Dios. El Señor deseaba que el pueblo comprendiera que esta victoria era posible gracias a su intervención directa. *Yo he entregado...* son palabras que explican al autor de la victoria.

Vv. 2-5. Dios explica a Josué los detalles de la manera como desea entregarles la ciudad de Jericó. Es notorio que la participación del pueblo es casi simbólica. Todo lo que el pueblo tiene que hacer es marchar alrededor de la ciudad y en el séptimo día gritar. Cuando cayeran los muros de Jericó, el pueblo tenía que atacar a los habitantes, sin embargo, la victoria era de Jehovah. El pueblo de Israel destruyó Jericó porque fue obediente a las instrucciones de Dios. Este relato nos muestra que es mejor seguir el plan divino aunque suene absurdo, que seguir la mejor lógica del hombre.

2 Rajab y su familia son rescatados, Josué 6:23, 24.

V. 23. Posiblemente sin los riesgos que Rajab tomó para proveer esa valiosa ayuda la misión de los espías hubiera fracasado (Jos. 2). Aproximadamente dos semanas mas tarde Josué manda a los espías a cumplir su palabra con Rajab. Rajab es rescatada y tiene la oportunidad de empezar una nueva vida. Josué decide que Rajab y su familia deben habitar en una tienda fuera del campamento de Israel en vista de que no son parte del pueblo del pacto. Es obvio que Rajab tuvo éxito dado que el escritor del libro de Josué dice que ella todavía vivía entre los hebreos cuando él escribía (v. 25). Además, ella llega a ser un símbolo de alguien que mostró su fe en Dios a través de sus obras a favor de los espías (Stg. 2:25), y su nombre llega a estar en la lista de los héroes de la fe, ¡una cananea! (Heb. 11:31).

V. 24. La ciudad de Jericó es destruida, quemada por los soldados hebreos. Todo fue destruido por el fuego, excepto la plata, el oro y los utensilios de bronce y de hierro que fueron llevados al tesoro del arca y dedicados a Jehovah.

3 El pecado descubierto, Josué 7:11-13.

V. 11. Nadie sabía lo que Acán había hecho salvo Jehovah. Josué no estaba seguro acerca de las causas de la derrota, pero sí estaba seguro de las consecuencias dañinas a la imagen de los hebreos y a la imagen de Dios ante los cananeos (vv. 8, 9). Jehová toma en serio el pecado y su efecto sobre el pueblo. El sabe que no revelar el pecado de Acán era inspirar a otros a imitar su comportamiento cuando descubrieran el origen de su nueva riqueza. La "codicia" no era el motivo que Dios esperaba ver en su pueblo (v. 21). La prosperidad de Israel dependía de su obediencia a la Ley de Dios y no del robo de los bienes ajenos. La fe tenía que ser la actitud que une al pueblo y no la codicia que divide y destruye. Dios ve estas consecuencias: *Israel ha pecado... Han quebrantado mi pacto... Han tomado del anatema (una pista al problema), han robado, han mentido y lo han escondido entre sus enseres.*

V. 12. Al explicar la naturaleza del pecado, Dios comunica las consecuencias del hecho. En primer lugar, la derrota en Hai con la pérdida de 36 vidas preciosas fue una consecuencia del pecado. En segundo lugar, Israel esta contaminado, convertido en anatema para Dios. Está en peligro ante la hostilidad de un Dios Santo, por lo tanto, Dios retira su presencia y poder, abandonándolos en una tierra nueva y hostil.

V. 13. La solución al problema del pecado es la purificación por medio de la separación en Israel del pecado y del pecador. Los ritos y el proceso de limpieza ponen al creyente en una actitud de disposición a obedecer la voluntad de Dios. El pecado no solo afecta al pecador, pero puede causar la caída de otros a quienes el pecado afecta. Sin duda, el pecado genera una condición en la cual otros pueden ser animados a caer en la trampa del pecado.

4 El pecado castigado, Josué 7:24, 25.

V. 24. El proceso exacto para identificar al culpable no se menciona en el pasaje. Su castigo parece exagerado al incluir a toda su familia, sus hijas (que no tenían derechos legales en aquel entonces) y los animales. De hecho su descendencia desaparece del pueblo santo, y sus bienes no pueden ser aprovechados por nadie. Ningún hebreo podría decir más tarde: "Esto perteneció a Acán", o "este es el nieto de Acán". El pecado eliminó a toda la familia.

V. 25. Acán y todas sus pertenencias murieron cuando los israelitas los apedrearon, según se debía hacer con los que transgredían la Ley, y luego quemados, ya que formaban parte del anatema de la ciudad de Jericó.

────────────────Aplicaciones del estudio ────────────────

1. El creyente puede ser el instrumento para la salvación de su familia, Josué 6:22, 23. Rajab pudo haber ignorado la salvación de sus padres y hermanos y pedir solo por ella misma, sin embargo, intercedió por ellos. De igual manera, todo creyente debe compartir las buenas nuevas de Cristo Jesús, quien es la salvación, en un sentido más absoluto con sus familiares.

2. Humillarse ante Dios no es un signo de debilidad sino de honradez, y el primer paso hacia el perdón, Josué 7:6, 11, 13. Josué no tuvo problemas en humillarse ante Dios cuando la desgracia cayó sobre él y su pueblo. Fue este hecho el que abrió el diálogo entre Josué y Dios y facilitó la restauración. Al darnos cuenta de que algo anda mal en nuestra vida corramos al Señor para averiguar las razones y dar los pasos pertinentes delante de él.

3. El pecado es tan fatal en sus alcances que no puede ser ignorado, Josué 7:11, 12, 25, 26. Por su pecado Acán causó la muerte de 36 personas, la humillación de su pueblo ante los cananeos, deshonró a Dios y la destrucción de su propia familia. El pecado de uno de los cónyuges puede afectar al matrimonio, a sus hijos, a sus familiares, a sus amistades, a sus colegas en el trabajo y a muchas personas más. Lo mejor es alejarnos de la tentación, que sutilmente puede conducirnos al pecado, y acercarnos a Dios para que él nos ayude a ser fieles a sus órdenes.

Ayuda homilética

¡A Dios sea la gloria!
Josué 6: 1-5, 12-20

Introducción: Aunque la ciudad de Jericó podía ser tomada por la fuerza del ejército hebreo, Josué escucha la voz del Señor y sigue sus instrucciones a fin de que toda la gloria sea para Dios.

  I. **Josué está preparado para tomar la ciudad de Jericó por la fuerza, pero escucha al Señor (vv. 1-5).**
   A. Josué conocía la fuerza militar y el estado de ánimo de los habitantes de Jericó.
   C. Jehovah tiene un propósito para su pueblo en este evento.
   D. Jehovah tiene un plan para la toma de Jericó.
  II. **Josué y el pueblo siguen lo que Dios ha dicho (vv. 12-19).**
   A. Las instrucciones divinas para los seis días.
   B. Las instrucciones especiales para el séptimo día.
  III. **Dios recibe la gloria y el pueblo la victoria (vv. 19, 20).**
   A. Josué declara la ciudad de Jericó como anatema.
   B. Dios recibe la gloria y se le consagran la plata, el oro, el bronce y el hierro.
   C. El pueblo logró la victoria total sobre Jericó.

Conclusión: El camino más fácil y lógico no es siempre el camino de Jehovah. Dios nos llama hoy para escuchar su voz y actuar de tal manera que él reciba la gloria.

Lecturas bíblicas para el siguiente estudio

Lunes: Josué 8:1-16   **Jueves:** Josué 9:1, 2
Martes: Josué 8:17-29   **Viernes:** Josué 9:3-15
Miércoles: Josué 8:30-35   **Sábado:** Josué 9:16-27

AGENDA DE CLASE

Antes de la clase

1. Prepare dos casos de personas que hayan tenido un fracaso en su vida y dos casos de personas con éxito. Invite a un hermano que haya tenido un fracaso en su vida y llévelo a la clase para que les platique su experiencia.

2. Prepare una cartulina escribiendo el mandato de Dios para la toma de Jericó.

3. Busque el significado del número 7 y prepárelo para la clase.

4. En un cartel escriba como título *Consecuencias*, divídalo en dos columnas colocando en un lado el subtítulo *Obediencia* y en la otra *Desobediencia*.

5. Consulte la palabra anatema y escriba su significado en un friso (tira de papel de color distinto a la superficie en donde se va a colocar).

Comprobación de respuestas

JOVENES: **a)** Todos los hombres de guerra caminarán alrededor de la ciudad durante seis días. Siete sacerdotes con siete cornetas de cuerno de carnero delante del arca. Al séptimo día daréis siete vueltas a la ciudad. Al tocar las trompetas el pueblo gritará y los muros de Jericó se derrumbarán.

b) 1. Sacaron a Rajab, a su padre, a su madre, a sus hermanos y todo lo que era suyo y su parentela. 2. Consumieron la ciudad con fuego, pusieron el tesoro en la casa de Jehovah, la plata, el oro, hie-rro y bronce.

ADULTOS: **1.** a) Jericó, su rey y sus varones de guerra. b) Respuesta a) de JOVENES. **2.** a) Falso. b) Verdadero. c) Verdadero. **3.** a) Avaricia y desobediencia. b) Perdieron una batalla. c) Maldición. **4.** a) Apedrearon y quemaron a él con toda su familia y pertenencias. b) En el valle de Acor que significa "turbación", porque el pueblo de Israel fue perturbado por el pecado de Acán.

Ya en la clase
DESPIERTE EL INTERES

1. Muestre los casos de personas que fracasaron y las que obtuvieron éxito. **2.** Permita que se haga una mesa redonda sobre el tema. Propicie las preguntas para que puedan llegar a la conclusión si existe o no el fracaso. **3.** Si consiguió a su invitado llévelo para que termine la discusión de la mesa redonda exponiendo su experiencia. **4.** Presente a los integrantes de la mesa redonda el material bíblico de la clase para que lo lean. **5.** Que escriban en una cartulina el versículo clave del estudio.

ESTUDIO PANORAMICO DEL CONTEXTO

1. Seguir con la técnica de mesa redonda.

2. Permita que los integrantes lean el estudio panorámico del contexto.

3. Dé un tiempo prudente para que cada uno informe sobre el tema leído.

4. Permita que los alumnos descubran el significado de anatema y qué fue lo que Dios quería que respetaran.

5. Invite a sus alumnos para que contesten la sección *Lee tu Biblia y responde.* Que compartan sus respuestas, permitiendo a varios responder la misma pregunta.

ESTUDIO DEL TEXTO BASICO

1. El pueblo de Israel creía que a Jericó la tomarían por medio de una guerra ¿qué fue lo que preparó Dios? Permita que varios alumnos contesten la pregunta después de leer Josué 6:2-5 ¿Por qué es significativo?

2. Como siguen trabajando en mesa redonda lance las siguientes preguntas: ¿Qué hicieron con Rajab y su familia? ¿Cuántos están de acuerdo con la actitud de los espías? ¿Creen que Rajab hizo lo correcto? ¿Creen que Rajab estaba dentro de los planes de Dios?

3. Todo iba muy bien en la toma de Jericó. Había sido un éxito. Invite a los integrantes de la clase a leer Josué 7:11-13. Hagan una discusión sobre el enojo de Jehovah. ¿Por qué el anatema, qué significa, cuál fue la solución al pecado? ¿Qué consecuencias trae para el pecador?

4. El cartelón preparado con el título Consecuencias, obediencia y desobediencia. Muéstrelo a la clase. Pida que escriban en uno y otro lado lo que acarrean estas dos actitudes.

5. Permita un tiempo para la discusión de la lista anterior.

APLICACIONES DEL ESTUDIO

En este estudio permita que los alumnos lleguen a sus propias conclusiones respecto a la desobediencia que acarrea el fracaso; que la obediencia que acarrea el éxito. Que apliquen la obediencia a su vida diaria con disciplina. Que den ejemplos de cómo pueden superar cada una de las dos actitudes.

PRUEBA

Permita que en forma individual contesten esta sección. En forma voluntaria que lean sus respuestas. Tenga un momento de oración por los integrantes de la mesa redonda. Haciendo hincapié en que no podemos escondernos de Dios si queremos hacer actos ilícitos.

Unidad 4

La caída en Hai y los gabaonitas

Contexto: Josué 8:1 a 9:27
Texto básico: Josué 8:1, 2, 32, 33; 9:22-27
Versículo clave: Josué 9:25
Verdad central: Las experiencias que tuvo Israel en Hai y con los gabaonitas demuestran que Dios da la victoria a aquellos que confían en su promesas.
Metas de enseñanza-aprendizaje: Que el alumno demuestre su conocimiento de los eventos que ocurrieron a Israel en Hai en relación con los gabaonitas, y su actitud hacia las promesas que encuentra en la Palabra de Dios por seleccionar una que desea hacer suya.

─────────── Estudio panorámico del contexto ───────────

A. Fondo histórico:

Los montes Ebal y Gerizim. Los dos montes están a los lados del valle de Siquem, el monte Ebal al norte y el monte Gerizim al sur. El monte Ebal es el monte más alto y sin mucha vegetación. El monte Gerizim es un monte más bajo y lleno de vegetación y con una tierra muy fructífera.

Recordemos la geografía de Palestina. En el oriente está el río Jordán, sirve como división natural entre Cisjordania (al lado occidental del río Jordán) y la Transjordania (al lado oriental del Jordán por donde los hebreos entraron a la tierra de Canaán). Canaán está ubicada en la Cisjordania. Viendo hacia el oeste del río Jordán, al dejar el valle se encuentran varias montañas y el área donde los hebreos estuvieron en las primeras semanas de su entrada a Canaán. Hacia el oeste se encuentran algunas planicies, como por ejemplo Sefela. Por fin, en el extremo occidental se encuentra la costa del mar Mediterráneo. Aquí pasaba el camino real por el cual iban los comerciantes con su mercadería y los ejércitos de Egipto. El Líbano forma el lado norte de la costa habitado por otros pueblos.

B. Enfasis:

La emboscada de Hai, Josué 8:1-16. Jehovah manda a Josué a atacar la ciudad de Hai con la promesa de una victoria. Esta será la segunda vez que los hebreos intenten tomar esa ciudad, pero ahora Jehovah estará con ellos. Jehovah pide que se lleven todos los hombres de guerra y preparen una emboscada, estableciendo el campamento al lado norte de la ciudad de Hai y mandando a un grupo de soldados al lado occidental. Cuando los soldados de Hai ataquen a la fuerza dirigida por Josué, estos iban a huir como si de nuevo estuvieran siendo derrotados por los guerreros de Hai. Así los alejarían de la ciudad y no la podrían defender de los soldados hebreos escondidos al lado oeste. Josué comienza sus actividades "muy de mañana". Revisa las tropas y se asegura de que todo esté como se había previsto y repasa la estrategia a seguir.

La caída de Hai, Josué 8:17-29. La ciudad de Hai cayó bajo la emboscada de los hebreos. Doce mil mujeres y hombres murieron y el rey fue colgado de un árbol después de ser llevado a Josué. Obedeciendo la palabra dada por Jehovah, Josué extendió su lanza hacia la ciudad dando la orden del exterminio del pueblo de Hai (v. 18). "Los mataron hasta que no quedó ni un sobreviviente ni un fugitivo" (v. 22). A los israelitas les fue permitido guardar el ganado y los bienes de la ciudad (vv. 2, 27). Las ruinas de Hai estaban a la vista cuando fue escrito el libro de Josué, incluyendo el lugar donde se enterró al rey de Hai (vv. 28, 29).

El altar y la ley en el monte Ebal, Josué 8:30-35. Al ganar la batalla, Josué y el pueblo se vuelven para agradecer a Dios. El susto sufrido por la derrota anterior, producto del pecado de Acán (7:1ss.), ha pasado y los hebreos de nuevo muestran que son el pueblo del Dios vivo. Josué construye un altar en el monte Ebal, según lo dicho por Moisés, utilizando piedras no elaboradas por herramientas de hierro y ofrece holocaustos, ofrendas "del todo" quemadas, algunos sacrificios y ofrendas de gratitud a Jehovah por la victoria. Después Josué prepara al pueblo para la lectura de la ley desde los dos montes, Gerizim y Ebal, como Moisés les había exhortado (Deut. 27:11-13). Todo el pueblo estaba involucrado, incluyendo a las mujeres, los niños (la tercera generación) y los extranjeros (Rajab y su familia entre otros).

La alianza contra Israel, Josué 9:1, 2. Los hebreos habían tomado una parte importante del centro de Canaán. Un grupo de reyes del sur de Canaán decide formar una alianza con el único propósito de combatir a Israel. Seis grupos son nombrados, incluyendo dos o tres regiones de la Palestina.

Israel hace alianza con Gabaón, Josué 9:16-27. La estrategia de los gabaonitas fue distinta de la de los otros pueblos cananeos. Ellos deciden engañar a los hebreos, pretendiendo ser un pueblo que ha venido de lejos para adorar y honrar a Jehovah por los grandes hechos que todo el mundo ha escuchado. Los gabaonitas utilizan animales viejos, ropa vieja y alimento añejo para dar la imagen de haber hecho un largo viaje. Los gabaonitas convencen a los hebreos de su buena voluntad y se ofrecen como los siervos de los hebreos. Los hebreos aceptan su oferta de amistad y servidumbre, tomando de "sus provisiones". Así celebran una comida de fraternidad (v. 14). Las Escrituras, sin embargo, ponen énfasis en el hecho de que los hebreos "no consultaron a Jehovah" (v. 14). Por fin, Josué y los ancianos hicieron un juramento de paz con los gabaonitas.

Los gabaonitas salvan su vida, Josué 9:16-27. Muy pronto, tres días después de la alianza, los hebreos se dan cuenta de que han sido engañados, pues llegan a las ciudades de los gabaonitas. Como venganza desean tomar las ciudades, pero los ancianos y Josué les recuerdan del juramento hecho. Los gabaonitas, sin embargo, llegan a ser los siervos de los hebreos. El relato termina indicando la presencia de los gabaonitas entre los hebreos "hasta el día de hoy", es decir hasta el tiempo del autor de Josué.

1 La victoria sobre Hai, Josué 8:1, 2.

V. 1. Otra vez Jehovah está hablando con Josué para orientarlo sobre el futuro inmediato. Su mensaje es triple: 1) *No temas ni desmayes.* Dios lo anima para el futuro; 2) *Toma contigo a toda la gente de guerra*, estas palabras eran confortantes porque un grupo de 3,000 soldados había sido vencido por los guerreros de Hai; 3) *Mira, yo he entregado en tu mano...*, estas palabras son las mismas usadas en la victoria sobre Jericó (compare 8:1 con 6:2). Qué distinta es esta preparación para tomar la ciudad de Hai en comparación con el primer intento (7:2-5). La diferencia la hace la espera de la palabra del Señor y la seguridad de su bendición en una tarea importante.

V. 2. En estas palabras de Dios encontramos un paralelo entre Hai y Jericó. La victoria no solo es posible, sino también segura con la ayuda de Dios. Sin embargo, las condiciones cambian. Hay que planear cuidadosamente una emboscada y el pueblo puede tomar los bienes y los animales de los habitantes de Hai. El lector puede sentir la inseguridad de Josué en el comienzo del pasaje, y puede entender la razón de las garantías dadas por Dios para asegurar a Josué la victoria. Hay que recordar que hasta este momento los hebreos no habían ganado ninguna batalla en la forma tradicional. Jehovah iba a utilizar a los soldados hebreos como el recurso principal de su estrategia, además iba a motivarlos a través del botín que obtendrían. Cada detalle debió motivar más y más a Josué, pero ahora él tenía que ir delante del pueblo para levantar el estado de ánimo después del fracaso. Dios estaba con Josué y éste estaba dispuesto a escuchar y obedecer al Señor. Todo el am-biente era muy diferente.

2 Todos escuchan la Palabra de Dios, Josué 8:32, 33.

V. 32. Esta escena cobra mucha importancia en la historia de Israel. Al estar en Canaán era importante recordar la ley de Jehovah. La nueva generación y la presencia de un grupo creciente de extranjeros, hacían necesario este evento. Letra por letra Josué escribe una copia de la *ley de Moisés* mientras todos los hijos de Israel le observan.

V. 33. Todo el pueblo, de acuerdo con las instrucciones de Moisés, se dividió en dos grupos. Un grupo leyó las bendiciones desde el monte Gerizim, y otro grupo leyó las maldiciones desde el monte Ebal, después de haber recibido la bendición de parte de los sacerdotes y los ancianos. Se dio lectura en voz alta a todo el documento. Un grupo escuchaba en silencio mientras el otro leía, hasta que dio lectura a "todas las palabras de la ley" (8:34). Participar en la lectura de la ley de Moisés no era algo opcional, sino una parte natural y necesaria en la relación entre Jehovah y su pueblo. Observemos que se menciona a los ancianos, los oficiales y los jueces, las autoridades de las tribus, y los soldados. Ninguna autoridad en Israel podría ejercer un liderazgo sin conocer de cerca la Ley. El hombre que tiene autoridad sin conocer la Palabra de Dios es peligroso para sus subordinados. En seguida, el texto indica la participación de los extranjeros como de los mismos hebreos. No era suficiente encontrarse en el campamento (o cerca del campamento) para ser aceptado por Jehovah. De hecho, un conocimiento acabado de la Ley era esencial para que las personas como Rajab y sus familiares pudieran entender los cambios morales que Jehovah exigía de su pueblo.

3 El castigo para los gabaonitas, Josué 9:22-27.

Vv. 22, 23. Los hebreos se encontraron atrapados por el juramento que hicieron a los gabaonitas. En la mentalidad hebrea, la palabra dada a otra persona había que cumplirla. El engaño, como en este caso, no libraba de la responsabilidad de cumplir con su palabra. Si hubieran consultado con Dios antes de hacer el compromiso no habrían entrado en este dilema.

Vv. 24, 25. Los gabaonitas explican que ellos tomaron el único camino posible para no ser exterminados por los hebreos. Los gabaonitas muestran un conocimiento amplio de los dichos de Moisés y se ponen en las manos y a disposición de los hebreos.

Vv. 26, 27. Josué reprocha a los gabaonitas por su engaño y los destina a hacer los trabajos más pesados, como cortadores de leña y portadores de agua. Prácticamente llegan a ser los esclavos de los hebreos. Sin embargo, los gabaonitas estaban dispuestos a hacer lo necesario, aunque significara la pérdida de sus derechos, con tal de sobrevivir. ¿Cuánta influencia negativa tendrían los gabaonitas sobre el pueblo de Dios? Aun los esclavos han ejercido una influencia en la historia, aunque sea una historia no escrita y sin nombres.

────────────── **Aplicaciones del estudio** ──────────────

1. Dios se acerca al creyente para darle ánimo, Josué 8:1, 2. Después de la derrota en Hai, Josué y todo el pueblo de Israel estaban muy desanimados. Sin embargo, Dios desea que ellos aprendan de sus errores, y que se levanten de su desánimo para seguir luchando. Proveyendo varias garantías y varias motivaciones, Dios habla a Josué y le asegura que no va a fracasar de nuevo. Hay momentos de desánimo en la vida del creyente, cuando eso sucede debe buscar al Señor y prepararse para escuchar su voz. Aunque el fracaso sea el producto del pecado, Dios desea levantar al creyente y darle un espíritu renovado.

2. El creyente y la Palabra de Dios, Josué 8:32-35. Leer la ley dada por Dios requería una gran inversión de recursos humanos y tiempo (dividir y mover a todo el pueblo entre los dos montes). Sin embargo, podemos observar el espíritu de renovación y frescura que se produjo por la lectura de la Palabra de Dios. Así el creyente necesita recordar el valor de la Palabra de Dios en la renovación del hombre. Debe apartar y con disciplina mantener un tiempo cuando su concentración está en la Palabra escrita del Señor para comprender lo que Dios desea comunicarle.

3. El creyente debe cuidarse de dar su palabra sin consultar la voluntad de Dios, Josué 9:9, 10. La Biblia señala como cosa seria el uso de la palabra para hacer un juramento. Josué y los ancianos hicieron amistad con gente que Dios había condenado. El creyente debe buscar la voluntad de

Dios antes de dar su palabra. Es mejor demorar una respuesta, que encontrarse en una trampa sin saber como arreglar la situación. No hay necesidad de apresurarse para formar una amistad que a la larga va a perjudicar en vez de ser una bendición.

───────────── **Ayuda homilética** ─────────────

Una Adoración digna del Señor
Josué 8: 30-35

Introducción: Los hebreos habían visto la mano poderosa de Dios a su favor y deseaban adorar a Dios. Asimismo, el creyente tiene muchas razones para agradecer a Dios.

I. Los elementos de una adoración digna, vv. 30-35.
   A. Un lugar dedicado a Dios para la adoración colectiva.
   B. Una mayordomía de los bienes a Dios.
   C. Una lectura de la Palabra de Dios.
   D. Una lectura completa de la Palabra de Dios.
II. Los participantes de una adoración digna, vv. 33, 35.
   A. Las autoridades deben conocer la Palabra de Dios.
   B. Los que no conocen la Palabra de Dios deben ser informados por los que sí la conocen.
   C. Las mujeres pueden participar activamente.
   D. Los niños han de aprender la Palabra de Dios.
III. Los resultados de una adoración digna, vv. 31-33.
   A. Se honra a Dios.
   B. Se obedece la Palabra de Dios.
   C. El pueblo de Dios es bendecido.

Conclusión: El creyente que activamente adora, siente la presencia y bendición de un Dios vivo en su vida. Como resultado de la adoración se estimula el deseo de hacer lo correcto en las prioridades de la vida.

Lecturas bíblicas para el siguiente estudio

Lunes: Josué 10:1-15   **Jueves:** Josué 11:1-15
Martes: Josué 10:16-27   **Viernes:** Josué 11:16-23
Miércoles: Josué 10:38-43   **Sábado:** Josué 12:1-24

AGENDA DE CLASE

Antes de la clase

1. Repase las lecturas del contexto de este estudio. **2.** Provéase de un mapa de Asia menor para pizarrón para que localice los lugares mencionados en el estudio panorámico del contexto. **3.** Prepare unos frisos con las siguientes frases: "No temas ni desmayes", "Toma contigo a toda la gente de guerra", "Yo he entregado en tu mano hoy", "Victoria", "El rey, su pueblo, su ciudad y su tierra", "Ebal", "Gerizim". **4.** Conteste las preguntas que vienen en la sección *Lee tu Biblia y responde*.

Comprobación de respuestas

JOVENES: **1.** a.1) Rey de Hai, 2) al pueblo, 3) ciudad, 4) tierra. **2.** Escribió sobre las piedras una copia de la ley de Moisés. **3.** a) Josué. b) Gabaonitas. d). Josué.

ADULTOS: **1.** a) Toma toda la gente de guerra, levántate y sube contra Hai, toma Hai y su rey como en Jericó, tomaréis para vosotros su botín y su ganado. b) Jehovah entregará en mano de Josué Hai. c) No, porque no habían pecado. d) Poner emboscada detrás de la ciudad. **2.** a) Escribió las leyes de Moisés en unas piedras delante de los hijos de Israel. b). Ancianos, oficiales, jueces, sacerdotes, extranjeros y naturales. c) Mitad hacia el monte Gerisim y la otra mitad hacia el monte Ebal. d) Deuteronomio 27:12-26. **3.** a) Deshonesta. b) Ser esclavos trabajando como leñadores y aguadores. c) Habían temido por sus vidas. d) Agradecidos.

Ya en la clase

DESPIERTE EL INTERES

1. Pregunte en la clase si alguien sabe cómo fue conquistado su país. Dé tiempo para que se hagan comentarios. Motive a los alumnos a reconocer a las personas que permitieron la libertad de su país. **2.** Pida a un alumno que escriba el título del estudio en el pizarrón y pregunte quién nos puede decir a quiénes se refiere. **3.** Dígales que la lección de hoy los ayudará a darse cuenta de que los creyentes tienen victoria en Cristo. Se sugiere entonen el Himno #382 del Himnario Bautista.

ESTUDIO PANORAMICO DEL CONTEXTO

1. Dirija a la clase al estudio panorámico del contexto del libro de alumnos. **2.** Utilice el mapa de Asia menor para ubicar los pueblos que se establecieron en esas tierras y las luchas que tuvieron.

ESTUDIO DEL TEXTO BASICO

1. Permita que cada uno de sus alumnos lea un versículo del texto básico.

2. Entregue los frisos preparados con las frases a los alumnos para pegarlos en el pizarrón en el momento que se les indique.

3. Dirija la atención de sus alumnos a la primera parte del estudio. El friso de "Victoria" debe ser pegado en el pizarrón. Lance la siguiente pregunta: ¿Qué idea tienen del significado de esa palabra? Dé un momento para que se hagan los comentarios.

4. Josué se encuentra en una nueva situación, Dios le da varios mandatos. Permita que sus alumnos busquen en sus Biblias el texto de Josué 8:1, 2 y al ir localizándolos pegarán los frisos y permita que ellos vayan parafraseando cada frase.

5. En Deuteronomio 11:29 Moisés nos habla de lo que haría Josué en los montes Ebal y Gerizim. Invite a un alumno a que lo lea y explique qué se hizo en aquel lugar. Coloque los frisos en el pizarrón.

6. ¿Cuál fue el propósito de levantar un altar en el monte Ebal? Haga esta pregunta a sus alumnos. Si no lo recuerdan invítelos a que lean nuevamente el pasaje de Josué 8:32, 33.

7. Si ha tenido la experiencia de un culto unido al aire libre platíquela y mencione que en la misma situación se encontraban los de Israel en esos montes.

8. No siempre las conquistas de un país terminan en conformidad, ¿qué pasó con los gabaonitas? Lean nuevamente el texto bíblico de Josué 9:22-27. Por medio de un interrogatorio a sus alumnos vayan enlazando la historia.

9. Permita que sus alumnos contesten la sección Lee tu Biblia y responde, de manera individual.

APLICACIONES DEL ESTUDIO

Pregunte si alguna vez han participado de un culto en la plaza o en el jardín. Si no lo han hecho es tiempo de llevar cantos y mensajes a otros. Organice una actividad de este tipo, cambiar de lugar siempre es positivo para el compañerismo. Además, anímelos a seguir estudiando sus lecciones, porque para ser líderes en la iglesia deben conocer la Palabra de Dios.

PRUEBA

A manera de resumen contesten las preguntas que vienen en esta sección. Procure que participe toda la clase.

Conquista de la tierra prometida

Contexto: Josué 10:1 a 12:24
Texto básico: Josué 10:6, 8-13; 11:18-20
Versículo clave: Josué 10:8
Verdad central: La conquista de Canaán por parte de Israel es una evidencia de que el poder de Dios es suficiente para satisfacer las necesidades de quienes le obedecen.
Metas de enseñanza-aprendizaje: Que el alumno demuestre su conocimiento de cómo Israel conquistó la tierra prometida, y su decisión de someter una situación de su vida al control del Señor.

Estudio panorámico del contexto

A. Fondo histórico:

En el estudio de hoy observaremos dos fenómenos naturales que Dios usó para demostrar su poder al cuidar a su pueblo. La ciencia y los que estudian esta clase de eventos no pueden explicar lo que pasó, pero para los hebreos fue sencillamente una experiencia personal que Dios les dio para afirmar su poder y amoroso cuidado de ellos.

El granizo. ¿Fue un fenómeno natural y frecuente en aquella región? Quizás fue un fenómeno natural, pero Dios lo utilizó en el momento oportuno contra los soldados del ejército contra el cual los hebreos peleaban. Asombra que ningún hebreo murió por el granizo y todos reconocieron que esta era una victoria del Señor.

El día más largo de la historia. Ocurrió en la época cuando el sol brillaba sobre Gabaón, al este, y la luna continuaba su marcha sobre el valle de Ajalón, al oeste. Josué da una orden al sol y la luna para que detengan y así ocurrió. Este mandato fue recordado en forma de poema desde la antigüedad, específicamente en el *Libro del Justo, y el Libro de Jaser.*

Los hebreos querían recordar este evento y la forma en que Dios intervino para lograr la victoria. "Casi un día entero... nunca... un día semejante ni antes ni después." Dios pudo utilizar algún fenómeno natural, como la refracción de la luz solar o una serie de relámpagos, pero sin duda Dios intervino en una manera sobrenatural. Los hebreos conocían muy bien, por sus largos años en el desierto, los relámpagos y las luces nocturnas, sin embargo, aquí había ocurrido algo fuera de toda su experiencia y conocimiento. Este milagro permitió al pueblo de Dios el tiempo suficiente para terminar la batalla y lograr la victoria.

B. Enfasis:

La derrota de la coalición en Gabaón, Josué 10:1-15. Al saber las noticias de la destrucción de Hai por los hebreos y la paz hecha entre los gabaonitas y los hebreos, el rey de Jerusalén llama a cuatro colegas para atacar a los traidores (v. 1). Se puede ver el respeto de Adonisedec, que significa "el señor de la justicia", hacia el poder de los gabaonitas. Los cinco reyes forman una confederación y atacan a los gabaonitas (v. 5). Un mensaje urgente de auxilio es mandado por los gabaonitas a Josué quien procura apoyarlos (v. 7). Sobre terreno difícil los hebreos suben 35 kilómetros durante la noche y atacan a la confederación. Sin embargo, el campeón de la batalla es Jehovah, quien da confianza a Josué (v. 8), y "arrojó desde el cielo grandes piedras" (v. 11) y "extendió la duración del día" (según una antigua fuente histórica, el *Libro de Jaser*, citado aquí y en 2 Samuel 1:18) (vv. 12-14). En el relato hay un diálogo donde Josué llama al sol y a la luna a detenerse. El estilo muestra una poesía con paralelo sinónimo, donde se repite la misma idea.

La captura y muerte de cinco reyes, Josué 10:16-27. Los cinco reyes de la confederación formada contra los gabaonitas se dan cuenta de la derrota y se esconden en una cueva en Maqueda. Descubiertos por los hebreos, los reyes estaban atrapados en la cueva y la entrada es cerrada por "grandes piedras". Josué abre la cueva y saca a los cinco reyes ante el pueblo y pisa el cuello de cada uno como símbolo de lo que Jehovah va a hacer a todos los enemigos de su pueblo (v. 25). Los reyes son colgados y después sus cuerpos vueltos a la cueva que es cerrada con grandes piedras, que aún estaban en el tiempo del escritor de Josué (v. 27).

La conquista de las regiones del sur, Josué 10:28-43. La frase "sin dejar sobrevivientes" se repite después de la conquista de cada ciudad al sur de Canaán. La promesa de la presencia divina con los hebreos se cumple vez tras vez con cada victoria. El territorio incluía cuatro áreas: las montañas, la tierra más al sur, las llanuras y las laderas (v. 40).

La conquista de las regiones del norte, Josué 11:1-15. Jabín, el rey de Hazor tenía una posición prominente en Canaán. Su ciudad era la más grande en Canaán con una población de aproximadamente 40,000 habitantes. Los reyes del norte de Canaán se unen alrededor de él para atacar a los hebreos. Sin embargo, Jehovah da la victoria a Josué quien cumple la palabra de Jehovah, dejando los caballos cojos y los carros quemados. La ciudad de Hazor fue quemada. Y el pueblo, que antes era "tan numeroso como la arena que está a la orilla del mar", fue matado "hasta no dejarles sobrevivientes".

Sumario de las áreas conquistadas, Josué 11:16-23. El informe es muy optimista diciendo que toda la tierra fue tomada por los hebreos. El capítulo 13 con más exactitud presenta una lista de las tierras que faltaba conquistar. La conquista tenía diversas dimensiones: (1) era el cumplimiento de la promesa de Jehovah a Moisés en Deuteronomio 7:16; (2) era un signo del juicio de Dios sobre la inmoralidad de los cananeos; (3) era una manera de alejar al pueblo hebreo de los ritos a los dioses paganos. El relato concluye diciendo que la tierra tuvo reposo de la guerra.

Sumario de los reyes conquistados, Josué 12:1-24. La primera parte del relato cuenta las victorias de los hebreos bajo el liderazgo de Moisés en

Transjordania (vv. 1-6). La segunda parte del relato enumera la lista de los reyes conquistados por los hebreos bajo el liderazgo de Josué, un total de 31 reyes (vv. 7-24).

──────────── **Estudio del texto básico** ────────────

1 La batalla de Gabaón, Josué 10:6, 8-13.

V. 6. El grito que pedía auxilio de parte de los gabaonitas pone a prueba la fidelidad de la palabra dada por los hebreos. *No abandones a tus siervos* hace a Josué recordar su pacto con aquel pueblo. De hecho, toda la región estaba levantándose contra los gabaonitas porque eran traidores a la causa cananea. Los gabaonitas fueron respetados por su fuerza y su potencia, ahora con mayor razón representaban una amenaza para todos los pueblos cananeos ya que se habían unido a los invasores hebreos. Además los reyes cananeos perdían la entrada al valle de Ajalón que era el único camino entre la costa y las montañas. La fuerza armada de los cinco reyes de los amorreos acampan frente a Gabaón. La petición de los gabaonitas a Josué, *sube rápidamente a nosotros*, es auténtica, pues los hebreos tenían que subir los 35 kilómetros desde Gilgal hasta Gabaón sobre terreno difícil.

V. 8. Otra vez la palabra de Jehovah viene a Josué para confirmar su acción de apoyar a los gabaonitas. No se puede subestimar el valor de la palabra del Señor que viene a nuestra mente y corazón justo en el momento en que uno la necesita. Jehovah se expresa en los términos de *yo los he entregado en tu mano*. Sin embargo, nadie imaginó lo que Dios iba a hacer. El relato muestra que Josué vivía por la palabra de Jehovah para cada día y circunstancia.

Vv. 9-11. Los hebreos suben hacia Gabaón toda la noche y atacan a los amorreos. *De repente*, muestra el elemento de sorpresa de parte de los hebreos en el ataque (v. 9). Una segunda y mayor sorpresa para todos es la intervención de Jehovah en la batalla: primero los *turbó*, es decir que hizo que se confundieran y no actuaran como hombres valientes y entrenados para la guerra. Además *los hirió con gran mortandad*, las espadas de los hebreos acertaban cada golpe. Y para los que pretendieron abandonar la batalla, huyendo, Dios les sale al encuentro arrojando *grandes piedras... de granizo*. Así los hebreos y el granizo matan a los soldados enemigos quienes corren hacia la costa para escapar. El escritor termina diciendo que la confederación perdió más soldados por el granizo que por la espada de los hebreos. Con esa conclusión deseaba recordar al pueblo que las victorias obtenidas eran la obra del Señor y no resultado de la fuerza o la audacia de los gerreros hebreos. Cada vez que Israel celebrara la posesión de la tierra de Canaán no podrían ignorar el papel fundamental que Jehovah había desempeñado como tampoco borrarlo de la historia de la nación. Los historiadores seculares o agnósticos no pueden ver la actividad de Dios en la historia. Todo esto les parece un relato mitológico e imposible. Sin embargo, el creyente es capaz de ver la mano del Señor en la historia y puede traducir lo que es "locura" para el mundo en evidencias del poder divino.

Vv. 12, 13. Aquí encontramos uno de los enigmas más profundos de la

Biblia. Todos los hebreos llegan a ser testigos del evento como demuestra la frase *en presencia de los israelitas*. Las palabras de Josué comienzan con una conversación entre Josué y Jehovah y luego un mandato dirigido al sol y a la luna: *¡detente!* Una orden atrevida, ilógica desde la perspectiva humana, pero resultado de una profunda confianza en Dios. Después de una noche de caminar esforzado para cubrir los 35 kilómetros de distancia desde Gilgal hasta Gabaón, de todo un día de luchar con la espada en la mano, de ver el granizo cayendo como grandes piedras del cielo y de la prolongada batalla: Jehovah escuchó *la voz de un hombre*, la voz de Josué, y el sol se detuvo *casi un día entero... porque Jehovah combatía por Israel* hasta derrotar a todos los enemigos.

2 **Sumario de las áreas conquistadas, Josué 11:18-20.**

V. 18. La guerra y la conquista duraron *por mucho tiempo*. Algunos eruditos calculan que fue cerca de siete años. Josué fue un líder que mostró coraje y constancia en una época de constante amenaza y sacrificio. ¡Sumaban 31 reyes derrotados! La confederación del sur dirigida por el rey de Jerusalén había sido derrotada. La confederación del norte dirigida por el rey de Hazor también había sido derrotada. Josué había visto milagro tras milagro cuando Jehovah había intervenido a favor de su pueblo. ¡Era tiempo de reposar de las tareas de la guerra!

Vv. 19, 20. Ninguna ciudad había recibido a los hebreos para negociar la paz excepto los gabaonitas. Los cananeos eran de corazones duros como resultado de su inmoralidad y el hecho es que Dios los endureció aún más para que *fueran destruidos sin que se les tuviese misericordia*. Fueron *desarraigados*, ¡qué palabra más terrible! Así el pecado nos quita las cosas más preciosas en nuestras vidas, familia, hogar y tierra. Como Dios tuvo un plan para los hebreos que fueron obedientes, también tenía un plan para los cananeos que fueron rebeldes a luz divina, hacedores de la maldad e idólatras. El tiempo del juicio les llegó, pasó el tiempo de la misericordia.

———————————**Aplicaciones del estudio** ———————————

1. El temor nos puede impulsar a luchar contra los propósitos divinos, Josué 10:1-4. El rey de Jerusalén "tuvo gran temor" (v. 2) y decidió hacer la guerra contra los gabaonitas. El temor puede cegarnos y preocuparnos hasta tal punto que actuemos sin tomar en cuenta las consecuencias. El temor humano, que no busca la voluntad de Dios, puede dirigirnos hacia la destrucción y no hacia una solución verdadera del problema.

2. El creyente debe cumplir con sus promesas, Josué 10:6, 7. Los hebreos habían hecho un compromiso de paz y mutuo apoyo con los gabaonitas (9:15). Compartir lo bueno, las provisiones y el vino no era problema (9:14), pero cuando se presentaron las amenazas contra los gabaonitas, los hebreos debieron sacrificarse para cumplir el tratado. Para nosotros, una amistad es fácil de mantener cuando las exigencias son mínimas. Sin embargo, a veces ser amigo requiere un sacrificio mayor. Jesús dijo: "nadie tiene mayor amor que éste, que uno ponga su vida por sus amigos" (Juan 15:13).

3. El creyente puede estar seguro de que Dios siempre escucha la voz

de los que confían en él, Josué 10:14. Dios y Josué habían estado conversando. Josué tomó la iniciativa (v. 12), pero Jehovah guió la conversación. Como resultado Josué desafía todo el orden natural y la marcha del sol y la luna hasta el punto que "nunca hubo un día semejante". Siempre es así, después de hablar con Dios, nuestros días no son iguales. Nuestro presente es dife-rente de nuestro pasado, y nuestro futuro puede ser aún más maravilloso. El secreto: confiar y obedecer, sin reservas, al Dios que hizo los cielos y la tierra.

―――――――――Ayuda homilética ―――――――――

¿Cómo es posible la victoria?
Josué 10:11-14

Introducción: Josué enfrentó la batalla más difícil de su carrera, de la perspectiva humana conseguir alguna victoria era imposible, sin embargo, Josué tuvo confianza en la palabra de Dios y él le dio la victoria.

I. **El rey más poderoso de aquel tiempo, Jabín de Hazor, formó una alianza con los reyes del norte, (vv. 1-5).**
   A. Jabín era el rey de la ciudad más poderosa de Canaán, un importante centro de comercio entre Egipto y el Este.
   B. Los recursos de la confederación del norte eran inmensos en soldados valientes y bien entrenados, caballos y carros de guerra de lo mejor de la época.
II. **Los recursos de Josué para pelear contra Jabín y sus aliados, (vv. 6-11).**
   A. Josué tenía la Palabra de Jehovah confirmando la victoria e instruyéndolo sobre los caballos y los carros.
   B. Josué tenía el valor de seguir la estrategia de Dios.
III. **Las consecuencias de los recursos de Josué (12-14).**
   A. Las ciudades y los reyes son tomados.
   B. Se cumplen las instrucciones de Moisés de destruir a los reyes y sus pueblos.
   C. Los hebreos toman el botín de las ciudades.

Conclusión: Dios es el Señor de la historia, y los que son obedientes a su voluntad siempre son victoriosos.

Lecturas bíblicas para el siguiente estudio

Lunes: Josué 13:1-33   **Jueves:** Josué 16:1 a 17:18
Martes: Josué 14:1-15   **Viernes:** Josué 18:1-28
Miércoles: Josué 15:1-63   **Sábado:** Josué 19:1-51

AGENDA DE CLASE

Antes de la clase

1. Prepare dos casos de fenómenos naturales que hayan sucedido en su región (eclipse o algún tornado), ayúdese con periódicos, revistas o dibujos para representarlos.

2. Lea el texto básico del estudio de hoy.

3. Conteste las preguntas de la sección *Lee tu Biblia y responde*. En una hoja para rotafolio escriba el título y la verdad central del estudio.

4. Prepare unos separadores de Biblia y escriba en cada uno de ellos los versículos de estudio y entréguelos a sus alumnos (puede hacerlos de hojas blancas).

Comprobación de respuestas

JOVENES: **1.** a) Los moradores de Gabaón, porque los amorreos se habían unidos contra ellos. b) Que los entregaría en sus manos y que ninguno prevalecería. **2.** a) Falso. b) Falso. c) Verdadero.

ADULTOS: **1.** a) Verdadero. b) Falso. c) Falso. d) Verdadero. e) Verdadero. f) Falso. **2.** a) Con todos menos los Heveos. b) Los Heveos. c) Para que fueran destruidos.

Ya en la clase
DESPIERTE EL INTERES

1. Antes de que lleguen los alumnos pegue el material de apoyo que preparó.

2. Permita que los alumnos observen los dibujos o recortes y comenten sobre sucesos naturales en su región.

3. Tenga una oración dando gracias a Dios por los cuidados que él nos da.

4. Invite a un alumno a que lea el título del estudio y la verdad central.

5. Haga la siguiente pregunta: ¿Alguno de ustedes se ha encontrado en circunstancias de miedo por fenómenos naturales ocurridos en la región? Dé tiempo para el comentario. Muéstreles que en el estudio de hoy reconoceremos el poder de Jehovah sobre la naturaleza.

ESTUDIO PANORAMICO DEL CONTEXTO

1. Presente los detalles del estudio panorámico del contexto.

2. Explique cómo Dios usó dos fenómenos naturales para dar victoria a su pueblo.

3. Explique cómo puede suceder una tempestad de granizo; si es frecuente por su región, permita que un alumno lo comente.

4. Enfatice cómo Dios se muestra en Josué y le da poder para detener el día y la noche.

5. Haga una lista en el pizarrón de los reyes que venció Josué.

ESTUDIO DEL TEXTO BASICO

1. Reparta los separadores de Biblia que preparó con versículos del texto de estudio.

2. Vaya mencionando en orden los versículos que deberán leerse. Permita a los alumnos que hagan una interpretación del versículo.

3. En cada participación de los alumnos amplíe el tema para que quede comprendido.

4. En cada paso de la lección invite a los demás a participar teniendo una lluvia de ideas respecto al tema.

5. Haga hincapié en cómo Josué al hablar con el Señor, realiza la acción solicitada. La razón fue porque puso su fe plena en el Señor. Invite a un alumno para que decida depositar toda su fe en Dios y orar como Josué.

6. Fije su atención en la verdad central, permita que la clase la parafrasee y haga sus comentarios.

7. Dé un tiempo para que contesten las preguntas de la sección Lee tu Biblia y responde.

8. Auxilie a los alumnos en la resolución de la sección.

9. Pasen sus hojas de trabajo para que las revisen otros alumnos de la clase permitiendo que hagan preguntas sobre las respuestas de los demás.

APLICACIONES DEL ESTUDIO

Lance la siguiente pregunta: ¿Cuántos han enterrado el pecado y han recibido al Señor como su Salvador? Si hay algunos en clase, dígales que ellos siempre serán victoriosos sobre el pecado si tienen a Cristo el Señor. Si faltan algunos invítelos para que tomen su decisión y presénteleles el plan de salvación. Termine la clase pidiendo que un alumno ore por los que no han entregado a Cristo su vida.

PRUEBA

En forma individual que contesten la sección de prueba y guarden para sí la pregunta Número 2, que la mediten durante la semana para que la compartan con el grupo.

Unidad 5

La distribución de la tierra prometida

Contexto: Josué 13:1 a 19:51
Texto básico: Josué 13:1, 6-8; 14:10-13; 18:1
Versículo clave: Josué 14:12
Verdad central: La manera como Dios guió la distribución de la tierra prometida demuestra su interés por las necesidades materiales de su pueblo.
Metas de enseñanza-aprendizaje: Que el alumno demuestre su conocimiento de cómo se distribuyó la tierra prometida y su actitud de aceptación de las maneras como Dios provee para las necesidades materiales de su pueblo.

——————Estudio panorámico del contexto ——————

A. Fondo histórico:
La segunda sección del libro de Josué. Josué 1 a 12 relatan la conquista de Canaán. Los capítulos 13-24 relatan la distribución de la tierra entre las tribus y los últimos hechos y discursos de Josué.

Los filisteos habían vivido muchos años antes que llegaran los hebreos a Canaán. Eran expertos como marineros y guerreros. Además usaban ciertos metales como el hierro y el bronce en sus armas. Fueron constructores de por lo menos cinco ciudades-estados (13:3). Los filisteos fueron los enemigos más feroces de los israelitas hasta la época de David (1 Sam. 17).

La tierra se distribuyó por sorteo. El sorteo consistía en echar suertes para determinar la voluntad de Dios. Se puede criticar a Josué por usar este método, pero tal práctica era normal y casi universal en el mundo antiguo. La palabra "sorteo" (echar suertes) viene de la raíz "caer", específicamente significa "obligar a caer". La palabra se encuentra a través de la Biblia (por ejemplo en Prov. 16:33; 1 Sam. 10:20-24; Mat. 27:35; Luc. 1:9). El procedimiento que usó Josué para hacer el sorteo no lo sabemos.

B. Enfasis:
La tierra que había que conquistar, Josué 13:1-33. Este capítulo comienza con un análisis de la edad y la salud de Josué. Dios toma la iniciativa para la distribución de la tierra conquistada (y la no conquistada). Parece evidente que Dios considera dos posibilidades: primera, seguir conquistando la tierra; segunda, distribuirla. El Señor elige la segunda. Aunque de la perspectiva de Josué la primera era la misión de su vida, acepta el plan de Dios.

Amorosamente Dios llama a Josué "viejo", como símbolo de honor, valor y experiencia y no con la connotación de acabado o fracasado.

En primer lugar se confirma la entrega de la tierra al lado oriental del río Jordán a las tribus de Rubén y Gad y la media tribu de Manasés, que ya Moisés había dado (vv. 8-32). La tierra más al sur fue entregada a Rubén (vv. 15-23). La tierra en el medio fue dada a Gad (vv. 24-28), mientras que la tierra más al norte fue entregada a la mitad de la tribu de Manasés (vv. 29-31).

La tribu de Leví recibe un comentario breve en este capítulo. Son dos versículos en dos partes independientes que hablan de la tribu de Leví como una tribu que no recibió "heredad" (vv. 14, 33).

Sorteo de la tierra de Canaán, Josué 14:1-15. Los encargados de dirigir el sorteo eran Eleazar, el sumo sacerdote; Josué, hijo de Nun y los jefes de las casas paternas de las tribus. De alguna manera el sorteo representa la voluntad divina.

La tribu de Judá se fue a Gilgal a esperar la decisión de Josué a la petición que Caleb haría.

El territorio de Judá, Josué 15:1-63. Caleb mismo dirigió la conquista de Quiriat-arba (Hebrón), echando a "los tres hijos de Anac", es decir a tres fuertes clanes. Luego Caleb ofrece a su hija en matrimonio a aquel que conquiste la ciudad de Quiriat-séfer (Debir). Otoniel acepta el desafío y conquista Quiriat-séfer y llega a ser el esposo de la hija de Caleb. La hija era sabia y pidió de su padre fuentes de agua para su campo, así aumentó el valor de los bienes de su nueva familia.

La tribu de Judá recibe un territorio muy extenso. Este territorio se encuentra en unas cuatro regiones, unas 112 ciudades y sus aldeas. Sin duda Judá llega a ser la tribu más rica en Palestina. Se menciona la presencia de los jebuseos en Jerusalén a quienes más tarde David iba a conquistar (2 Sam. 5:6 ss).

El territorio de los hijos de José, Josué 16:1 a 17:18. El capítulo 16 habla de los límites generales de la tierra dada en sorteo a la tribu de Efraín. Su territorio estaba ubicado al norte de la tierra de Judá. No hay una cifra exacta de las ciudades. Hay una nota que muestra la continua presencia de algunos grupos de cananeos quienes pagaron un "tributo laboral" a los hebreos, creando una segunda clase social en Israel.

El capítulo 17 habla del sorteo para la segunda mitad de la tribu de Manasés. La queja de la tribu de Manasés occidental fue muy fríamente recibida por de Josué. La respuesta fue que si querían más espacio iban a tener que conquistar a los pueblos que habitaban en las montañas.

Exploración y distribución del resto de la tierra, Josué 18:1 a 19:51. La congregación de Israel se mueve unos 66 km. al norte de Gilgal a Silo, un lugar más central para la distribución del resto de la tierra. Aquí se instala el tabernáculo de reunión que había estado junto a Israel en el desierto. Josué siente que las tribus restantes han sido negligentes en tomar la tierra en el desierto. Sabiamente Josué manda a tres hombres de cada tribu para conocer la tierra restante, así animando a las últimas tribus a recibir un informe positivo de sus representantes.

Las siete tribus restantes reciben la siguiente cantidad de ciudades: la tribu de Benjamín recibe 26 ciudades con sus aldeas. La tribu de Simeón recibe 17 ciudades con sus aldeas. La tribu de Zabulón recibe 12 ciudades con sus aldeas. La tribu de Isacar recibe 16 ciudades con sus aldeas. La tribu de Aser recibe 22 ciudades con sus aldeas. La tribu de Neftalí recibe 19 ciudades con sus aldeas. Por fin, Dan recibe dos territorios separados con una cantidad no especificada de ciudades. La conquista de su territorio norteño se detalla en Jueces 18.

En conclusión, Josué recibe la ciudad de Timnat-séraj dentro de la tierra de Efraín. Al contrario, la tribu de Leví sigue sin tierra ni ciudades, ni heredad (18:7).

───────────── **Estudio del texto básico** ─────────────

1 Dios guía la distribución de la tierra prometida, Josué 13:1, 6, 7.

V. 1. El estado físico de Josué es frágil, pero su espíritu de combate está listo a continuar. El Señor parece considerar dos factores: por un lado aún queda mucha tierra por conquistar; por el otro la difícil tarea de distribuir la tierra ya conquistada. Jehovah toma la decisión de asignar la última tarea, difícil y complicada a Josué: distribuir la tierra ya conquistada. Jehovah inicia un diálogo con Josué y le explica lo que espera de él. Josué sabe bien que Dios es el Señor y con humildad acepta la nueva tarea confiando en que Dios encontrará otra manera de entregar las tierras no conquistadas a Israel.

Vv. 6, 7. Tranquiliza mucho saber que lo que queda por hacer en un ministerio puede ser cumplido por medio de otras personas a quienes Dios llama. Lo que queda sin cumplir en el ministerio de Josué va a lograrse con la ayuda de Dios. Dios es el dueño de cada ministerio y el dueño de la historia donde cada ministerio se cumple. Por eso la palabra *yo* (v. 6), que se refiere a Dios, recibe la fuerza y responsabilidad de la acción. La distribución de la tierra cumple la promesa de Dios a los patriarcas y a Moisés. La distribución incluye la tierra por conquistar. Dios estimula la confianza de parte de Israel en él. Dividir una tierra en forma justa, y que todos queden contentos, es muy difícil. Por eso es muy importante que los hebreos sientan que es Dios quien está guiando la mano de Josué.

2 Tribus que recibieron el territorio oriental, Josué 13:8.

Antes de entrar a la tierra prometida, dos tribus y la mitad de una tercera habían recibido su porción en el lado oriental del río Jordán. Las tribus eran las de Rubén, Gad y Manasés. Todos los guerreros hebreos habían luchado por conquistar las tierras de Canaán. Dios les había dado a estas dos tribus y media su porción a través de Moisés (Núm. 33). Su porción no era ni superior ni inferior a la tierra de las otras tribus. Todas las tribus iban a recibir su tierra de acuerdo con el número de las familias que se encontraban en cada tribu. Las tribus de Rubén y Gad junto a la mitad de Manasés habían recibido una tierra fértil y buena. Ahora las demás tribus iban a recibir la mayor parte de las tierras que serían suyas y de sus hijos.

3 Caleb reclama las montañas de Hebrón, Josué 14:10-13.

Vv. 10, 11. La presentación de Caleb contó con la presencia de la tribu de Judá. La exclamación *he aquí* llama la atención de los líderes al ver la promesa divina cumpliéndose en Caleb. Dios le había dado una vida larga como guerrero, salud y aun fuerzas a pesar de que él ya tenía cumplidos los 85 años. La promesa dada por Moisés a Caleb, a la vez que ver a Caleb con tanta energía y bendecido por Dios convencen a Josué del derecho de Caleb de heredar la montaña de Hebrón.

V. 12. Caleb especifica la porción de la tierra que espera recibir. Como se mencionó en el versículo 9, él espera heredar la tierra que pisó su pie (Jos. 14:9; Núm. 14:24; Deut. 1:36). Sin embargo, la herencia de Hebrón no se obtiene sin problemas, pero Caleb siente que Dios le ha dado la fuerza para lograr una victoria sobre los anaquitas (¡gigantes!). El antiguo dicho: *Si Jehovah está conmigo* resuena en los oídos de Caleb. No es difícil imaginar la emoción en la voz de Caleb, y recordar que la petición es hecha delante del hombre que había sido su compañero al entregar el informe sobre la tierra de Canaán, es decir, Josué. Las ciudades grandes y fortificadas no representan un obstáculo absoluto sino un gran desafío donde Dios puede mostrar cómo cumple sus promesas. *Yo los echaré, como Jehovah ha dicho.*

V. 13. La respuesta de Josué es afirmativa. En primer lugar, Josué bendice a su antiguo colega, Caleb. Así él quiere demostrarle todo su apoyo espiritual y animarlo en su futura conquista. En segundo lugar, Josué hace legítima como heredad a Caleb la montaña de Hebrón. Por lo tanto el escritor del libro de Josué menciona el hecho que la herencia queda en la familia hasta el día de hoy (v. 14). Obviamente, el escritor del libro como ahora el lector, se dan cuenta de que la conquista de Hebrón de parte de Caleb y su familia tiene éxito. Los anaquitas pierden la montaña de Quiriat-arba que pertenecía a uno de sus antiguos guerreros y héroe llamado Arba.

4 Exploración del resto de la tierra, Josué 18:1.

La instalación del tabernáculo en Silo marca un nuevo hito en la vida espiritual de Israel. Silo va a ser el centro de la unidad de las tribus. Después de recibir sus tierras fácilmente las familias de cada tribu podrán desintegrarse en pequeños grupos, sin embargo, la fe de los hebreos era una, y Silo forma el sitio de esa unidad. Silo fue una excelente decisión para ubicar el tabernáculo porque está a 26 km. al sur de Siquem desde donde se podía mandar a las siete tribus restantes a poseer sus tierras (v. 2). Según el escritor la tierra estaba *sometida*, es decir sujetada, pero sabemos que había brotes de resistencia hasta el tiempo de David. A pesar de esto los hebreos necesitaban ir adelante tomando posesión de la tierra, cumpliendo la promesa de Dios.

─────────── **Aplicaciones del estudio** ───────────

1. Dios es quien da cumplimiento del ministerio del creyente, Josué 13:1-7. El ministerio de Josué está por cumplirse, y Dios tiene una misión más para él, es decir, la de repartir la tierra. Así en la vida del creyente, Dios se presenta para comenzar tanto como para terminar el ministerio. El tiempo para realizar un ministerio es limitado y por lo tanto hay que hacerlo dando todo lo que somos y lo que tenemos.

2. Dios puede cumplir un ministerio que está incompleto, Josué 13:1-6. Sin duda Josué era muy consciente de la tierra no conquistada, pero sabía que Dios siempre debe ser obedecido. Como instrumentos frágiles y débiles muchas veces queda algo pendiente y nuestros corazones se llenan de temor y de preocupación. Dios nos da paz y afirma su presencia y poder para cumplir.

3. Dios cumple con su palabra, Josué 13:6, 7, 33; 14:5. En el caso de Caleb, la palabra divina se cumple 45 años después de la promesa (14:9, 10). Aprendamos a esperar en Dios quien siempre cumple con lo que promete. Descansemos en la fidelidad del Señor.

Ayuda homilética

Recibiendo una herencia por la fe
Josué 13:1-8

Introducción: Dios ordena a Josué que reparta una tierra todavía no conquistada. Esta orden, poco usual, llega a ser una promesa para los hebreos.

I. Josué tiene la tarea de repartir la tierra (v. 6).
   A. No importa que ya era viejo.
   B. No importa su deseo de seguir conquistando.
II. Josué siguió las instrucciones del Señor (v. 8).
   A. Confirmó la distribución que había hecho Moisés en el lado oriental del Jordán.
   B. Repartió la tierra conquistada a 31 reyes en el lado occidental.
III. Josué repartió aun la tierra no conquistada (vv. 2-6).
   A. Era un acto de fe por parte de Josué.
   B. Era un acto fe por parte de las tribus que recibían la tierra aún no conquistada.

Conclusión: Es fácil confiar en Dios cuando todo está a la mano, pero es más difícil cuando todavía hay obstáculos que vencer. La promesa divina debe ser suficiente para lo que tenemos que hacer para el Señor hoy.

Lecturas bíblicas para el siguiente estudio

Lunes: Josué 20:1-9   **Jueves:** Josué 21:27-33
Martes: Josué 21:1-8   **Viernes:** Josué 21:34-40
Miércoles: Josué 21:9-26   **Sábado:** Josué 21:41-45

AGENDA DE CLASE

Antes de la clase
1. Prepare un mapa de Asia Menor en una cartulina, divídalo en partes como un rompecabezas.
2. En una hoja para rotafolio haga un cuadro con dos columnas para que en una escriba la lista de personas y en la otra la tierra heredada.
3. Prepare cuatro pedazos de 1/4 de cartulina de color y lápices.
4. Escriba el versículo clave en tiras delgadas de cartulina.
5. Repase el texto bíblico y conteste las preguntas de la sección *Lee tu Biblia y responde.* 6. Prepare el Mapa Bíblico de Palestina mostrando las tribus de Israel.

Comprobación de respuestas
JOVENES: **1.** a) Viejo, avanzada, tierra, conquistar. b) Tierra, sorteo, heredad. c) Tierra, heredad; nueve, media, Manasés. **2.** a) Moisés. b) Rubenitas y Gaditas.
ADULTOS: **1.** a) Distribución de la tierra. b) Por sorteo. **2.** a) Rubenitas, Gaditas y la mitad de la tribu de Manasés. b) Moisés. c) Al oriente, al otro lado del Jordán. **3.** a) Falso. b) Falso. c) Verdadero. **4.** Congregación, hijos de Israel, Tabernáculo de reunión, tierra, sometida.

Ya en la clase
DESPIERTE EL INTERES
1. Plantee a la clase el siguiente caso: Una señora viuda desea repartir sus bienes, una casa, muebles y un automóvil, entre cuatro hijos; ella todavía no se encuentra al borde de la muerte, pero desea dejar todo arreglado antes de partir con el Señor. ¿Qué sugerencia haría usted al respecto?
2. Dé un tiempo para que la clase discuta y dé sus puntos de vista.

ESTUDIO PANORAMICO DEL CONTEXTO
1. Entregue el rompecabezas del mapa y permita que lo vayan pegando en otra cartulina. Observe que todos queden conformes con la construcción del mismo y vea si alguien está inconforme porque la parte que le tocó es la más difícil.
2. Haga ver que cuando Dios le dijo a Josué que tenía que repartir la tierra prometida, lo primero que pensó sería qué habría algunos que quedarían inconformes. Dios estaría con él y por lo tanto lo guiaría en el reparto.
3. Permita que los alumnos lean el estudio panorámico del contexto y hagan sus comentarios.

ESTUDIO DEL TEXTO BASICO

1. Dirija a su clase para que contesten la sección *Lee tu Biblia y responde.* Compartan sus respuestas.

2. Presente la hoja para rotafolio con la lista de las tribus y las tierras que heredaron. Haga una explicación del texto bíblico Josué 13:1, 6, 7. Mencione el rompecabezas que ya construyeron y dígales sus observaciones acerca de la actitud que tomaron cuando lo hicieron (actitudes tales como: apatía, gozo, desesperación, enojo, etc.).

3. Localice en el mapa de Palestina las tierras de Israel.

4. Entregue las cartulinas de colores que preparó (por equipo o individual). Diga que escriban en ellas una lista de las cosas que les gustaría heredar en esta vida. Deles un tiempo y que después compartan sus listas.

5. Avance en el estudio haciendo explicación del siguiente versículo: Josué 13:8. Puede preguntar qué opinan de las tierras que Moisés había ya repartido. Después comente lo que hizo Caleb, haga un interrogatorio a la clase (puede preparar las preguntas en papelitos) ¿Quién era Caleb? ¿Por qué pide las tierras de Hebrón? ¿Qué significa la frase: *La tierra que pisó tu pie será para ti y para tus hijos como heredad perpetua, porque seguiste a Jehovah mi Dios con integridad*? ¿Qué actitud tuvo Josué para con Caleb? ¿Dónde se estableció el tabernáculo?

6. Termine la clase enfatizando el versículo clave. Entregue las tiras donde escribió las frases que componen el versículo, permita que las vayan uniendo sin consultar su Biblia.

APLICACIONES DEL ESTUDIO

¿Qué sucedió con la señora que tenía cuatro hijos y tenía que repartir sus bienes? Dios es el único dueño de todo y si pedimos a Dios su dirección él guiará las decisiones. De manera que cada uno quede conforme con la voluntad de Dios. Dios nos dice que él tiene una herencia para todo creyente.

PRUEBA

De manera oral realice esta sección permitiendo que todos participen dando sus opiniones. A los ADULTOS puede pedirles el mapa para la siguiente clase.

Colega maestro(a): La próxima semana estudiaremos acerca de las ciudades de refugio. Le sugerimos comenzar su estudio con debida anticipación. Es aconsejable que marque en un mapa la ubicación de cada una de las ciudades de refugio.

Ciudades de refugio

Contexto: Josué 20:1 a 21:45
Texto básico: Josué 20:1-8; 21:1-3, 41
Versículo clave: Josué 20:4
Verdad central: Las instrucciones que Dios dio para la creación de las ciudades de refugio y las ciudades para los levitas muestran su deseo de que exista un trato justo para todos.
Metas de enseñanza-aprendizaje: Que el alumno demuestre su conocimiento de las instrucciones que Dios dio para la creación de las ciudades de refugio y las ciudades para los levitas, y su actitud hacia el deseo de Dios de que exista un trato justo para todos.

————————Estudio panorámico del contexto ————————

A. Fondo histórico:

Ciudades de refugio importantes. Hebrón y Siquem son dos de las seis ciudades de refugio más importantes. Eran ciudades cananeas de la antigüedad, cuyas fechas de construcción son anteriores a Abraham. Siquem fue el sitio donde Abraham construyó un altar cuando él entró a la tierra de Canaán por primera vez. Aquí fueron enterrados los restos de José en el campo comprado por Jacob. Siquem, ubicado estratégicamente en el monte Ebal, fue el lugar donde se hizo el pacto bajo el liderazgo de Josué (Jos. 8:30), Siquem llega a ser la capital del norte cuando Israel se divide de Judá (1 Rey. 12:25). En el NT, Jesús va a encontrarse con la mujer samaritana en ese lugar (Juan 4).

La otra ciudad, era Hebrón. Fue el lugar al cual Abraham se fue cuando se separó de Lot (Gén. 13:18). Más tarde, la ciudad llegó a ser la primera capital cuando David reinó sobre la tribu de Judá (1 Rey. 2:11).

La influencia de los levitas en Israel. Los levitas por su condición de sacerdotes no recibieron un territorio como tribu, sino que fueron divididos, por familias, entre todas las tribus de los hebreos. Con ese arreglo se lograban dos propósitos: servían como símbolo de la presencia de Jehovah y ministraban los asuntos espirituales y recibían los diezmos y ofrendas de la tribu (Deut. 10:6-9).

B. Enfasis:

Las ciudades de refugio, Josué 20:1-9. Las ciudades eran verdaderas fortificaciones contra el enemigo. Se distinguían de las aldeas porque tenían la protección de un muro. Dios ordena la creación de seis ciudades a donde una persona acusada justa o injustamente podía refugiarse hasta que fuera escuchada por una asamblea de personas no involucradas en el incidente.

Se señalaron tres ciudades al lado oriental del río Jordán, es decir en Canaán: Beser, Ramot y Golán; las otras tres en el lado occidental: Quedes, Siquem y Hebrón (vv. 6, 7). Observemos que Dios fue quien tomó la iniciativa para desarrollar el sistema de aplicar la justicia en la sociedad hebrea (v. 9). No hay duda que la naturaleza de Dios hizo avanzar la causa de la justicia social en la sociedad hebrea.

Dos de las seis ciudades de refugio van a jugar un papel importante en la historia de los hebreos. Estas son: Hebrón y Siquem. Recordemos que ambas ciudades fueron fundadas por los cananeos aún antes del nacimiento de Abraham, el padre de los hebreos. De hecho Siquem, fue el lugar donde Abraham construyó un altar cuando entró a la tierra de Canaán por primera vez. También aquí fueron enterrados los huesos de José en el campo que compró Jacob. Siquem, estaba ubicada en el monte Ebal, lugar que escogió Josué para afirmar el pacto (Jos. 8:30). Además Siquem, llegará a ser la capital del reino del norte cuando el reino se divide (1 Rey. 12:25). Fue en este mismo lugar donde Jesús se encontró con la mujer samaritana (Juan 4).

La ciudad de Hebrón por su parte, fue el lugar donde Abraham se separó de Lot (Gén. 13:18). Más tarde Hebrón llegó a ser la primera capital del reinado de David cuando era rey sobre la tribu de Judá (1 Rey. 2:11).

Sorteo de las ciudades para los levitas, Josué 21:1-8. El pueblo de Israel se encuentra en Silo donde estaba el tabernáculo de reunión y desde donde se hizo el sorteo para las siete últimas tribus. Los jefes de las familias de los levitas se acercan para reclamar su lugar para vivir y mantener sus rebaños. Según el libro de Números (35:1-8), Moisés había ordenado que los levitas tendrían las seis ciudades de refugio, además de otras 42 ciudades, y los campos alrededor de cada ciudad, unos 900 metros cuadrados.

Los hijos de Aarón reciben trece ciudades dadas por las tribus de Judá, Simeón, y Benjamín (v. 4). Los descendientes de Cohat reciben diez ciudades de las tres tribus de Efraín, Dan y Manasés (v.5). Los descendientes de Gersón reciben trece ciudades de las cuatro tribus de Isacar, Aser, Neftalí y Manasés. Los descendientes de Merari reciben doce ciudades de las tribus de Rubén, Gad y Zabulón. Los versículos 9-40 dan los detalles de las ciudades que fueron entregadas.

Ciudades para las familias de Cohat, Josué 21:9-26. Los hijo de Aarón reciben un trato especial. Ellos eran parte de la familia de Cohat (vv. 9-19). Entre las ciudades dadas a ellos estaba la ciudad de Hebrón que había sido entregada a Caleb; evidentemente todos están de acuerdo con la distribución hecha (vv. 11, 12). Es interesante que al dar la lista de las ciudades se comienza nombrando las ciudades de refugio: Hebrón (v. 11), Siquem (v. 21), Golán (v. 27), Quedes (v. 32), Beser (v. 36) y Ramot (v.38). La mayoría de las ciudades de Cohat se encuentran en el norte de Israel y unas pocas en la parte central.

Ciudades para las familias de Gersón, Josué 21:27-33. Las trece ciudades con sus campos se encuentran en el extremo norte. Dos ciudades de refugio se encuentran en su posesión: Golán y Quedes.

Ciudades para las familias de Merari, Josué 21:34-45. Las doce ciudades de Merari están casi por completo al lado oriental del río Jordán. También las familias de Merari tienen dos ciudades de refugio: Beser y Ramot. Así cada grupo de familias ha recibido dos ciudades de refugio.

Los versículos 41 al 45 hacen una conclusión y un sumario. Cuarenta y ocho ciudades dadas a los levitas con sus campos respectivos. Además están las palabras de afirmación sobre el cumplimiento de la palabra de Dios, su poder sobre los enemigos y un énfasis en el hecho que "no falló ninguna palabra de todas las buenas promesas que Jehovah había hecho a la casa de Israel; todo se cumplió" (v. 45).

─────────── **Estudio del texto básico** ───────────

1 Las ciudades de refugio, Josué 20:1-8.

Vv. 1, 2. Jehovah inicia el proceso de establecer las ciudades de refugio a través de una conversación con Josué. Sin embargo, no es Josué quien tiene que ser persuadido, sino el pueblo hebreo. *Habla a los hijos de Israel* muestra la preocupación de Dios para que el pueblo tome conciencia de la necesidad y utilidad de las ciudades de refugio.

V. 3. *Para que* explica el propósito de la ciudad de refugio. Es un lugar para proteger al homicida que mate a una persona *accidentalmente* (literalmente "por error"), *sin premeditación* (literalmente "sin darse cuenta o por ignorancia"). El homicida ha matado sin la intención de hacerlo. Al establecer las ciudades de refugio, la sociedad hebrea seguía el mandato de Jehovah para distinguir entre el asesinato premeditado y el asesinato no intencional. *El vengador*, en hebreo *goel,* significa el "redentor o representante legal" (en hebreo es "goel") y *de la sangre*, en hebreo *haddam*, con la idea del que busca cumplir con la justicia. El papel del *goel*, normalmente un pariente prominente, es más amplio que exigir la justicia del caso. Dios es designado como el *goel* de los huérfanos (Prov. 23:11). Además está el famoso pasaje donde Job grita: "Yo sé que mi Redentor vive..." (Job 19:25). También se habla de un pariente que fue el *goel* de Rut (Rut 4:1). El papel del *goel* era amplio y legítimo.

Vv. 4-6. El proceso para solicitar refugio en la ciudad. En primer lugar viene la presentación del homicida en la puerta de la ciudad. En segundo lugar él tiene que exponer su caso ante los ancianos. Los ancianos aceptan al homicida dentro de la ciudad y le asignan un lugar para vivir hasta que la asamblea emita su juicio sobre el caso. El "goel" o "vengador" puede entrar a la ciudad para verificar si el homicida está dentro de ella o no, pero, en caso de encontrarlo no puede hacer nada contra de él. Cuando la asamblea se reúne emite su juicio. Si el homicida es culpable, se lo entrega al *vengador de sangre* para que disponga de su vida (Deut. 19:12). Si es inocente, el homicida puede vivir en paz en la ciudad de refugio.

Sin embargo, al fallecer el sumo sacerdote, el homicida puede volver a su propia ciudad. Por supuesto, el *goel*, ya no tiene derecho legal sobre el homicida.

Vv. 7, 8. Se designan seis ciudades prominentes como las ciudades de refugio. Estas ciudades están ubicadas de tal manera que todos los hebreos tengan acceso a ellas para tener la oportunidad de un juicio legal. Tal derecho legal se requiere para ser justos con la familia con muchos recursos económicos y la familia sin ellos, y el homicida intencional y con el no intencional. Aún hoy día es difícil encontrar un sistema legal que haga justicia a los débiles y a los que no tienen representación legal adecuada.

2 Las ciudades para los levitas, Josué 21:1-3, 41.

V. 1. Los jefes de las casas paternas de la tribu de los levitas reclaman sus derechos. Es interesante ver que ellos mismos eran una parte de los que estaban haciendo el sorteo para la distribución de la tierra. Se acercan a los demás jefes de las casas paternas, a Eleazar y a Josué como sus líderes superiores. No toman por su propia cuenta y autoridad algunas ciudades (14:1).

V. 2. La petición de los jefes levitas hace recordar la promesa de Moisés en Números 35:1ss. donde se dan las dimensiones de los campos para los levitas. Así que la petición habla de las ciudades y los campos que son muy necesarios para su ganado. Sin duda el reclamo es legítimo. Repetidas veces el autor del libro de Josué ha dicho que los levitas quedaron sin heredad.

V. 3. La petición de los jefes de los levitas es atendida y resuelta inteligentemente de acuerdo con las instrucciones que Dios había dado por medio de Moisés. Se puede hacer la pregunta acerca de por qué los otros jefes esperaron un reclamo para designar algunas ciudades y sus campos a los levitas. Un reclamo frecuentemente produce fricción o por lo menos expresa no conformidad con el sistema. Por su parte las otras tribus no ven nada malo en el pedido de los levitas y eso evita el conflicto y la animadversión.

La respuesta podría ser que hasta ahora los levitas, habían estado ocupados ayudando a distribuir la tierra para otros. Después de velar por los intereses de sus hermanos, era tiempo de pensar en ellos mismos.

V. 41. Las tribus entregan a los levitas cuarenta y ocho ciudades con sus campos. Por supuesto, tal contribución significó bajar los valores de cada tribu, pero los levitas necesitaban y tenían derecho a estas ciudades. Algunas de las mejores ciudades fueron entregadas a los levitas y seguramente algunos de los mejores campos también. Los levitas reciben un trato justo e inmediato de sus hermanos.

―――――――――――――**Aplicaciones del estudio** ―――――――――――

1. Dios hace una distinción entre el hombre que peca en forma premeditada y el hombre que peca sin darse cuenta, Josué 20:3. Las intenciones del hombre son importantes para Dios. Aunque su gracia se extiende a todo homicida, la obra divina y sanadora requerida por un homicida premeditado y un homicida no intencional es distinta. Dios es sabio y puede discernir entre las dos opciones. El hombre no es tan sabio y nos cuesta aclarar una situación así.

2. Dios desea que el hombre reciba la justicia, Josué 20:4-6. Se notan en este pasaje algunas condiciones que son necesarias para un trato justo. En primer lugar, el acusado debe ser escuchado. Es muy importante conocer los hechos antes de juzgar. ¿Cuántas veces se ha aceptado una sola versión de un evento sin dar oportunidad a la segunda versión?

En segundo lugar, quienes sirven de jueces deben ser imparciales. No hay lugar para un juez sobornado o donde el rico es siempre el que tiene la razón. En tercer lugar, el acusado debe estar en un lugar seguro donde puede esperar la decisión del juez con tranquilidad. Asegurar las condiciones mínimas para lograr la justicia no es fácil, pero es necesario para que el trato sea humano y justo para todos.

3. La justicia de Dios es universal, Josué 20:9. En este relato se incluye el derecho del extranjero, o forastero, de acudir a una ciudad de refugio. La justicia es una sola para toda la humanidad.

Aunque las costumbres de los pueblos no quieren dar derechos a los extranjeros, Dios ve la universalidad de los derechos legales.

No se puede aceptar el hecho de que algún grupo tenga menos derechos que los más afortunados de la sociedad. El creyente debe reclamar sus derechos legítimos y a la vez luchar por los derechos de los menospreciados de la sociedad.

──────── **Ayuda homilética** ────────

Un sacrificio que vale la pena
Josué 21:1-45

Introducción: Todas las tribus ya habían recibido su herencia, solamente los levitas no tenían un lugar para vivir, pero Dios ya había diseñado un plan para proveerles lo mejor de la tierra.

I. Los jefes de los levitas reclaman su derecho a unas ciudades con sus campos. Los demás hebreos tienen dos opciones:
   A. Rechazar la petición de los levitas y mantener todos los bienes en sus territorios.
   B. Pueden aceptar la petición de los levitas y disminuir el valor de sus bienes dentro de sus territorios.

II. La decisión tenía los siguientes elementos:
   A. Deciden cumplir el mandato del Señor.
   B. Deciden sacrificarse para el bienestar de los levitas.
   C. Deciden dar algunas de las mejores ciudades a los levitas.

Conclusión: Llega el momento de abandonar los intereses personales para apoyar a los más desposeídos de la tierra. Las tribus de Israel compartían de sus bienes en favor del bienestar de los levitas. El creyente tanto como su congregación son llamados a ver al necesitado y apoyarlo en su miseria. El sacrificio vale la pena.

Lecturas bíblicas para el siguiente estudio

Lunes: Josué 22:1-34   **Jueves:** Josué 24:14, 15
Martes: Josué 23:1-6   **Viernes:** Josué 24:16-28
Miércoles: Josué 24:1-13   **Sábado:** Josué 24:29-33

AGENDA DE CLASE

Antes de la clase

1. Prepare con tiempo a un alumno de su clase para que investigue sobre los derechos humanos de su país. **2.** Prepare en una hoja para rotafolio un dibujo de unas rejas simulando una prisión y escriba al pie del mismo el versículo clave. **3.** Tenga a la mano el mapa bíblico de Palestina. **4.** Haga unos trípticos* de hojas de color tamaño carta y en la parte del centro escriba con letras grandes los nombres de las ciudades de refugio. **5.** Repase el texto bíblico y conteste las preguntas de la sección *Lee tu Biblia y responde.*

Comprobación de respuestas

JOVENES: **1.** a) Homicidas por accidente. b) Presentarse personalmente. c) Familiar de la persona muerta. **2.** a) Eleazar, Josué, jefe de las casas paternas. b) Que les dieran ciudades y campos para sus ganados. c) De buena manera dándoles de sus propiedades. d) 48.

ADULTOS: **1.** a) Números 35:6-32. b) Para que se acoja al homicida que mate por accidente. c) Debía de exponer sus razones a los ancianos. d) Hasta que comparezca en juicio y hasta la muerte del sumo sacerdote de aquel tiempo. e) Quedes en Galilea, Siquem en el monte de Efraín, Hebrón en Judá, Beser en el desierto, Ramot en Galaad, Golán en Basán. **2.** a) Eleazar, Josué, los jefes de las casas paternas. b) En Silo y de las ciudades que querían y campos para sus ganados. c) De buena manera. d) 48.

Ya en la clase
DESPIERTE EL INTERES

1. Dé tiempo al alumno que trae preparado el tema sobre los derechos humanos permitiendo se haga un interrogatorio al final.
2. Mencione que en este estudio se desea que se lleven el conocimiento de que Dios quiere que exista un trato justo para todos. **3.** Pegue en el pizarrón el versículo clave y traten de memorizarlo.

ESTUDIO PANORAMICO DEL CONTEXTO

1. Coloque en el pizarrón el mapa bíblico de Palestina mostrando las tribus de Israel. Haga una breve explicación diciendo que después que se hizo la distribución de las ciudades, Dios ordena que haya unas ciudades especialmente de refugio para los que cometen algún crimen. **2.** Haga hincapié en que desde entonces se preocupa por la paz de los pueblos. Coloque los trípticos* en el centro de la mesa.

ESTUDIO DEL TEXTO BASICO

1. Permita que los alumnos sentados alrededor de la mesa contesten en grupo las preguntas de la sección Lee tu Biblia y responde. Con los JOVENES ponga atención en la pregunta 1 con sus tres respuestas.

2. Llame la atención al mapa. Solicite que los alumnos localicen las ciudades que se determinaron como refugio para los acusados de un crimen. Los nombres de las ciudades los pueden observar en los trípticos.*

3. Permita que en el pizarrón escriban lo que tenía que hacer un acusado. Puede abrir una pequeña discusión sobre esas costumbres y compararlas con las que vivimos actualmente.

4. Examine el texto clave de Josué 20:4. Pregunte cómo se imaginan que serían las puertas de las ciudades.

5. Continuando con la segunda parte de este estudio repase en voz alta los versículos de Josué 21:1-3, 41. Dé oportunidad a la clase para que hagan comentarios apoyándose en las respuestas que ya dieron en la sección de *Lee tu Biblia y responde.*

6. Explique por qué los levitas se quedaron hasta el final de la repartición.

7. Invite a la clase para que lean el pasaje de Números 35:1-5. Especifiquen la extensión de tierra que se les dio a los levitas por mandato de Dios.

APLICACIONES DEL ESTUDIO

Invite a sus alumnos a que lean las aplicaciones que vienen en su libro. Además pueden sugerir alguna más y anotarla en el pizarrón o en hojas para rotafolio. Guíeles a pensar que los líderes de la iglesia tienen grandes responsabilidades cuando tienen que distribuir alguna encomienda. Mediten y oren por ellos.

PRUEBA

Dé un tiempo para retroalimentar el tema contestando esta sección. Si hay algún alumno que quiera compartir a la clase sus respuestas dele la oportunidad de hacerlo.

*Tríptico:

Ciudades	de	refugio
Quedes	Hebrón	Ramot
Siquem	Beser	Golán

152

Despedida de Josué

Contexto: Josué 22: 1 a 24:33
Texto básico: Josué 22:16, 21-24; 24:14-18, 23, 24
Versículo clave: Josué 24:24
Verdad central: Los eventos que ocurrieron al final de la vida y liderazgo de Josué demuestran que necesitamos reconocer lo que Dios hace por nosotros, y comprometernos con él como nuestro único Dios.
Metas de enseñanza-aprendizaje: Que el alumno demuestre su conocimiento del significado de los eventos que ocurrieron al final de la vida y liderazgo de Josué, y su actitud de reconocimiento de lo que Dios hace por nosotros y la necesidad de comprometerse a tenerlo como su único Dios.

───────Estudio panorámico del contexto ───────

A. Fondo histórico:
En el camino de regreso a sus tierras, antes de cruzar el Jordán, en Gilgal, las tribus de Rubén, Gad y Manasés construyen un monumento memorial que también sirve como altar. La pregunta que se levanta es: ¿Por qué han construido este altar cuando hay uno que es central en Silo? Para los hebreos es tan importante saber a quién se adora como dónde se adora. Las tres tribus explican que el propósito del altar es construir un monumento como símbolo de la unidad entre los hebreos en los dos lados del río Jordán.

B. Enfasis:
Rubén, Gad y Manasés vuelven a casa, Josué 22:2-34. Josué se despide de las tribus de Rubén, Gad y la media tribu de Manasés, dándoles permiso para volver a sus tierras en la Transjordania. Estas tribus habían ayudado a las demás tribus en la conquista de Canaán. Ahora ellas podían volver a sus tierras y edificar sus hogares. Salen de Silo y las tres tribus pasan por Gilgal donde construyen un altar como memoria para recordar la unidad entre ellos y los hebreos occidentales. Sin embargo, las sospechas de los hebreos occidentales casi producen una guerra. Por fin, se determina que no hay error, sino un deseo de los hebreos orientales de protegerse contra la posibilidad de ser olvidados por sus hermanos occidentales. Al altar se le nombra "Ed" que significa "testimonio", de renovación del pacto con Jehovah y con sus hermanos.
Josué exhorta a los hijos de Israel, Josué 23:1-16. La frase "mucho tiempo después" puede significar unos 20 años. El llamado de Josué es fuerte y

completo. El explica a los hebreos lo que se ha cumplido, la conquista y la distribución de Canaán, una tarea no pequeña. Por eso los hebreos han de ser fieles a la ley de Moisés y no mezclarse con las prácticas idólatras e inmorales de los cananeos. Josué admite que él va a morir en un tiempo no muy lejano (v. 14). También señala el peligro de violar el pacto con Jehovah y las implicaciones. En tal caso "la ira de Jehovah" estaría en contra de los hebreos quitando la protección y la victoria de la presencia de Jehovah entre ellos.

Despedida de Josué, Josué 24:1-13. Josué pronuncia su discurso en Siquem, el lugar donde Abraham había construido un altar cuando entró a Canaán. Este discurso marca un período importante en la historia del pueblo de Israel que comenzó con Abraham en Mesopotamia y termina con el pueblo en Canaán.

Josué invita a la rededicación, Josué 24:14, 15. La palabra "ahora" denota la urgencia de tomar una decisión en esta generación y en ese momento. Los hebreos tienen toda la información y saben las condiciones de un pacto con Jehovah. Josué ya ha tomado la decisión de seguir a Jehovah.

La respuesta del pueblo a Josué, Josué 24:16-28. Los versículos 16-18 contienen el final del relato y el desafío de Josué. Los versículos restantes de esta sección muestran un diálogo entre Josué y el pueblo lleno de alusiones al pacto con Jehovah. Josué explica la naturaleza celosa y exclusiva de Jehovah, que los mismos hebreos son testigos de su compromiso con Jehovah y del peligro del castigo al no cumplir con el pacto. El pacto se completa en Siquem donde Josué escribe "estas palabras en el libro de la Ley de Dios". Además se pone una gran piedra junto al santuario de Jehovah, es decir, el tabernáculo de reunión, como testimonio de lo actuado.

Sepultura de tres grandes hombres, Josué 24:29-33. Los tres grandes hombres son Josué, José y Eleazar. En primer lugar se habla de Josué como "hijo de Nun" y como "siervo de Jehovah". El tenía 110 años cuando murió y fue sepultado en su tierra. La influencia de Josué continuó hasta la muerte de todos los ancianos que le habían conocido. En segundo lugar, se sepultaron los restos de José en Siquem (Gén. 50:24, 25).

Igual que Josué, José llegó a los 110 años de vida y falleció en Egipto. Moisés había llevado sus restos de Egipto (Exo. 13:19). También muere Eleazar, el sumo sacerdote. Toda una generación de líderes desaparecía de la escena de la historia hebrea.

──────────── **Estudio del texto básico** ────────────

1 Rubén, Gad y Manasés vuelven a casa, Josué 22:16, 21-24.

V. 16. Las dos tribus de Rubén y Gad y la media tribu de Manasés vuelven a su tierras de Transjordania después de ser despedidos por Josué y los demás hebreos. En el camino deciden construir un altar "en el lado de los hijos de Israel."

El altar era un monumento magnífico, fácil de ver y admirar. Sin embargo, las tribus en Canaán piensan que los hebreos de la Transjordania se han rebelado contra Jehovah. Ellos mandan a Fineas, el hijo del sumo sacerdote Eleazar, junto con diez jefes de las casas paternas, un jefe de cada tribu occidental, para consultar a las tres tribus. El diálogo es importante porque la guerra parece inevitable. El tono de Fineas es serio y directo. La consulta viene en nombre de *toda la congregación de Jehovah* para indicar que las diez tribus están involucradas. La pregunta de Fineas se formula en un tono muy negativo, abiertamente dice que la construcción del altar era una *infidelidad* (en hebreo la palabra significa "un hecho infiel").

Fineas cita los ejemplos de "la maldad en Peor" cuando 24,000 murieron por su pecado. Fineas había sido el siervo de Jehovah al rechazar el pecado en aquella ocasión (Núm. 25:6-10). Fineas exige una respuesta de parte de las tres tribus.

Vv. 21, 22. La respuesta de las tribus cambia el tono del diálogo. El orden de las palabras pone énfasis en las palabras que designan a Dios: *el Dios de los dioses, Jehovah, él lo sabe.* Después de engrandecer los nombres de Dios, las tribus responden en forma enfática que Dios conoce el verdadero motivo para la construcción del altar. Llaman a Dios como testigo, juez y ejecutor en caso de que su actuación haya sido por desobediencia.

Vv. 23, 24. Las tribus responden señalando los tres propósitos que no les guiaron a construir el altar.

En primer lugar, el altar sirve para adorar a los dioses falsos, apartando de esa manera a las tribus de Jehovah.

En segundo lugar, el altar sirve para hacer un holocausto u ofrenda vegetal, un derecho reservado para los sacerdotes.

En tercer lugar, el altar puede servir para ofrecer algún sacrificio de paz, un derecho que a ellos no les correspondía. Así que con confianza llaman a Jehovah para que los castigue si son culpables. Luego dan la verdadera razón por la cual lo hicieron: por temor a ser olvidados como hermanos delante de Jehovah, con los mismos derechos y responsabilidades.

2 Josué invita a la rededicación, Josué 24:14, 15.

Josué recuerda al pueblo una lista de los hechos de Jehovah y los momentos críticos en la historia hebrea (vv. 2-13). Después Josué los desafía para que sean fieles a Jehovah. Es interesante el paralelo de este momento con el de Moisés, cuando aquel gran hombre de Dios estaba acercándose al fin de su vida. Josué se da cuenta de que su vida está por terminar y quiere fortalecer la fe de los hebreos. Se puede ver una preocupación sincera de parte de Josué en el futuro de Israel.

La invitación a la rededicación no es un ejercicio meramente formal, sino una inquietud muy real para aquel gran líder. La expresión: *Temed a Jehovah* es un llamado a tener fe en Dios.

El servicio a Jehovah debe ser con *integridad* y con *fidelidad*. Por lo tanto, hay que quitar a los dioses falsos. Se mencionan los dioses de Mesopotamia (al otro lado del río Jordán, los de Egipto y los de los amorreos). Los hechos de Jehovah mostraban su poder sobre todos esos dioses.

Al terminar la presentación de los hechos de Dios y el desafío para servir a Jehovah, Josué llama al pueblo a tomar una decisión: *escogeos hoy a quién sirváis.* No es una forma retórica de hablar sino el apasionado llamamiento a una decisión. Josué afirma que él y su familia van a servir a Jehovah.

3 **La respuesta del pueblo a Josué, Josué 24:16-18, 23, 24.**
Vv. 16-18. Los hebreos rechazan por completo la opción de seguir a los dioses falsos. Ellos se comprometen de nuevo con Jehovah, y repiten lo que Jehovah les había hecho. Se mencionan cuatro grandes maravillas que Dios había hecho con ellos:

1) La liberación de Egipto. Un acto con el cual formalmente se inicia la vida de los hebreos como nación. Bien se puede decir que la fiesta de la Pascua es la celebración de independencia hebrea. De la perspectiva humana tal evento era menos que probable, pero el poder de Dios lo había logrado.

2) Grandes señales (milagros). La salida de Egipto y los eventos previos así como la entrega de la Ley fueron actos únicos que afirmaban el poder de Dios.

3) Haber sido guardados durante la trayectoria hacia la tierra prometida.

La ruta misma había sido cuidadosamente escogida por el Señor, luego el los libró de los pueblos y grupos que habitaban aquellas regiones hasta llevarlos a tomar posesión de la tierra prometida.

4) Haber tenido todo lo necesario durante la peregrinación. Oportuna y adecuadamente el Señor les había dado la provisión alimenticia, el vestuario, la salud y las fuerzas necesarias para todo el viaje.

Vv. 23, 24. Josué plantea el desafío en dos dimensiones: Por un lado hay que quitar a los dioses falsos de su tierra. Por el otro lado, *inclinad vuestro corazón a Jehovah*, es decir, hay que comprometerse por completo con Dios. La respuesta del pueblo es inmediata y afirmativa. En una expresión que usa el paralelismo, los hebreos hacen la promesa de servir a Jehovah y obedecer *su voz*.

──────────────── **Aplicaciones del estudio** ────────────────

1. El creyente debe renovar sus votos al Señor de vez en cuando, Josué 24:14, 15. Los hebreos necesitaban evaluar sus prioridades para dar el primer lugar a Dios. Las presiones del mundo y sus falsas respuestas pueden producir un corazón duro y alejado de Dios. Por eso es necesario, de vez en cuando, hacer un recordatorio de los grandes hechos de Dios en la vida y renovar la fe en él.

2. Ningún rito religioso en sí es bueno, hay que examinar el motivo con el cual se hace, Josué 22:16, 21-24. Construir un altar o un lugar para la adoración no es una actividad negativa. Al contrario, tal acción muestra un sincero deseo para lograr una espiritualidad más profunda. Sin embargo, hay que analizar el propósito del altar y el dios que está siendo honrado.

3. La decisión es radical: rechazar al dios falso y aceptar al Dios vivo, Josué 24:23. La invitación de Josué era un llamado a una decisión radical: quitar a los dioses falsos. Tal actividad no es fácil, porque muchas veces tales dioses han sido una parte importante de la vida de una persona durante mucho tiempo.

Estos dioses falsos pueden incluir cualquier cosa que tiene prioridad en nuestra vida o forman el motivo principal de ella. En segundo lugar: entregarse por completo a Jehovah.

4. Dios puede utilizar las vidas de los fieles como Josué para motivar a otros a ser fieles, Josué 24:15, 31. Josué es un ejemplo de un héroe que influyó en la conducta y creencias de su pueblo durante su vida y aun después de su muerte.

Hoy por hoy el mundo necesita ver algunos héroes de la fe para poder distinguir entre el camino del mundo y el camino que da victoria en Dios. Dios nos llama a ser personas ejemplares que encarnan los valores cristianos y que muestran un camino más excelente.

Ayuda homilética

Escoged al Dios vivo
Josué 24:1-18

Introducción: Dios da al hombre la oportunidad de tomar una decisión libre entre él y otros dioses. Es una decisión radical que debe ser tomada en base a ciertos antecedentes.

I. **Hay que recordar los hechos maravillosos de Dios en la historia (vv. 2-13).**
   A. Cómo comenzó la historia con Abraham, Isaac, Jacob y Esaú, la salida de Egipto y la entrada a la tierra prometida.
   B. Cómo los dioses falsos fueron vencidos.
   C. Cómo los enemigos fueron vencidos.
II. **Hay que entender lo que significa la relación estrecha con Dios (v. 14).**
   A. Quitar los dioses falsos de la vida.
   B. Temer... y servir a Dios.

III. **Los elementos de la respuesta del pueblo (vv. 16-18).**
   A. Se muestra una confianza absoluta en Dios.
   B. Se recuerdan los hechos de Dios en sus vidas.

Conclusión: La historia de cada persona es distinta y única, pero cada uno puede ver cómo la mano de Dios le ha ayudado a través de su vida, por eso la decisión de escoger a Dios no ha de ser difícil.

Lecturas bíblicas para el siguiente estudio

Lunes: Jueces 1:1 a 2:5   **Jueves:** Jueces 4:1-10
Martes: Jueces 2:6 a 3:6   **Viernes:** Jueces 4:11-23
Miércoles: Jueces 3:7-31   **Sábado:** Jueces 5:1-31

AGENDA DE CLASE

Antes de la clase
1. Dé un repaso del texto bíblico del estudio de hoy.
2. Conteste las preguntas que vienen en la sección *Lee tu Biblia y responde*.
3. Prepare la biografía y fotografía (de ser posible) de algún misionero que haya dado su vida por el evangelio.
4. Prepare una caja de regalo y caramelos.
5. En una tira grande de papel (20 cm. x 1 m. de largo), escriba el versículo clave.

Comprobación de respuestas
JOVENES: **1.** a) De infidelidad contra Dios. b) Dios. c) Para que vuestros hijos digan a nuestros hijos: ¿Qué tenéis que ver vosotros con Jehovah Dios de Israel. **2.** a) Temed a Jehovah; servidle con integridad y con fidelidad, quitad de en medio dioses. b) Respuesta personal. **3.** *Lejos esté de nosotros el abandonar a Jehovah.*
ADULTOS: **1.** a) Porque habían abandonado a Jehovah. b) Que no se habían apartado de Jehovah, para que vuestros hijos digan a nuestros hijos: ¿Qué tenéis que ver vosotros con Jehovah Dios de Israel? **2.** a) Verdadero, b) Falso. c) Verdadero. **3.** a) Con firmeza, que no abandonarían a Jehovah. b) Recuerdan que los sacó de Egipto, y los guardó por todo el camino.

Ya en la clase
DESPIERTE EL INTERES
1. Pegue la tira que preparó del versículo clave. Resalte su significado.
2. Relate la biografía que preparó del misionero, y dígales que Dios escoge a sus siervos y reciben de él grandes bendiciones. Muéstreles el título de la lección y dígales que hoy se estudiará la vida de un hombre que la dedicó completamente al servicio de Dios.

ESTUDIO PANORAMICO DEL CONTEXTO
1. El hombre que es fiel a Dios va dejando huella por su vida y es ejemplo para los demás. La tarea de Josué había terminado. Explique qué tarea tenían las tribus de Rubén, Gad y la media tribu de Manasés.
2. Provoque una lluvia de ideas para que la clase participe y diga su opinión acerca del altar que levantaron a Jehovah.
3. En diferentes países se acostumbra a levantar monumentos a los

héroes que dieron su vida para restablecer la paz y la libertad de los pueblos. Si hay alguno en su región invite a un alumno a que lo comente y que narren un poco de esa historia.

4. Explique ahora la siguiente parte del estudio, por qué era importante que Josué invitara a su pueblo a la rededicación a Jehovah.

ESTUDIO DEL TEXTO BASICO

1. Lleve a los alumnos al texto básico de su libro e invítelos a leer la primera parte: Josué 16, 21-24.

2. Dentro de la caja que preparó ponga los caramelos con preguntas de todo el estudio de hoy. A medida que vaya avanzando entrégueles uno a los alumnos.

3. Permita que los alumnos contesten las preguntas que se están haciendo y compartan opiniones. Anímelos a hacer la aplicación práctica a su vida.

4. En cada versículo dé una explicación amplia de manera que vaya quedando clara la idea. Continúe con Josué 24:14-18, 23, 24.

5. Dé tiempo para que contesten la sección Lee tu Biblia y responde. Con los JOVENES: dé prioridad a la No. 2, inciso b.

6. Explique el porqué hemos dado énfasis a la labor hecha por los hombres que dedican su vida a Dios. Josué fue un ejemplo para todos nosotros.

7. Dirija su atención al versículo clave y procure que lo memoricen. También puede pedir a la clase que escoja un versículo que les haya gustado y ponerlo como clave del estudio.

APLICACIONES DEL ESTUDIO

Invite a los alumnos para que hagan una lista de actitudes que pudieran tener según las enseñanzas que les dejó el estudio. Permítales unas hojas blancas para que escriban. Después que lean las que trae su libro y déjeles opinar sobre las variaciones encontradas.

PRUEBA

En los ADULTOS la pregunta No. 1 se contestó durante la clase. Pida que la No. 2 la escriban en la hoja blanca de las aplicaciones del estudio.

Apostasía y aflicción

Contexto: Jueces 1:1 a 5:31
Texto básico: Jueces 2:18-22; 4:1-4, 14, 15
Versículo clave: Jueces 4:14
Verdad central: La manera como Dios trató a Israel a pesar de su infidelidad, nos enseña que él es misericordioso, pero que también disciplina a sus hijos cuando no le obedecen.
Metas de enseñanza-aprendizaje: Que el alumno demuestre su conocimiento de la falta de constancia del pueblo entre sus votos de fidelidad y sus prácticas, y su actitud hacia los métodos que Dios utiliza para disciplinar a sus hijos cuando no le obedecen.

───────────── **Estudio panorámico del contexto** ─────────────

A. Fondo histórico:

Con este estudio comenzamos una Unidad de cinco estudios sobre el libro de los Jueces. Los dos grupos que se mencionan en Canaán, además de los hebreos, son los cananeos y los ferezeos (Gén. 13:7). Quizás tal designación representaba dos razas o grupos étnicos que habitaban en Canaán. De todos modos, la designación "cananeos" era la más frecuente. Jueces capítulo 1 contiene la palabra "cananeos" 14 veces.

Baal era el dios cananeo de la tormenta y el dador de la fertilidad. El nombre "Baal" era sinónimo a nuestro concepto de "Señor", dueño, gobernador absoluto". Tenía connotaciones de fuerza y autoridad. "Los Baales" era una designación para todos los dioses de los cananeos. Astarte era la esposa de Baal en el panteón cananeo, la hija del dios El. Astarte era la diosa del amor, de la fortuna y de la guerra, y la designación de las Astartes representa las diversas diosas existentes en Canaán.

B. Enfasis:

Sumario de la conquista de la tierra prometida, Jueces 1:1-36.
El primer capítulo enfoca sobre la tribu de Judá y su papel fundamental en la lucha contra los cananeos. El autor muestra el éxito casi completo de las distintas tribus en la conquista de las tierras asignadas como heredad. Ver el mapa que aparece en la página 8.

Judá con la ayuda de Simeón tomó las ciudades de Bezec, Jerusalén (temporalmente), Hebrón, Sefat (Horma) y las ciudades de la costa: Gaza, Ascalón y Ecrón (no permanente). Otoniel tomando la ciudad de Quiriat-séfer, gana el derecho a la mano de la hija de Caleb, y una propiedad considerable (Jue. 1:12-15 y Jos. 15:16-19). La tribu de Benjamín mandó a espías para conocer la ciudad de Betel, y toma la ciudad después de sobornar a uno de sus ciudadanos.

Las tribus de Manasés, Efraín, Zabulón, Aser y Neftalí no pudieron echar completamente a los habitantes cananeos de sus tierras, aunque les impusieron fuerte tributo laboral. La tribu de Dan no sometió a los amorreos, los cuales dominaban las mejores tierras (v. 34), con el tiempo, Dan llega a ser suficientemente fuerte para imponer un tributo laboral sobre ellos.

El ángel del Señor en Boquim, Jueces 2:1-5. Boquim representa una modificación del pacto producida por la desobediencia de los hebreos. Los cananeos que habitan con ellos serán sus "adversarios" y sus dioses "tropiezo". La reacción del pueblo fue el llanto, dándole así el nombre de Boquim, "los que lloran". Entonces, ellos ofrecieron sacrificios. El pecado había modificado los beneficios del pacto con Dios. La tristeza de los hebreos es genuina, pues se dan cuenta de que han sufrido una terrible pérdida como comunidad y personalmente.

Fin de la generación de Josué, Jueces 2:6-10. Este relato es como una segunda introducción al libro de Jueces porque repite la sección final del libro de Josué (Jos. 24:28-31). El ejemplo de Josué se reflejó en todos los ancianos de su generación. Israel se mantuvo fiel hasta la muerte del último anciano.

Apostasía, aflicción y surgimiento de los jueces, Jueces 2:11 a 3:6. El progreso material no garantiza el progreso espiritual. La lealtad a Jehovah era historia. Ahora los hebreos miraban a Baal. Los hebreos tomaron la tierra de los cananeos, pero a la vez los cananeos los estaban transformando. El refrán *abandonaron a Jehovah* llega al corazón del asunto (vv. 12, 13). Por fin, *Jehovah los abandonó en mano de sus enemigos.*

Comienza un ciclo en la relación entre el pueblo hebreo y el Señor: 1) Israel adora a los dioses cananeos. 2) Dios abandona a los hebreos y ellos sufren en las manos de los cananeos. 3) Israel pide ayuda de Dios. 4) Dios levanta a un juez y libra a Israel de sus adversarios. 5) Mientras el juez vive, Israel es fiel a Dios. 6) Muere el juez e Israel vuelve a seguir a los dioses de los cananeos.

Otoniel, Jueces 3:7-11. Otoniel, quien había recibido una heredad en Néguev junto con la hija de Caleb, Acsa, fue el primer juez, de los doce que se mencionan en el libro de los Jueces. De acuerdo con el ciclo mencionado Israel fue infiel. El rey mesopotámico, *Cusán-risataim*, cuyo nombre significa "el tenebroso de doble maldad", puso a Israel bajo su poder durante ocho años. Jehovah respondió al clamor de Israel y Otoniel derrota a *Cusán-risataim* (v. 9).

Ehud, Jueces 3:12-30. El segundo juez de los hebreos era un hombre zurdo, de la tribu de Benjamín. El gran enemigo de Israel era el rey obeso de Moab, Eglón, quien fue opresor de Israel durante dieciocho años. Después de ganar la confianza de Eglón a través de la entrega de un presente (quizás tributo), Ehud pidió una audiencia privada en la cual mató al rey con un puñal de doble filo. Cuando los siervos descubren al rey muerto, los soldados buscan a los asesinos y caen en una trampa hebrea y son muertos. Israel mantuvo la paz durante ochenta años, es decir, dos generaciones.

Samgar, Jueces 3:31. Es el tercer juez. Su nombre no es un nombre hebreo, quizá el de algún dios cananeo que "ha dado" algo. Este juez fue famoso por su matanza de 600 filisteos con una aguijada de buey. La aguijada es una vara larga que en un extremo tiene una punta de hierro y se usa para manejar al buey durante el trabajo.

Débora y Barac, Jueces 4:1-11. Después de la muerte de Ehud Israel vuelve a ser infiel a Jehová. Esta vez caen en manos del rey Jabín, un cananeo que reinaba en Hazor. Jabín tenía mucho poder económico y militar de 900 carros de hierro. Durante 20 años, Jabín oprimió a Israel. En estas condiciones surge la juez Débora quien "gobernaba" desde una ubicación entre Ramá y Betel. Débora apela a Barac para reunir 10,000 soldados de las tribus de Neftalí y Zabulón. Barac ofrece hacerlo si Débora viene con él a la batalla.

La derrota de Sísara, Jueces 4:12-24. Los hebreos estaban reunidos en el monte Tabor, donde estaban los límites de las tierras de las tribus norteñas y donde se efectuaba la adoración hebrea (Deut. 33:18, 19). Débora, "abeja", estaba presente animando a Barac para ver la victoria de Jehovah sobre Sísara, el generalísimo de Jabín, rey cananeo. La expresión "Jehovah desbarató a filo de espada a Sísara" muestra la presencia de Jehovah en la batalla, aunque la manera precisa es ambigua (4:15).

El cántico de Débora sugiere un fenómeno celestial "el torrente (del río) Quisón" (5:20, 21). La celebración de la victoria aparece en el capítulo 4 en forma de prosa y en el capítulo 5 en forma poética.

El cántico de Débora, Jueces 5:1-31. El cántico se puede dividir en tres secciones: la primera sección, los vv. 2-11, habla de la antigua fidelidad de Israel a Jehovah (vv. 3-5), de la caída de la nación por la idolatría (vv. 6-8) y del llamado a volver a los días victoriosos (vv. 9-11). En la segunda sección, los vv. 12-21, habla de la reunión de los soldados hebreos para combatir al adversario (vv. 12-15a), de las "deliberaciones" y del abandono de algunas tribus quienes no participaron en la batalla (vv. 15b-18), y de la victoria de los valientes de Israel contra los cananeos (vv. 19-21). En la tercera sección, los vv. 22-31, habla de algunos sonidos de la batalla (v. 22), de la maldición de una ciudad de Neftalí (v. 23), de la bendición sobre Jael (vv. 24-27; 4:17-22), de una anhelada victoria de parte de la madre de Sísara (vv. 28-30). Termina con una oración y petición para que todos los enemigos de Jehovah perezcan (v. 31). La destrucción del ejército de Sísara resultó en reposo de la guerra para una generación, o sea 40 años.

―――――――――― **Estudio del texto básico** ――――――――――

1 Apostasía y surgimiento de los jueces, Jueces 2:18-22.

Vv. 18, 19. Con dos palabras hebreas clave el autor del libro describe la naturaleza del trabajo de los jueces: una es *shopet* (2:18) y la otra *mosiy`a* (3:15). La primera palabra, *shopet*, es frecuente y tiene el significado amplio de administrar alguna forma de liderazgo. La segunda palabra *mosiy`a*, se usará más tarde para hablar del Mesías de Israel. Su significado era más preciso, apunta a un "libertador" o "el que rescata". Ciertamente la actividad más prominente del juez en esa época era liberar al pueblo de la opresión.

Vv. 20-22. Jehovah decide dejar a ciertos grupos de los cananeos en la tierra para observar la fidelidad o la infidelidad de Israel. Una promesa con Josué de "echar a los cananeos de las tierras no conquistadas" no iba a cumplirse porque los mismos hebreos habían quebrado el pacto (Jos. 13:6). Otra vez pierden una bendición de Jehovah al no cumplir su promesa de fidelidad.

2 Débora y Barac, Jueces 4:1-4.

Vv. 1, 2. El ciclo de 2:19 se repite cuando se menciona la muerte de Ehud, el segundo juez nombrado en Jueces (3:15). Los hebreos vuelven al pecado y Jehovah *los abandonó* y ellos caen en *mano de Jabín*, el rey cananeo del norte, quien tenía un ejército que era la envidia del mundo antiguo. Su capital estaba en el camino central del comercio entre Palestina, Egipto y el Oriente.

Vv. 3, 4. Por 20 años los hebreos fueron oprimidos por el gran rey cananeo, quien con sus 900 carros de hierro representaba una imposibilidad para que ellos fueran libres. Por fin claman a Jehovah, y Dios levanta a Débora, el cuarto juez nombrado en Jueces y la única mujer. Débora, cuyo nombre significa "abeja que hace miel", era una mujer con mucha experiencia pues era juez en el sentido tradicional antiguo de administrar la justicia: "los hijos de Israel acudían a ella para juicio" (v. 5). Además era una profetisa, un puesto que ocupaba la hermana de Moisés, María (Exo. 15:20). Dios utilizó a esta mujer para librar a los hebreos de uno de los opresores más crueles en la historia de los jueces quien *había oprimido con crueldad a los hijos de Israel durante veinte años* (v. 3).

3 La derrota de Sísara, Jueces 4:14, 15.

V. 14. La presencia de Débora en el campo de batalla animaba a los hebreos. Sus palabras de victoria a Barac, afirmaban que "hoy" es el día de la liberación de Israel. Con renovado ánimo Barac dirigió a los 10,000 soldados hebreos.

V. 15. El verbo *desbarató*, aunque sea ambiguo, muestra la participación de Jehovah en la derrota de los cananeos. Algunos sugieren la posibilidad de un campo de batalla lleno con las aguas del río y por eso los carros de Sísara no fueron efectivos en contra de los hebreos. De todos modos, la victoria fue completa, Sísara huyó a pie y sus soldados volvieron a la ciudad natal de Sísara, Haroset-goím.

─────────────── **Aplicaciones del estudio** ───────────────

1. Cada generación necesita sus ejemplos, Jueces 2:18, 19. El juez era un símbolo de la presencia y la acción libertadora de Dios. Los hebreos tenían orgullo en ver a los jueces y darse cuenta de su ejemplo. Hoy día los héroes los produce la televisión, la política, la economía y la música. Hacen falta aquellas personas que dan testimonio de su fe en Dios en todos esos campos. Hacen falta los buenos modelos de la fe, hombre y mujeres íntegros y constantes en su testimonio.

2. Dios deja elementos en el camino del creyente para ver su fidelidad a él, Jueces 2:20-22. Dios dejó a los cananeos para medir la fidelidad y la calidad del creyente hebreo. Hoy en día, hay muchos elementos que Dios ha dejado a los creyentes para que tengan la oportunidad de mostrarle su fidelidad.

3. El poder del mundo frente al poder de Dios, Jueces 4:1-4. El contraste entre un rey poderoso con 900 carros, una economía creciente; y una mujer hebrea sentada bajo una palmera en una región montañosa sin ningún soldado. El factor decisivo es la presencia de Jehovah con aquella mujer: Débora. Los mismos recursos están al lado del hijo de Dios si busca la voluntad de Dios y le obedece.

─────────────**Ayuda homilética**─────────────

La celebración de Débora
Jueces 5:1-31

Introducción: Débora recuerda la victoria del Señor sobre Sísara con un canto. Los obstáculos eran grandes, pero Dios guió los eventos para el bien de su pueblo. Así el creyente a pesar de los obstáculos puede sentirse seguro porque Dios está a su lado.

I. Victoria a pesar de los obstáculos (vv. 8, 12, 16-18, 23).
   A. La idolatría era un obstáculo que impedía la ayuda divina.
   B. El llamamiento a Débora tenía que contestarse en forma positiva.
   C. Algunas tribus no participaron en la batalla, ignorando la petición de Débora.
   D. La fuerza de los cananeos era grande.
II. Celebración de la ayuda divina (vv. 20, 21).
   A. Fue Dios quien controló los fenómenos naturales.
   B. El río Quisón hizo inservibles a los carros de Jabín.
III. Celebración de dos mujeres: una al lado de los hebreos y otra al lado del enemigo (vv. 24-31).
   A. Jael, es bendecida por haber matado a Sísara.
   B. La madre de Sísara, es maldecida con la muerte de su hijo (v. 31).

Conclusión: Débora sabe expresar sus frustraciones y las tristezas tanto como celebrar la victoria que Dios le ha dado.

Lecturas bíblicas para el siguiente estudio

Lunes: Jueces 6:1 a 7:25   **Jueves:** Jueces 9:7-21
Martes: Jueces 8:1-35   **Viernes:** Jueces 9:22-49
Miércoles: Jueces 9:1-6   **Sábado:** Jueces 9:50-57

AGENDA DE CLASE

Antes de la clase

1. Prepare el gráfico de un libro y titúlelo *Jueces*.
2. Escriba en una cartulina la palabra Juez y la labor que realiza.
3. En una hoja para rotafolio escriba los títulos de las tres partes del estudio con sus citas bíblicas.
4. Prepare tarjetas llamativas 5x7 cm. Repase las citas bíblicas y conteste las preguntas de la sección *Lee tu Biblia y responde*.

Comprobación de respuestas

JOVENES: **1.** a) Verdadero. b) Falso. c) Verdadero. **2.** a) Los hijos de Israel. b) Jehovah. c) Sísara. d) Débora.

ADULTOS: **1.** a) Verdadero. b) Falso. c) Verdadero. d) Falso. e) Verdadero. **2.** a) Opresión de Sísara. b) Cananeos, 20 años. **3.** a) Barac. b) Levántate, porque este es el día en que Jehovah ha entregado a Sísara en tu mano. c) 10,000 hombres, cananeos, Sísara.

Ya en la clase
DESPIERTE EL INTERES

1. Muestre el gráfico del libro y dígales que principiarán el estudio de otro libro. Es muy significativo por ser la historia de los líderes puestos por Dios durante 300 años.
2. Tenga pegada la cartulina del significado de Juez, pida a un alumno que la lea y abra una discusión sobre el tema.
3. Si hay alguna noticia de algún juez de su región que no ha cumplido la ley aproveche la ocasión para comentarla.
4. En los JOVENES invite a un muchacho a que tome el papel de juez y dramatice una escena, permita que ellos sean quienes la organicen.

ESTUDIO PANORAMICO DEL CONTEXTO

1. Explique cómo ha sido la vida del pueblo de Israel durante el tiempo que ha tenido quien los gobierne. Cómo han sido los elegidos por Dios.
2. Platique brevemente sobre cómo era la vida de los cananeos. Quiénes eran los Baales y qué representaban.
3. Muestre la diferencia de la vida religiosa del pueblo de Israel y lo que estaba sucediendo.
4. Explique lo que significa apostasía.

ESTUDIO DEL TEXTO BASICO

1. Cuando lleguen a la clase los alumnos, entrégueles las tarjetas lla-

165

mativas. Cada una de ellas llevará la cita bíblica de un versículo del estudio de hoy.

2. Muéstreles la hoja para rotafolio donde escribió las partes del estudio.

3. Permita que los alumnos busquen la cita que les tocó.

4. Cada uno de ellos ubicará su cita en la parte del estudio escribiéndola donde corresponde con marcadores de distintos colores.

5. Al terminar esta actividad la clase ya tiene la idea de lo que se va a estudiar. Así que permita que busquen la sección *Lee tu Biblia y responde* y forme equipos para que las contesten. Dé un tiempo para comparar respuestas.

6. JOVENES. A partir de aquí puede empezar una lista de Jueces que fueron levantados por Dios como libertadores. Dígales que los siguientes estudios les ayudarán a encontrarlos. ADULTOS, muestre la lista de jueces que viene en el estudio y permita que hagan comentarios al respecto.

7. Este panorama permitirá hacer un análisis de por qué algunos jueces duraban muchos años y por qué otros menos. La clase debe llegar a una conclusión de lo expuesto.

8. Coloque las tarjetas en cada parte del estudio. Permita que en orden los alumnos vayan exponiendo su versículo y deles tiempo para que lo interpreten. Usted ampliará lo expuesto por el alumno.

9. Prepare unos cordones de 40 cm. cada uno y hágales varios nudos. Póngalos en las sillas de sus alumnos, pídales que desaten los nudos dentro del espacio de un minuto. Usted debe observar quién se desespera, quién afronta la problemática, quién es constante y desea terminar todos los nudos. Al final les dirá que el cristiano debe ser constante, y fiel al Señor. El que se cansa y desespera es como el pueblo de Israel, que por no tener quien los gobernara y cuidara, adoraban a otros dioses. Descuidaban su vida espiritual.

APLICACIONES DEL ESTUDIO
Permita que los alumnos lean las aplicaciones que vienen en su libro. Cada uno de ellos tomará un punto de esta sección y nos dirá si se le puede aplicar a él y por qué.

PRUEBA
En forma individual que contesten la prueba, de ser posible llévelas escritas en hojas para que se las lleve y las pueda revisar detenidamente.

Llamamiento y victoria de Gedeón

Contexto: Jueces 6:1 a 9:57
Texto básico: Jueces 6:12-14, 25-27; 7:2, 7, 19-21
Versículo clave: Jueces 6:12
Verdad central: La manera como Dios llamó a Gedeón para librar a Israel de los madianitas nos enseña que Dios llama a ciertas personas para cumplir con sus propósitos.
Meta de enseñanza-aprendizaje: Que el alumno demuestre su conocimiento de cómo Dios llamó a Gedeón para librar a Israel de los madianitas, y su actitud de obediencia para cumplir con el propósito de Dios para su vida.

Estudio panorámico del contexto

A. Fondo histórico:

Los madianitas. Fueron pueblos descendientes de Madián quien fue hijo de Abraham y Quetura (Gén 25:1, 2; 1 Crón. 1:32). Estaban ubicados en la costa oriental del golfo de Acaba al noroeste del desierto de Arabia y al sur de las tierras de Moab y Edom. Esas mismas tierras fueron entregadas a las tribus de Rubén y Gad (Núm. 31:8). Los madianitas eran un pueblo trabajador y dedicado al comercio (Núm. 31; Jue. 8; Isa. 60:6); también se les conoce como "ismaelitas" (Jue. 8:22, 24; Gén 37:25).

La ciudad de Siquem, aquí Abraham construyó su primer altar en Canaán (Gén. 12:6). En el tiempo de Josué, Siquem fue declarada una ciudad de refugio (Jos. 20:7) y una ciudad para los levitas (Jos. 21:21). Siempre se la nombra como una de las primeras ciudades de la tribu de Efraín. Se la ubica a unos 50 km al norte de Jerusalén y 9 al sureste de Samaria, por lo tanto se halla en el centro de Palestina en la serranía de Efraín (Jue. 9:7).

B. Enfasis:

Israel oprimido por los madianitas, Jueces 6:1-6. Los pecados de Israel no son especificados, pero sin duda incluyen la idolatría y "lo malo ante los ojos de Jehovah". Como resultado el Señor los entregó por siete años a la opresión por los madianitas. La voracidad de los madianitas obligó a los hijos de Israel a esconderse en las montañas, cuevas y otros lugares. Las cosechas y el ganado fueron botín fácil para los madianitas, los amalequitas y otros grupos aliados. Los hebreos llegaron a tal estado de calamidad y pobreza hasta que "clamaron a Jehovah".

Dios llama a Gedeón, Jueces 6:7-32. Dios envía a un profeta, de quien no conocemos su nombre, para recordarles la razón de su penosa situación (vv. 7-10). A partir del v. 11 encontramos el llamamiento de Gedeón. Ofra, era una aldea en la tribu de Manasés en el lado occidental del río Jordán. Los abiezeritas eran una de las familias de la tribu de Manasés.

El ángel de Jehovah inicia el diálogo. Gedeón afirma que su situación es debida a que "Jehovah nos ha desamparado". (v.13). Jehovah da a Gedeón una orden: "Vé... y libra a Israel de mano de los madianitas" (v. 15). Gedeón pide que su visitante espere, mientras él prepara un presente, una comida abundante según la costumbre de la hospitalidad. Cuando el ángel desaparece, Gedeón construye un altar nombrado "Jehovah-shalom", así anticipa la victoria de Jehovah sobre los adversarios y el bienestar y el orden tornando a Israel. Aquel altar quedó como un símbolo del poder de Jehovah hasta el día del escritor de Jueces.

Dios prepara a Israel para la batalla, Jueces 6:33 a 7:15. Gedeón procede con dos actividades. En primer lugar, llama a las tribus de Manasés, Aser, Zabulón y Neftalí. Todas responden afirmativamente. En segundo lugar, busca que Dios le provea la seguridad de la victoria. Gedeón pidió que Jehovah mojara un vellón de lana con el rocío, pero dejando seca la tie-rra alrededor. Dios lo hizo así. Luego Gedeón pide una segunda y más difícil señal: que el rocío mojara todo el campo dejando seco el vellón. Dios lo hizo así. De la primera prueba Gedeón había sacado una tasa de agua del vellón, y de la segunda Gedeón levantó un vellón seco mientras tenía los pies sobre un suelo muy mojado.

Ante la inseguridad de Gedeón, Dios le permite ir con su ayudante Fura para escuchar el relato del sueño de uno de los soldados enemigos. Otro madianita interpreta el sueño y con estas palabras Gedeón supo que Dios estaba actuando como el verdadero "Jerobaal" de Israel, o sea el que "lucha contra el enemigo".

Dios da la victoria sobre los madianitas, Jueces 7:16-25. Con los 300 hombres divididos en tres escuadrones, Gedeón los dirige al campamento enemigo. Las tribus de Israel los persiguen, matando a los soldados enemigos. Efraín se une a las demás tribus, capturando y matando dos jefes de los madianitas.

Israel responde a Gedeón y se prostituye, Jueces 8:1-35. La tribu de Efraín expresa su enojo por no haber sido llamada a participar en la lucha contra los madianitas. Gedeón alaba a los guerreros de Efraín por haber capturado a los dos reyes de Madián.

Gedeón y los 300 soldados cruzan el río Jordán y piden alimentos en la importante aldea de Sucot, ellos rehúsan ayudarlos. Gedeón, sigue avanzando y llega a Peniel, pide ayuda a sus habitantes, y ellos también se la niegan. Gedeón promete que al volver castigará a los habitantes de Sucot y de Peniel. Ya el ejército de los madianitas había sido reducido de 120,000 a 15,000 soldados. Subiendo por la ruta comercial, Gedeón conquista a los madianitas, tomando como prisioneros a los dos reyes. Al regresar a Sucot, Gedeón obliga a un joven a escribir los nombres de los 77 jefes de la ciudad. Después de mostrarles a los reyes madianitas que trae como prisioneros, manda a azotar a los 77 jefes de la ciudad, tal como lo había prometido. Al llegar a Peniel Gedeón les muestra a sus prisioneros y derrumba la torre que era un símbolo de orgullo para la ciudad. Gedeón ofrece a su hijo Jeter la oportunidad de matar a los dos reyes enemigos. Jeter no lo puede hacer, por ser muy muchacho, así que Gedeón lo hace (vv. 20, 21).

Los hebreos ofrecen a Gedeón la oportunidad de ser rey de Israel (v. 22). Gedeón rechaza la oferta. Su argumento es que solamente "Jehovah es el rey". Sin embargo, Gedeón pide un arete de oro de cada persona y pronto tiene más 18 kilogramos de oro, sin contar el oro de los otros aretes (v. 26). Gedeón hace un vestido sacerdotal, un efod, y lo pone en su aldea, Ofra. El pueblo ve en el efod un motivo de adoración, y aun la familia de Gedeón es afectada por este "tropiezo". De todas maneras, Israel, reposa de la guerra durante 40 años.

Abimelec se hace rey de Siquem, Jueces 9:1-6. Abimelec, cuyo nombre significa "mi padre es rey" era hijo de la concubina que Gedeón tuvo en Siquem, convence a sus tíos y a la casa paterna de su madre para que lo nombren como gobernador en nombre de los otros 70 hijos de Gedeón. Una vez nombrado, Abimelec mata a sus setenta medio hermanos sobre una piedra. Solo el hijo menor de Gedeón, Jotam, escapa porque se escondió. Al volver a Siquem, Abimelec es proclamado rey.

La parábola de Jotam, Jueces 9:7-21. Jotam, el sobreviviente de la casa de Gedeón, obliga a los de Siquem y sus vecinos a escuchar una parábola. Utilizando la alusión de los árboles, Jotam narra cómo el olivo, la higuera y la vid rehúsan ser el rey de los árboles porque el propósito divino de cada uno es distinto y es más digno. Sin embargo, la zarza está dispuesta a ser el rey de los árboles e irónicamente pide que los demás árboles se refugien bajo su sombra. La aplicación de la parábola habla del carácter de Abimelec y de los hechos que han ocurrido contra los hijos de Gedeón.

Siquem se levanta contra Abimelec, Jueces 9:22-49. Abimelec gobernó por tres años desde la ciudad de Siquem. La maldición de Jotam empieza a cumplirse cuando Jehovah puso un mal espíritu entre Abimelec y los líderes de Siquem. No hay que entender el "mal espíritu" como el diablo o un demonio sino como un ángel de Jehovah que les mostraba su pecado. Abimelec destruye la ciudad de Siquem.

El final de Abimelec, Jueces 9:50-57. La sed de conquista de Abimelec crecía. Atacó la ciudad de Tebes y la tomó. Cuando se acercó a la puerta de la torre para prenderle fuego, una mujer deja caer "una piedra de molino sobre la cabeza de Abimelec". Moribundo, Abimelec, manda a su escudero que lo mate, para que no se dijera que una mujer lo había matado.

───────── **Estudio del texto básico** ─────────

1 Dios llama a Gedeón, Jueces 6:12-14, 25-27.

Vv. 12, 13. El saludo *Oh valiente guerrero* suena como una ironía, pues Gedeón está escondido de los madianitas. La respuesta de Gedeón es práctica, si Jehovah está presente *¿por qué nos ha sobrevenido todo esto?* Recuerda las historias maravillosas que sus padres les han contado de los hechos poderosos del Señor, pero sin duda *Jehovah nos ha desamparado* y por eso están a merced de la maldad de los madianitas.

V. 14. Aquí el relato cambia de las palabras entre el ángel y Gedeón a las palabras de Jehovah: *Vé... y libra a Israel...* El problema pasa de la especulación a las manos de Gedeón. Dios tiene la solución para el problema de los madianitas. Pero, ¿qué responde cuando Dios le dice que uno es parte de la solución al problema? La pregunta: *¿No te envío yo?*, no es retórica. Por supuesto, Dios está presente con Gedeón y dispuesto a darle la victoria en la lucha contra los madianitas.

Vv. 25, 26. El trabajo de Gedeón no empezó con un ataque contra los madianitas. Su primera tarea estaba en su propia casa donde las señales de la idolatría estaban por todos lados: un altar a Baal y un árbol simbólico de la diosa Asera. Gedeón sigue las instrucciones de construir un altar *a Jehovah* y con la misma leña de árbol, símbolo de Asera, ofrece un holocausto después de haber destruido los símbolos de la idolatría.

V. 27. El mandato de Jehovah le fue dado durante la noche, pero Gedeón tuvo miedo de cumplirlo de día porque sabía el compromiso profundo que tenía la gente de su aldea con los ídolos cananeos. Entonces, por la noche, Gedeón con diez hombres de sus siervos echaron abajo el altar de Baal y el árbol sagrado de Asera. Luego, construyó el altar a Jehovah e hizo el sacrificio de consagración. Gedeón actuó con prudencia pues la reacción de la gente fue la de matar a Gedeón. El padre de Gedeón interviene, declarando que Baal puede defenderse solo si es el verdadero Dios. De ahí que Gedeón recibe el nombre de *Jerobaal* porque él estaba dispuesto a luchar contra Baal (v. 32).

2 Dios prepara a Israel para la batalla, Jueces 7:2, 7.

V. 2. El ejército de Gedeón incluía a unos 32,000 hombres. Los soldados madianitas eran aproximadamente 135,000 (8:10). La posibilidad de que los hebreos se jactaran por la victoria motivó a Jehovah a reducir aún más el número de los combatientes. Jehovah quería demostrar que la victoria era de él, y por lo tanto recibir el debido reconocimiento.

V. 7. La selección redujo el ejército de Gedeón de 32,000 a 10,000 y finalmente quedaron 300 soldados. El proceso por el cual Dios guió a Gedeón para hacer la selección: *los 300 que lamieron el agua*, revela mucho del carácter y actitud de los soldados seleccionados. Eran los que estaban dispuestos a entregarse por completo a favor de su pueblo y listos para dar la gloria a Dios por la victoria.

3 Dios da la victoria a Israel, Jueces 7:19-21.

Vv. 19, 20. Cerca de la medianoche Gedeón y los 300 soldados vieron el cambio de la guardia, y empezaron a tocar las cornetas y a quebrar los cántaros, tomando las teas con su mano izquierda. Además gritaron, *¡La espada por Jehovah y por Gedeón!"* La escena fue sorprendente. El ruido de los cántaros al quebrarse, el sonido de las trompetas, los gritos de victoria, y las 300 teas que cerraban el círculo despertaron a los madianitas.

V. 21. Los madianitas se despertaron asustados y cada uno *echó a correr gritando y huyendo* pues no sabían qué estaba pasando. La confusión y el pánico que se apoderó de ellos los condujo a atacarse entre sí (v. 22).

Aplicaciones del estudio

1. El creyente inseguro y temeroso debe escuchar la voz de Dios, quien nos dice "*¡Jehovah está contigo, oh valiente guerrero!*" Jueces 6:11, 12. Gedeón siempre fue una persona insegura, Dios lo sabía y por eso estuvo con él para darle ánimo y fortaleza. Hoy muchos de nosotros estamos preocupados por las crisis y la incertidumbre del porvenir, pero recordemos que Jehovah está con nosotros.

2. Cada creyente tiene que empezar en su casa el proceso de lealtad a Dios, Jueces 6:25, 26. El primer desafío de Dios a Gedeón fue de limpiar su propia casa antes de ir en contra de los madianitas. Es fácil ir al mundo con sugerencias e ideas, pero es más difícil producir un cambio concreto en nuestra misma casa. Ver las faltas y los pecados de otras personas es más fácil que ver las faltas y los pecados de uno mismo, y de los que están en la familia.

Ayuda homilética
¿Una grandeza falsa?
Jueces 9:6-21

Introducción: Cuando Abimelec es proclamado rey, Jotam, el único hijo de Gedeón que sobrevivió, cuenta una parábola a los moradores de Siquem. Jotam llega a ser la voz de Dios, advirtiendo sobre la falsedad de la grandeza de Abimelec.

I. Los árboles deciden elegir un rey.
  A. El olivo rehúsa ser el rey porque tiene la noble tarea de producir aceite, así honrando a Dios y a los hombres.
  B. La higuera rehúsa ser el rey porque tiene un dulce papel en la vida produciendo un fruto muy rico.
  C. La vid rehúsa ser el rey porque su producto, el vino, da alegría a Dios y a los hombres.

II. La zarza acepta ser el rey, y empieza a hacer demandas.
  A. Demandas imposibles sobre la libertad de los otros árboles.
  B. Demandas que nos enseñan que: (1) Cada persona tiene su propósito en el mundo, y (2) Que la mayor grandeza de una personas está en hacer la voluntad de Dios para su vida.

Conclusión: El creyente que pacientemente cumple la voluntad de Dios en su vida cada día, llega a ser verdaderamente grande.

Lecturas bíblicas para el siguiente estudio

Lunes: Jueces 10:1-5   **Jueves:** Jueces 11:29-40
Martes: Jueces 10:6-18   **Viernes:** Jueces 12:1-7
Miércoles: Jueces 11:1-28   **Sábado:** Jueces 12:8-15

AGENDA DE CLASE

Antes de la clase
1. Repase las citas del estudio de hoy. **2.** Conteste las preguntas de la sección *Lee tu Biblia y responde*. **3.** Escriba el versículo clave en una cartulina divídalo para rompecabezas, al formarlo que aparezca por el otro lado el dibujo de un guerrero. **4.** Prepare dos cuartos de cartulina de colores. **5.** Prepare una bolsa de papel y periódicos. **6.** Hojas blancas y dulces o caramelos.

Comprobación de respuestas
JOVENES: **1.** Angel, Gedeón, Jehovah, Jehovah, Gedeón. **2.** a) Propia, mano, me ha librado. b) 300, lamieron, libraré madianitas. **3.** 100, tres, todo.
ADULTOS: **1.** a) Valiente guerrero. b) Jehovah. c) Librar a Israel de los madianitas. **2.** a) Para que Israel no se jactara contra Dios. b) 300. **3.** Tocar las cornetas, quebrar los cántaros y gritar.

Ya en la clase
DESPIERTE EL INTERES
1. Haga pelotas de papel periódico y divida al grupo en dos partes. Coloque la bolsa lejos de ellos y el equipo que logre meter más pelotas en la bolsa será el escogido y ganador.
2. Muéstreles que Dios tiene muchas estrategias para escoger a sus ayudantes. Primero escogió al líder Gedeón y después a los hombres que lucharían contra los madia-nitas.
3. Brevemente explique el panorama del estudio de hoy.
4. Reparta las partes del rompecabezas y ponga el dibujo del guerrero al frente del salón utilizándolo como título del estudio.
5. Repasen el versículo clave invitándolos a memorizarlo.
6. Regale un dulce o caramelo a los ganadores.

ESTUDIO PANORAMICO DEL CONTEXTO
1. Lean el estudio panorámico del contexto del libro de alumnos. Haga notar cómo el pueblo de Israel le vuelve las espaldas a Dios. Los madianitas están oprimiendo al pueblo de Israel. Dios busca un líder que los libre de esta opresión.
2. Pida a los alumnos que comenten la actitud de Gedeón ante la oferta de los hebreos. Así mismo que comparen la actitud de Abimelec.

ESTUDIO DEL TEXTO BASICO

1. Vuelva su atención al versículo clave. Pregunte cuántos lo memorizaron.

2. Lean en voz alta los versículos marcados por el estudio.

3. Divida la clase en dos grupos. Entrégueles las cartulinas de colores.

4. Cada cartulina trae unas palabras. Deje que los alumnos escriban al lado de cada una de ellas lo que significa o el significado que ellos le dan de acuerdo con el pasaje.

5. En el primer grupo enliste las siguientes palabras: Valiente, guerrero, Señor mío, con nosotros, desamparado, entregado, tu fuerza, te envío yo. Segundo grupo: toma, edifica, ordenadamente, jacte, librado, pregona, me ha librado, teme y temible.

6. Dígales que esas palabras están en el texto que leyeron. Pueden cambiar impresiones con el que está a su lado o con todo el grupo.

7. Pida los comentarios del primer grupo. Coloque las palabras en el pizarrón. Presente un comentario de lo sucedido en los primeros versículos.

8. Presente las palabras del segundo grupo. Pida comentarios del grupo. Si el primer grupo tiene algo que agregar permítaselo. Haga la explicación del resto de los versículos.

9. Mencione la verdad central y pregúnteles cuántos están listos para obedecer la voz del Señor.

10. Termine la clase con una oración pidiendo por todos los miembros de su iglesia para que estén listos a la voz de Dios.

APLICACIONES DEL ESTUDIO

JOVENES. Pregunte cuántos están colaborando en la iglesia con algún ministerio. Pida a ese alumno que comente si se le capacita o solo se ha dejado llevar por su intuición. Mencione que Dios capacita a todo aquel que se lo pide y que Dios le necesita para hacer su obra. Dios tiene su manera de actuar por tal razón no comprendemos sus acciones, pero si depositamos nuestra confianza en él, todo saldrá bien.

ADULTOS. Lean las aplicaciones y pídales que relaten alguna experiencia de llamamiento de Dios a su obra.

PRUEBA

ADULTOS: permita que la contesten en voz alta para bendición de la clase. JOVENES: reparta hojas blancas y que escriban sus respuestas.

La crisis y el voto de Jefté

Contexto: Jueces 10:1 a 12:15
Texto básico: Jueces 10:10-16; 11:30-32, 34, 35
Versículo clave: Jueces 10:15
Verdad central: Los dieciocho años de opresión que sufrió Israel y el voto de Jefté demuestran el peligro de rechazar a Dios y de basar la vida en conceptos equivocados acerca de él.

Meta de enseñanza-aprendizaje: Que el alumno demuestre su conocimiento de las razones que pusieron a Israel bajo la opresión de los amonitas, su arrepentimiento, y desafortunado voto de Jefté, y su actitud para revisar sus conceptos acerca de Dios a fin de saber en qué está basando su vida.

───────────── **Estudio panorámico del contexto** ─────────────

A. Fondo histórico:

Los jueces desempeñaron una función importante para el pueblo hebreo. Fueron legisladores, mediadores en los problemas entre personas o familias y sobre todo líderes militares por medio de quienes Dios proporcionó períodos de tranquilidad a Israel. Debido a esa importancia generalmente encontramos información bastante detallada sobre cada juez, por ejemplo: su tribu o lugar de origen, años de servicio, hijos, especialmente cuando había varios y lugar de sepultura.

B. Enfasis:

Los jueces Tola y Jaír, Jueces 10:1-5. Tola y Jaír son llamados jueces menores porque la información sobre ellos es mínima. Tola, cuyo nombre significa "gusano rojo", era de la tribu de Isacar, aunque habitaba en Samir, región que pertenece a la tribu de Efraín, ubicada al sur de Isacar. Tola juzgó a Israel durante 23 años, pero no sabemos quiénes eran sus adversarios. También fue sepultado en Samir.

Jaír, otro de los jueces, era de Galaad, un territorio de Manasés. El juzgó durante 22 años, tuvo treinta hijos quienes llegaron a ser relativamente ricos porque cada uno tenía su asno y sus villa. Como en el caso de Tola no se sabe el nombre de los enemigos del juez Jaír, cuyo nombre significa "Jehovah ilumina".

Los amonitas oprimen a Israel, Jueces 10:6-18. La lista de los dioses paganos incluye a casi todos los dioses conocidos en Palestina. Los hebreos fueron influenciados por la idolatría y pronto abandonaron a Jehovah, el Dios vivo y exclusivo. Ahora los amonitas y los filisteos entran en la escena para oprimir al pueblo hebreo. Es posible que la opresión que duró 18 años, mencionada en el versículo 8, la hayan hecho los amonitas contra la parte de Israel que vivía en el otro lado del Jordán, y una opresión paralela de parte de los filisteos sobre los que vivían en Canaán, a este lado del río Jordán. La parte final del pasaje nos cuenta que los líderes de Galaad hacen una oferta para la persona que se ponga al frente para combatir en contra de los amonitas.

Jefté se levanta como juez, Jueces 11:1-28. La descripción de Jefté empieza llamándole "un guerrero valiente". Jefté era "hijo de una mujer prostituta" (11:1), pero ¿qué culpa tenía él? Sin embargo, su vida entera estaba marcada por ese hecho. Sus medio hermanos lo echaron del hogar y le quitaron su herencia. Esto conduce a Jefté a aprender a vivir entre "los ociosos" hasta que llega a ser un líder de una banda que vive en la aldea de Tob, un pueblo sirio cuyo nombre significa "bueno".

La opresión amonita obligó a los líderes de Galaad buscar a un "libertador" (vv. 4-11). Encuentran a Jefté, el medio hermano que antes habían echado y despojado. En Mizpa los dirigentes, el pueblo y Jefté hacen "un pacto" citando a Jehovah como "testigo entre nosotros si no hacemos como tú dices". Estas palabras tienen un profundo significado y muestran un compromiso serio de ambas partes. Jefté era un líder astuto, y comienza su estrategia contra los amonitas enviando mensajeros y estimulando una reacción pacífica por parte del rey amonita. Este lo ignora, y así Jefté se siente "legalmente" en condiciones de responder a la agresión.

El desafortunado voto de Jefté, Jueces 11:29-40. Al concluir su presentación legal a los amonitas Jefté recibe la presencia del Espíritu Santo para ir a la lucha contra los amonitas. Jefté hace una promesa a Dios: si gana la batalla, la primera persona que él vea salir de su casa será ofrecida como un sacrificio de consagración. Tal voto no había sido pedido por Dios ni era necesario. Desafortunadamente la fe de Jefté estaba contaminada con los conceptos cananeos. La batalla en sí entre los hebreos y los amonitas ocupa solo dos versículos (vv. 32, 33), mientras el voto de Jefté y su cumplimiento ocupa la mayor parte del relato (vv. 30, 31, 34-40). El sumario de la batalla muestra la toma de veinte ciudades, algunas en el corazón del territorio amonita, una victoria decisiva. Al regresar a su casa en Mizpa, Jefté, se encuentra con su hija, su único descendiente, quien celebrando la victoria sale a recibirlo (v. 34). Jefté recuerda su voto, y lamenta el haberlo hecho. La hija, una doncella, quizás entre los 13 y 17 años, anima a su padre a cumplir su voto. Ella pide tener dos meses en los montes con sus compañeras. Tan significativo fue este evento, que los hebreos establecieron cuatro días de lamento por la hija de Jefté, cada año.

Guerra entre Galaad y Efraín, Jueces 12:1-7. Otra vez, los de Efraín llegan tarde a la guerra. Amenazan a Jefté quien les responde que sí los había llamado para que le ayudaran, pero cuando no vinieron él fue sólo a la lucha. Jefté, por lo tanto, llamó a los de Galaad y combatió contra los de Efraín, y ganó la batalla. Para conocer el origen de los soldados de Efraín utilizó la voz y el acento cisjordano de la palabra *shibólet*, que significa "el río está inundado". La pronunciación del sonido "s" por "sh" de los transjordanos. En total murieron 42,000 hombres, una cantidad enorme para aquellos tiempos. La conclusión dice que Jefté juzgó durante seis años y fue sepultado en Mizpa, "su ciudad".

Ibzán, Elón y Abdón, jueces de Israel, Jueces 12:8-15. Estos tres jueces ocupan un espacio de 8 versículos, por eso están considerados entre los jueces menores. Ibzán era de la ciudad de Belén en Zabulón, no la ciudad de Belén en el sur (Judá) donde nació Jesús. Su nombre significa "ágil" o "rápido". Sus relaciones con los no hebreos eran famosas, hasta el punto de casar a sus treinta hijas con extranjeros. Además trajo a treinta mujeres foráneas para sus treinta hijos. Juzgó durante siete años y fue sepultado en su ciudad, Belén.

Elón, cuyo nombre significa "encina" o "árbol sagrado", juzgó durante 10 años, y fue sepultado en Ajalón de Zabulón, no la ciudad de Ajalón en el sur donde el sol se paró en los días de Josué. No sabemos quién fue el enemigo de Elón ni el propósito de su nombramiento como juez.

Abdón, cuyo nombre significa "servicio", nació en Piratón, una aldea 8 km. al sur de Siquem. Tenía 40 hijos y 30 nietos. Tuvo una familia con una riqueza notable. De sus triunfos, no se sabe nada. De hecho, los jueces menores, Ibzán, Elón y Abdón, parecen ser personas que escuchaban las riñas de la gente y emitían juicio, como hizo Débora en el comienzo (4:4, 5).

──────────── **Estudio del texto básico** ────────────

1 Los amonitas oprimen a Israel, Jueces 10:10-16.

V. 10. Los hebreos, de nuevo, se encuentran en un apuro y claman a Dios. Esa generación de los hebreos había sido especialmente abierta a todos los falsos dioses (v. 6). Su conocimiento religioso era mucho más amplio que el de sus antepasados. Su mezcla de dioses incluía a Baal, Astarte, Dagón, Quemós y otros.

Hay dos verdades que saltan a la vista: Primera, que hay muchas personas que esperan llegar a la tragedia antes de hablar con Dios y buscar su voluntad. Segunda, que el conocimiento religioso no es una garantía de una fe sana y creciente.

Vv. 11-14. Jehovah responde a los clamores de su pueblo, pero con palabras francas. Les nombra a siete grupos que los habían oprimido y les hace recordar el ciclo de su pedido de auxilio y la liberación dada a ellos por él en cada caso. Los hebreos expresaron su "gratitud" adorando a los dioses derrotados en lugar de a Jehovah. Irónicamente el Señor les dice que vayan y pidan ayuda a aquellos dioses que han elegido.

Vv. 15, 16. Los hebreos siguen insistiendo a Jehovah. El Señor parece no escucharles hasta que *quitaron de en medio de ellos los dioses extraños y sirvieron a Jehovah.* La reacción de Jehovah, al ver que los hebreos quitaban a los dioses falsos, fue tierna y amorosa: *Y él no pudo soportar más* (literalmente su alma se partió en dos) *la aflicción de Israel.* Observemos a un Dios que siente emociones profundas, hasta las lágrimas, amoroso, pero siempre justo y santo.

2 El desafortunado voto de Jefté, Jueces 11:30-32, 34, 35.

Vv. 30, 31. Jefté ya tenía el Espíritu Santo con él, eso era todo lo que necesitaba para realizar la tarea que Jehovah había puesto en sus manos. Jefté, sin embargo, quiso más garantías de la actividad de Jehovah a su favor, e hizo un voto a Jehovah. Jefté ofrecía a Dios un holocausto, un sacrificio donde se quema enteramente la ofrenda para mostrar una consagración o dedicación total. En el caso de Jefté, el holocausto iba a ser la primera persona que saliera de su casa para saludarlo cuando volviera de la victoria. Recordemos que el sacrificio humano no era una práctica aceptada entre los hebreos, aunque era una práctica de casi todos los pueblos antiguos (Lev. 18:21; 20:2-5). En los pueblos antiguos el sacrificio humano servía para demostrar la total dedicación del adorador. Además servía a un doble propósito: animaba a otros: soldados, moradores y familia; y manipulaba al dios a favor de su adorador. Puede ser que todos estos conceptos formaban parte la formación religiosa de Jefté y por lo tanto hizo tal compromiso.

V. 32. Jefté va a la guerra contra los amonitas. No se especifican las dimensiones de la guerra, aunque hay una pista en el v. 33 que indica la toma de veinte ciudades, algunas muy dentro del territorio amonita. Jehovah, dio la victoria a Jefté tal como se lo había prometido.

V. 34. La frase *he aquí* sirve para atraer la atención del lector. Jefté está llegando a su casa después de una batalla intensa, seguramente cansado, pero muy contento de haber ganado. Mizpa era su hogar, y su única hija era lo más precioso que tenía en su vida. Entonces aparece su hija con "panderos y danzas", seguramente ella sabía de la victoria y estaba celebrando la llegada de su querido padre y jefe general del ejército.

V. 35. La alegría se convierte en tristeza y horror cuando Jefté se da cuenta de que es su hija la que sale para saludarlo. *¡Ay, hija mía!* expresa el dolor de un padre que reconoce que ha *abierto* la boca delante de Jehovah y ahora tiene que cumplir su palabra. Seguramente el voto de Jefté había sido oído y visto por los hebreos, así que era un voto formal y por lo tanto irrevocable. Es evidente que la muchacha no sabía del voto y en su ignorancia era una más *entre los que... afligen* a Jefté. La hija no desea que su padre sea infiel a su voto con Jehovah, y por lo tanto le anima a cumplir su promesa. Por otro lado, expresa cierta felicidad por la victoria sobre los enemigos, los hijos de Amón.

———————— Aplicaciones del estudio ————————

1. El conocimiento de muchas religiones no es una garantía de una vida feliz, Jueces 10:6, 7, 11-16. Los hebreos fácilmente comprendieron y mezclaron con su fe los aspectos de la adoración de las varias culturas en Canaán. Su conocimiento religioso era admirable desde el punto de vista humanístico, sin embargo, desde el punto de vista de Dios fue un abandono a él. Nosotros debemos comprender los aspectos importantes de otras religiones con el propósito de testificar a los demás acerca del Dios verdadero y único.

2. El creyente debe comprender a los niños que nacen en hogares

destruidos, Jueces 11:1-3. Jefté fue hijo de una prostituta. Por ese hecho aun sus medio hermanos lo despreciaron y le quitaron su heredad. Recordemos que Dios también ama a los "hijos de las prostitutas" que han sido echados de sus casas y viven en las calles con los "ociosos". Dios puede usar a esos "Jeftés". ¿Cuántas veces hemos mirado con desprecio o criticado a aquellos que vienen de hogares "inferiores" a los nuestros? El cristiano debe dar gracias a Dios por tener un hogar "mejor". Además debe interesarse y hacer algo por ayudar a "esos niños" o "esas niñas" que aunque no son tan valientes como Jefté, Dios los ama y puede hacer personas muy útiles.

Ayuda homilética

Lo que creemos de Dios determina el estilo de vida
Jueces 11:29-40

Introducción: Lo que creemos de Dios determina la manera en que adoramos, el estilo de nuestra vida y cómo la invertimos. Los errados conceptos religiosos de Jefté lo expusieron a tomar decisiones y a hacer promesas que resultaron en dolor y angustia para él, para su hija y para el pueblo del Señor.

I. Si creemos que Dios es soberano de nuestra vida.
   A. No olvidaremos su Palabra y el hecho que ya tenemos la presencia de su Santo Espíritu (v. 29).
   B. No haremos sacrificios que Dios no ha pedido (vv. 31, 39).
   C. No pretenderemos manipular al Señor como lo hacían los cananeos.
II. Si creemos en un Dios bueno y justo.
   A. Nuestra victoria no se convertirá en tristeza como le ocurrió a Jefté.
   B. Las siguientes generaciones no tendrán que lamentar por nuestros errores (vv. 37-40).

Conclusión: Hay que conocer bien la Palabra de Dios, para conocer a Dios y no actuar de una manera contraria a sus mandamientos "de vida". Jehovah es un Dios justo y santo. El creyente ha de ser un discípulo que sigue fielmente las huellas del Maestro de Galilea.

Jueces 11:27 - "Jehová, el Juez"
Heb. 11:32, 33

Lecturas bíblicas para el siguiente estudio

Lunes: Jueces 13:1-25
Martes: Jueces 14:1-20
Miércoles: Jueces 15:1-17
Jueves: Jueces 15:18-20
Viernes: Jueces 16:1-22
Sábado: Jueces 16:23-31

AGENDA DE CLASE

Antes de la clase

1. La hoja para rotafolio donde está anotando los jueces. **2.** Prepare una cartulina con la verdad central. **3.** Haga cuatro círculos pequeños y uno grande. **4.** Repase el texto básico y conteste las preguntas de la sección *Lee tu Biblia y responde*. **5.** Pizarrón y gis.

Comprobación de respuestas

JOVENES: **1.** a) A Baales y otros dioses. b) Egipto, Amorreos, amonitas, filisteos. c) Reconocer su pecado, quitar los dioses ajenos y alabar a Jehovah. **2.** a) Sacrificar a cualquiera que saliera de su casa para saludarlo después de la victoria. b) Su hija. c) Hacer cuatro días de duelo cada año.

ADULTOS: **1.** a) Verdadero. b) Falso. c) Verdadero. d) Verdadero. e) Verdadero. f) Verdadero. **2.** a) Quemar a cualquiera que saliera de su casa para saludarlo, después que regresara de la victoria. b) Su hija.

Ya en la clase

DESPIERTE EL INTERES

1. Inicie la clase preguntando si en su país o región los antiguos habitantes tenían dioses (sol, luna, fertilidad, cosecha, etc.) Dé un tiempo para que hagan comentarios y narren alguna historia acerca de esos dioses.

2. Muéstreles los círculos pequeños donde escribirán los nombres de los dioses que los hebreos, por olvidar a Dios, estaban adorando. En el círculo grande escriba la palabra DIOS.

3. Lance la pregunta: ¿Por qué el pueblo de Dios se aleja de él? ¿Por qué hubo tanto pueblo que los oprimió?.

4. Muéstreles que en esta clase veremos al pueblo de Dios oprimido por los amonitas, y vuelven a pedir ayuda a Dios, reconociendo su pecado. No niegan que están adorando a otros dioses.

5. Recuérdeles que Dios no nos impide ser fieles.

ESTUDIO PANORAMICO DEL CONTEXTO

1. Pida a un alumno que escriba el título del estudio de hoy. Mencióneles que el pueblo de Dios se encuentra dentro de un círculo de pecado y restauración. Explique cuántos jueces ha levantado Dios para librar a su pueblo de los opresores. **2.** JOVENES: permita que escriban el nombre del siguiente juez que levantó Dios. ADULTOS: observen la cartulina preparada con la lista de jueces constatando los jueces que preparó Dios para su pueblo.

ESTUDIO DEL TEXTO BASICO

1. Indique a la clase que busque en sus Biblias el texto básico y permita que lo lean. Resalte la idea principal del estudio, utilice la cartulina con la verdad central.

2. Permita que su clase participe y haga comentarios relacionados con los versículos.

3. Retome la primera parte del estudio de Jueces 10:10-16. Pida a un voluntario que interprete el primer versículo. Usted amplíe la explicación en caso necesario, invite a otro alumno a profundizar en el mismo. De esta manera continúe el estudio.

4. Comente que las personas que viven alejadas de Dios hacen votos y promesas a dioses ajenos y nunca les va bien. Muéstreles la siguiente parte del estudio Jueces 11:30-32. Elabore preguntas como estas: ¿Quién era Jefté? ¿Qué hizo Dios? ¿Por qué se considera innecesario el pacto? ¿Cómo era el carácter de Jefté? ¿Quién salió al encuentro de Jefté? ¿Cumplió Jefté el pacto hecho con Dios? ¿Qué hizo el pueblo después de la muerte de la hija de Jefté? Puede escribirlas en papelitos.

5. Dé un tiempo necesario para cada respuesta.

6. Propóngales un reto: que contesten la sección Lee tu Biblia y responde sin consultar la Biblia ni su revista. A la persona que termine primero y lo haya contestado correctamente dele un pequeño premio. De esta manera se dará cuenta de si sus alumnos aprendieron el estudio.

7. Invítelos a que se preparen para el siguiente estudio. Encárgueles pequeñas tareas de lectura de los versículos del próximo estudio.

8. Termine su estudio con una oración. Invite a un alumno a que la haga; formen un círculo, tomados de las manos.

APLICACIONES DEL ESTUDIO

Es importante hacer notar las aplicaciones que muestra el estudio. Sus alumnos pueden decir qué aplicación tiene para su vida el estudio de hoy.

PRUEBA

Forme equipos de tres (dependiendo del número de alumnos) para que contesten esta sección.

Unidad 6

Sansón un mayordomo irresponsable

Contexto: Jueces 13:1 a 16:31
Texto básico: Jueces 13:1-5, 8, 24; 16:18-21, 28-30
Versículo clave: Jueces 13:8
Verdad central: La actuación de Sansón como mayordomo irresponsable nos enseña que no usar, o usar mal los dones y talentos que Dios nos ha dado resulta en tragedia.
Meta de enseñanza-aprendizaje: Que el alumno demuestre su conocimiento de la actuación de Sansón como mayordomo irresponsable, y su actitud hacia el uso de los dones y talentos que Dios le ha entregado.

———————— Estudio panorámico del contexto ————————

A. Fondo histórico:

Los filisteos. Era un nombre común que se daba a los pueblos que ya estaban en Canaán cuando los hebreos llegaron alrededor de 1,200 años antes de J.C. Los filisteos eran el grupo que habitaba cerca de la costa del Mediterráneo y una de las tres agrupaciones más poderosas en Canaán: 1) Adonibezec, el rey cananeo en el sur, 2) Jabín, el rey cananeo en el norte, y 3) la confederación de las cinco ciudades filisteas en la costa. El nombre "Palestina" para designar a Canaán, que aún se usa hoy, se deriva de la forma griega para designar a los descendientes de los filisteos (griego, *palaistinoi*).

B. Enfasis:

El nacimiento de Sansón, Jueces 13:1-25. El relato que prepara el lector para el nacimiento de Sansón nos hace recordar el nacimiento de Isaac en Génesis, el nacimiento de Samuel en 1 Samuel y los nacimientos de Juan el Bautista y Jesús en Lucas. Los encuentros con el ángel de Jehovah con Manoa y con su mujer están bien detallados. El nombre *Manoa* significa "descanso" como indicando por medio de quien vendría el descanso para los hebreos.

El casamiento de Sansón, Jueces 14:1-20. Tres veces Sansón se enamoró: de la mujer timnatea (14; 15), de la mujer prostituta de Gaza (16:1-3) y de Dalila, una mujer del valle de Sorec (16:4-22). Esta sección relata su relación con la primera mujer. Se destaca el hecho que era una mujer filistea y no hebrea, pero que Dios permitió tal relación para crear las condiciones de librar a los hebreos de la opresión filistea.

La venganza de Sansón, Jueces 15:1-17. Después de algún tiempo, durante la siega del trigo, Sansón decide unirse a su mujer y va a buscarla llevando un cabrito como regalo. El padre de la mujer explica que a su parecer Sansón había rechazado a su hija, entonces él la había dado al compañero de Sansón. El padre ofrece a Sansón a su hija menor, hermana de la mujer, quien es aún más hermosa. Sansón rechaza la oferta y declara su inocencia por la venganza que tomará contra los filisteos.

Con 300 zorras atadas por las colas, puso una tea entre cada dos colas, y así quemó la cosecha de un año de los filisteos. Cuando éstos se enteran queman a la mujer timnatea y a su padre. Sin embargo, el enojo de Sansón aumentaba aún más y comenzó a matar a los filisteos "con gran mortandad". Luego se fue para vivir en la cueva de la peña de Etam.

Las acciones de Sansón ya están llevando a los filisteos a la guerra con Judá (v. 9). Sin embargo, los de Judá deciden entregar a Sansón y evitar la guerra. Otra vez el poder del Espíritu Santo se manifiesta en Sansón. Después de matar a 1,000 filisteos con la quijada de un asno, compone un dicho y nombra al lugar Ramat-leji, que significa "la colina de la quijada".

La oración de Sansón, Jueces 15:18-20. Aunque Sansón no había dado la alabanza a Jehovah en el relato anterior, él se siente con derecho de pedir el agua de Jehovah. El lugar recibió el nombre de En-hacoré, cuyo significado es "el manantial del que exige o clama". El versículo 20 que aparece como el final a la historia de Sansón, informando de sus 20 años como juez.

La indiscreción de Sansón, Jueces 16:1-22. Los versículos 1-3 nos cuentan lo que pasó con la segunda mujer de Sansón. Es una filistea de Gaza y una prostituta. Los hombres de la ciudad de Gaza esperan a Sansón toda la noche para matarlo, sin darse cuenta de que Sansón se fue a medianoche con las dos puertas de la ciudad y sus postes.

En el v. 4 relata la caída de Sansón cuando se enamoró de la filistea Dalila, su nombre significa "la de cabellera larga". Ella vivía en el valle de Sorec, que significa "uva roja". El valle se extendía desde cerca de Jerusalén hasta el mar Grande. El versículo 22 le da un rayo de esperanza cuando dice que su cabello "comenzó a crecer".

La muerte de Sansón, Jueces 16:23-31. Al derrotar a Sansón, los filisteos ofrecen "un gran sacrifico" a Dagón, su dios, alabándolo por su ayuda en conquistar a Sansón. Luego traen a Sansón para burlarse de él. Entonces, Sansón pidió ayuda a Jehovah para matar a los 3,000 filisteos en el templo.

--------------------- Estudio del texto básico ---------------------

1 El nacimiento de Sansón, Jueces 13:1-5, 8, 24.

V. 1. El ciclo se repite, *los hijos de Israel volvieron a hacer lo malo ante los ojos de Jehovah.* La consecuencia del pecado es que Dios los entregó en mano de los filisteos para que los oprimieran durante 40 años.

V. 2. Es interesante la ausencia de la petición de "liberación" de la opresión filistea por parte de los hebreos. Esta honestidad del relato subraya el hecho que Dios está atento y suple las necesidades de su pueblo aun sin que le sea específicamente pedido. La gracia de Dios interviene para ayudar a los hebreos y proveerles su libertad de la opresión.

Un hombre de Zora, ubicado a unos 13 km al oeste de Jerusalén, llamado Manoa, cuyo nombre significa "descanso", de la familia de Dan, está casado con una mujer estéril, por lo tanto era un hombre sin hijos. Este hecho era considerado como grave y lamentado por todos. Nos recuerda los casos de Abraham y Sarai (Gén. 16:1), Elcana y Ana (1 Sam. 1:2) y Zacarías y Elisabet (Luc. 1:7). En aquel tiempo siempre se decía que la mujer era el miembro estéril en una pareja, porque no se entendía el hecho que el hombre también podía ser la causa de no tener hijos.

Vv. 3-5. El ángel de Jehovah se le aparece a la mujer de Manoa. La frase *he aquí* divide el contenido del mensaje del ángel, del relato. El ángel empieza utilizando la palabra grave de *estéril*, pero le da una buena nueva: va a concebir, y *darás a luz un hijo*. La buena noticia está acompañada de un mandato: *no bebas vino ni licor. Tampoco comas nada inmundo.* Por supuesto, la futura madre iba a querer contarle a su marido la noticia y celebrar el acontecimiento del nacimiento de su hijo. El ángel señala un nuevo estilo de vida para los padres en vista de lo especial que sería el niño. El niño será *nazareo de Dios* y "sobre cuya cabeza no pasará navaja", y a la vez será un mesías, libertador de Israel de la opresión filistea. El voto nazareo consagraba a un individuo al Señor durante un tiempo largo, toda la vida, o durante un período corto (Núm. 6:1-21). Las características nazareas aparecen también en la vida de Juan el Bautista (Luc. 1:15-17), y en la vida de Pablo durante un viaje a Jerusalén (Hech. 18:18; 21:22-26). Quizás la dedicación de Samuel de parte de Ana es otro ejemplo (1 Sam. 1:28).

V. 8. Cuando Manoa recibe la noticia del nacimiento de un niño de los labios de su esposa, ora a Dios pidiendo la oportunidad para conversar con *aquel hombre*, el ángel, para saber cómo cuidar y tratar al niño. Se da cuenta de la inmensa responsabilidad de cuidar a un niño, y aún más cuando el niño tiene asignado un papel importante en la vida de Israel. Cada niño es un don importante de Dios y merece nuestras oraciones al Señor para saber cómo hacerlo crecer en una manera sana y adecuada.

V. 24. Nace el niño y lo llaman *Sansón*, cuyo nombre significa "del sol". Crece y es bendecido por Jehovah. Muy pronto empieza a sentir la presencia del Espíritu Santo mientras está en el campamento entre Zora y Estaol. Hasta aquí, la historia de Sansón es fantástica. Su comienzo es tan noble y espiritual como el de Samuel o Juan el Bautista. ¿Por qué no pudo continuar así?

2 La indiscreción de Sansón, Jueces 16:18-21.

Vv. 18-20. Sansón tenía un problema serio en sus relaciones con las mujeres. Se enamoró en tres oportunidades y en las tres fracasó. Dalila fue su tercera mujer después de haber fracasado con una mujer timnatea (14:1-20), y con una mujer prostituta de Gaza (16:1-3). Dalila había decidido extraer de Sansón la razón de su fuerza para recibir una verdadera fortuna de parte de los líderes filisteos. Tres veces Sansón miente a Dalila quien juega con Sansón y le presiona todos los días. Por fin, Sansón explica a Dalila la naturaleza del voto nazareo que incluía la abstención de cortarse el cabello. Dalila tiene la información con la cual puede traicionar a Sansón y llegar a ser riquísima, tanto como una mujer de la ciudad y no solamente una mujer del valle de Sorec (16:4).

De hecho, los filisteos le creen a Dalila y le traen el dinero. Sansón duerme sobre las rodillas de Dalila mientras un hombre filisteo le corta *los siete mechones de su cabeza.* Como las otras veces, Dalila despierta a Sansón gritando que está siendo atacado por los filisteos. Sansón no está preocupado porque él sabe de su fuerza. Sin embargo, al compartir con Dalila los detalles del voto nazareo, Sansón había jugado con la paciencia y la misericordia de Dios. El intento de Sansón para librarse de los filisteos fracasó porque *Jehovah se había apartado de él.* No había nada mágico en su cabello, éste solamente era un símbolo de un compromiso muy íntimo y profundo con Jehovah.

V. 21. Rápidamente los filisteos arrancan los ojos de Sansón para cegarlo, lo llevan a la cárcel de Gaza y lo ponen a moler cereales, especialmente trigo. Esta labor era una dura tarea y se asignaba a los esclavos más bajos en la cultura egipcia y filistea (Exo. 11:5). Su indiscreción lo condujo a que cambiara los montes y los campos libres por la cárcel filistea en Gaza donde sólo le esperaba una alimentación pobre, un trabajo duro y una tortura lenta que le conduciría hacia la muerte.

3 La muerte de Sansón, Jueces 16:28-30.

Vv. 28, 29. Los filisteos celebraron con regocijo la captura de Sansón con un culto en el gran templo de Dagón. Luego trajeron a Sansón de la cárcel al templo para que sirviera de *espectáculo,* es decir, burlarse y divertirse a costas de Sansón. Las formas de la diversión eran crudas y salvajes, entre otras cosas podía incluir: vestirlo y desvestirlo en público, hacerlo jugar algún papel cómico, unir sexualmente a la persona con animales. Todas aquellas escenas podrían haber esperado a Sansón, una vez el "libertador de Israel". El carácter de Sansón lo traicionó, e Israel no iba a ser librado de los filisteos sino hasta el reinado de David.

La oración de Sansón en el templo filisteo es muy distinta de lo que dijo en Ramat-leji (15:16) o la petición exigente de En-hacoré (15:18). Ahora, las palabras muestran una humildad aprendida a través del sufrimiento: *¡Señor Jehovah, por favor, acuérdate de mí! Dame, te ruego...* Hermosa oración, pero demasiado tarde para cambiar la tragedia de su vida en una victoria significativa.

V. 30. Jehovah bendice a Sansón, dándole la fuerza para derrumbar las dos columnas grandes del templo de Dagón. Con el grito: *¡Muera yo con los filisteos!,* los 3,000 hombres y mujeres filisteos que estaban reunidos para ver un espectáculo, ven la caída de las columnas y el fin de sus vidas. El escritor anota que la dimensión de esta matanza superaba todas las matanzas que Sansón hizo durante su vida. La familia de Sansón viene a buscar su cuerpo y lo sepultaron en el campo donde primeramente había sentido la presencia del Espíritu de Jehovah y donde estaba enterrado su padre (compare 13:25 con 16:31).

────────── **Aplicaciones del estudio** ──────────

1. Dios da al hombre todos los recursos necesarios para cumplir con las tareas que le asigna, Jueces 13:5, 24, 25. Sansón tenía una misión clara, una familia que le apoyaba, una bendición divina en sus años de crecimiento y el poder del Espíritu Santo. El fracaso de Sansón fue el resultado de su carácter irresponsable. Hoy, el cristiano puede estar seguro de que un llamado divino a una tarea específica, siempre está acompañado por los recursos divinos necesarios para el cumplimiento de aquella misión, pero recordemos que a mayor privilegio, mayor responsabilidad.

2. El creyente ha de bendecir a Dios por los éxitos que logre en la vida, Jueces 15:15-17. En Ramat-leji, Sansón rompió dos cuerdas nuevas y con una quijada de asno mató a mil filisteos. Con alegría compone un dicho poético en el cual se jacta por el hecho y se olvida de agradecer a Dios. El creyente debe dar a Dios las gracias por lo que puede lograr en la vida. Debe recordar que de Dios viene el don del tiempo y la oportunidad de lograr algo.

Ayuda homilética

Algo tarde para ser humilde
Jueces 16:21, 23-25, 28-31

Introducción: La humildad ante Dios es un aspecto importante de la vida cristiana. Sin humillarse, el hombre no se puede arrepentir y tener fe en Cristo. Sansón aprendió muy tarde el valor de la humildad.

I. Sansón se humilló hasta que llegó a Gaza (15:16, 20; 16: 21, 25, 28).
  A. Cuando obtuvo otras victorias se atribuyó a sí mismo el éxito (15:16, 20)
  B. Cuando se encontró en Gaza ya estaba ciego, encadenado y haciendo las tareas de un esclavo.
  C. Cuando se humilló era un motivo de "espectáculo" para 3,000 filisteos.

II. La oración de Sansón muestra un cambio en su corazón (v. 28).
  A. Sansón siente la necesidad de orar pidiendo a Dios le conceda el último deseo de su corazón.
  B. Las palabras "por favor" y "te ruego" muestran un espíritu de humildad.

III. Los resultados de la oración humilde (v. 30).
  A. Dios cumple el deseo de Sansón, dándole fuerza para destruir el templo de Dagón.
  B. Ya es tarde para que Sansón cumpla la misión de ser libertador de Israel. Los filisteos iban a seguir como una fuerza en Canaán.

Conclusión: El creyente ha de cultivar una relación con Dios que le permita escuchar la voz de él y recibir la fortaleza para obedecerlo.

Lecturas bíblicas para el siguiente estudio

Lunes: Jueces 17:1-13	**Jueves:** Jueces 19:1-30
Martes: Jueces 18:1-10	**Viernes:** Jueces 20:1-48
Miércoles: Jueces 18:11-31	**Sábado:** Jueces 21:1-25

AGENDA DE CLASE

Antes de la clase

1. Prepare con tiempo a los alumnos que harán la representación de este estudio.

2. Haga un cartel donde dibuje las columnas que tomó Sansón para derribar la casa, tamaño grande, que sirva de fondo para la dramatización.

3. Escriba el título de la lección en una tira de papel, anote en la misma la cita bíblica del versículo clave.

4. Si puede reunir a los alumnos entre semana (JOVENES) hágalo. **5.** Con los ADULTOS puede variar la actividad, utilizando la técnica de mesa redonda.

6. Prepare tarjetas de 10 x 15 cm.

7. Prepare un refrigerio pueden ser galletas y café o refresco.

Comprobación de respuestas

JOVENES: **1.** a) Volvieron a hacer lo malo delante de Jehovah. b) Nazareo, no pasaría navaja sobre su cabeza. **2.** a) Sansón. b) Dalila. c) Jehovah. d) Los filisteos. **3.** a) Por favor, acuérdate de mí. b) Los jefes y toda la gente que estaba con él. c) Muchos más que los que había matado durante su vida.

ADULTOS: **1.** a) Filisteos por 40 años. b) Manoa de la tribu de los danitas. c) No beber vino ni comer cosas inmundas porque tendría un hijo. d) Que le diga Jehovah lo que debe hacer. e) Sansón. **2.** a) Dalila. b) Cuando se alejó de Jehovah. c) De que Jehovah no estaba con él. d) Cortarle el pelo y sacarle los ojos. **3.** a) Que le devolviera la fuerza para matar a los filisteos. b) Derribando la casa donde se encontraban.

Ya en la clase
DESPIERTE EL INTERES

JOVENES: Prepare las sillas en círculo para que puedan apreciar la dramatización. Lea el título de la lección e invítelos a leer el versículo clave. Invite a un alumno a escribir el nombre de Sansón en la lista de los jueces que levantó Dios para librar al pueblo de la opresión filistea. Indique que este estudio se hará dramatizando los hechos de un pueblo, el de Dios, que se olvida frecuentemente de él.

ADULTOS: Prepárelos para trabajar en mesa redonda diciéndoles que es una historia muy conocida, pero que analicemos su contenido para ver qué tanto aplicamos a nuestras vidas.

ESTUDIO PANORAMICO DEL CONTEXTO

1. Invite a los alumnos a leer el estudio panorámico de sus revistas.

2. Haga una explicación de que Dios preparó el nacimiento de Sansón como el de Isaac, Samuel, Juan el Bautista y Jesús. Tienen una misión especial. Dios tiene planes para esas vidas y prepara el camino para que se cumplan. La irresponsabilidad de Sansón se debió a que se alejó de Jehovah.

3. Platique con sus alumnos acerca de cuántos de ellos han descubierto dones que Dios les ha dado y cómo los están utilizando.

ESTUDIO DEL TEXTO BASICO

1. Como introducción al estudio invite a cantar con entendimiento el himno #339 del Himnario Bautista *¡Oh Cristo tu ayuda quisiera tener!*

2. Invite a la meditación y comunión con Dios por medio de una oración de invitación para poner los dones a los pies del Señor.

3. Hagan las lecturas del estudio en voz alta.

4. JOVENES. Que preparen sus corazones para presenciar la dramatización del estudio.

5. ADULTOS. Reparta tarjetas con las citas bíblicas. Recuerde las preguntas del estudio para que las puedan utilizar en el diálogo y discusión del tema. Sea usted el moderador de la mesa redonda.

6. Después de que se haya terminado el estudio dirija la contestación a las preguntas de la sección Lee tu Biblia y responde.

7. Invite para que memoricen el texto clave.

8. Dé un tiempo para que evalúen las actividades de la clase. Sirva el refrigerio.

APLICACIONES DEL ESTUDIO

Invítelos a que se anoten en una lista para ver cuántos pueden poner sus habilidades, aptitudes al servicio de la iglesia (mantenimiento, dirección de coros, maestro de la escuela dominical, visitación, etc.). Procure que todos participen y pase la lista a su pastor.

PRUEBA

Permita que esta sección se la lleven a sus hogares y el próximo domingo se comentará. Recuérdeles que es muy importante realizar este punto, que demostramos relación con Dios, madurez y responsabilidad. Anímeles a que hagan sus lecturas diarias.

Cuando faltó dirección en Israel

Contexto: Jueces 17:1 a 21:25
Texto básico: Jueces 17:1, 5, 6; 20:2-8, 48; 21:6, 7, 12-14
Versículo clave: Jueces 21:13
Verdad central: Las consecuencias que sufrió Israel por la falta de dirección nos demuestran que sin una adecuada dirección espiritual el pueblo cae en pecados cada vez más serios.
Meta de enseñanza-aprendizaje: Que el alumno demuestre su conocimiento de las consecuencias que sufrió el pueblo de Israel por la falta de dirección adecuada, y su actitud hacia la importancia de tener dirigentes que sean temerosos de Dios y competentes.

―――――――――Estudio panorámico del contexto ―――――――

A. Fondo histórico:

Es interesante observar cómo se repite el tema de la ausencia de un rey en Israel. Ver los versículos 17:6; 18:1; 19:1 y 21:25. No se dice que hacía falta un juez, pero sí que reinaba la anarquía y por lo tanto cada uno hacía lo que bien le parecía. Estas condiciones hicieron mucho más difícil para el pueblo conocer exactamente lo que Dios esperaba de ellos, pues sus dirigentes estaban desorientados o seguían sus gustos personales.

B. Enfasis:

El santuario de Micaías, Jueces 17:1-13. Evidentemente Micaías tenía su propia "casa de Dios" o "casa de los dioses", es decir, un santuario privado de adoración. Además, por su cuenta, Micaías hizo un efod, o sea un vestido sacerdotal, utilizado como símbolo de aquella persona que buscaba una palabra del Señor. El efod llega a ser una contradicción en la religión híbrida de Micaías, por un lado buscaba a Dios y por otro desconocía las enseñanzas básicas del Señor que prohibían tener ídolos.

Un joven levita de Belén, una aldea ubicada a 8 km. al sur de Jerusalén, viajaba buscando un lugar dónde establecer su hogar. Caminando aproximadamente 35 km. hacia el norte, el levita llegó a la casa de Micaías quien al conocer sus antecedentes lo contrata para que sea su sacerdote personal.

Los de Dan exploran Lais, Jueces 18:1-10. La sección se abre con una indicación de la situación caótica de Israel, una tierra sin rey. Luego el relato va directamente al corazón de la sección que es la búsqueda de una tierra de parte de la tribu de Dan. Incapaz de echar a los filisteos de su territorio, la tribu de Dan mira hacia el extremo norte, mandando a cinco valientes desde Zora y Estaol. Estas fueron las primeras ciudades entregadas a la tribu de

Dan durante la distribución de la tierra por Josué (Jos. 19:40, 41).

Los de Dan se llevan al levita, Jueces 18:11-31. El relato narra el viaje de casi 170 kilómetros de 600 familias danitas hacia el norte, donde empieza el río Jordán y está la ciudad de Lais. El principal evento del viaje es el "robo" del sacerdote, de los ídolos domésticos, de la imagen y del efod de la casa de Micaías (vv. 14-26) y su instalación en la nueva tierra de Dan (vv. 27, 30, 31). Cuando los danitas llegan a Lais, matan a la gente, queman la ciudad y después la reconstruyen. La nueva ciudad recibió el nombre de Dan.

La muerte de la concubina del levita, Jueces 19:1-30. Este segundo levita, vive en un lugar muy remoto. Toma como concubina a una mujer de Belén. Después de cuatro meses de vivir separados por problemas entre el levita y su concubina, éste decide buscarla, en su viaje llegan a Gabaa, una aldea de la tribu de Benjamín. Ya había llegado la noche y el único albergue para pasar la noche fue la casa de un anciano. Los vv. 22-27 ilustran el pecado profundo del hombre y su condición perversa. Se cambia desde la alegría del anciano con sus invitados hasta el abuso de la concubina de parte de los "hombres pervertidos". El levita recoge el cuerpo de la mujer muerta, al llegar a su casa la corta en doce pedazos y envía uno a cada una de las doce tribus. Su propósito era denunciar el crimen (vv. 28-30).

La condenación del crimen, Jueces 20:1-48. Los representantes de Israel se reunieron en Mizpa para saber lo que había pasado y decidir cómo proceder. Se dan cuenta de que el crimen no fue cortar en pedazos a la mujer, sino la violación y muerte de la mujer de parte de los hombres de Gabaa. Se decide castigar a los de Gabaa, pero los de Benjamín se ponen al lado de ellos para defenderlos. Esto inicia una lucha cruenta que casi extermina a la tribu de Benjamín dejando solamente a 600 hombres escondidos en la peña de Rimón.

Israel provee para los sobrevivientes de Benjamín, Jueces 21:1-25. El casi exterminio de la tribu de Benjamín pesó fuertemente sobre las demás tribus de Israel, como se nota en el lamento en Betel. Notando la ausencia del anciano representante de Jabes, una aldea de Galaad, los hebreos destruyen la ciudad pero salvan a 400 mujeres vírgenes, entregándolas a los sobrevivientes de Benjamín. Luego proponen que en la fiesta anual en Silo se permita que los de Benjamín hagan una emboscada en las viñas para tomar las 200 mujeres que les faltaban, así técnicamente, salvan a los padres de las jóvenes de la maldición contra la entrega de sus hijas a los hombres de Benjamín.

───────────── **Estudio del texto básico** ─────────────

1 El santuario de Micaías, Jueces 17:1, 5, 6.

V. 1. El nombre Micaías era un nombre común como Juan o José en nuestros días. Su nombre significa "quién como Jehovah". No hay ninguna mención de su padre, pero sí de su madre y del hecho que era de la tribu de Efraín. Micaías aparece devolviendo y confesando a su madre que él había tomado las 1,100 piezas de plata. La razón por la cual Micaías devuelve el dinero pudo ser para evitar la maldición que su madre había expresado. La madre bendice a su hijo y con 200 piezas de plata ordena a un fundidor que haga una imagen tallada. La imagen fue puesta en la casa de Micaías.

V. 5. El hecho que Micaías tenía su propio santuario muestra su espíritu religioso. Además, agrega un vestido sacerdotal, el efod, que era usual dentro del legítimo sacerdocio hebreo. Los ídolos domésticos eran objetos religiosos paganos. Los dos objetos sagrados, el efod y el ídolo, estaban unidos a la imagen tallada y la imagen de fundición hechas por la madre de Micaías (v. 4). Por lo tanto, el santuario de Micaías era una mezcla de religión hebrea con cananea sin una clara visión de lo que significaba ser oyente de la palabra de Dios. El sacerdocio aarónico es prácticamente ignorado cuando Micaías *invistió a uno de sus hijos para que fuera su sacerdote.* Más tarde, Micaías ofrece un salario a un levita para hacer más legítimo el sacerdocio en su santuario (v. 10).

V. 6. El escritor del libro de Jueces está convencido de que la situación en aquel tiempo es por la falta de un rey, y que el criterio personal produce anarquía en todos los órdenes de la vida de Israel. No necesariamente está haciendo alusión a un rey humano, sino al principio de autoridad. Cuando el pueblo se aleja de Dios queda sin criterios de autoridad para normar su vida y la de los miembros de la comunidad.

2 La condenación del crimen, Jueces 20:2-8, 48.

Vv. 2, 3. Mizpa era un lugar central y seguro para las reuniones de las tribus. Entonces llegan los ancianos o jefes y los 400,000 soldados. Falta la tribu de Benjamín que ha decidido apoyar a Gabaa. Todos habían visto los doce pedazos de una mujer que habían sido mandados por el levita a cada una de las tribus de Israel. Todos se habían unido para conocer del caso. La primera impresión fue que era un crimen, por eso todos reaccionaban diciendo: "Jamás se ha hecho ni visto cosa semejante... ¡Consideradlo, deliberad y manifestaos!" (19:30).

Vv. 4-7. El levita, esposo de la concubina, les explica el maltrato que ella había sufrido de parte de los *hombres*, "señores", de Gabaa hasta causarle la muerte. Dentro del relato da los detalles de cómo llegó a la casa del anciano hospitalario y cómo los hombres querían matarlo. En 19:22 leemos que aquellos perversos deseaban "conocer" al levita, es decir tener relaciones sexuales con él. La diferencia en el relato del levita de lo ocurrido puede explicarse ya que el levita mismo no fue quien enfrentó a los hombres de la ciudad sino su huésped, el anciano, aunque sin duda habrían abusado de él hasta darle la muerte al igual que lo hicieron con la concubina. El levita aclara que haber cortado el cuerpo de su concubina fue un acto simbólico para llamar la atención a la *infamia* y la *vileza* de los ciudadanos de Gabaa. Termina su argumento legal, su pleito contra los de Gabaa, dejando el asunto en las manos de los hebreos diciendo: *dad aquí vuestro parecer y consejo.*

V. 8. La reacción unánime de los hebreos es la de no volver a su casa hasta tomar venganza contra la ciudad de Gabaa. Sin embargo, la tribu de Benjamín se pone de lado de su ciudad Gabaa y comienza la guerra entre las tribus. Luego se logran saber los resultados de la guerra: 40,000 muertos de las once tribus y 25,100 de la tribu de Benjamín, dejando solo 600 varones sobrevivientes que fueron a esconderse a una peña de Rimón donde permanecieron por cuatro meses (20:47).

V. 48. La escena muestra el final de la guerra. Benjamín es derrotado y sus ciudades quemadas y muertos tanto habitantes como animales.

3 Israel provee para los sobrevivientes de Benjamín, Jueces 21:6, 7, 12-14.

Vv. 6, 7. La casi exterminación de la tribu de Benjamín pesó fuertemente sobre las demás tribus de Israel. La situación es difícil por el juramento que habían hecho en Mizpa: "Ninguno de nosotros dará su hija por mujer a los de Benjamín." Se dan cuenta de la situación y se preguntan: *¿Qué haremos en cuanto a conseguir mujeres para los que han quedado?* Comienzan a verificar si alguno de los clanes familiares no había estado presente y encuentran que *ninguno de Jabes, en Galaad, había ido al campamento, a la congregación.* La ausencia de los de Jabes los hacía responsables y cómplices del crimen contra la concubina del levita.

Vv. 12-14. Se ordena la destrucción de la ciudad de Jabes y la muerte de todos sus habitantes excepto 400 muchachas vírgenes que fueron trasladadas al campamento en Silo, en tierra de Canaán. Esta serían las esposas de los sobrevivientes de Benjamín. Se envió un mensaje de paz a los de Benjamín que estaban escondidos en la peña de Rimón y les entregaron a aquellas mujeres por esposas. Por supuesto, 200 varones quedaron sin esposas. Así los hebreos habían mostrado compasión hacia la tribu de Benjamín y habían mantenido las doce tribus. Es interesante que años más tarde, el primer rey de Israel iba a venir de la tribu de Benjamín. Se llamaba Saúl, un joven apuesto y alto, hijo de Quis, un guerrero valiente, quien fue ungido por Samuel (1 Sam. 9:1, 2; 10:1). En el futuro distante Pablo de Tarso se jacta de su linaje judío a través de la tribu de Benjamín (Rom. 11:1; Fil. 3:4, 5). La compasión de las tribus resultó en la unidad de las tribus y la contribución de la tribu de Benjamín para toda la nación.

───────── Aplicaciones del estudio ─────────

1. Una religión con elementos contrarios a la voluntad de Dios, no es de su agrado, Jueces 17:3-6. Dios no cierra los ojos para aceptar cualquier culto. El único culto y adoración que él acepta es el que él ha aprobado y ordenado por medio de su palabra y que surge de un corazón arrepentido y que sinceramente busca obedecerle. Necesitamos una revisión de las prácticas de nuestro culto y adoración para mejorar aquellos aspectos que no proclaman la grandeza de Dios, el arrepentimiento y la obediencia por parte de los adoradores.

2. Ser el prójimo de otro tiene un riesgo que vale la pena, Jueces 19:16-21. Un anciano abrió su hogar para que un levita y su esposa pasaran la noche. Cuando vino el peligro, expuso su vida y la de su familia para proteger a su invitado. Colocarse al lado de alguien que tiene necesidad puede exponer al creyente a la burla de otros o a exponer su seguridad y la de los suyos, sin embargo, la Biblia nos insta a hacerlo (lea Mat. 25:34 y Luc. 10:30-37).

3. El pecado puede crecer y dar muerte a muchas personas, Jueces

19:22-26; 20:11-14, 46-48. El acto perverso de los hombres de Gabaa resultó en la muerte de 40,000 soldados de las once tribus de Israel y de 25,100 soldados de la tribu de Benjamín además de la destrucción de las ciudad de Jabes y todos sus habitantes. El pecado brota en una persona, toca a su familia, avanza a la comunidad y luego a toda la nación. Nunca se puede medir la consecuencia de un pecado, por lo tanto el creyente debe ser cuidadoso de cometer el pecado con conocimiento e inmediatamente que se da cuenta de haberlo hecho, arrepentirse y buscar el perdón de Dios.

――――――――――**Ayuda homilética**――――――――――

¿Qué hacer con ese vacío espiritual?
Jueces 17:1-6; 20:26-28

Introducción: Dios nos ha enseñado por medio de su Palabra cómo llenar los vacíos espirituales de la vida. A veces, como Micaías, queremos construir nuestros propios "santuarios" en lugar de seguir las instrucciones del Señor.

I. Ese vacío espiritual no se llena así (17:1-6).
   A. Construyendo lugares "privados" de adoración en lugar de acudir a los lugares "dedicados" públicamente a Dios.
   B. Construyendo objetos sagrados o ídolos acerca de los cuales Dios ha dicho que no aceptará.
   C. Constituyendo sacerdotes que no tienen la aprobación del Señor.
II. Ese vacío espiritual se llena así (20:26-28).
   A. Acudiendo a donde Dios nos espera, en Betel.
   B. Dando valor a la palabra de Dios: la Ley.
   C. Escuchando la palabra de Dios de labios aprobados (Fineas).

Conclusión: No tenemos que andar por la vida buscando cómo llenar el vacío o inquietud religiosa, es asunto de correr a Jesucristo y obedecer su palabra (Rom. 12:1, 2).

Lecturas bíblicas para el siguiente estudio

Lunes: Hebreos 1:1, 2   **Jueves:** Hebreos 1:6-9
Martes: Hebreos 1:3   **Viernes:** Hebreos 1:10-12
Miércoles: Hebreos 1:4, 5   **Sábado:** Hebreos 1:13, 14

AGENDA DE CLASE

Antes de la clase
1. Prepare el texto bíblico en una hoja grande para rotafolio, escriba las partes en las que se divide. **2.** Consiga algunas fotografías de altares ofrecidos a dioses paganos. **3.** Escriba la verdad central en una cartulina. **4.** Prepare hojas blancas y marcadores de colores. **5.** Conteste las preguntas de la sección *Lee tu Biblia y responde*. **6.** Diccionario bíblico.

Comprobación de respuestas
JOVENES: **1.** a) Micaías. b) Efod e ídolos domésticos. c) Nadie los gobernaba. **2.** a) 400,000. b) La cortó en pedazos. c) Los hijos de Benjamín. **3.** a) Falso. b) Falso. c) Verdadero.

ADULTOS: **1.** a) Sin gobierno. b) Tenía ídolos domésticos. **2.** a) Contra los hijos de Benjamín. b) Por la muerte de una mujer. **3.** a) Falso. b) Verdadero. c) Verdadero. d) Verdadero. e) Falso.

Ya en la clase
DESPIERTE EL INTERES
1. Entregue las hojas blancas y marcadores y pida a los alumnos que dibujen algunas señales de tránsito, algún croquis de una ciudad bien planeada. Péguelos en distintas partes del salón y pida observación. **2.** Pregunte: ¿Qué pasaría con una ciudad sin señales, ni rótulos en las calles, sin una buena planeación? Una vida sin dirección no tiene buenos resultados, de esta manera vivía el pueblo de Israel. **3.** ¿Qué hizo Dios? Permita que esta pregunta quede en el aire para que en el desarrollo del tema se conteste.

ESTUDIO PANORAMICO DEL CONTEXTO
1. Retomando la respuesta de la primera pregunta expuesta anteriormente dígales que los israelitas hacían lo que ellos creían que estaba bien. Nos encontramos con Micaías, un hombre que adoraba a dioses ajenos. **2.** Permita que lean el contexto de sus revistas y hagan comentarios al respecto. **3.** Explíqueles qué fue lo que sucedió con el levita en Gabaa. Busquen en su Biblia la historia en Jueces 19.

ESTUDIO DEL TEXTO BASICO
1. Guíe su atención a la verdad central. Dé tiempo a los comentarios.
2. Muéstreles las fotografías con los santuarios o altares paganos. Dígales que el pueblo de Dios hacía esto. Lean Jueces 17:1, 5, 6.

3. Présteles el diccionario y consulten la palabra Efod. Que la escriban en el pizarrón junto con su significado.

4. Haga un resumen de los tres primeros versículos. Permita preguntas de parte de los alumnos.

5. Como ya se leyó la historia de Jueces 19, pida que lean Jueces 20:2-8, 48. Presente un resumen de los versículos leídos. Prepare preguntas del tema.

6. Si ha ocurrido algo parecido en su comunidad permita que lo platiquen. Pregunte qué fue lo que se hizo con las personas que agredieron los derechos humanos.

7. Exponga la tercera parte del estudio, Jueces 21:6, 7, 12-14. ¿Cuál era la preocupación de la tribu? ¿Cuál era el pacto? ¿Cómo lo solucionaron?

8. Dé un tiempo para que contesten la sección Lee tu Biblia y responde.

9. Pídales a los alumnos que compartan sus respuestas con los demás.

10. Concluya la clase con una oración por la libertad de culto y justicia que tenemos en nuestro país.

APLICACIONES DEL ESTUDIO
Anime a sus alumnos a que hagan una aplicación a su vida, después de haberlas leído en su libro. Permita que hagan comentarios acerca de la posición de su país respecto a la paz mundial, qué opinan de los países que viven en guerras sin ningún objetivo.

PRUEBA
Cada uno de sus alumnos contestarán esta sección. Revise las respuestas y anímeles para que sigan creciendo espiritualmente.

Colega maestro(a):

Con el siguiente estudio comenzaremos una nueva Unidad sobre el libro de Hebreos. Sugerimos que comience con tiempo su preparación y que se familiarice con todo el libro a fin de guiar con seguridad a sus alumnos.

Unidad 7

Jesús, la suprema revelación de Dios

Contexto: Hebreos 1:1-14
Texto básico: Hebreos 1:1-14
Versículos clave: Hebreos 1:1, 2
Verdad central: Dios se ha dado a conocer de muchas maneras al hombre, y la revelación máxima se dio en la persona de Jesucristo.
Metas de enseñanza-aprendizaje: Que el alumno demuestre su conocimiento de que Dios se ha revelado de una manera suprema en Jesucristo, y su actitud de buscar maneras de compartir con otros su conocimiento de la persona y obra de Jesucristo.

──────────── **Estudio panorámico del contexto** ────────────

A. Fondo histórico:

Paternidad literaria. La Epístola a los Hebreos es diferente de la mayoría de las otras epístolas del Nuevo Testamento. Termina como una carta pero no comienza como tal. No tiene la salutación acostumbrada en la que se menciona el autor y los receptores. Esta circunstancia ha provocado diversas opiniones sobre quién fue el autor. Se sugieren nombres tales como el de Pablo, Lucas, Bernabé, Apolos y otros mencionados en el Nuevo Testamento. Sin embargo, no se puede asegurar que alguno de ellos hubiera escrito esta carta. Especialmente se puede afirmar que Pablo no lo hizo, ya que Hebreos difiere en estilo y contenido de las epístolas paulinas. Queda claro entonces que la carta es anónima, y lo más seguro es que su autor fuera un cristiano desconocido de la segunda generación.

Fecha. La fecha del escrito también resulta incierta, pero la mayoría de los estudiosos coinciden en que se le puede considerar dentro del primer siglo, antes de la persecución en Roma en el año 64 d. de J. C. y de la destrucción del templo de Jerusalén en el año 70. El autor habla de los ritos del templo como si todavía existiesen (Heb. 9:6; 10:11).

Propósito. La carta, así como todas las epístolas, surgió de las necesidades de las iglesias que se habían formado. Tal vez por la gravedad de la situación de la congregación a la cual se envió, el tema de la epístola a los Hebreos es uno solo y se desarrolla con constancia y energía en ocasión del peligro de la apostasía. Su propósito es advertir que es un grave pecado volver a lo antiguo porque significa el desprecio a la persona y obra de Jesucristo. Destaca la absoluta preeminencia de Cristo en contraste con las sombras del antiguo régimen.

Destinatarios. Finalmente, la abundante referencia al sistema levítico hace concordar a los estudiosos en que los receptores fueron una comunidad muy definida de judíos cristianos.

B. Enfasis:

Dios habló por medio de los profetas, Hebreos 1:1. La afirmación inicial de que Dios ha *hablado* es básica para toda la epístola. El autor se está refiriendo a la revelación especial que Dios ha dado de sí mismo en dos etapas: primera, por los profetas y segunda, por el Hijo. Desde este primer versículo se destaca el enlace con el Antiguo Testamento. En la primera etapa se habló a *los padres*, es decir, los antepasados de los hebreos a quienes esta carta va dirigida. La segunda etapa corresponde al Nuevo Testamento que anuncia la obra perfecta del Mensajero Perfecto.

Dios habló por medio del Hijo, Hebreos 1:2a. Esta frase cristaliza en una sencilla oración, el mensaje y el significado del Nuevo Testamento. Este Testamento es el testimonio del acto redentor de Dios en Cristo. También es el sumario de la enseñanza de Jesús quien es él mismo la auténtica Palabra de Dios.

La exaltación de Cristo, Hebreos 1:2b, 3. En estos versículos se mencionan hechos que muestran la grandeza de Cristo. Razones por las cuales la revelación dada en él es la más grande que Dios puede dar.

Cristo superior a los ángeles, Hebreos 1:4-14. Esta parte resulta un tanto difícil de interpretar. Parece extraño que el autor necesite citar tanto el Antiguo Testamento para probar que el Hijo es superior a los ángeles. Posiblemente el autor lo hace debido a ideas que existían entre los hebreos acerca de los ángeles como mediadores. En este caso se muestra así la excelencia de Cristo como tal. Otra posibilidad es que se le diera especial atención debido a ciertas herejías. Algunas consistían en la adoración a los ángeles como la que se infiltró entre los cristianos de Colosas.

─────────────── **Estudio del texto básico** ───────────────

1 Dios habló por medio de los profetas, Hebreos 1:1.

V. 1. De acuerdo con este versículo, la revelación de Dios es progresiva; este progreso no va de lo menos verdadero a lo más verdadero, de lo menos valioso a lo más valioso o de lo menos maduro a lo más maduro. El que se ha revelado es uno y el mismo Dios. Lo importante es que se trata de un Dios que habla, que no está callado. Un Dios que ha tomado la iniciativa de revelarse a sí mismo debido a que él desea ser conocido. La primera etapa de la revelación fue dada *muchas veces y de muchas maneras.* Sacerdotes y profetas, sabios y músicos fueron sus portavoces de diferentes maneras. Es interesante el uso del plural *profetas* mediante los cuales Dios comunicó su mensaje en esos antiguos tiempos. Lo anterior contrasta con la mención en singular del único *Hijo,* señalando su calidad del profeta por excelencia.

2 Dios habló por medio del Hijo, Hebreos 1:2a.

V. 2a. Su revelación no fue completa hasta que Cristo vino; él fue la palabra final de Dios. De esta manera la historia de la revelación divina es una historia que progresa hasta Cristo. Después de él ya no hay progreso en cuanto a la revelación. *Estos últimos días* se refiere al concepto hebreo del tiempo en que se habrían de cumplir las palabras de los profetas. De esta manera se puede decir que Cristo inaugura la época del cumplimiento.

En la descripción de lo que Dios ha revelado por el Hijo se omiten las palabras "en otro tiempo, muchas veces y de muchas maneras". Esto implica que cuando Dios ha hablado por el Hijo, lo ha hecho en una manera final y completa. Dios interviene en la historia humana, motivado por su amor. Mediante el Dios encarnado establece un lenguaje en común con la raza humana y satisface así sus necesidades de verlo, oírlo y tocarlo.

3 Las exaltaciones de Cristo, Hebreos 1:2b, 3.

Vv. 2b, 3. En este pasaje se advierten siete hechos que muestran la grandeza del Hijo de Dios, y dan pruebas de que es la más grande revelación que Dios puede dar.

a. *Heredero de todo,* Dios lo ha constituido como tal. El autor evoca palabras del Salmo 2:8, que se refieren a una herencia que comprende el universo y especialmente el mundo venidero. Esto se complementa y reafirma en Hebreos 2:5-9, donde se presenta a Jesús como teniendo todo bajo sus pies.

b. A través de él, Dios *hizo el universo.* Esto significa todo el universo creado en espacio y tiempo.

c. *El es el resplandor* de la gloria de Dios. Esta palabra denota el brillo que irradia la fuente de luz. Como el resplandor del sol llega a esta tierra, así Cristo, la luz gloriosa de Dios, viene a brillar en los corazones de los hombres que le reconocen.

d. Es la imagen misma de la sustancia de Dios, *la expresión exacta de su naturaleza.* La palabra griega denota que la sustancia de Dios está realmente en Cristo, que Cristo es su corporización exacta.

e. *Quien sustenta todas las cosas con la palabra de su poder.* El significado de esta frase bien pudiera ser "su palabra poderosa". Sustenta todas las cosas, pero con un fin determinado. Génesis 1:3, 6, 9, 14, 20, 24, 26, nos enseña que Dios hizo la creación con el único recurso de su palabra. La palabra llega a ser la expresión de los pensamientos e intenciones del Creador. Es así como se establece una relación intrínseca entre la palabra y la naturaleza de la persona que la pronuncia. En Juan 1:14 leemos que el Verbo (la palabra), se hizo carne y habitó entre nosotros. De nuevo se establece el vínculo natural entre Dios y su poderosa palabra.

f. El ha efectuado *la purificación de nuestros pecados.* Este hecho tiene relación con su obra como sumo sacerdote. Señala que él, como Hijo de Dios, ha hecho lo que ningún otro hubiera podido hacer.

g. El último de los hechos que muestran la inigualable grandeza del Hijo es que *se sentó a la diestra de la Majestad en las alturas.* Esta idea, tanto para los primeros discípulos como para los cristianos de hoy, significa la exaltación y supremacía de Cristo.

Todas estas afirmaciones hacen hincapié en las cualidades de Cristo para ser el mediador entre Dios y los hombres.

4 Cristo, superior a los ángeles, Hebreos 1:4-14.

V. 4. Al afirmar que Jesús está a la diestra de Dios se implica su superioridad sobre los ángeles. Su nombre manifiesta también una mayor excelencia, se le llama Hijo. Es interesante que se menciona que ha heredado este nombre. Esto no quiere decir que antes de su exaltación no fuera el Hijo. Más bien hereda el título Hijo, como hereda todas las cosas por la voluntad del Padre.

Vv. 5-14. La comparación entre Jesús y los ángeles abarca cuatro puntos: a. Su nombre es más grande que el de ellos. El es aclamado como Hijo de Dios (v. 5). b. Su dignidad es mayor que la de ellos. El es digno de adoración (v. 6). c. Su posición es más alta que la de ellos. El permanece inamovible (vv. 7-12). d. Su función es más excelente que la de ellos. El reina a la diestra de Dios (vv. 13, 14).

Además, se hace alusión en estos versículos a siete pasajes del Antiguo Testamento para corroborar la supremacía del Hijo sobre los ángeles. Cinco son del salterio, uno de los profetas y otro de la Ley. Según estos pasaje, se confirma la preeminencia del Hijo sobre los ángeles por el testimonio del Antiguo Testamento. De esta forma si Dios no ha tenido otro mensajero más grande que su Hijo, es conclusivo que no tuvo ni ha tenido otro mensaje más allá del evangelio.

──────── Aplicaciones del estudio ────────

1. Dios ha hablado muchas veces y de muchas maneras (Heb. 1:1). La duda es un instrumento muy útil para Satanás. Ningún creyente, por más fiel que se considere, ha estado totalmente libre de dudas. Muchas veces los creyentes nos preguntamos, como los inconversos, si de verdad Dios existe o si la Biblia es verídica. El autor a los Hebreos escribe a creyentes que parecen dudar de su fe y que están siendo tentados a volver atrás. Hebreos 1:1, 2 asegura a estos creyentes dudosos, que la revelación de Dios es auténtica porque la historia así lo confirma. El Dios vivo desea ser conocido y se ha comunicado una y otra vez con sus criaturas. Es necesario que este mensaje fortalezca nuestra fe como creyentes, y lo compartamos con las muchas personas desorientadas por el escepticismo. En 1969 se filmó la película "El Silencio de Dios", de Ingmar Bergman, cineasta sueco. Este filme muestra la ansiedad de quienes creen que Dios está callado o ausente. Es urgente que les digamos que eso no es verdad y mostremos a Cristo Jesús, la máxima revelación de Dios.

2. Dios ha hablado por el Hijo (Heb. 1:2). A través de la historia del cristianismo ha habido personas afirmando recibir nuevas "revelaciones" divinas. Hebreos 1:1-14 nos alerta ante tales fraudes. Dios ha dado ya su máxima revelación en el Hijo, se ha manifestado de la manera más clara posible. Dios mismo tomó las características humanas para convertirse en el mensajero perfecto que logra comunicarse con el hombre. Por tanto, todo aquel que pretenda recibir algún mensaje divino mejor o más nuevo, debe ser firmemente rechazado.

───────────── **Ayuda homilética** ─────────────

Contraste entre la revelación antigua y la nueva
Hebreos 1:1, 2

Introducción: Un amante del arte siempre puede apreciar la unidad que se da en una hermosa pintura. Sin embargo, esa unidad solamente es posible mediante los contrastes que el artista ha plasmado en su cuadro. De manera semejante en las pocas palabras de este pasaje se manifiesta con fuerza la unidad y el contraste. Las palabras "habiendo hablado" en el v. 1 y "ha hablado" en el v. 2 muestran precisamente la unidad de la revelación. Sin embargo, se presentan al mismo tiempo tres contrastes.

I. El fin y el principio (1:1, 2)
  A. Jesús divide la historia en dos grandes épocas.
  B. Termina una era de promesa.
  C. Comienza una edad de cumplimiento.
II. Los padres y nosotros (1:1, 2a)
  A. Los padres son los recipientes de la antigua revelación de promesa.
  B. Nosotros somos privilegiados por vivir en la claridad de la época del cumplimiento.
III. Los profetas y el Hijo (1:1, 2a)
  A. Los profetas representan los múltiples instrumentos usados por Dios para revelarse.
  B. El Hijo, mencionado en singular, enfatiza la preeminencia de Cristo como la revelación perfecta.
  C. La revelación del Hijo es final, pero construida sobre la revelación profética.

Conclusión: Tenemos el privilegio de vivir en estos "finales días" en que podemos conocer claramente a Dios mediante su máxima revelación. Esto significa que tenemos la gran tarea de transmitir esta Palabra final de Dios a quienes nos rodean. ¿Está usted dispuesto a cumplir con su responsabilidad?

Lecturas bíblicas para el siguiente estudio

Lunes: Hebreos 2:1-4   **Jueves:** Hebreos 2:11, 12
Martes: Hebreos 2:5-8   **Viernes:** Hebreos 2:13-15
Miércoles: Hebreos 2:9, 10   **Sábado:** Hebreos 2:16-18

AGENDA DE CLASE

Antes de la clase
1. Haga las lecturas bíblicas que conforman el contexto del presente estudio. **2.** En tiras de cartulina escriba las palabras "Dios habló, habla y hablará," "profetas", "Hijo", y "Biblia". **3.** Consiga una ilustración de un ángel y si no hágala usted mismo. **4.** Escriba en el pizarrón: título, versículo clave y verdad central del estudio de hoy. **5.** Responda las preguntas dadas en el libro del alumno en la sección *Lea su Biblia y responda*, del presente estudio.

Comprobación de respuestas
JOVENES: **1.** 1-4, 2-5, 3-1, 4-3, 5-2. **2.** a. Profetas. b. El universo. c. Sólo a Cristo le dijo: "Mi Hijo eres tú". d. Adoración a Dios. e. La purificación de nuestros pecados. **3.** a-f, b-f, c-f, d-f, e-f.
ADULTOS: **1.** a. Los profetas. b. Heredero de todo y Creador del universo. c. (v.4) Porque heredó un más excelente nombre; (v.5) porque fue declarado por Dios como su hijo; (v.6) porque los mismos ángeles le tributan adoración; (v.13) porque está sentado a la diestra de Dios. **2.** La respuesta correcta es c.

Ya en la clase
DESPIERTE EL INTERES
1. Motive a sus alumnos a que dialoguen acerca de quién pudiera ser el autor de la carta a los Hebreos. Comenten las opciones dadas en la lección de alumnos u otras que usted encuentre. **2.** Así mismo, que piensen en la posible situación en la que se encontraban los destinatarios de dicha carta. **3.** Consideren la siguiente situación de la vida real: "El pastor rumano Richard Wurmbrand vivió los años de la ocupación comunista en su país. El y otros muchos pastores y miembros de las iglesias evangélicas rumanas oían durante años por 17 horas diarias: "¡El comunismo es bueno! ¡El cristianismo es una tontería! ¡Déjalo!" Sufrieron muchas torturas por amor a su Señor. Mediten sobre los efectos de la persecución en la fe y en las creencias de un cristiano. **4.** Piensen sobre la importancia de estimular a uno que se encuentra en alguna situación difícil y terminen orando por estas personas.

ESTUDIO PANORAMICO DEL CONTEXTO
1. Plantee a sus alumnos el problema de no conocer al autor de la carta a los Hebreos y cómo afecta esto nuestro conocimiento bíblico. Traten de pensar en otro libro bíblico de quien se desconozca el autor (por ejemplo: Job). **2.** Trate de que sus alumnos vean algunas diferencias entre esta carta y una carta de Pablo y haga una lista de ellas (por ejemplo: la falta de una

presentación personal, notar que el autor a los Hebreos se coloca fuera del círculo de "los que oyeron la palabra"; en tanto que Pablo siempre defendió su apostolado, etc). **3.** Definan los términos "anónimo" y "seudónimo", y traten de encontrar obras literarias representativas de éstos.

ESTUDIO DEL TEXTO BASICO

1. Coloque en el pizarrón la tira de cartulina que dice: "Dios habló, habla y hablará". Destaque la importancia de este hecho. Mencione el interés que tiene Dios en ser conocido por el hombre. Recopile algunos medios a través de los cuales Dios se ha dado a conocer al hombre y su importancia.

2. Ahora coloque las tiras "profetas" e "Hijo". Explique el valor de haber conocido la voluntad de Dios a través de ellos. Y por último coloque la tira que dice "Biblia" y ponga énfasis en cómo Dios nos habla hoy a través de su Palabra.

3. Enfatice sobre la obra del "Hijo" mencionando las siete descripciones que se dan de él en este pasaje de Hebreos. Mencione la multifacética obra de Jesús. Analice cada uno de los términos y busque un ejemplo concreto de ellos.

4. Haga un contraste entre la descripción que se da de Jesús como Creador del universo, y la teoría de la evolución.

5. Utilizando la figura de un "ángel" mencione y describa la superioridad de Jesucristo con respecto a ellos. Revise las respuestas a la pregunta 1.c. del libro de ADULTOS.

6. Destaque la importancia de la palabra "superior" en Hebreos, y cómo el autor la aplica a Jesucristo.

APLICACIONES DEL ESTUDIO

Pida que diferentes alumnos lean las aplicaciones que aparecen en sus libros y las comenten. Comenten la manera en que otras religiones sus "dioses" más bien quieren ocultarse del mundo caído, y cómo con el Dios verdadero ocurre lo contrario. Reflexionen sobre la suprema importancia de que Jesús se haya hecho hombre y habitado entre los hombres.

PRUEBA

Pida que cada alumno, individualmente, realice esta actividad y que se junten en parejas para compartir respuestas. Después de hacer esto, pídales que oren por una persona específica a la cual le puedan presentar la maravilla de tener un Dios que se quiere dar a conocer. Pida que todos, al unísono, repitan el versículo clave escrito en el pizarrón y que procuren memorizarlo. Invítelos a que hagan sus lecturas diarias sugeridas en sus libros, para ayudarles a preparar su siguiente estudio.

Jesús provee gran salvación

Contexto: Hebreos 2:1-18
Texto básico: Hebreos 2:1-18
Versículo clave: Hebreos 2:1
Verdad central: La salvación es importante y es necesario cuidarla.
Metas de enseñanza-aprendizaje: Que el alumno demuestre su conocimiento de la exhortación que hace el escritor de la Epístola a los Hebreos de cuidar la salvación, y su decisión de examinar su vida y determinar en qué áreas debe reforzar su cuidado de la salvación.

─────────── Estudio panorámico del contexto ───────────

A. Fondo histórico:

El concepto de revelación progresiva. La revelación especial que Dios ha hecho de sí mismo, la ha dado en dos grandes etapas: primera a través de los profetas y segunda en su Hijo. Se observa, entonces, que la revelación divina es progresiva, sin embargo, es importante aclarar en qué consiste ese progreso. Para muchas personas la idea de progreso implica que lo que viene después es mejor y más valioso, de tal manera que lo que había previamente carece de importancia o es obsoleto. En la revelación divina las cosas son diferentes, ya que se trata de la revelación del mismo Dios que es eterno e invariable. Es imposible pensar que la revelación inicial haya sido infiel a la verdad o haya dejado de ser válida y sólo la revelación posterior sea correcta. Dios no es el que va evolucionando; sino que son las concepciones de los hombres acerca de Dios las que cambian. Así que la idea de revelación progresiva tiene que ver con los momentos en que Dios se reveló a través de sus promesas y al cumplimiento que cada una de ellas ha tenido.

Cuando el autor de Hebreos afirma que Dios ha hablado (Heb. 1:1, 2), indica que el hablar de Dios es completo. Esto es cierto tanto en la era de los profetas del Antiguo Testamento, como en la edad presente del cumplimiento mesiánico. La revelación progresiva no consiste en una revelación incompleta que Dios poco a poco ha ido completando. Se podría decir que el progreso no está en la calidad del contenido de la revelación, sino en el método empleado para mostrar esa revelación, proporcionada en la medida de las posibilidades que la raza humana tuviera para ir comprendiéndola. De esta forma Dios se reveló a los antepasados de los hebreos en una manera tal que ellos pudieron realmente conocerlo y relacionarse con él. Al igual que en el día de hoy los cristianos tenemos la misma posibilidad de conocer y relacionarnos con el Dios único, verdadero e inmutable.

Razones por las cuales fue necesario que Jesucristo se hiciera hombre. Es tan espectacular la idea de que Dios se hiciera hombre que muchos han puesto en duda la veracidad de este hecho. Sin embargo, el Nuevo Testamento nos aclara por lo menos cuatro aspectos que se cumplieron mediante la encarnación: a) la redención de los hombres, b) el dar la suprema revelación de Dios, c) el colocar a los hombres en relación con Dios y d) la consumación del plan divino, tanto con respecto a la humanidad como al cosmos. Cristo Jesús es el evento central de la historia humana, y el principio de unidad mediante el cual todas las cosas llegan a su cumplimiento último. Algunos estudiosos se inclinan a pensar que Dios decidió revelarse como el Dios-Hombre para así representar tanto a Dios como a los hombres en la obra de redención. A través de Jesucristo, Dios decide restaurar la creación a su estado original. Para lograrlo, el Creador entra en su creación, pero en una condición santa y buena, como la humanidad debía ser. Al hacerse hombre en Jesús, Dios manifiesta que él está por nosotros y con nosotros. La razón básica por la que fue necesario que Jesucristo se hiciera hombre es descrita por su nombre "Emanuel", Dios con nosotros.

B. Enfasis:

Una exhortación necesaria, Hebreos 2:1. Si la revelación dada con anterioridad, mediante los profetas y a través de manifestaciones de los ángeles, debía ser tomada en cuenta con tanta seriedad, mucho más consideración debe tener la revelación máxima dada por Dios a través de su Hijo.

Dios cumple sus advertencias, Hebreos 2:2-4. Desde el tiempo de la Ley, la violación de cada mandamiento del Señor tenía prescrito un castigo. Dios nunca pasó por alto una infracción a su antigua revelación. Con más razón castiga ahora si se toma a la ligera la revelación dada a través de su Hijo en persona.

El autor de la salvación, Hebreos 2:5-10. Se ve en Jesucristo el cumplimiento de las grandes promesas hechas por Dios en el Antiguo Testamento. Así que en él se revierte el proceso de pecado y muerte que comenzó en Adán y Eva.

Hermanos de Cristo por la salvación, Hebreos 2:11-18. A través de su obra redentora, Cristo logra que muchos seres humanos lleguen a ser hijos de Dios. Por lo tanto él se constituye en *hermano* de los muchos hijos que él ha llevado a la gloria.

─────────── **Estudio del texto básico** ───────────

1 Una exhortación necesaria, Hebreos 2:1.

V. 1. Este versículo expone un desafío en forma de advertencia. La palabra clave es el verbo "deslizar"; en el versículo 3 se usa el verbo "descuidar". El sentido del verbo deslizar es salirse fuera, como cuando un anillo se desliza o se sale del dedo. La idea es que, el problema de los lectores de esta epístola no era tanto un rechazo violento al mensaje divino, sino más bien una indiferencia y un desinterés por la salvación que Cristo ofrece. El pasaje bíblico parece indicar que ellos habían profesado fe en Jesucristo, pero que estaban desviándose de ese mensaje y descuidando el propósito salvador de Dios.

2 Dios cumple sus advertencias, Hebreos 2:2-4.

Vv. 2, 3a. Existe la opinión de que los lectores judíos cristianos de esta carta estaban aferrados a sus tradiciones judías. Esto no significa que ellos estuvieran renunciando a Cristo y volviendo al judaísmo, pero sí implica que estaban dejando de crecer y cumplir las metas de la vida cristiana. En otras palabras, estaban retardando su crecimiento en Cristo a causa de mantener los elementos judíos en su cristianismo. El autor muestra la seriedad de fallar en responder con obediencia a la revelación superior dada por Dios en su Hijo. El problema era que muchos lectores eran tentados a estar más comprometidos en sus antiguas tradiciones que en seguir a Cristo, llevando cada día su cruz. El autor considera a los cristianos peregrinos de fe; deben ir hacia adelante de acuerdo con el propósito de Dios. Fallar en hacerlo así es un pecado que trae graves y serias consecuencias.

Vv. 3b, 4. En estos versículos se da una pista acerca del autor de la carta y sus lectores. Ni el autor ni sus lectores fueron testigos oculares de la vida y ministerio de Cristo. Ellos recibieron el mensaje de *los que oyeron,* o sea testigos presenciales.

3 El Autor de la salvación, Hebreos 2:5-10.

V. 5. Este versículo se conecta con el versículo 1:14 mediante la palabra *porque.* Dios ordenó a los ángeles ser servidores de los herederos de su salvación, y no gobernar el mundo venidero.

Vv. 6-8. El autor de Hebreos no nombra al autor particular de ninguna de las Escrituras que cita. Para él todo el Antiguo Testamento representa la voz del Espíritu Santo y el autor humano no requiere mayor consideración que una vaga alusión: *alguien dio testimonio en un lugar.* Las siguientes palabras en estos versículos provienen del Salmo 8. El salmista comenta maravillado las obras del Creador y en especial la del ser humano. Sin embargo, el autor de Hebreos aplica estas palabras no al primer Adán, sino a Cristo el último Adán, iniciador de la nueva creación y gobernador del mundo futuro.

Las palabras *no vemos todavía todas las cosas sometidas a él,* son de crucial importancia. El autor está dando indicios de que las palabras de este salmo son una profecía que ha de cumplirse en el futuro. Aunque esa sujeción ya ha sido decretada, su cumplimiento ha sido diferido.

Vv. 9, 10. El hecho central es mostrar que el Hijo de Dios, quien ahora está entronizado a la derecha de Dios, fue un ser humano que comparte nuestra situación. Su naturaleza humana fue expuesta a toda clase de pruebas, al igual que nosotros. Por estas razones, él está completamente calificado para ayudarnos cuándo nuestra fe es probada severamente.

El autor aplica las palabras del Salmista a la persona de Jesús. *Por poco tiempo* fue hecho *poco menor que los ángeles,* describe la temporal humillación del Señor, tomando forma humana. Coronado *de gloria y honra,* se refiere a su exaltación y glorificación. Algunas enseñanzas que se desprenden son: a) En la persona de Jesús se ve el verdadero propósito del ser humano; b) El acontecimiento de que Jesús fue temporalmente hecho poco menor que los ángeles, no pone en tela de duda su superioridad sobre ellos; c) Por primera vez el autor introduce el nombre de Jesús; d) El propósito de Jesús de compartir la condición humana fue experimentar la muerte por otros; e) Jesús ha sido coronado con gloria y esplendor porque él sufrió la muerte. Se puede cuestionar si Jesús, siendo el Hijo de Dios, podía o necesitaba ser perfeccionado. Esta carta menciona mucho acerca de la obtención de la perfección, pero se refiere a un acceso sin impedimentos a Dios y a una comunión permanente con él. En todo esto es Jesús quien guía en el camino. Jesús, para ser un sumo sacerdote perfecto, tenía que simpatizar con quienes serían objeto de su intercesión. Para lograrlo, entró en la experiencia humana. También fue obediente a Dios, que es el requisito básico para ser un sacerdote perfecto y el sacrificio de expiación. Cualquier mancha de desobediencia lo hubiera descalificado. Por lo tanto, sólo él llenó perfectamente las condiciones para ser el representante de su pueblo. Sufrió con ellos y por ellos. El que sufrió fue el Hijo de Dios y los "muchos" por quienes sufrió son guiados a la gloria como hijos de Dios.

Aquí es importante la conexión de la palabra *salvación* de 2:3 y 2:10. El Hijo de Dios, por quien esa gran salvación ha sido proclamada, y a través de quien los lectores de la carta y todos los demás creyentes han llegado a ser *herederos*, es también el líder de su salvación, conduciendo a los herederos hacia su verdadero destino y herencia.

4. Hermanos de Cristo por la salvación, Hebreos 2:11-18.

Comenzando con el versículo diez se señalan algunas de las razones que motivaron la sin igual identificación entre Jesús y los hombres.

a. Ese era el plan de Dios (2:10).

b. Para afirmar la unidad entre el Hijo y los hijos como hermanos (2:11, 14).

c. Para llevar sobre él mismo las aflicciones de sus hermanos (2:10, 17).

d. Para reunir a su familia espiritual (2:11-13).

e. Para poder morir por ellos (2:14).

f. Para triunfar sobre el diablo (2:15).

g. Para librar a los suyos del temor de la muerte (2:15).

h. Para socorrer a la descendencia de Abraham (2:16).

i. Para expresar su misericordia (2:17).

j. Para ser fiel sumo sacerdote (2:18).

——————Aplicaciones del estudio——————

1. Fallar en atender a la palabra de Dios es un pecado de serias consecuencias (Heb. 2:1-4). La advertencia dada en Hebreos 2:1-4, puede ser aplicada a quienes no ponen cuidado o interés en dar una respuesta inicial a Cristo. Estos son indiferentes al mensaje de salvación, no le dan la seriedad debida y no se toman la molestia de responder. Pero originalmente la advertencia de estos versículos se aplicó a personas que ya han profesado ser cristianas. Muchos en el día de hoy dicen que han oído y creído en el evangelio y, sin embargo, permanecen inmóviles e impasibles ante la brillantez de la suprema revelación de Dios. Les falta la motivación para compartir el evangelio a un mundo que está pereciendo.

2. El Señor siempre cumple sus advertencias (Heb. 2:10, 11). El anuncio de la ley se hizo por medio de ángeles. Fue una revelación augusta y fue afirmada por las más tremendas sanciones si era violada. El anuncio del evangelio fue hecho por el Hijo, así que la ofensa contra Dios sería enorme, si descuidamos ese mensaje aún más sublime.

Ayuda homilética

El descuido de la salvación
Hebreos 2:1-4

Introducción: La vida es como un océano lleno de corrientes. Muchas de ellas alejan a las personas del puerto seguro de la salvación que Cristo ofrece. Algunas son tan traicioneras que al ir por ellas, parece que nos acercan a lugar seguro, cuando en realidad nos llevan hacia el mar abierto de la confusión y la condenación eterna. Es un peligro de graves resultados el deslizarse del puerto seguro de la salvación.

I. No hay pecado más grande que:
   A. Menospreciar el único Nombre en el cual somos salvos.
   B. Rehusar lo que a Dios le ha costado tanto dar.
   C. Insultar a su único Hijo.

II. No hay salvación más grande que la:
   A. Anunciada por el propio Hijo de Dios.
   B. Confirmada por apóstoles y testigos oculares.
   C. Atestiguada por el mismo Dios, con señales y prodigios y dones del Espíritu Santo.

III. No hay menosprecio más insensato porque:
   A. No hay escape para el remordimiento y el pesar.
   B. No hay escape de la tentación.
   C. No hay escape del justo juicio de Dios.
   D. No hay escape del castigo eterno.

Conclusión: Precisamente por ser objetos de una misericordia tan amplia y generosa, los pecados son más fatales y su castigo más riguroso. Recuerde, el descuido de la salvación tiene resultados eternos.

Lecturas bíblicas para el siguiente estudio

Lunes: Hebreos 3:1-6   **Jueves:** Hebreos 3:16-19
Martes: Hebreos 3:7-11   **Viernes:** Hebreos 4:1-7
Miércoles: Hebreos 3:12-15 **Sábado:** Hebreos 4:8-13

AGENDA DE CLASE

Antes de la clase
1. En una cartulina o en la pizarra escriba las preguntas: "¿Qué significa revelación?" ¿"Qué quiere decir revelación progresiva?" **2.** Con la ayuda de un diccionario bíblico y libros de teología sistemática amplifique los conceptos que responden a las preguntas. Para comenzar: "Revelación" quiere decir el acto por el cual Dios se da a conocer a sí mismo. Lo que conocemos de Dios es solamente aquello que él ha querido que conozcamos. "Revelación progresiva" implica que Dios va dando a conocer más de sí mismo en la medida que el hombre responde a lo que conoce de él. El progreso está orientado hacia la persona de Cristo. Cristo es la máxima revelación de Dios. **3.** Prepare un recipiente con agua y haga un barquito de papel. Estos le serán útiles para explicar el concepto de "deslizarse" que estudiaremos en la primera parte. **4.** Piense en formas creativas de ilustrar el concepto de "salvación" que aparece repetidamente en este estudio. **4.** Responda a los ejercicios dados en el libro de sus alumnos *Lea su Biblia y responda*. Si necesita ayuda, aquí está la comprobación de respuestas. Véalas solamente después de haber hecho su esfuerzo personal por responderlas.

Comprobación de respuestas
JOVENES: **1.** a. No sea que nos deslicemos. b. Repartición de dones, señales, maravillas, diversos hechos poderosos. c. Por su muerte expiatoria. d. El mismo padeció siendo tentado. **2.** a-F, b-V, c-F, d-V, e-F.
ADULTOS: **1.** a. Que nos deslicemos. b. Los ángeles. c. Confirmar la salvación. d. Por el padecimiento de la muerte. e. Hermanos. f. Para destruir al que tenía dominio sobre la muerte. **2.** a-F, b-V, c-V, d-F.

Ya en clase
DESPIERTE EL INTERES
Presente un caso de estudio como el que sigue. Mientras los alumnos lo analizan que respondan a las preguntas. Caso: Pedro, con frecuencia, se queda viendo la televisión el sábado por la noche. Por lo mismo le es difícil levantarse el domingo para asistir a la escuela dominical. Frecuentemente no va, pero cuando lo hace está tan cansado que le cuesta concentrarse y da la impresión de aburrido. Preguntas: ¿Cuáles son las consecuencias de lo que Pedro está haciendo? ¿Qué nos dice la conducta de Pedro en relación con su compromiso con Jesucristo? ¿Qué consejos prácticos podrían ayudar a Pedro?

ESTUDIO PANORAMICO DEL CONTEXTO
1. Explique lo que era el ministerio de los profetas y cómo Dios los usó para hablar por medio de ellos. **2.** Use el cartelón que preparó para explicar los conceptos de "revelación" y "revelación progresiva" en

relación con el hecho de que Dios ha hablado por medio de su Hijo. **3.** En la pizarra, con la ayuda de todos escriba una lista de los aspectos en los cuales Cristo es superior a los ángeles.

ESTUDIO DEL TEXTO BASICO

1. Una exhortación necesaria, Hebreos 2:1. Use el recipiente con agua y el barquito de papel. Con la boca sople suavemente para que el barco se aleje de la orilla. Llame la atención al poco aire que se necesita para moverlo. Haga la aplicación al hecho que el autor de Hebreos nos exhorta sobre el peligro de deslizarnos suavemente de nuestras creencias.

2. Dios cumple sus advertencias, Hebreos 2:2-4. Ponga énfasis sobre el hecho que Dios castiga con firmeza la desobediencia de sus hijos. Después presente las tres razones por las cuales la salvación en Cristo es superior: (1) Porque fue anunciada por Jesucristo quien es la palabra de Dios hecha carne; (2) Porque fue confirmada por los apóstoles quienes confirmaron su veracidad; (3) Porque fue ratificada por Dios como superior a la ley.

3. El autor de la salvación, Hebreos 2:5-10. El énfasis en esta sección es sobre el hecho que Jesús, el Hijo de Dios, es quien en última instancia tendrá el control de todo el universo. Ayude a sus alumnos a recordar que en la cultura popular se cree que Satanás, o algunos ángeles, o las fuerzas del mal, el poder de los astros u otros seres son los que tienen el poder sobre la creación. Este pasaje afirma que Dios ha dado todo a Jesucristo, y que todas las cosas están sujetas a él.

Revise con sus alumnos las respuestas a la sección *Lea su Biblia y responda.*

APLICACIONES DEL ESTUDIO

1. Lea cuidadosamente las *Aplicaciones del estudio* que se ofrecen en su libro. Después lea las que se dan en el libro de sus alumnos. Enseguida seleccione dos o tres que sean pertinentes al grupo que usted enseña. **2.** Permita que sus alumnos hagan las aplicaciones más personales. Permita que dos o tres compartan sus ideas y aplicaciones.

PRUEBA

1. El propósito de esta sección es doble: (1) Verificar que usted y sus alumnos han obtenido los conocimientos básicos sobre el pasaje estudiado. (2) Desarrollar actitudes positivas relacionadas con las verdades estudiadas. **2.** Elabore algunas preguntas para detectar si los alumnos han conseguido los conocimientos bíblicos. **3.** Guíe a cada uno de los participantes a hacer el "Inventario personal" que se sugiere en el primer ejercicio de la *Prueba.* **4.** Con mucho cuidado y sin animar una conversación sobre las debilidades de algún miembro de la congregación, que cada uno responda el ejercicio dos. Termine con un momento de oración y compromiso personal con Jesucristo de cuidar su propia salvación.

Jesús, superior a Moisés

Contexto: Hebreos 3:1 a 4:13
Texto básico: Hebreos 3:5-15; 4:1, 2, 11, 12
Versículo clave: Hebreos 3:6
Verdad central: La superioridad de Jesús sobre Moisés muestra la importancia de la obra de Cristo y la necesidad de ser fieles hasta el fin para poder entrar en el reposo de Dios.
Metas de enseñanza-aprendizaje: Que el alumno demuestre su conocimiento de los aspectos en los cuales Cristo es superior a Moisés, y su decisión de renovar su fidelidad a Cristo.

Estudio panorámico del contexto

A. Fondo histórico:

El autor invita a considerar al apóstol y sumo sacerdote, Jesús, quien ha sido fiel, al igual que Moisés, en toda la casa de Dios. Señala la superioridad de Jesús sobre Moisés ya que éste fue un fiel siervo en la casa de Dios, pero Cristo, en calidad de Hijo, está sobre la casa. Nosotros los creyentes somos esa casa, y siempre que retengamos firme la confianza y la esperanza en Jesucristo, no seremos excluidos del reposo de Dios. El autor advierte el peligro de la incredulidad al mencionar el ejemplo de Israel en el desierto, pues por su incredulidad fueron excluidos del reposo de Dios. Termina con la afirmación de que ese reposo aún se ofrece hoy. Exhorta a entrar en él y no ser desobedientes como los israelitas, pues la Palabra de Dios es viva y eficaz; a Dios tendremos que dar cuenta.

B. Enfasis:

Moisés es siervo del Señor Jesús, Hebreos 3:1-6. Moisés fue reconocido por Dios como mayordomo principal sobre su casa. Esta *casa* (Núm. 12:7) en la que Moisés sirvió fielmente no es la tienda de reunión, sino el pueblo de Israel, la familia de Dios. Pero, aunque Moisés fue muy grande, su categoría era inferior a Cristo. Moisés era, en la casa de Dios, un sirviente que por su fidelidad fue puesto como administrador principal de ella. Cristo, en cambio, es el Hijo y heredero de la casa y gobierna sobre ella. Ahora la casa de Dios ya no es el pueblo de Israel, sino que la forman todos los creyentes.

El peligro de no creer, Hebreos 3:7-11. La consecuencia de rehusar oír la voz de Dios es la exclusión de su reposo prometido. En este pasaje se hace referencia a una parte del Salmo 95 que relata el ejemplo del pueblo de Israel. La palabra clave es "incredulidad"; a causa de esta actitud, Dios les negó la entrada a la tierra prometida.

El reposo del pueblo de Dios, Hebreos 3:12-15. El autor explica el reposo divino como el descanso sabático eterno. Asume que sólo hay un reposo en el cual Dios entró al terminar su obra creadora. Este mismo reposo fue prometido mediante Moisés y ahora aun los cristianos lo esperamos. El reposo prometido de Dios continúa vigente; está abierto a que sea aceptado por fe, y únicamente por fe.

Los que no entraron en el reposo, Hebreos 3:16-19. Los que no entraron en el reposo de la tierra prometida fueron aquellos quienes, sacados de la esclavitud en Egipto bajo el liderazgo de Moisés, hicieron pacto con Dios y fueron testigos de sus obras poderosas. Este pueblo probó ser una generación perversa que repetidamente desobedeció y fue infiel. Su incredulidad les trajo como consecuencia el juicio de Dios y perdieron la oportunidad de entrar al reposo prometido.

Los que sí pueden entrar en el reposo, Hebreos 4:1-13. Dios mantiene su promesa de un reposo, ya no es un Canaán terrenal, sino un reposo espiritual en la eternidad. Al pueblo de Israel se le comunicaron las *buenas nuevas* de esa tierra prometida y, sin embargo, por incredulidad no la pudo obtener. En el presente tampoco basta escuchar el evangelio de Jesucristo, sino que es necesario apropiarse de estas *buenas nuevas* mediante la fe. Si ésta es auténtica, será una fe que persevere hasta el fin.

─────────── **Estudio del texto básico** ───────────

1 Moisés es siervo del Señor Jesús, Hebreos 3:5, 6.

V. 5. La relación de Moisés con la casa de Dios era la de un sirviente; él era *parte* de la casa. Cristo en cambio tiene una relación de *Hijo* y heredero, y gobierna *sobre* la casa de Dios. Además, la posición de Moisés fue transitoria. Su ministerio fue diseñado como *testimonio de lo que se iba a decir.* En términos del mismo escritor de Hebreos, Moisés fue la "sombra de los bienes venideros" (Heb. 10:1). Bienes que ahora han venido a través de Cristo. Muchos comentaristas estiman que la posición de Moisés fue tal que apuntaba más allá de sí mismo hacia una revelación mayor y futura.

V. 6. La prueba final de la superioridad de Cristo es que como Hijo, él está sobre su propia casa. De esta manera es digno de mayor gloria que el sirviente. Aquí se introduce la palabra *Cristo* no como un nombre sino como título oficial. El Hijo, el constructor de la casa, es el verdadero Mesías. Si la casa en la que sirvió Moisés fue el pueblo de Israel, la casa sobre la que Cristo gobierna es la que él mismo construye con todos aquellos que le reconocen como el Hijo enviado de Dios, y colocan toda su fe y una esperanza espiritual gozosa en él.

2 El peligro de no creer, Hebreos 3:7-15.

Vv. 7-11. La perversidad de la ingratitud y la infidelidad nunca ha sido mejor ilustrada que en la historia de los israelitas en el desierto. Por su bondad y misericordia Dios les levantó un líder que los liberara de la miseria y la esclavitud en Egipto, y nunca los abandonó. Sin embargo, ellos una y otra vez se rebelaron en contra del Señor, y se comportaban más como sus enemigos que como aquellos a quienes había liberado. En estos versículos se cita el Salmo 95, que hace referencia a la perversidad de esos corazones endurecidos que se rebelaban contra el Señor en desobediencia e incredulidad. Se advierte el peligro de la incredulidad y el trágico costo de la infidelidad: el juicio y sentencia de Dios de no recibir las bendiciones prometidas. Las palabras *juré en mi ira* (v. 11), muestran la profundidad del disgusto del Señor. La fuerte declaración *¡Jamás entrarán en mi reposo!* se refiere originalmente al reposo asociado con la posesión de la tierra prometida.

Vv. 12, 13. Además de señalar la infidelidad del pueblo de Dios en el pasado, el pasaje demuestra la importancia de escuchar la voz de Dios en el día de hoy. El autor pide que recordemos la fidelidad de Dios y así, cuando él hable, no endurezcamos el corazón. La exhortación incluye el estar atentos y alentarse unos a otros, para estar firmes en la fe durante el tiempo presente de prueba. Es muy importante tomar en serio estas palabras, ya que aquel individuo que se aísla de los demás creyentes está más propenso a caer ante las tentaciones. Por Hebreos 10:25 nos damos cuenta de que parte del problema de los lectores del libro era que no se estaban congregando. Cualquiera que sea la razón para esta falta de participación en la adoración pública, la enseñanza y la comunicación, los resultados siempre son dañinos al crecimiento y a la dedicación cristianas.

Vv. 14, 15. Una vez más se da hincapié a la importante necesidad de perseverar. Sólo si el creyente mantiene su fe hasta el fin, se le puede considerar *participante de Cristo.* La idea de participante se entiende como participar *con* él en su reino. Unicamente, con una fe genuina, se puede iniciar la vida cristiana y perseverar en ella hasta el final.

3 El reposo del pueblo de Dios, Hebreos 4:1, 2, 11, 12.

Vv. 1-2. La promesa de Dios de reposo para su pueblo aún es accesible, Ya no se limita al pueblo de Israel, sino que ahora la promesa es para todo aquél que cree en Cristo. Tampoco es un reposo que se refiere a la tierra prometida de Canaán, sino que el reposo reservado para este nuevo pueblo de Dios se llama "un descanso sabático", porque es la participación del pueblo en el *reposo* propio de Dios. Cuando el Señor completó su obra de creación, reposó; así su pueblo, después de completar su servicio en la tierra, entrará en su reposo. Este descanso sabático evidentemente es una experiencia que no se disfruta en la vida mortal; es una promesa que pertenece a los creyentes como herencia y por fe se pueden anticipar sus beneficios en el presente. Sin embargo, lo maravilloso de este reposo es que seguramente incluye la comunión inquebrantable con Dios que es la meta hacia la cual se dirige cada integrante de su pueblo. Esta es la perfección final preparada para los creyentes a través del sacrificio de nuestro sumo sacerdote celestial.

V. 11. El autor ha presentado el desastre que trae la incredulidad, pero también ha presentado las bendiciones que son accesibles mediante la fe. Entonces urge a sus lectores a que busquen el reposo eterno de Dios y no lo pierdan a causa de una desobediencia como la de los israelitas en el desierto. Pide perseverancia puesto que no es posible burlarse de Dios. No se puede ignorar su palabra sin recibir el justo castigo divino. La palabra de Dios debe ser recibida con fe, debe obedecerse diariamente, y debe tomarse muy en serio. El doble tema que nos presentan las palabras: *esfuerzo y reposo*, son dos realidades de la vida cristiana. Para conseguir el galardón del reposo, también descrito en el Nuevo Testamento como: el reino, la salvación y la redención, solo se puede obtener después de cumplir hasta la agonía con el esfuerzo que puede significar vivir la vida cristiana normal.

V. 12. La *Palabra de Dios* no es como la del hombre; *es viva*, efectiva y autosuficiente. Esta Palabra que fue dada a los israelitas en el desierto, nos ha sido dada otra vez en estos días de cumplimiento. Es una Palabra que diagnostica el corazón, trae bendición a quienes la reciben con fe, y trae juicio sobre quienes la rechazan. La Palabra de Dios es *viva* tanto porque "vive y permanece para siempre" (1 Ped. 1:23), como porque es *palabra* de vida. Es *eficaz* en el sentido que cumple el propósito para el cual se ha pronunciada, es decir que tiene carácter de irrevocable, como lo afirma Isaías 55:11. Además, la Palabra de Dios es más afilada que la espada más filosa. La frase: *penetra hasta partir el alma y el espíritu, las coyunturas y los tuétanos*, indica que esta Palabra divina penetra en los recovecos más escondidos de nuestro ser espiritual y saca a la luz los motivos más subconscientes. Finalmente tiene funciones judiciales porque *discierne los pensamientos y las intenciones del corazón.*

———————————Aplicaciones del estudio ———————————

1. Es posible esconder nuestro ser más íntimo de la vista del prójimo; inclusive es posible engañarnos a nosotros mismos, pero es totalmente imposible escapar del escrutinio de Dios. Nada escapa de su vista y nos encontramos expuestos tal y como somos. Es muy importante tomar en serio la Palabra del Señor que nos examina y nos corrige, pues es ante Dios que hemos de *dar cuenta* y no ante nuestros semejantes ni ante nuestra propia conciencia.

2. El apoyo mutuo de los creyentes es de vital importancia. Descuidar el compañerismo con los creyentes significa estar más expuesto a las tentaciones. En especial las personas que comienzan a oír la Palabra de Dios, deben ser cuidadas y dirigidas por los creyentes, a fin de que al escuchar el mensaje de salvación, lo atiendan y puedan entrar en el reposo prometido. Es triste que exista una gran cantidad de personas que han *oído* las buenas nuevas, pero no llegan a ser salvas. La causa puede ser un mal testimonio o la falta de compañerismo entre los creyentes. Por eso se decepcionan y se apartan del Dios viviente con el corazón endurecido y engañados por el pecado.

3. El peligro de la incredulidad está latente hoy. Cuando Dios habla al corazón del hombre y le impulsa hacia la fe y la obediencia, pero el hombre se resiste con un esfuerzo interno para decidir hacer lo contrario, entonces se produce el endurecimiento del corazón; hay rebelión y el resultado es que las cosas o acontecimientos que antes podían conmover a esa persona, ya no le producen ninguna sensación. Por ejemplo, el hecho de que Jesús haya muerto por sus pecados, no le produce la menor emoción. El resultado es que no hay cambios en el carácter de la persona y por lo tanto, al no ser regenerado espiritualmente, se pierde para siempre.

────────────── **Ayuda homilética** ──────────────

El desastre de la incredulidad
Hebreos 3:7-19

Introducción: El ser humano puede enfrentar algunos desastres y tragedias en su vida. Algunos son provocados por la naturaleza como los terremotos o los huracanes. Otros desastres son actos humanos accidentales, es decir, cometidos sin intención y que afectan a terceras personas. Pero no hay desastres más tristes para una persona que aquellos que ella misma se busca. La incredulidad es voluntaria y trae resultados desastrosos de duración eterna.

I. **Causas de la incredulidad**
   A. Murmurar contra Dios.
   B. Separarse del Dios vivo.
   C. Dejar de aprender de las lecciones del pasado.
II. **Efectos de la incredulidad**
   A. Desasosiego.
   B. Falta de propósito.
   C. Anhelos no satisfechos.
III. **Advertencias contra la incredulidad**
   A. Evitar la maldad del corazón.
   B. Evitar el endurecimiento del corazón.
   C. Evitar la inconstancia del corazón.

Conclusión: Los corazones duros son los que no creen. Los corazones duros eran suaves y los suaves pueden endurecerse aún de una manera imperceptible. Oír constantemente la verdad sin obedecerla endurece el corazón. Ha escuchado hoy la Palabra de Dios, ¿está dispuesto a recibirla con fe y obedecerla?

Lecturas bíblicas para el siguiente estudio

Lunes: Hebreos 4:14-16   **Jueves:** Hebreos 5:11-14
Martes: Hebreos 5:1-6   **Viernes:** Hebreos 6:1-12
Miércoles: Hebreos 5:7-10   **Sábado**: Hebreos 6:13-20

AGENDA DE CLASE

Antes de la clase
1. En una cartulina escriba cinco de los eventos maravillosos realizados por Dios a través de Moisés. Estos deben señalar la necesidad que tuvo el pueblo de Dios, la acción milagrosa propiamente descrita y la bendición de Dios recibida por el pueblo.
2. Busque en un diccionario de la lengua española o en un diccionario bíblico las palabras "rebelión", "apóstol", "sumo sacerdote", "constructor" e "incredulidad"; escriba la definición en una cartulina y la palabra en otra.
3. Lleve un mapa en el cual aparezca la ruta del éxodo destacando lugares como Sucot, Sinaí, Cades-barnea y el lugar de acceso a la tierra prometida.
4. Haga el dibujo de una espada en una cartulina.
5. Haga las lecturas bíblicas que conforman el contexto del presente estudio.
6. Responda las preguntas dadas en el libro del alumno en la sección *Lea su Biblia y responda*, del presente estudio.

Comprobación de respuestas
JOVENES: **1.** a-d, b-c, c-a, d-b, e-b. **2.** 1) b. Un fiel siervo sobre la casa de Dios. 2) c. Es viva y eficaz, y más penetrante que una espada. **3.** Porque lo tentaron, lo probaron. b. Un corazón malo, de incredulidad. c. Que no entrarían en su reposo. d. No endurecer su corazón.
ADULTOS: **1.** a. Apóstol y Sumo Sacerdote. b. Porque tiene mayor honra el que construye la casa que el que sirve en ella. c. Moisés es siervo y Jesús es hijo. d. Endurecer. e. A no endurecerse por causa del pecado. **2.** a-f, b-v, c-f, d-v.

Ya en la clase
DESPIERTE EL INTERES
1. Exponga ante la clase el siguiente caso: El señor Acuña quiso construir su propia casa, por ser arquitecto él mismo diseñó una hermosa y funcional casa. Durante la construcción los albañiles trabajaron fielmente en la obra y una vez concluida, el dueño de la casa quiso poner su propia placa cerca de la entrada principal donde se leía: "Esta casa fue construida por el arquitecto Acuña." Ante esto, el jefe de los albañiles se indignó, pues afirmaba que él la había construido. ¿Cómo juzga la actitud de cada quien? ¿Estaba en su derecho el arquitecto en poner esa placa? ¿Por qué?
2. Como clase hagan una lista de las razones de cada quien y evalúen el proceder del arquitecto y del albañil.

ESTUDIO PANORAMICO DEL CONTEXTO
1. Coloque a la vista de todos el mapa del éxodo.

2. Indique en él la ruta del éxodo destacando principalmente los acontecimientos de Cades-barnea (Deut. 1:2), y cómo el pueblo se volvió rebelde e incrédulo.

3. Destaque las consecuencias de la desobediencia del pueblo y su necedad.

4. Muestre la cartulina con la definición de "rebelión" y pida a la clase que traten de identificar la palabra.

5. Una vez identificada colóquela cerca de Cades-barnea en el mapa, y explique la actitud del pueblo.

6. Hable de la seriedad con la que Dios mira la rebelión.

ESTUDIO DEL TEXTO BASICO

1. Utilizando las cartulinas con las palabras "apóstol", "sumo sacerdote", "constructor", pida a uno o varios miembros de la clase que traten de definirlas. Después de escuchar sus opiniones, coloque las definiciones escritas en la cartulina y explique la manera en la que Jesucristo actuó como tal.

2. Examine la posición del Señor Jesucristo como "dueño y constructor" del pueblo de Israel y la de Moisés como "siervo" y enfatice la superioridad de Jesús con respecto a Moisés.

3. Utilizando la cartulina que dice "incredulidad" pida a la clase que trate de definir esta palabra. Explique cómo el corazón de faraón se endureció y cómo la ira de Dios vino sobre él.

4. Revise la pregunta 1. d. y e. del Libro de ADULTOS. Haga hincapié sobre la repetición del término en este pasaje.

5. Explique el contenido y el significado de la palabra "reposo" en este pasaje.

6. Utilizando el dibujo de la espada, destaque los efectos, peligros y beneficios de la Palabra de Dios y los resultados producidos en aquel que la lee y la utiliza.

APLICACIONES DEL ESTUDIO

Pida que diferentes alumnos lean las aplicaciones que aparecen en sus libros y las comenten. Comenten la bendición de tener un sumo sacerdote como Jesucristo, y la manera en que esto trae confianza y seguridad a nuestro corazón. Reflexionen sobre la suprema importancia de estimularnos "unos a otros" a permanecer en la verdad, y la necesidad de traer al "rebaño" a aquellos que se han alejado. Enfaticen sobre la importancia de apreciar las promesas de Dios.

PRUEBA

Pida que cada alumno, individualmente, realice esta actividad y que se junten en parejas para compartir respuestas. Después de hacer esto, pídales que oren por sus propias vidas, que Dios los fortalezca para permanecer fieles al Señor. Invítelos a que hagan las lecturas diarias sugeridas en sus libros, para ayudarles a preparar su siguiente estudio.

Jesús, nuestro gran sumo sacerdote

Contexto: Hebreos 4:14 a 6:20
Texto básico: Hebreos 4:14-16; 5:7-10; 6:1-6, 17-20
Versículos clave: Hebreos 4:15, 16
Verdad central: La posición de Jesús como nuestro gran sumo sacerdote nos enseña que podemos confiar plenamente en él para crecer en el camino de la vida cristiana.
Metas de enseñanza-aprendizaje: Que el alumno demuestre su conocimiento del ministerio de Jesús como nuestro gran sumo sacerdote, y su actitud de confiar plenamente en la tarea intercesora de Cristo para crecer cada día más en la vida cristiana.

Estudio panorámico del contexto

A. Fondo histórico:

Características del sumo sacerdote en el judaísmo. El sacerdocio formaba el corazón del judaísmo. El sumo sacerdote era un hombre llamado por Dios para ser mediador entre Dios y los hombres. Presentaba a los hombres ante Dios, ofreciendo sus sacrificios y sus dones en expiación de sus pecados. Le era necesario ser comprensivo e indulgente. Un sacerdote humano de esta clase conoce su propia debilidad y, por lo tanto, le resulta más fácil sentir compasión por el descarriado. Puede comprender a los que cometen pecado por debilidad o ignorancia, pero no solapa a quienes pecan con toda intención y soberbia. El texto dice que el sumo sacerdote está revestido de debilidad. Tal vez esto sea una alusión a las vestiduras sacerdotales que en el judaísmo tardío habían llegado a simbolizar al mundo. Por todo esto, el sumo sacerdote estaba seguro de que además de ofrecer sacrificios de expiación por el pueblo, debía ofrecerlos por sí mismo. En resumen, las dos principales cualidades del sumo sacerdote eran su nombramiento divino y tener simpatía para con aquellos por los que intercedía.

Tarea del sumo sacerdote. El oficio del sumo sacerdote es hacer expiación por los pecados. Este oficio sacerdotal es a favor de los hombres en cuanto a sus relaciones con Dios. Estas relaciones se afectaban por los presentes y sacrificios que ofrecía el sacerdote. Su obra era tanto hacia el hombre como hacia Dios. El sacerdote presentaba dos clases de ofrendas: presentes y sacrificios; éstas corresponden a las no expiatorias y a las expiatorias. Las no expiatorias también se llamaban ofrendas pacíficas, libaciones

y las expiatorias eran los animales ofrecidos en sacrificio. Las dos
ofrendas tienen que ver con el pecado del hombre contra la ley de Di

B. Enfasis:

El sacerdocio de Cristo, Hebreos 4:14-16. El sacerdocio de Cr
superior. La mayor parte de la Epístola a los Hebreos trata acerca de la
rioridad de Cristo como sacerdote. Jesús, al combinar lo humano y lo d
se constituye en un sacerdote perfecto.

Cualidades de un sumo sacerdote, Hebreos 5:1-4. Un elemento eser
en el carácter del sacerdote es la compasión. El sacerdote al ser consci
de sus propias debilidades, puede ser más indulgente con las de los dem
Otra cualidad del sacerdote es que Dios siempre se ha reservado el derec
de hacer los nombramientos para este alto oficio. Cuando alguno se atrev
a tomar para sí ese puesto, tuvo que sufrir las consecuencias, como Coré
sus seguidores (Núm. 16:5-7).

*Jesús cumple a cabalidad las cualidades de un sumo sacerdote, Hebreos
5:5-10.* Se comprueba que Jesús cumple todas las condiciones para ser un
sumo sacerdote mediante un contraste simétrico. En los vv. 1-4 se dan las
cualidades de un sumo sacerdote humano en el siguiente orden: El antiguo
oficio, su solidaridad para con el pueblo y la humildad que debía tener. En
los vv. 5-10 se presenta a Cristo y sus cualidades en un orden inverso: La
humildad de Cristo, su solidaridad con el pueblo y su nuevo oficio como
sumo sacerdote.

Llamamiento a la madurez espiritual, Hebreos 5:11 a 6:8. Es de notarse
la frecuencia con que se exhorta en esta epístola a la perseverancia en la fe.
Sin embargo, no nos extraña si tomamos en cuenta el peligro de apostasía
que amenazaba a los lectores. El autor les exhorta a persistir en el camino
cristiano, aprovechando los medios de gracia que ofrece nuestro sumo sacerdote, Jesucristo.

Confianza en la promesa de Dios, Hebreos 6:9-20. Con la Palabra de
Dios basta para confiar en el cumplimiento de sus promesas. Sin embargo, el
autor afirma que Dios confirmó su promesa de bendición a Abraham (y con
él a todas las naciones de la tierra) con juramento; por esto los herederos de
la *promesa* no deben dudar de la sinceridad de Dios y de la inmutabilidad de
sus designios.

─────────────── **Estudio del texto básico** ───────────────

1 El sacerdocio de Cristo, Hebreos 4:14-16.

Vv. 14, 15. El autor ya presentó a Jesús como un "sumo sacerdote misericordioso y fiel" (2:17); ahora muestra cómo a través de él, el creyente puede
recibir la fuerza necesaria para mantener la fe y resistir la tentación de volverse atrás. El origen divino de Jesús no le impide identificarse con su
pueblo y sentir simpatía por su debilidad. El fue probado en todo, pero se
mantuvo firme. Ahora *que ha traspasado los cielos*, hasta el mismo trono de
Dios. Esto contrasta con la acción de los sumos sacerdotes que tenían como
su más alto privilegio traspasar una vez al año el velo del templo, y entrar al

lugar santísimo como símbolo de estar en la presencia de Dios por unos momentos, y así interceder por su pueblo.

V. 16. En este versículo se destaca un lenguaje de adoración. Es un llamado a reconocer que el alto ministerio sacerdotal de Jesús ha conseguido para su pueblo un acceso inmediato a Dios, cosa que el pueblo de Israel nunca disfrutó. Los miembros de la familia de la iglesia pueden orar continuamente con la seguridad de ser escuchados por Dios. La invitación es a que nos acerquemos con *confianza*. Esto es con la seguridad de que seremos aceptados y escuchados. La promesa es que hallaremos *el oportuno socorro*. La Epístola está dirigida a los que se encontraban expuestos a pruebas y persecuciones; y el socorro a tiempo u *oportuno* tenía que ser como las circunstancias peculiares lo requerían. *Hallemos gracia*, algunas veces se refiere al favor recibido, pero aquí describe el efecto del favor, un beneficio para el tiempo de necesidad.

2 Jesús es el sacerdote perfecto , Hebreos 5:7-10.

Vv. 7-10. Aunque Jesús, nuestro sumo pontífice, es Hijo de Dios, no le falta identificación suficiente con el hombre para tenerle simpatía y compasión. *Fue tentado en todo* y a través de esas experiencias ha llegado a ser un misericordioso y fiel intercesor de los que ahora somos tentados. Además, Jesús fue nombrado por Dios pontífice eterno *según el orden de Melquisedec*. Cristo no se nombró a sí mismo sacerdote, sino que recibió un llamamiento divino para que ejerciera este oficio. Para confirmar esto, el autor de Hebreos cita las palabras del Salmo 110:4.

3 Llamamiento a la madurez espiritual, Hebreos 6:1-6.

Vv. 1-3. El autor sabe que la comunidad de sus lectores ha sido establecida sobre un fundamento firme. Ellos recibieron ese fundamento cuando vinieron a la fe en Cristo Jesús. Así que les advierte que *dejando las doctrinas elementales de Cristo* deben seguir adelante. "Dejar" de ninguna manera significa que han de desecharse. Deben mantenerse, pero sólo como la base firme que permita avanzar en la madurez espiritual. La tarea del cristiano es permanecer dispuesto para ser llevado hacia adelante por Dios a niveles más profundos de madurez. Los vv. 2 y 3 enumeran estas doctrinas fundamentales: arrepentimiento, fe, bautismo, la resurrección y el juicio eterno entre otras.

Vv. 4-6. Estos versículos forman una oración compleja. La expresión *es imposible* se completa hasta el v. 6 cuando dice *que sean renovados para arrepentimiento*. Esto es difícil de interpretar, pero las palabras intermedias explican la razón de esta imposibilidad. En primer lugar, hay personas que no pueden tener esta experiencia *porque* ellas ya han dejado las tinieblas por la luz de Cristo, han experimentado el don de la salvación y poseen la presencia del Espíritu Santo. La presencia de Dios y la salvación son realidades indudables en sus vidas. En otras palabras, ya han tenido tal experiencia que es irrepetible. En segundo lugar, es imposible para otros *ser renovados para arrepentimiento*, si niegan su relación con Jesucristo. Porque la única manera de que el arrepentimiento pueda ser aceptado es por la acción de Dios en Cristo. Si una persona repudia tal acción, no hay ninguna base sobre la cual el arrepentimiento pueda ser ofrecido, y por lo tanto esa persona en realidad no puede ser cristiana. Otra explicación posible de estos versículos, es que el autor de Hebreos esté hablando hipotéticamente. En tal caso, no está presentando el rechazo de la salvación como un hecho, sino como una suposición de que si alguien llegara a hacer esto, la única solución sería que Cristo muriese por segunda vez, lo cual es impensable. De esta manera, el autor estaría corrigiendo ideas erróneas en sus lectores.

4 Confianza en la promesa de Dios, Hebreos 6:17-20.

Vv. 17-20. La promesa y el juramento de Dios son *dos cosas inmutables*, dos realidades espirituales incambiables, dos hechos inalterables sobre los cuales *es imposible que Dios mienta*. El invariable Dios es confiable, su palabra es segura, pero aun así el añade un juramento para estimular nuestra confianza. Es importante señalar que el juramento de Dios es por sí mismo, es decir que él mismo es su propio testigo. Esto es comprensible si se piensa que no hay nadie más capaz de serlo. Además, sólo él puede hacer cualquier afirmación de sí mismo, porque sólo él tiene conocimiento exacto e infalible acerca de su propia naturaleza. Por esto cuando él quiso asegurar algo acerca de sí mismo, juró por sí mismo, cosa que es impropia para cualquier otro ser. En esta forma el cristiano puede encontrar una fuerte consolación. Es decir, que el *fortísimo consuelo* se deriva de las dos cosas inmutables: a) la promesa de Dios (porque *es imposible que Dios mienta*), y b) el juramento por el cual se confirma su promesa. Nuestra esperanza, basada en sus promesas, es como el ancla espiritual que nos mantiene asidos a la meta eterna del reino de Dios aun en medio del presente orden mundial que es como un mar agitado por las tormentas.

─────────── **Aplicaciones del estudio** ───────────

1. La inmadurez espiritual es un pecado común entre los cristianos (Heb. 6:1-3). Generalmente esta inmadurez tiene sus raíces en que el cristiano ha dejado de estudiar con seriedad la Biblia. Los cristianos espiritualmente inmaduros requieren que sus vidas y sus mentes se vean ampliadas por una profundización en las verdades y el servicio cristianos. Necesitan ir más allá de las instrucciones básicas de la fe. También es necesario buscar la madurez espiritual y dar evidencia a través de la disposición y capacidad para enseñar a otros. Otras señales de crecimiento espiritual son el discernimiento y convicción moral que tanta falta hacen en este mundo confuso entre lo que es bueno y lo que es malo.

2. Algunas personas dicen que la esperanza cristiana no tiene un efecto real en las vidas de las personas (Heb. 6:4-6). Otras dicen que inclusive perjudica, porque lleva a la presunción y a no prestar interés en satisfacer las necesidades de otros. No se puede negar que algunos creyentes dan la apariencia de no haber sido cambiados por la confianza que profesan tener en las promesas de Dios. Por lo tanto, es necesario decir que la única esperanza genuina es aquella que transforma la vida. Y la fe en las promesas de Dios es la clave para permanecer fiel en medio de las pruebas.

3. Vivir de acuerdo con lo que se cree (Heb. 6:17-20). El autor de Hebreos en ningún momento tiene la intención de hacer dudar de su salvación y de su fe a los cristianos genuinos, sino que muestra más bien que habría que dudar de la realidad de las profesiones de fe y de la esperanza de quienes no viven de acuerdo con lo que dicen creer.

Ayuda homilética

El ancla del alma
Hebreos 6:19, 20

Introducción: El ancla es un objeto sumamente importante en las embarcaciones. Tiene varios propósitos, entre otros el de mantener al barco para que no sea movido de un lugar a otro; protege al barco durante las tempestades para que el barco no pierda el progreso que ha logrado hacia su destino.

I. Descripción del ancla.
   A. Segura: Ninguna tempestad puede sacarla.
   B. Firme: La cadena que la sostiene no puede romperse.
   C. Incomparable: Es nuestra esperanza en Cristo.
II. Ubicación del ancla: en el cielo.
   A. El cielo es el rumbo.
   B. El cielo es el puerto seguro.
   C. El piloto (Cristo) ya está en el puerto para guiar.
III. Significado del ancla.
   A. El ancla significa esperanza.
   B. El ancla significa refugio y seguridad.
   C. El ancla significa ánimo.

Conclusión: Como creyentes fieles y maduros debemos acogernos a esta ancla. No debemos permitir que nada ni nadie quite nuestra ancla de donde la hemos puesto: el cielo. Jesús ha ido para preparar el camino, a fin de que nosotros podamos seguirle un día no muy lejano. ¿Está dispuesto a depositar el ancla de su fe por completo en Jesús para que guíe el barco de su vida, como el piloto por excelencia, hacia las mansiones celestiales?

Lecturas bíblicas para el siguiente estudio

Lunes: Hebreos 7:1-3   **Jueves:** Hebreos 7:11-17
Martes: Hebreos 7:4-7   **Viernes:** Hebreos 7:18-21
Miércoles: Hebreos 7:8-10   **Sábado:** Hebreos 7:22-28

AGENDA DE CLASE

Antes de la clase
1. Con anticipación solicite a cuatro alumnos para que le ayuden a presentar a la clase cada una de las divisiones mayores del estudio de hoy. **2.** Busque la mejor información que pueda acerca del sacerdocio y su oficio. **3.** Responda las preguntas que vienen en el libro de sus alumnos en la sección: *Lea su Biblia y responda.* También complete los ejercicios de la sección: *Prueba.*

Comprobación de respuestas
JOVENES: **1.** a. Autor de la eterna salvación. b. Porque tenían necesidad de que se les enseñaran los rudimentos. c. Interpuso juramento. d. Te bendeciré con abundancia y te multiplicaré grandemente. **2.** a-3. b-2. c-1. d-3. **3.** a. Salmo 2:7. b. Salmo 110:4. c. Génesis 22:7.
ADULTOS: **1.** a. Retener nuestra confesión. b. En todo. c. Misericordia y gracia. d. Por su temor reverente. e. Obediencia. **2.** a-F, b-V, c-F, d-F, e-V.

Ya en la clase
DESPIERTE EL INTERES
1. Arme una "lluvia de ideas" acerca del costo y las consecuencias de la obediencia. Escriba en la pizarra o en hojas grandes de papel todas las ideas que los alumnos sugieran. Después de cinco o seis ideas haga la aplicación pertinente diciendo que todo esto y más le costó a Jesús ser obediente, sin embargo, las consecuencias han resultado en nuestro mayor beneficio. **2.** Presente de manera breve e ilustrada con cuadros y diagramas el resultado de su investigación personal sobre el sacerdocio y sus tareas. Termine haciendo alusión al hecho que Cristo es considerado como "sacerdote" en este estudio.

ESTUDIO PANORAMICO DEL CONTEXTO
1. Comience mencionando las tareas de un sacerdote (interceder a favor del pueblo delante de Dios), luego sus cualidades (de limpieza para el cumplimiento de sus tareas, Heb. 5:1-4). **2.** Explique en términos muy generales cómo Jesús cumple a cabalidad las cualidades de un sumo sacerdote (Heb. 5:5-10). **3.** Brevemente mencione el llamado a la madurez y a tener confianza en la promesa de Dios que hace el autor a sus lectores (Heb. 5:11 a 6:20).

ESTUDIO DEL TEXTO BASICO
1. El sacerdocio de Cristo, Hebreos 4:14-16. Invite al primer alumno a hacer la presentación. Cuando él termine usted puede reforzar el hecho que Cristo hace posible que nos acerquemos al trono de la gracia de Dios y que por lo tanto debemos aprovechar esa oportunidad.

2. Jesús el perfecto sacerdote, Hebreos 5:7-10. Invite al segundo alumno a hacer la presentación de esta división. Cuando él termine usted puede reforzar el hecho de que Cristo tuvo que obedecer al Padre celestial. Que obedecer no fue fácil pues claramente se nos dice que le costó "clamor y lágrimas". La única manera de ser todo lo que Dios desea que seamos es obedeciéndolo sin reservas.

3. El llamamiento a la madurez espiritual, Hebreos 6:1-6. Invite al tercer alumno a hacer la presentación. Cuando él concluya usted puede llamar la atención del grupo al grave peligro de abandonar y "recaer" en nuestra profesión de fe. El alto costo de ser discípulo de Cristo puede desanimar a algunos, sin embargo, desertar de la filas de Cristo es más grave que nunca haberse inscrito en su escuela. Ayúdelos a recordar que muchas veces las tentaciones vienen para desviarnos del camino del crecimiento y quizá hasta dañar de manera permanente el mejor plan que Dios tiene para nuestra vida. Es la responsabilidad de cada uno vigilar el ritmo de su crecimiento espiritual.

4. Confianza en la promesa de Dios, Hebreos 6:17-20. Invite al cuarto alumno a hacer la presentación. Después haga hincapié en la firmeza e inmutabilidad de la Palabra de Dios. Quienes siguen fieles a Jesucristo y le son obedientes, pueden estar seguros de que él cumplirá cabalmente lo que ha prometido para sus hermanos.

APLICACIONES DEL ESTUDIO
1. Estudie las aplicaciones que se dan en el libro de sus alumnos. **2.** Estudie las aplicaciones que vienen en el libro del maestro. **3.** Seleccione aquellas aplicaciones que sean pertinentes para el grupo que usted enseña. **3.** De alguna manera exponga dos aplicaciones muy necesarias para los creyentes el día de hoy: (a) Que Cristo comprende a cabalidad nuestras debilidades y está listo para ayudarnos si corremos a él en busca de auxilio. (b) Que el creyente debe mantener una clara conciencia de la necesidad de crecer constantemente; su meta debe ser acercarse al modelo: Jesucristo.

PRUEBA
1. Elabore alguna pregunta sencilla, pero clave acerca del ministerio de Jesús como nuestro sumo sacerdote. Escuche las respuestas y anime conclusiones basadas en el estudio de hoy. **2.** Guíe a los participantes a hacer los ejercicios dados en el libro del alumno.

Termine la reunión con una oración en grupos de tres o cuatro alumnos. Anímelos a orar por sus propias debilidades y por el compromiso de buscar la ayuda del Señor en medio de la tentación.

Unidad 7

Jesús, la superioridad de su sacerdocio

Contexto: Hebreos 7:1-28
Texto básico: Hebreos 7:1-3, 11-27
Versículos clave: Hebreos 7:23, 24
Verdad central: La superioridad del sacerdocio de Cristo declara que todas las personas pueden recibir completa limpieza de sus pecados iniciando así una relación personal con Dios.
Metas de enseñanza-aprendizaje: Que el alumno demuestre su conocimiento de la superioridad del sacerdocio de Cristo en contraste con el sacerdocio humano, y su actitud de aceptar a Jesús como salvador o renovar su compromiso con el Señor.

―――――――― Estudio panorámico del contexto ――――――――

A. Fondo histórico:

¿Quién era Melquisedec? Melquisedec es una figura histórica recordada en la Escritura a causa de un incidente en la vida del patriarca Abraham. Este incidente se narra en Génesis 14. Melquisedec era el rey de la ciudad estado de Salem y a diferencia de otros reyes, él era además sacerdote del Dios Altísimo. Hebreos 7:3 dice: *Sin padre ni madre ni genealogía, no tiene principio de días ni fin de vida; y en esto se asemeja al Hijo de Dios, en que permanece sacerdote para siempre.* Algunas personas han entendido de estas palabras que Melquisedec era más que un ser humano; tal vez un ángel o una manifestación de Cristo. Sin embargo, el autor de Hebreos no parece considerar a Melquisedec como un ser inmortal. Lo que sí deja claro es su entendimiento de que, en el Antiguo Testamento, este relato apunta hacia el sacerdocio eterno del Hijo de Dios. La aparición repentina de este rey y sacerdote que surge de la nada y nunca se le vuelve a nombrar, no significa que Melquisedec no haya nacido y muerto. La ausencia de estos datos es una manera de señalar el sacerdocio eterno de Cristo que Melquisedec tipificó. Una indicación clara de esto se encuentra en el Salmo 110:4. David, inspirado por el Señor, da a conocer que entrará en la historia un individuo quien será sacerdote como Melquisedec. Precisamente uno que será rey y sacerdote para siempre, promesa que se cumple en Jesucristo.

Los pactos de Dios antes de Cristo. Un pacto es en esencia un acuerdo entre dos personas; si una de ellas cumple con realizar algunas acciones, la otra responderá de una cierta manera. La Biblia asienta que antes de Cristo

Dios estableció pactos para relacionarse con la humanidad. Hay otras maneras de expresar la relación existente entre el Señor y su pueblo, pero es claro que el pensamiento religioso israelita se formó en torno al concepto del pacto.

Los dos pactos más antiguos son el de Edén y con Noé en los cuales el hombre fue puesto a prueba bajo el pacto de obras y falló.

Luego viene el pacto patriarcal que empezó con Abraham. La condición de este pacto era tener una fe que se demostrara a través de las obras. Este pacto dio inicio al pueblo de Israel, con quien posteriormente se estableció el pacto sinaítico, cuyo mediador fue Moisés. Se puede llamar también a éste el antiguo pacto entre Israel y Dios. Si los israelitas obedecían fielmente la ley de Dios, el camino de acceso a su presencia y comunión estaría siempre abierto para ellos. La nación entera entró en este pacto con Dios en Exodo 24:1-8. Moisés leyó el libro de la ley al pueblo y ellos respondieron que harían todo lo que el Señor había hablado y serían obedientes. El antiguo acuerdo estaba basado en la obediencia de la ley y sólo podía ser mantenido mediante el ofrecimiento de sacrificios que hacían los sacerdotes por cada violación que se hacía a esa ley. Este antiguo pacto estaba basado en la ley y la obediencia. Dependía de la capacidad del hombre para observarla. En contraste el nuevo pacto se basa en el sacrificio perfecto de Jesucristo y el amor de Dios.

Otro pacto presentado en el Antiguo Testamento es el pacto davídico que tiene nexos muy claros con los pactos previos. Este pacto se asemeja al patriarcal en que los dos son de promesa; el davídico no invalida el patriarcal sino que lo amplía, al igual que al sinaítico. El pacto davídico con la promesa de un trono eterno, dio lugar a la esperanza de la gloriosa venida del Mesías, hijo de David. Por lo cual este pacto constituye el vínculo más importante entre los dos Testamentos, el Antiguo y el Nuevo.

Finalmente, el Antiguo Testamento habla del nuevo pacto que Dios establecería. Es sugerido por el profeta Oseas y luego descrito con más detalle por el profeta Jeremías y otros de los profetas. Este nuevo pacto es el establecido a través de Cristo.

B. Enfasis:

1. El sacerdocio de Melquisedec, Hebreos 7:1-10. Parece haber salido de la nada y nunca se le mencionó otra vez. Es distinguido como el primer sacerdote mencionado en la Biblia. Es un tipo de Cristo tanto al señalar la permanencia de su sacerdocio, como al ejercer los dos oficios de rey y sacerdote al mismo tiempo.

2. Contraste entre el sacerdocio de Aarón y el de Melquisedec, Hebreos 7:11-19. El sacerdocio de Melquisedec fue por designación directa de Dios, en cambio el sacerdocio levita era por sucesión genealógica. Además el sacerdocio de Melquisedec se presenta como superior porque fue más grande que Abraham. Por esta razón el sacerdocio levita al descender de Abraham resulta menor.

3. La naturaleza superior del sacerdocio de Cristo, Hebreos 7:20-28. El sacerdocio de Cristo es un sacerdocio *para siempre,* por lo tanto este sacerdocio es superior debido a su permanencia. También es superior debido a que fue prometido con juramento divino (Sal. 110:4). Finalmente es superior por las cualidades de Jesús como el sacerdote adecuado para interceder por la humanidad.

─────────── **Estudio del texto básico** ───────────

1 El sacerdocio de Melquisedec, Hebreos 7:1-3.

Vv. 1, 2. El nombre de Melquisedec es significativo, expresa su carácter y a la vez es digno de su propio sacerdocio. Se le llama *rey de justicia*. La última parte de su nombre es la palabra hebrea *tsedek*, que se traduce comúnmente como "justicia". Además se conecta el nombre de su ciudad con *shalom*, que significa "paz".

V. 3. En el único registro de Melquisedec que provee la Escritura (Gén. 14:18-20) nada se dice de sus ancestros ni de sus descendientes. Se presenta como un hombre que era rey de Salem y sacerdote del Dios Altísimo y luego desaparece. Es un tipo de Cristo, aun en los datos que se omiten de él. Es importante aclarar que en este caso el tipo no determina el antetipo, sino a la inversa. Jesús no es retratado, según el modelo de Melquisedec, sino que es Melquisedec quien ha sido descrito de tal forma que sea hecho semejante al Hijo de Dios.

El orden sacerdotal de Melquisedec tenía una dignidad sobresaliente. En su entrevista con Abraham se deja muy en claro su eminencia. La superioridad de Melquisedec sobre Abraham se ve en dos aspectos: aceptó los diezmos que Abraham le presentó y derramó su bendición sobre él.

2 Contraste entre el sacerdocio de Aarón y el de Melquisedec, Hebreos 7:11-19.

Vv. 11-17. Existen algunas diferencias fundamentales entre el sacerdocio de Melquisedec y el sacerdocio de Aarón y los levitas. El sacerdocio de Melquisedec permanece superior al de los sacerdotes levitas. Leví fue descendiente de Abraham y si Abraham consideró a Melquisedec como superior a él mismo, con mayor razón sus descendientes. Otra señal de la superioridad del orden sacerdotal de Melquisedec es su permanencia. No se le menciona ningún sucesor. Los levitas, en cambio, al morir transmitían su dignidad y oficio a sus herederos, generación tras generación. El nombramiento de los sumos sacerdotes levitas era regulado por la ley de Moisés. De acuerdo con esta ley, el sumo sacerdote debía poder trazar una línea de descendencia física hasta Aarón por el lado paterno, y su madre debía ser una mujer israelita pura. En cambio Melquisedec fue nombrado directamente por Dios. Por todas estas características, Melquisedec representa un sacerdocio permanente, que no pasa a otro.

Vv. 18, 19. El mandamiento de Moisés de preservar el sacerdocio exclusivamente para ser administrado por los hijos de Leví, fue abrogado por ser ineficaz e inútil. Nos es que Moisés o Jehovah se equivocaron al dar el mandamiento, sino que los mismos sacerdotes fueron cayendo en errores que anularon la eficacia de su ministerio. Las diferencias fundamentales entre el sacerdocio levítico y el de Melquisedec son: a) Abraham consideró a Melquisedec como superior a él mismo. b) El sacerdocio de Melquisedec es permanente, no así el de los levitas que morían. c) El sacerdocio de Melquisedec fue nombrado directamente por Dios, en cambio el nombramiento del sacerdocio de Aarón era regulado por la ley de Moisés y bajo ciertas condiciones.

3 La naturaleza superior del sacerdocio de Cristo, Hebreos 7:20-27.

Vv. 20-22. Tanto el sacerdocio de Cristo, como el sacerdocio de Melquisedec, combinaron los oficios de rey y sacerdote. Los dos eran superiores y diferentes a los sacerdotes levitas. El de Melquisedec y el de Cristo representan un sacerdocio eterno, y los dos contrastan con el sacerdocio temporal de los levitas. En estos versículos el autor de Hebreos enfatiza que el sacerdocio de Cristo es superior porque fue confirmado por Dios mediante juramento. El sacerdocio aarónico fue ordenado por Dios, pero no se hizo con un juramento de por medio. En cambio al prometer el nuevo sacerdocio según el orden de Melquisedec, Dios lo confirma de esta manera especial en el Salmo 110:4.

Vv. 23-25. Cristo es sacerdote para siempre. Debido a que Jesús no muere, su oficio sacerdotal no pasa a ningún otro. Además por su misma naturaleza es insustituible. El Hijo como sumo sacerdote, se describe como hecho perfecto *para siempre*. En él, como Mediador, encontramos el sacerdocio en su nivel máximo.

Vv. 26, 27. El nuevo sacerdocio es mejor porque el nuevo sacerdote es Jesús. El soportó las tentaciones, aprendió por el sufrimiento el camino de la obediencia, intercedió por sus discípulos para que su fe no fallara en momentos de prueba. Así mismo ofrendó su vida a Dios para el perdón de los pecados de sus seguidores. Es este Jesús quien está pronto a ayudar a todos aquellos que buscan a Dios a través de él. Jesús es precisamente el sumo sacerdote que necesitamos.

—————— Aplicaciones del estudio ——————

1. El ministerio de un sacerdote es una necesidad humana universal. Un sacerdote es alguien que actúa a favor de los hombres delante de Dios y representa a Dios ante los hombres. Cada creyente en Cristo Jesús es llamado a servir como sacerdote, al mundo y entre los creyentes mismos. Actuamos como tales cuando proclamamos el mensaje del evangelio. Representamos a Dios como sus mensajeros ante aquellas personas que no lo han reconocido como su Señor; y servimos a nuestros semejantes como instrumentos para que ellos se acerquen a su Creador. Este sacerdocio de los creyentes al igual que el de Cristo, también es de trascendencia eterna. Es un sacerdocio que nos ha sido delegado por Jesucristo mismo.

2. Jesucristo fue el sacerdote perfecto que necesitábamos. A pesar de ser sometido a las tentaciones, jamás cometió pecado alguno. Fue obediente y se sometió a toda clase de prueba. En tales condiciones, él siempre estuvo dispuesto para interceder por sus discípulos para que no flaquearan cuando enfrentaran la misma clase de pruebas. En él tenemos no sólo al sacerdote perfecto, sino al ejemplo de cómo ser también sacerdotes. Debemos aprender a interceder en oración por los demás y a mostrar con nuestra vida el mensaje del evangelio.

──────── **Ayuda homilética** ────────

Mejor esperanza, mediante un sacerdocio eterno
Hebreos 7:19

Introducción: Hay un contraste entre la esperanza de un acercamiento a Dios que prometía el sistema levítico y el ofrecido por el nuevo sacerdocio de Cristo. Antes era parcial y difícil de realizar, ahora es completo y eterno. El método previo fue anulado por resultar incapaz para lograr la restauración perfecta y se introduce entonces una mejor esperanza.

I. Mejor esperanza porque se trata de vida eterna.
  A. Vida eterna por cuanto el sacerdote es eterno.
  B. Vida eterna por cuanto el cielo es eterno.
II. Mejor esperanza porque trata de acercarse a Dios.
  A. Porque quita la barrera del pecado.
  B. Porque presenta un mejor camino (directo y seguro).
  C. Porque se basa en un pacto final.
III. Mejor esperanza porque se trata de una promesa confirmada.
  A. Cuando Dios promete, no se arrepiente.
  B. Cuando Dios promete, no miente.
  C. Cuando Dios promete, puede cumplir.

Conclusión: La esperanza que fue introducida mediante la obra de Jesucristo es mejor por su fundamento, por sus seguridades, por su propósito, por su influencia y por sus efectos. Se ofrece a todos los que en verdad la necesitan, a los afligidos, a los tentados en todos los aspectos de la vida, a los moribundos. Es mejor que cualquier otra esperanza puesto que tiene que ver con este mundo y el venidero. ¿Ha aceptado la intercesión que hizo Cristo en la cruz por usted? Si es así, entonces usted goza ya de esta mejor esperanza. Si no, es el momento de tomar una decisión.

Lecturas diarias para el siguiente estudio

Lunes: Hebreos 8:1-7   **Jueves**: Hebreos 9:11-28
Martes: Hebreos 8:8-13   **Viernes**: Hebreos 10:1-7
Miércoles: Hebreos 9:1-10 **Sábado**: Hebreos 10:8-18

AGENDA DE CLASE

Antes de la clase
1. Busque en un diccionario bíblico el tema del sacerdocio levítico e investigue acerca de sus responsabilidades, sus funciones, algunas de sus tareas más importantes y sobre todo lo relacionado con el "Día de la Expiación". Así mismo, estudie sobre el papel que jugó Aarón como sumo sacerdote y sus descendientes. **2.** Busque en una concordancia el nombre "Melquisedec" y estudie los pasajes en donde se hace alusión a él. Haga una selección de lo más sobresaliente de este personaje y de lo que se dice de él, y escríbalo en una hoja de papel, preferentemente con máquina, y saque copias suficientes para la clase. **3.** Busque en un diccionario bíblico el tema de los pactos realizados entre Dios y su pueblo. **4.** Consiga un contrato de "compra-venta" de cualquier artículo (un automóvil, una casa habitación, un aparato eléctrico, etc.) y llévelo a la clase. De ser posible saque copias de las cláusulas de compromiso entre el vendedor y el comprador. **5.** Haga las lecturas bíblicas que conforman el contexto del presente estudio. **6.** Responda las preguntas dadas en el libro del alumno en la sección *Lea su Biblia y responda*, del presente estudio.

Comprobación de respuestas
JOVENES: **1.** 1-4, 2-1, 3-5, 4-2, 5-3. **2.** A-2, B-4. **3.** a. Melquisedec era rey de Salem y sacerdote del Dios altísimo. b. La ley constituye como sumos sacerdotes a hombres débiles. c. Juró el Señor y no se arrepentirá; Tú eres sacerdote para siempre.
ADULTOS: **1.**a. Rey de Salem y Sacerdote de Dios altísimo. b. Rey de justicia. c. Un sacerdocio eterno, ni principio ni fin. d. Que Abraham reconoció la grandeza de Melquisedec. **2.** a-3, b-1. c-2.

Ya en la clase
DESPIERTE EL INTERES
1. Invite a su clase a que reflexionen sobre la siguiente historia: Había una vez un pequeño poblado situado cerca de un río. Al paso del tiempo, este pequeño pueblo fue creciendo y parte de sus habitantes se fueron a vivir al otro lado del río. El ayuntamiento vio la necesidad de construir un puente para que existiera una mejor comunicación entre un lado del pueblo y el otro. Una noche un grupo de hombres enemigos del pueblo dinamitaron dicho puente impidiendo la comunicación del pueblo. Pregunte lo siguiente: ¿Qué importancia tenía el puente para la vida del pueblo? ¿Cómo afectó al pueblo la destrucción del puente? ¿Cómo se considera la actuación de los dinamiteros? **2.** En base a esto describa la participación del sacerdote (en latín es "*pontifex*" que literalmente quiere decir "constructor de puentes") como "puente" entre el pueblo y Dios.

ESTUDIO PANORAMICO DEL CONTEXTO

1. Explique a la clase lo relacionado con su investigación acerca del sistema sacerdotal levítico del pueblo de Israel, destacando particularmente el papel de intercesor que tenía el sacerdote. Mencione el evento principal en el calendario judío, "el Día de la Expiación". **2.** Distribuya las copias de su investigación acerca de Melquisedec, hablando de las teorías de su identidad (Libro de Texto del Alumno) y sus puntos más sobresalientes. **3.** Así mismo, distribuya las copias del contrato de "compra venta" y explique lo relacionado con su investigación acerca de los pactos celebrados entre Dios y su pueblo.

ESTUDIO DEL TEXTO BASICO

1. Pida a algunos voluntarios que dirijan la lectura del texto básico. Dé tiempo para que completen la sección *Lea su Biblia y responda.* Deje luego que intercambien sus hojas para corregirse el uno al otro. Aclare las dudas que tengan.

2. Utilizando el material investigado acerca de la personalidad de Melquisedec, haga una exposición del significado de su nombre y sus títulos.

3. Motive a la clase para que participen en identificar el significado de las expresiones "sin padre ni madre ni genealogía" y "no tiene principio de días, ni fin de vida".

4. Explique lo que significa el sacerdocio de Melquisedec. Haga una comparación con el sacerdocio levítico. Analice aspectos como: requisitos de uno y de otro, participantes, tiempos de ejercicio, etc. Solicite la participación de la clase.

5. Divida la clase en grupos pequeños de cuatro o cinco personas. Pida que discutan la naturaleza superior del sacerdocio de Cristo, según el orden de Melquisedec, en comparación con el sacerdocio levítico.

6. Dirija la atención de sus alumnos a las razones de la superioridad del sacerdocio de Jesucristo con respecto al levítico, mencionadas en 7:27: (1) Jesús no tuvo que ofrecer primero un sacrificio por sí mismo. (2) El sacrificio de Jesús fue realizado una sola vez.

APLICACIONES DEL ESTUDIO

Pida a cuatro o cinco alumnos que lean las aplicaciones que aparecen en sus libros y las comenten. Trate de motivarlos para apreciar la función sacerdotal de Jesucristo. Comenten en clase sobre la obediencia como resultado de la salvación.

PRUEBA

Pida que cada alumno, individualmente, realice esta actividad y que se junten en parejas para compartir respuestas. Invítelos a que hagan sus lecturas diarias sugeridas en sus libros, para ayudarles a preparar su siguiente estudio.

Jesús, ministro y ofrenda por nuestros pecados

Contexto: Hebreos 8:1 a 10:18
Texto básico: Hebreos 8:1, 2; 9:11-15, 24-28
Versículos clave: Hebreos 8:13, 14
Verdad central: El ministerio sacrificial de Jesús enfatiza que, por su muerte expiatoria en la cruz, las personas llegan a ser salvas y capacitadas para servir al Dios vivo.
Metas de enseñanza-aprendizaje: Que el alumno demuestre su conocimiento del alcance de la obra sacrificial de Jesús, y su actitud de compartir las enseñanzas de este estudio.

─────── **Estudio panorámico del contexto** ───────

A. Fondo histórico:

Breve reseña del sistema de los sacrificios del Antiguo Testamento. En la legislación dada por Dios en el Antiguo Testamento se designaron distintas clases de sacrificios. El término hebreo para nombrar todos los sacrificios en general fue *korbán*. Sin embargo, la ley ritual distinguió dos clases de sacrificios, los cruentos, que incluyen derramamiento de sangre, y los incruentos u ofrendas, que no incluyen la muerte de un animal. Entre los sacrificios cruentos están los siguientes:

1) *El holocausto.* Es el sacrificio más citado en el Antiguo Testamento, siempre ocupó un lugar prominente en el culto de Israel. En este caso el sacrificio era quemado totalmente con excepción de la sangre. Era usado en los sacrificios diarios y en las grandes fiestas, significaba acción de gracias, ayuno o lamentación del pueblo.

2) *La ofrenda de paz.* Parece ser el sacrificio más antiguo y se celebraba junto con un tipo de comida fraternal. Su propósito era expresar la paz, en su sentido máximo: comunión con Dios y comunión de unos con otros. Este sacrificio no se ajustaba a tiempos fijos y generalmente era de carácter festivo y alegre.

3) *La expiación.* Este es el sacrificio propiciatorio por el pecado. Es el que cumplía la función más importante, la expiación de todos los pecados de Israel. La parte más importante era la ceremonia de rociar con la sangre el propiciatorio para el perdón de los pecados. También se menciona *el sacrificio por la culpa o de reparación.* Este tipo de sacrificio está muy relacionado con el de propiciación por el pecado. Los dos son sacrificios expiatorios y

aparentemente la diferencia radica en que los ofrecidos por el pecado eran presentados por un mal cometido en ignorancia, y los ofrecidos por la culpa correspondían a una falta cometida a sabiendas.

Los sacrificios incruentos eran básicamente de dos clases:

1) *Las ofrendas vegetales.* Esta clase de ofrenda era principalmente de granos y generalmente acompañaba el holocausto, aunque también era ofrecida de manera independiente. Un ejemplo de este tipo eran las primicias. Al ofrecerlas, Israel reconocía a Dios como el dueño y dador de los frutos del campo.

2) *El incienso.* Este sacrificio u ofrenda se ofrecía frente al velo del lugar santísimo. Solamente los sacerdotes podían ofrecer el incienso. Este acto se presenta en relación con la expiación y también se asocia con la oración. El propósito del simbolismo era recordar a Israel que las oraciones del pueblo ascienden a Dios, como el humo del incienso sube.

B. Enfasis:

Jesús, ministro del verdadero tabernáculo, Hebreos 8:1-6. El autor de Hebreos ya ha establecido la superioridad del sumo sacerdocio de Cristo. Ahora afirma que este gran sumo sacerdote es uno que está a la diestra de Dios, y que ejecuta su ministerio no en un santuario terrenal construido por manos humanas, sino en la morada celestial de Dios. Este lugar es identificado como el verdadero tabernáculo porque es el único que no es una imitación de otro mejor, y que su permanencia es semejante a la eternidad del Dios vivo y verdadero.

El nuevo pacto de Dios, Hebreos 8:7-13. El pacto del cual Jesús es mediador es un pacto mejor simplemente por el hecho de que es nuevo. Si el pacto antiguo hubiese sido perfecto no hubiera sido necesario uno nuevo. Por lo tanto el nuevo debe ser mejor. Si así no fuera, no tendría sentido haber quitado el antiguo por otro que no resultara mejor.

*El lugar del primer tabernáculo, Hebreos 9:1-10. E*l autor de Hebreos hace referencia al tabernáculo que Moisés construyó por orden de Dios. La descripción se hace de una manera respetuosa, concediendo la importancia que tuvo este lugar en la relación del pueblo de Israel con Dios. Sin embargo, el autor lo presenta como sombra y figura de un lugar más definitivo, resaltando que, ese primer tabernáculo y los sacrificios allí presentados, eran temporales.

El ministerio sacrificial de Jesús, Hebreos 9:11-28. El derramamiento de sangre señala la necesidad absoluta de la muerte sacrificial de Cristo a fin de establecer el nuevo pacto bajo el cual la remisión de pecados y el acceso a Dios fueron hechos posibles.

El sacrificio superior de Jesús, Hebreos 10:1-18. El escritor llega al punto culminante. Concluye el contraste entre el sacerdocio levítico y el de Cristo. Este último se ejerce no en un tabernáculo terrenal sino en la esfera de las realidades celestiales. Se ejerce en mejores condiciones puesto que es un pacto de gracia y no de obras. Además, el sacrificio de Cristo garantiza el acceso pleno y libre a Dios por lo que es permanente su eficacia. En cambio, el sistema sacrificial antiguo necesitó una repetición continua, de manera que no podía garantizar la salvación completa de los que participaban en sus ritos. El sacrificio de Cristo es también definitivo. No tenía que repetirse, Cristo se ofreció a sí mismo una vez por todas. Ya nada queda por hacer.

───────────── **Estudio del texto básico** ─────────────

1 Jesús, ministro del verdadero tabernáculo, Hebreos 8:1, 2.

V. 1. El tiempo del verbo en el original traducido aquí por *venimos* indica que el autor no da un resumen de lo que ha dicho, sino que ha llegado al punto culminante de lo que ha de decir. En la frase *tenemos tal sumo sacerdote*, la palabra *tal* abarca todo lo que se ha dicho de Cristo desde el primer capítulo, especialmente lo que se ha expresado de él como pontífice, y lo que se dirá de aquí en adelante. Por ejemplo, se dice que funciona en el tabernáculo celestial, que representa un mejor pacto y que ofreció un mejor sacrificio. Las palabras *se sentó a la diestra del trono de la Majestad en los cielos* hacen referencia a lo dicho en el Salmo 110:1 "Jehovah dijo a mi señor: Siéntate a mi diestra." Lo anterior nos recuerda que Jesús, al igual que Melquisedec, era rey y sacerdote. Esto hace pensar en su carácter de rey y además en su carácter de sacerdote. Jesús ha tomado su asiento de una vez por todas, como rey, al lado derecho de la Majestad, y, como sumo sacerdote es también ministro del santuario y del verdadero tabernáculo. En este versículo se hace hincapié en el contraste entre la dignidad de Cristo como rey y su servicio sacerdotal.

El autor desea explicar que la gloria de Cristo en los cielos no es para que él goce de una gratificación personal, sino que implica una vida de servicio como sumo sacerdote. Tendemos a decir que la vida de Cristo en el cielo es solamente un estado de exaltación y poder, pero es importante afirmar también que es una vida de servicio. Se debe aclarar, sin embargo, que este servicio es la labor de intercesión sacerdotal de Cristo.

Una intercesión que no es la realización repetitiva del sacrificio, puesto que el sacrificio fue hecho y completado en la cruz, pero tampoco es una intercesión de meras plegarias. Más bien la intercesión de Cristo en los cielos consiste en una función que equilibra los dos conceptos expuestos. El apóstol Juan expresó: "Abogado tenemos para con el Padre", pero esto es sólo la mitad porque añade: "y él es la propiciación por nuestros pecados". Jesucristo es el sacrificio que fue ofrecido una sola vez, y sobre esa base, él mismo suplica ante Dios por nosotros. Esta es la labor de Cristo como nuestro sacerdote.

V. 2. El sacerdocio judío en sí mismo enseñaba la existencia de un santuario celestial. Todos los arreglos del tabernáculo y sus rituales fueron hechos después de que Dios mostró a Moisés un modelo en el monte Sinaí (Exo. 25:8, 9). Los sacerdotes, en el tabernáculo y a través del ritual, ministraron en el lugar santo, que era imagen visible y bosquejo del lugar santo real en los cielos, elaborado por Dios y no por hombres. Cristo fue designado por Dios para ser nuestro sumo sacerdote y actuar una sola vez y para siempre a favor nuestro. Es interesante que se excluye cualquier participación de nuestra parte en la selección del sumo sacerdote. Este hecho subraya que todo el acto de salvación es la iniciativa y plan completo y total por parte de Dios. Dios es el autor de nuestra salvación por medio de Jesucristo.

2 Jesús, el sacrificio perfecto y final, Hebreos 9:11-15, 24-28.

Vv. 11-15. Cristo entró al verdadero lugar santísimo llevando como ofrenda su propia sangre. El sumo sacerdote es al mismo tiempo el sacrificio. Bajo el antiguo pacto la víctima debía ser *sin mancha*. Pero el sumo sacerdote no era uno sin culpa, por lo tanto debía ofrecer los sacrificios por sí mismo y luego por el resto del pueblo. En contraste, en el sacrificio de Cristo el sumo sacerdote es santo, sin pecado, sin mancha, separado de los pecadores. Por lo tanto Cristo efectúa el sacrificio con toda la grandeza personal de sumo sacerdote.

El poder de la vida sin mancha de Cristo pertenece también a su expiación. Su muerte es de mérito infinito en relación con el pasado y el futuro. Su personalidad eterna hace innecesario que sufra una y otra vez desde la fundación del mundo. A causa de su grandeza personal, fue suficiente que Cristo sufriera una sola vez y también entrara una sola vez en el lugar santísimo.

Por la maravillosa calidad de este sacrificio voluntario del Hijo, la conciencia de aquellos que le reconocen y le adoran como un Dios personal, vivo y eterno, puede ser liberada de la culpa de obras de muerte. El resultado final es que con limpia conciencia los creyentes pueden no sólo relacionarse con el Dios vivo y eterno, sino que tienen la posibilidad de ser revivificados para servirle y cumplir sus propósitos.

Vv. 24-28. Cristo como sumo sacerdote de su pueblo está en la presencia de Dios y es aceptable ante Dios porque es santo y sin mancha. Además aparece delante de Dios no sólo por él mismo sino a favor de otros, es decir de los pecadores. Finalmente, es importante señalar que al ser el sacrificio de Cristo hecho una sola vez y *para siempre* se debe afirmar que su sacrificio es eterno. Se le atribuye este carácter en el sentido de que su eficacia es eterna.

─────────── **Aplicaciones del estudio** ───────────

1. El modelo de pureza y de moralidad que Jesucristo nos presenta en el nuevo pacto debe impulsarnos a reproducir su carácter en nuestras propias vidas. Esta reproducción debe ser desde el interior de la vida. Se debe seguir el impulso interno del Espíritu de Dios y no basar la vida cristiana en simple obediencia a prácticas externas que no reflejan un cambio profundo de vida.

2. Cristo pagó el precio del perdón para toda persona que se arrepienta y acepte su obra salvadora. El perdón es gratuito para el pecador, sin embargo, esto no significa que el perdón no tenga un precio. Dios lo pagó mediante el sacrificio de Cristo. En este sentido el perdón de los pecados es sumamente costoso. A nosotros también pedir perdón o perdonar nos resulta muy difícil, pero es importante que sigamos el ejemplo de nuestro Señor. No sólo apreciemos el perdón que hemos recibido de él, sino que aprendamos a perdonar a otros en su nombre.

─────────── **Ayuda homilética** ───────────

Cualidades de nuestro sacerdote
Hebreos 8:1-5

Introducción: Las cualidades de Jesús en su naturaleza, en su conducta y en su pensamiento hacen de él un sacerdote ideal para responder a las necesidades de los pecadores.

I. Se sentó a la diestra de Dios (v. 1).
   A. Como resultado de su exaltación.
   B. Como lugar de fácil intercesión.
   C. Como símbolo de su autoridad.
   D. Como muestra de su confianza en el progreso de su reino.
II. Es ministro del santuario (v. 2a).
   A. Donde hace expiación.
   B. Donde se encuentra con Dios.
   C. Donde entró de una vez por todas.
III. Funciona en el verdadero tabernáculo (v. 2b).
   A. En el cielo mismo.
   B. De una manera eterna.
   C. Con una ofrenda suficiente.
   D. Con un resultado único.

Conclusión: Debemos aprender que es a través de Jesucristo el único modo por el cual somos aceptados por Dios. Es una gran bendición vivir bajo el nuevo pacto, en el cual Jesús es nuestro sacerdote perfecto.

Lecturas bíblicas para el siguiente estudio

Lunes: Hebreos 10:19-27   **Jueves**: Hebreos 11:13-22
Martes: Hebreos 10:28-39   **Viernes**: Hebreos 11:23-31
Miércoles: Hebreos 11:1-12   **Sábado:** Hebreos 11:32-40

AGENDA DE CLASE

Antes de la clase
1. En hojas de papel escriba una palabra en cada una: "En resumen", "sumo sacerdote", "Majestad en los cielos", "Lugar santísimo", "Tabernáculo", "Redención" y "Mediador del nuevo pacto". **2.** Haga toda la investigación que necesite para comprender el significado de las palabras dadas. **3.** El estudio de hoy es el "corazón" de la carta a los Hebreos, por lo tanto conviene que usted esté bien preparado. **4.** Haga los ejercicios de la sección *Lea su Biblia y responda* del estudio de hoy. **5.** Prepare el salón en un semicírculo para crear el ambiente de participación.

Comprobación de respuestas
JOVENES: **1.** 1-4, 2-5, 3-1, 4-2, 5-3. **2.** a-F, b-F, c-V, d-V, e-F, f-V. **3.** a. Con la muerte. b. Donde hay remisión de pecados. c. Presentar ofrendas y sacrificios. d. Está próximo a desaparecer. e. Al cielo mismo.
ADULTOS: **1.** a. A la diestra del trono de la Majestad en los cielos. b. Ministro del lugar santísimo. c. Eterna redención. d. Santificar para la purificación del cuerpo. e. Limpia la conciencia y nos permite servir a Dios. **2.** a-F, b-V, c-F, d-F, e-V.

Ya en la clase
DESPIERTE EL INTERES
1. Al llegar los alumnos forme dos o tres grupos de trabajo. Entregue a cada grupo igual número de las hojas que contienen las palabras. Diga que ellos deben hacer una ilustración gráfica o explicar en palabras sencillas lo que cada término significa. **2.** Cuando cada grupo haya terminado, integre a todos y presente el *Estudio panorámico del contexto*. Dígales que van a usar su trabajo dentro de la presentación de cada división principal del estudio.

ESTUDIO PANORAMICO DEL CONTEXTO
1. El autor de Hebreos hace una distinción clara entre el tabernáculo que usó el pueblo de hebreo y el "verdadero tabernáculo", ayude a comprender la comparación y la diferencia. **2.** La segunda diferencia se da entre el antiguo y el nuevo pactos (vea con cuidado Heb. 9:1-10). **3.** La tercera diferencia es hecha entre el sacerdote hebreo y Cristo como sacerdote (Heb. 9:11-28). **4.** La cuarta comparación ocurre entre el sacrificio hecho en el altar y Cristo como "sacrificio superior". **5.** Guíe a sus alumnos a observar el uso de las palabras "superior" y "excelente" en todo el contexto de nuestro estudio (Heb. 8:1 a 10:18).

ESTUDIO DEL TEXTO BASICO
1. Jesús ministro del verdadero tabernáculo, Hebreos 8:1, 2. Este es el momento para que el grupo que estudió las palabras: "En resumen", "sumo sacerdote" y "Majestad en los cielos", presenten el significado de

estos términos. El énfasis de esta división debe ser: (a) La posición de honor que Cristo ocupa al lado del Padre celestial y (b) El ministerio que Jesús está llevando a cabo en esa posición.

2. Jesús el sacrificio perfecto y final, Hebreos 9:11-15, 24-28. Permita que los grupos que consideraron las palabras: "Lugar santísimo", "Tabernáculo", "Redención" y "Mediador del nuevo pacto", hagan las presentaciones respectivas. Para que usted esté bien preparado le sugerimos hacer una nueva lectura de los estudios sobre el libro de Levítico que fueron presentados en el libro número dos de *El Expositor Bíblico, La Biblia, Libro por Libro.* Dé atención particular a todo el ceremonial del Día de Expiación y la presentación del holocausto para el perdón de los pecados del sumo sacerdote y su familia, del pueblo en general y de cada individuo en particular. Haga hincapié en el hecho que todo este ceremonial era un símbolo y un recurso didáctico por parte del Señor para guiar a su pueblo a un verdadero acto de adoración, y al arrepentimiento y el perdón de sus pecados para mantener una relación adecuada. El otro aspecto importante de esta división principal es el concepto del pacto. Recordemos que el viejo pacto era colectivo, comunitario y, por lo tanto, cuando un miembro de la sociedad lo transgredía todos eran culpables. El nuevo pacto, establecido por Cristo, tiene su base en la responsabilidad personal. Cada persona tiene que dar cuenta a Dios de sus actos. Cada uno es responsable ante Dios de lo que piensa, siente y hace cada día.

APLICACIONES DEL ESTUDIO

1. En el libro del alumno se dan varias aplicaciones. Le sugerimos que usted las estudie detenidamente. Luego estudie las que vienen en el libro del maestro. Seleccione dos o tres que considere pertinentes para su grupo de alumnos. Tome una por ejemplo: "Todos los que confían en Cristo tienen libre acceso al Padre" (Heb. 8:1, 2). Elabore algunas preguntas como estas: ¿Cómo podemos aprovechar esta oportunidad? ¿Cuándo debe hacerlo? ¿Qué condiciones se requieren para ser atendidos personalmente por el Padre? Permita que los alumnos respondan. **2.** Haga hincapié en la importancia de la limpieza interior antes de presentarnos ante el Padre celestial y, por supuesto, explique cómo se logra.

PRUEBA

1. Haga usted cada uno de los ejercicios de la sección *Prueba* que aparece en el libro del alumno. Al llegar a este momento permita que los alumnos llenen los espacios en blanco. Sin duda van a necesitar ayuda; esté listo para proveerla. **2.** En el segundo ítem de la *Prueba* el autor usó la palabra "vicaria", pida que alguien explique lo que significa y luego que todos respondan los dos elementos: (a) Cómo explicar la obra "vicaria" de Jesucristo a otra persona y, (b) escribir el nombre de la persona a quien compartirá el mensaje durante la semana.

Firmes en la fe

Contexto: Hebreos 10:19 a 11:40
Texto básico: Hebreos 10:19-27; 11:1, 29-33, 39, 40
Versículo clave: Hebreos 11:1
Verdad central: El ejemplo de los héroes de la fe del pasado nos hace un llamamiento a permanecer firmes en la fe para enfrentar las tentaciones y pruebas.
Metas de enseñanza-aprendizaje: Que el alumno demuestre su conocimiento del ejemplo de los héroes de la fe del pasado, y su actitud hacia maneras en las que él puede desarrollar una fe más madura para enfrentar las tentaciones y pruebas.

Estudio panorámico del contexto

A. Fondo histórico:

Este estudio se basa en un pasaje muy especial. El capítulo once de Hebreos es un pasaje preeminente de la Escritura. Es impresionante la majestuosa unidad de su tema: la fe, desde el principio al final. Su método incluye una intensa apelación al corazón. Transmite su mensaje exponiendo una lista larga y viva de experiencias humanas inspiradas. Presenta las experiencias de los personajes vividas en medio de dificultades, peligros, pruebas, penas. Además, mantiene el encanto de la elocuencia al presentar su enumeración de manera imponente.

B. Enfasis:

Cómo acercarnos a Dios, Hebreos 10:19-25. El creyente en Cristo Jesús con corazón purificado de mala conciencia (v. 22), ha sido librado del sentimiento de culpa mediante el sacrificio de Cristo aplicado a su vida, y sellado con el Espíritu. Por lo tanto, ha de comportarse como un hijo en su hogar. El hogar del creyente es el lugar santísimo, es decir la misma presencia de Dios. Puede acercarse a Dios a través del camino que la sangre bendita de Jesucristo ha dejado abierto. Puede venir con confianza y seguridad absolutas, sin vacilar, aunque también con humildad, *con corazón sincero, en plena certidumbre de fe* (v. 22). Finalmente, este acercamiento a Dios debe hacerse con una actitud de temor reverente, con un claro recuerdo de que fuera de la presencia del Señor sólo queda "una horrenda expectativa de juicio".

Advertencia al que peca deliberadamente, Hebreos 10:26-31. La fuerte advertencia de estos versículos es paralela a lo establecido en Hebreos 6:4-8. En los dos pasajes se expone el grave peligro del pecado de apostasía. La situación que puede resultar en un juicio sin escapatoria es repasada en cuatro aspectos: 1) la experiencia de la realidad cristiana, "después de haber recibido el conocimiento de la verdad" (v. 26); 2) el hecho de la apostasía, "porque si pecamos voluntariamente" (v. 26), el carácter del pecado es clarificado en el v. 29; 3) el reconocimiento que renueva es imposible, "ya no queda más sacrificio por el pecado" (v. 26) y 4) las sanciones resultantes de acuerdo con el nuevo pacto, "sino una horrenda expectativa de juicio y de fuego ardiente que ha de devorar a los adversarios" (v. 27).

Recordando la fidelidad del pasado, Hebreos 10:32-39. El autor recuerda la valerosa actuación de los lectores en el pasado, cuando exhibieron un marcado compromiso con Cristo y unos con otros, a pesar del sufrimiento y la adversidad. El recuerdo de su comportamiento en el pasado provee un incentivo poderoso para continuar siendo leales a Cristo en el presente y también en el futuro. Estos versículos llaman a la fidelidad enfocada hacia el futuro.

Naturaleza de la fe, Hebreos 11:1-3. Los hombres y mujeres para quienes la carta a los Hebreos fue escrita, encaraban un futuro incierto. El escritor les está animando a confiar en Cristo en un tiempo cuando el discipulado es muy costoso. El contexto atribuye al concepto "fe", el sentido de una confianza estable y fija en Dios y en su palabra de promesa. Se muestra como una cualidad de respuesta a Dios que celebra la realidad de las bendiciones prometidas, y la seguridad objetiva de eventos anunciados pero que aún no se ven.

Héroes de la fe, Hebreos 11:4-40. En este pasaje se presenta un catálogo de testigos aprobados en una fe comprometida. Los pensamientos del autor se pasan al plano de la historia. Trae ante sus lectores una larga lista de testigos ejemplares en una fe duradera, y demuestra que la fe es determinada esencialmente por la esperanza. La lista de personas y eventos del pasado de Israel muestra que a través de la historia, la aprobación de Dios se ha basado sobre la evidencia de una fe viva que actúa en términos de las promesas de Dios. A pesar de que la realización de esas promesas no esté a la vista.

————————— **Estudio del texto básico** —————————

1 Cómo acercarnos a Dios, Hebreos 10:19-25

Vv. 19-22. El autor ha ido señalando con éxito no sólo que Jesús es un gran sumo sacerdote, sino también que es un rey. Además, ha mostrado que su sacerdocio y poder nunca pasarán. Su duración eterna implica que cualquier otro sacerdocio debe dejarse de lado y que cualquier fuerza opositora debe ser destruida. Cristo ha entrado en el verdadero lugar santo y se ha sentado en el trono de misericordia. Con estas afirmaciones, el autor de Hebreos urge a sus lectores a tener confianza en el poder de la sangre de Cristo. Esta exhortación se basa en que Jesús es el Hijo, pero también el rey y sacerdote que está sobre la casa de Dios. El es rey y sacerdote de su iglesia, es quien nos limpia de mala conciencia y lava nuestros cuerpos con agua pura. La confianza con que el creyente se puede acercar a Dios se basa en la relación de su rey y sacerdote no sólo con Dios, sino también con el hombre. El privilegio de acceso a él ya no está restringido como en el antiguo pacto. Sin embargo, tal acercamiento sólo puede hacerse con sinceridad de corazón y con una completa confianza en la palabra de Dios.

Vv. 23-25. En estos versículos se completa la exhortación del v. 22 que dice: *acerquémonos....* Se agrega: *retengamos firme... y considerémonos los unos a los otros.* Si nuestra esperanza está basada en la promesa de Dios que no falla, no hay razón para dudar. Por lo tanto, se puede recibir con confianza y se puede confesar confiadamente. Por otra parte, los creyentes serán más capaces de confesar su esperanza con valor si se estimulan unos a otros. La tercera idea en la exhortación implica buscar la manera de ayudarnos unos a otros, pero no con un estímulo cualquiera, sino con una especie de reto o desafío que nos provoque a actuar conforme a la fe que hemos adoptado. El compañerismo entre los miembros de la familia de fe se hace indispensable para que como "un cuerpo" se ayuden mutuamente para ir "edificándose en amor". El propósito no es ser fuertes por el hecho de ser fuertes, sino para estar en condiciones de alcanzar a otros para reino de Dios y ministrar con buenas obras tanto a los hermanos como a los no creyentes.

Uno de los más grandes estímulos que tenemos los creyentes es la realidad que *el día se acerca.* La implicación es que el día de la segunda venida del Señor está cada día más cerca y por lo tanto debemos estar haciendo lo que Dios nos ha ordenado para que nos encuentre haciéndolo.

2 Advertencia al que peca deliberadamente, Hebreos 10:26, 27.

Vv. 26, 27. *Si pecamos voluntariamente,* el autor quiere decir algo así como pecar "con soberbia". No se trata de cualquier pecado sino de apartarse "del Dios vivo" (He. 3:12). Es renunciar al cristianismo después de conocer sus verdades. Es rechazar el único camino de salvación. Por lo tanto *ya no queda más sacrificio por el pecado* que pueda efectuarse por aquellos que deliberadamente se niegan a depender del sacrificio perfecto de Cristo. Han cometido un menosprecio absurdo que conduce a la condenación eterna. De acuerdo con la Escritura, se puede afirmar que la persona que comete este pecado, profesaba en algún momento la fe cristiana. Sin embargo, esa fe no pudo haber sido genuina porque finalmente se desvía del único camino a la salvación.

3 Naturaleza de la fe, Hebreos 11:1.

V. 1. La fe es presentada como sinónimo de seguridad que apunta hacia una condición activa. De hecho, en secciones previas de la epístola, el autor ha relacionado la fe con la acción de creer y la ha presentado como lo opuesto a ser incrédulo (Heb. 3:12-19). El resto del versículo ayuda a entender que esta seguridad es el fundamento de nuestra esperanza como creyentes. Si todo lo viéramos, no existiría tal esperanza. La palabra *constancia* tiene el mismo sentido de seguridad y certeza. De acuerdo con esta descripción, la fe es el medio en que podemos ver las cosas invisibles y nos produce convicción o evidencia de ellas, de igual manera como la visión física nos produce evidencia y constancia de las cosas visibles.

4 Héroes de la fe, Hebreos 11:29-33, 39, 40.

Vv. 29-33. La impresión que produce la espléndida lista de héroes de la fe que presenta nuestro autor, es el resultado tanto de la acumulación de ejemplos, como de la grandeza de algunos de ellos. De algunos sólo se señalan sus logros de manera muy general. Sin embargo, todo lo hicieron a través de la fe en Dios. Ellos *alcanzaron promesas* de que Dios estaría con ellos al servir en su causa con fe, y obtuvieron como consecuencia el cumplimiento de sus promesas.

Vv. 39, 40. De acuerdo con estos versículos, algunos de estos héroes de la fe *alcanzaron promesas,* como dice el v. 33, pero ninguno alcanzó *la promesa* en el sentido de ser testigos de su cumplimiento. Vivieron y murieron con el anhelo y la expectativa de un cumplimiento que ninguno de ellos experimentó sobre la tierra. Sin embargo, se les considera héroes de la fe precisamente porque tan real fue para ellos ese cumplimiento aun sin verlo, que les impulsó para avanzar en medio del mundo que los rodeaba, hacia las cosas eternas e invisibles en las que tenían su confianza.

Ahora la promesa ha sido cumplida y el Cristo que ellos esperaban ya ha obtenido la perfección para ellos y para nosotros. Esos héroes, al igual que nosotros ahora, podemos disfrutar de un acceso libre a Dios, a través de Cristo, como conciudadanos de la ciudad celestial.

Aplicaciones del estudio

1. Porque Cristo murió por los pecadores, y los creyentes han sido purificados, se les presenta el desafío de continuar entrando en la presencia de Dios. Los cristianos deben ir adelante con una esperanza segura, basada en la certeza del cumplimiento de las promesas de Dios. Este reto incluye mantenerse en comunión con los demás creyentes, animándose unos a otros, pero siendo fieles cada uno en particular, a pesar de las fallas de otros. Además, la fidelidad del creyente debe mantenerse firme sin importar el costo que esto represente.

2. Los creyentes deben comprometerse en un ministerio de animar. Los cristianos deben animarse unos a otros. Estimularse a vivir en amor y a practicar buenas obras. Preocuparse por otros, sintiendo compasión especialmente hacia los que sufren.

3. Los creyentes deben aprender a gozarse aun en los momentos más difíciles y mantener un testimonio fiel sin importar lo comprometedor que esto resulte. Los cristianos a quienes se dirigió la epístola a los Hebreos tuvieron que pasar por persecuciones y sufrimientos, según lo que se evidencia en el escrito.

El mayor pecado
Hebreos 10:26-31

Introducción: En esta sección de Hebreos se manifiesta lo terrible del juicio de Dios. *¡Horrenda cosa es caer en las manos del Dios vivo!*, indica que se debe sentir verdadero temor de caer ante Dios como un pecador no perdonado. Un Dios que es vivo, eterno y que con toda seguridad efectuará su juicio.

I. El pecado, es despreciar y rechazar tres realidades (vv. 28-29).
A. Al Hijo de Dios.
B. La sangre del pacto.
C. Al Espíritu de Dios.
Este pecado se refiere a continuar en una vida pecaminosa por necedad, aun cuando se ha conocido la verdad del evangelio. Se rechaza definitivamente a Jesús después de haber tenido abundantes oportunidades de conocerle. Y finalmente se tiene por inútil y se menosprecia su sacrificio en favor de los pecadores.

II. El castigo, es severo y eterno (vv. 30-31).
Si se castigaba merecidamente a quienes infringían la ley de Moisés, mucho más merece castigo aquél que desprecia y rechaza al Hijo de Dios. Por lo tanto:
A. El castigo es más severo que los castigos de la ley mosaica.
B. El castigo continuará para siempre, no tendrá fin.

Conclusión: Para este pecado no puede haber perdón porque al cometerlo se está rechazando la única manera de obtener perdón, el sacrificio de Cristo. Si se elimina este camino, ya no hay otra opción para obtener la salvación. Si ha escuchado el mensaje del evangelio en muchas ocasiones y hasta ahora lo ha venido rechazando, este es el momento para recapacitar y aceptar que el único medio para alcanzar el perdón de sus pecados es a través del sacrificio de Jesucristo.

Lecturas bíblicas para el siguiente estudio

Lunes: Hebreos 12:1-6   **Jueves**: Hebreos 12:25-29
Martes: Hebreos 12:7-13   **Viernes**: Hebreos 13:1-16
Miércoles: Hebreos 12:14-24 **Sábado**: Hebreos 13:17-25

AGENDA DE CLASE

Antes de la clase

1. Pida a un alumno de la clase que haga un investigación acerca del "Lugar Santísimo" del tabernáculo o del templo de Jerusalén. Que responda las siguientes preguntas: ¿Qué forma tenía el Lugar Santísimo?, ¿qué había allí?, ¿qué representaba?, ¿qué se hacía allí?, ¿quién podía entrar?, ¿cuándo lo podía hacer? **2.** Pida a otro alumno de la clase que haga una investigación acerca del "velo" que separaba el "lugar santísimo" del "santo" y que responda las siguientes preguntas: ¿Con qué fin existía este velo?, ¿de qué estaba hecho?, ¿cómo estaba adornado?, ¿quién y cuándo se rasgo este velo? y ¿qué significa el hecho de haberse rasgado? **3.** Haga una investigación en diferentes libros de consulta acerca de la soberbia y sus efectos. **4.** En un diccionario bíblico investigue acerca de la "fe" y cuál es su importancia entre Dios y el hombre.

Comprobación de respuestas

JOVENES: **1.** 1. a. Para estimularnos al amor y a las buenas obras. b. El que se acerca a Dios debe creer que él existe. c. De haber agradado a Dios. d. Obedeció sin saber a dónde iba. e. El universo fue constituido por la palabra de Dios. **2.** a-c, b-d, c-e, d-b, e-a.

ADULTOS: **1.** a. La sangre preciosa de Jesucristo. b. Con corazón sincero y en plena certidumbre. c. Unos a otros para estimularnos al amor. d. Ya no queda más sacrificio. **2.** a-3, b-5, c-6, d-1, e-2, f-4.

Ya en la clase
DESPIERTE EL INTERES

1. Invite a su clase a que mediten sobre la siguiente situación: El presidente de una nación tenía muchas ocupaciones durante su mandato; asuntos interiores que atender, relaciones exteriores que solucionar, sin contar los asuntos económicos, políticos y sociales de su país. Como es de imaginar, este presidente contaba con un eficiente gabinete que le ayudaba en todos estos asuntos. Hemos de suponer que tenía muchas ocupaciones, de las cuales algunas delegaba a sus secretarios. Para conseguir una audiencia personal con este presidente era muy difícil: había que solicitarlo por escrito, enviarlo a sus secretarios, obtener el visto bueno del secretario personal del presidente así como del director del protocolo, etc. Pero una ocasión, el hijo menor de este presidente lo quiso ver para preguntarle algo muy personal. Este pequeño fue y saludando a todos los secretarios llegó hasta su papá, se sentó en sus piernas, le hizo la pregunta y salió de aquel salón. **2.** Reflexionen sobre lo siguiente: ¿Qué permitía que el niño no tuviera que hacer los trámites acostumbrados para ver al presidente? ¿Cómo veía el niño a su papá? ¿Cómo presidente de la república o como su papá? ¿Qué relación existía entre este niño y el presidente? ¿Sería lógico pensar que el niño tuviera que hacer los trámites para ver a su papá?

ESTUDIO PANORÁMICO DEL CONTEXTO

1. Pida al alumno al que encargó el estudio sobre el "Lugar Santísimo" que haga una exposición del tema, tratando de contestar las preguntas formuladas previamente. **2.** Solicite al alumno que le encargó el tema del "velo" que igualmente haga su exposición contestando las preguntas asignadas. **3.** Enfatice sobre la bendición que significa tener un libre acceso a Dios a través de la sangre de Cristo Jesús. **4.** Pida a dos alumnos de la clase que lean en su LIBRO DE ALUMNO en el *Estudio panorámico* del contexto la sección de aquel que peca deliberadamente y la sección de la fe. **5.** Reflexionen sobre el título "El Salón de la Fama" aplicado al capítulo 11 de Hebreos.

ESTUDIO DEL TEXTO BÁSICO

1. Examine las instrucciones para acercarnos a la presencia de Dios destacadas en Hebreos 10:19-25. Haga especial énfasis en dos aspectos: lo que la obra perfecta de Cristo Jesús ha hecho para que esto tenga lugar, y los requisitos con los cuales hemos de responder a esta bendición de Dios.

2. Explique más abundantemente sobre la función del velo en el Lugar Santísimo. Basado en Marcos 15:38 explique el significado de la ruptura del velo y lo que esto significa.

3. Basado en Hebreos 10:26, 27 y en su investigación sobre la soberbia, haga una exposición de las terribles consecuencias de caer en este grave mal. Explique particularmente la triple consecuencia de la soberbia mencionada en el LIBRO DE ALUMNOS.

4. Explique qué es y qué propósito tiene la fe en la vida del cristiano. Enfatice el aspecto de que sin fe es imposible agradar a Dios (Heb. 11:6).

5. Divida la clase en tres grupos y analicen la vida de los hombres de fe mencionados en la sección 2 de *Lea su Biblia y responda*, y analicen la manera en la que ellos ejercieron su fe en el Señor.

APLICACIONES DEL ESTUDIO

Pida a tres alumnos que lean las aplicaciones que aparecen en sus libros y las comenten. Trate de motivarlos para apreciar la extraordinaria realidad del libre acceso a la presencia de Dios a través de la obra de Jesucristo. Comenten en clase sobre el compromiso adquirido cuando aceptamos a Jesucristo como nuestro Señor y las serias implicaciones de abandonar la fe. Dialoguen sobre el maravilloso significado de vivir por fe.

PRUEBA

Pida que cada alumno, individualmente, realice esta actividad y que se junten en parejas para compartir respuestas. Después de hacer esto, pídales que oren por aquellos que están lejos del Señor y la realidad del acceso a Dios.

Vida y servicio aceptables

Contexto: Hebreos 12:1 a 13:25
Texto básico: Hebreos 12:1-4, 7-11; 13:1-5
Versículo clave: Hebreos 12:1
Verdad central: El cristiano debe consagrarse al servicio de su Señor mostrando al mundo la santidad de Dios.
Metas de enseñanza-aprendizaje: Que el alumno demuestre su conocimiento de los conceptos bíblicos acerca de la disciplina en la vida diaria, y su actitud de practicar las virtudes cristianas.

―――――――Estudio panorámico del contexto ―――――――

A. Fondo histórico:

El tema de la vida cristiana como un peregrinaje llega a ser importante cuando se considera con interés la profundidad de la vida espiritual. La situación de la iglesia expresa la tensión inherente entre la secularización y la madurez espiritual. Secularización es acomodarse al mundo y ocurre cuando los creyentes llegamos a sentirnos confortables con lo que nos rodea. Es indispensable para los hombres y mujeres de Dios recordar que este mundo no es su casa. No es su ciudad permanente. Como peregrinos deben aguardar a que la ciudad de Dios esté a su alcance.

B. Enfasis:

Jesús el ejemplo de disciplina, Hebreos 12:1-3. El ejemplo de Jesús debe constituir el máximo aliciente para los creyentes; su fe y obediencia fueron perfectas, por tanto nuestra vista debe apartarse de cualquier otra cosa y fijarse sólo en él. El uso del nombre personal "Jesús" pone el énfasis en sus experiencias como hombre, especialmente en su dolor, humillación y la vergüenza de la cruz. En todo esto, él se mostró dócil y obediente. El autor se dirige a los creyentes y nos anima a imitar a Cristo. Jesús con su ejemplo nos hace pensar que es posible una vida de fe comprometida.

El papel de la disciplina, Hebreos 12:4-11. Una definición sencilla de disciplina es entrenamiento. El término original que se usa en la Biblia puede aplicarse tanto a un entrenamiento por educación como a un entrenamiento por corrección. Por lo tanto, disciplina, se puede considerar como la educación que se obtiene mediante corrección. La disciplina comienza en el hogar y continúa en la escuela. Cuando se aplica a ella con diligencia se recibe ánimo y reconocimiento. Cuando se actúa irresponsablemente se recibe castigo. Al hablar de disciplina, es natural referirse a las relaciones familiares, ya que en la experiencia de la disciplina paterna se nos prepara para reconocer la disciplina divina.

Perseverando en la gracia de Dios, Hebreos 12:12-29. La idea de perseverar en la gracia de Dios no indica necesariamente que se puede dejar de perseverar en ella, pero sí deja claro que los creyentes necesitan mantenerse sensibles, para que las manifestaciones de gracia que Dios tiene para con ellos como sus hijos sean oportunamente reconocidas.

Llamado a ejercitar las virtudes cristianas, Hebreos 13:1-6. El autor presenta una colección de mandatos para los cristianos. El reconoce la necesidad de recordar a sus lectores ciertas virtudes cristianas elementales. Estas virtudes no deben ser descuidadas con el pretexto de que se están cumpliendo las demandas que impone el peregrinaje. El autor de Hebreos afirma que los mandatos que expone en estos versículos son compromisos específicos que son apropiados para el pueblo peregrino de Dios.

Instrucciones acerca de los líderes, Hebreos 13:7-17. Recomienda recordar a los líderes, a aquellos que nos hablan la palabra de Dios. Nos invita a considerar su manera de vivir y a imitar su fe, obedecerles y orar por ellos. El pueblo peregrino del Señor tiene la responsabilidad de respetar a aquellos que han sido colocados como líderes en la iglesia. Ese respeto implica imitar sus vidas y apoyar sus variados ministerios. También significa orar con sinceridad y seriedad porque Dios les guarde en integridad. La responsabilidad de los líderes es compartir la palabra de Dios con una fe profunda. Ellos deben mostrar diligencia en el cumplimiento de sus ministerios, mantener una conciencia limpia y una conducta responsable. Todo lo anterior demanda que el pueblo les apoye al máximo.

Doxología y saludos finales, Hebreos 13:18-25. El autor solicita la intercesión ante el Señor por sus lectores, primero para que pueda mantener una vida y conducta de pureza, y también para que pueda volver a verlos. Luego ora por que ellos puedan estar equipados espiritualmente para cumplir con la voluntad divina. Finaliza con saludos personales tanto para los líderes como para todos los creyentes que había en el lugar donde vivían los lectores.

——————— **Estudio del texto básico** ———————

1 Jesús ejemplo de disciplina, Hebreos 12:1-3.

Vv. 1-3. *Teniendo en derredor nuestro tan grande nube de testigos.* Esta multitud de testigos parece estar integrada básicamente por dos grupos: un grupo lo forman todos aquellos hombres y mujeres de Dios que han sido mencionados en el capítulo once. Ellos y otros no mencionados por experiencia propia saben lo que significa mantener la vista en Jesucristo. El otro grupo de testigos está formado por todas las personas que viven alrededor nuestro. Ellos dan testimonio de nuestro estilo de vida y de nuestra conducta. Pueden dar testimonio delante de otros de lo que han visto en nosotros.

El *pecado que tan fácilmente nos enreda,* es una amenaza constante para cada seguidor de Jesucristo. El pecado es muy sutil, se nos presenta en modalidades y atractivos de lujo y a veces tan inocentes que muy fácilmente podemos ser atraídos o seducidos. Por eso tan pronto como nos damos cuenta que estamos siendo atraídos *despojémonos*. Esto es, corramos a Jesucristo para encontrar la fuerza y el auxilio para quedar libres del pecado y sus artimañas.

Algunos intérpretes han expresado que la oración *Jesús, el autor y consumador de la fe*, significa que Jesús crea la fe en el corazón del ser humano y luego la lleva a la perfección. Sin embargo, éste no es el único significado porque la palabra que se traduce por *autor*, también se podría traducir como jefe o líder. En este sentido, Jesús es el líder que nos ha precedido en vivir por fe y nos da el ejemplo para imitarlo en esa clase de vida. Además, Jesús no sólo es el autor o líder, sino el que promueve la fe entre los que le siguen. El es el modelo del creyente, pero a la vez es quien le comunica cómo reproducir este modelo en su propia vida y le estimula a vivirlo.

2 El papel de la disciplina, Hebreos 12:4, 7-11.

V. 4. Cristo sufrió la muerte, muchos héroes de la fe también. Los receptores de esta epístola, en los primeros días, habían soportado una persecución severa por su fe, pero todavía no habían sido llamados a sellar su testimonio con sangre. El autor les menciona que podrían tener que encontrarse con pruebas aún más duras que las que habían enfrentado hasta ese momento. Sin embargo, no debían desanimarse porque podían ver que otros habían permanecido firmes entre sufrimientos peores que los de ellos. Más bien debían darse cuenta de que sus luchas eran una muestra del amor de su Padre celestial hacia ellos. Eran los medios para ser entrenados de manera que fueran verdaderos hijos de Dios.

Vv. 7-11. La palabra traducida por *disciplina* sugiere la relación de una criatura con su padre, pero es notable que el autor no utiliza la palabra criatura en este pasaje, sino la palabra *hijos*. El recuerdo del Hijo de Dios parece estar en la mente del autor. La disciplina es la ventaja y privilegio de todo hijo. Un hijo que no es disciplinado por su padre es un hijo no amado.

Además, los padres físicos nos guardan bajo disciplina y no sólo nos sometemos a ellos, sino que también les guardamos respeto y gratitud; no obstante que su disciplina no está destinada a tener efecto por más que el tiempo de la vida terrenal. Esta enseñanza nos ayuda a entender la disciplina de Dios y a someternos nosotros mismos a ella. El Señor no es solamente Dios de todos los espíritus sino también de toda carne y Padre de nuestros espíritus. El ha creado nuestro espíritu y nos ha hecho capaces a través de la disciplina de ser participantes de su propia santidad, la cual vendrá a ser nuestra vida verdadera y eterna. Un contraste interesante que se presenta en estos versículos es que nuestros padres terrenales nos disciplinan buscando lo que ellos piensan que es mejor para nuestras vidas, y escogen la manera de disciplinar que más les gusta. En ocasiones nuestros padres pueden equivocarse en su estimación acerca de la disciplina que necesitábamos. Sin embargo, Dios nuestro Padre celestial en la perfección de su sabiduría y amor, nos disciplina sabiendo exactamente lo que es para nuestro bien. Además siempre tiene a la vista el bien supremo que pretende que alcancemos, compartir su santidad.

3 Llamado a ejercitar las virtudes cristianas, Hebreos 13:1-5.

Vv. 1, 2. Las virtudes se introducen con una amonestación: *Permanezca el amor fraternal.* Todas las instrucciones que siguen son aspectos claramente relacionados con este mandato fundamental. Primero se recomienda no descuidar la hospitalidad. *La hospitalidad* es una expresión de amor fraternal. Ser hospitalarios era de vital importancia para el éxito de la temprana misión cristiana. Los predicadores y maestros cristianos tenían que viajar de un lugar a otro, dependiendo de la apertura de las casas de los cristianos para pasar la noche y proveerse de alimentos. Una expresión de hospitalidad era ofrecer los alimentos como una ocasión para compartir el amor cristiano con aquellos que no estaban en condiciones de corresponder a esa bondad en alguna manera directa. El descuidar la hospitalidad implicaba privarse de grandes bendiciones. Además es una práctica que debe caracterizar al pueblo peregrino del Señor.

V. 3. Demostrar un interés práctico por otros es una expresión de amor fraternal. El autor invita a sus lectores a demostrar una genuina empatía por aquellos que están prisioneros. En ese tiempo *los presos* dependían de su familia y amigos para ser alimentados y para satisfacer cualquier necesidad. Incluso era la única ayuda a su alcance para obtener apoyo emocional que les fortaleciera en medio de las condiciones amargas de la prisión. Los cristianos se distinguieron por esta cualidad de manifestar interés por sus hermanos y hermanas que habían sido hechos prisioneros.

V. 4. Cultivar la fidelidad en el *matrimonio* es otra expresión de amor fraternal. Cabe aclarar que este mandato es tanto para los casados como para los solteros. El matrimonio debe ser altamente estimado porque es un don de Dios y por lo tanto se debe guardar respeto por el lecho matrimonial. La fidelidad permitirá que en esta vida de peregrinaje se cuente con una atmósfera de apoyo y disfrute mutuos.

V. 5. Guardar una vida libre del *amor al dinero* es también una expresión de amor fraternal. Un peregrino es por definición alguien que va viajando con pocas posesiones. Su compromiso con esta vida sencilla y simple es la fuente de un profundo contentamiento con lo que tiene. No debe estar motivado por el deseo de acumular bienes sino por la visión de llegar a la ciudad de Dios. Esto es el estilo de vida del peregrino.

Aplicaciones del estudio

1. La perseverancia es esencial para la vida cristiana. El compromiso con Cristo es permanente y es costoso. El precio se debe pagar día con día. A veces implica sufrimiento que no entendemos, pero el camino del cristiano es riesgoso y costoso. Se debe recordar que el no seguir a Cristo resulta al final de cuentas aún más costoso.

2. En el peregrinaje de la fe, los cristianos deben apoyarse unos a otros. Este apoyo debe fundarse en un cariño profundo y genuino entre ellos. El amor fraternal es la base para que se solucionen muchos de los problemas que viven las iglesias.

Ayuda homilética

La unión cristiana
Hebreos 13:1-5

Introducción: En los primeros siglos *el amor fraternal* entre los creyentes era una de las cualidades que más los caracterizaba y que los distinguía en medio de aquel mundo antiguo lleno de odio y egoísmo. Un mundo muy similar al actual. Los cristianos se quieren entre sí, y el mundo no lo comprende, pero nosotros sabemos el secreto. Veamos:

I. Naturaleza de la unión cristiana.
   A. Es unidad de sentimientos.
   B. Es unidad de pensamientos.
   C. Es unidad de esfuerzos.
II. Importancia y atractivo de la unión cristiana.
   A. Por las enseñanzas de la Escritura.
   B. Por el ejemplo de los primeros cristianos.
   C. Por los daños de la división.
   D. Porque los creyentes deben estar empeñados en adelantar una causa común, la obra del Señor.
   E. Porque la unión hace la fuerza.
   F. Porque la unión promueve la felicidad.

Conclusión: Esta unidad no se logra con solo desearla, es necesario dejar que el Señor nos proporcione un amor genuino y honesto unos por otros. Además se requiere que tengamos la misma visión de servirle y honrarle. ¿Quiere ser partícipe de una unión cristiana de esta naturaleza?

Lecturas bíblicas para el siguiente estudio

Lunes: Santiago 1:1-8   **Jueves**: Santiago 1:19-21
Martes: Santiago 1:9-11   **Viernes**: Santiago 1:22-25
Miércoles: Santiago 1:12-18   **Sábado**: Santiago 1:26, 27

AGENDA DE CLASE

Antes de la clase
1. Recuerde que este es el último estudio sobre el libro de Hebreos. Conviene elaborar una cartel o escribir en la pizarra los puntos más significativos de esta Unidad. **2.** Piense en cierta meta y en varios planes de acción que se pueden seguir para llegar a esa meta. **3.** Seleccione varias palabras o frases de Hebreos 1:1-3 que tienen que ver con la vida cristiana y escríbalas en una hoja de papel. **4.** Descubra en el contexto de este estudio (Heb. 12:1 a 13:25) las cinco de características de la vida de un cristiano y escríbalas en una hoja de papel. **5.** Haga los ejercicios de la sección *Lea su Biblia y responda* en el libro de sus alumnos.

Comprobación de respuestas
JOVENES: **1.** 1. a. Cansancio, desánimo, menosprecio. b. Bastardos. c. Hay estorbo y muchos pueden ser contaminados. d. Hospedaron ángeles. e. Alabanza, fruto de labios que confiesan su nombre. **2.** a-F, b-V, c-F, d-V, e-V. **3.** 1-4, 2-3, 3-2, 4-5, 5-1.
ADULTOS: **1.** Peso que fácilmente nos enreda. b. En Jesús. c. Que no decaiga su ánimo, ni desmayen. d. Que nos trata como a hijos. **2.** a-V, b-V, c-V, d-F, e-V, f-V.

Ya en clase
DESPIERTE EL INTERES
1. Forme tres grupos. Asigne a cada grupo una de las situaciones siguientes: (1) Una de sus resoluciones para el nuevo año es perder 20 libras de peso y estar físicamente bien para agosto. ¿Cuál es su plan de acción? (2) Para el día de su próximo cumpleaños sus padres, o su esposo(a), le ofrecen darle la mitad del dinero para que usted se compre un automóvil nuevo. ¿Cuál es su plan de acción? (3) Le han ofrecido un nuevo trabajo si usted termina su carrera o ciertos estudios con un promedio de 98 puntos. ¿Cuál es su plan de acción? **2.** Después de unos 8 minutos solicite que un miembro de cada grupo comparta con todos el plan de acción a la situación dada. Al terminar todos pregunte: ¿Por qué cada plan de acción es tan diferente del otro? ¿Qué determina el éxito o el fracaso de cada uno de estos planes de acción?

ESTUDIO PANORAMICO DEL CONTEXTO
1. Muestre el cartel o el bosquejo que escribió de los puntos más significativos de la Unidad de estudios sobre Hebreos. **2.** Explique que Jesús es nuestro ejemplo acerca de cómo lograr la gran meta: consagrarnos totalmente a Dios. Haga claro que aun en el caso de Jesús alcanzar la meta hizo necesaria la disciplina. **3.** Explique el papel que cumple la disciplina en la vida del creyente. **4.** Mencione las virtudes cristianas que los creyentes deben esforzarse por practicar. **5.** Concluya esta visión de con-

junto con las instrucciones que da el autor de Hebreos a sus lectores en general, y particularmente a quienes tienen responsabilidades de dirección entre el pueblo de Dios.

ESTUDIO DEL TEXTO BASICO

1. Jesús ejemplo de disciplina, Hebreos 12:1-3. Con la ayuda del material que se ofrece en el libro del maestro ayude a los participantes a comprender quiénes integran la "gran nube de testigos que nos rodea". Recuerde a sus alumnos que obedecer requiere disciplina, por lo tanto tiene que ser un esfuerzo consciente y dedicado. Mencione el hecho que Jesús muchas veces tuvo que sufrir y llorar por el esfuerzo que la disciplina de la obediencia le demandó. Su meta se logró sobre la base de su dedicación y consagración a la voluntad de Dios.

2. El papel de la disciplina, Hebreos 4, 7-11. Además de comentar los versículos indicados, haga hincapié en el doble propósito que cumple la disciplina: (a) Nos califica como hijos de Dios. El ser llamados "legítimos" o "ilegítimos" está condicionado por la perseverancia en la disciplina que Dios nos asigna a fin de capacitarnos para alcanzar la meta. (b) Nos califica como "maduros" o "inmaduros". El proceso de crecimiento desde la infancia espiritual hasta la madurez se logra por el camino de la disciplina. Por lo tanto, debemos ver a la disciplina como una herramienta en las manos de Dios y no como un instrumento de castigo.

3. Llamado a ejercitar las virtudes cristianas, Hebreos 13:1-5. Si seleccionó de este pasaje varias palabras o frases que tienen que ver con la vida cristiana, es el momento de presentarlas a sus alumnos y estimular una conversación aclaratoria sobre cada una de ellas. Después presente las cinco características o virtudes cristianas que usted descubrió en el contexto de este estudio (Heb. 12:1 a 13:25). Finalmente, revisen las respuestas a los ejercicios en la sección *Lea su Biblia y responda* que aparece en el libro de los alumnos.

APLICACIONES DEL ESTUDIO

1. "La vida cristiana es algo que sí se puede cumplir, pero no es fácil." Divida a su grupo en dos equipos. Que un equipo adopte la posición negativa: "La vida cristiana es algo que no se puede cumplir, para qué intentarlo", y que presente sus razones. El otro la posición positiva y que también defienda su posición.

2. Pregunte: "¿Era más fácil para Cristo la disciplina que para nosotros?" Anime una conversación que conduzca a la conclusión que la disciplina era tan difícil para Jesús como lo es para nosotros.

PRUEBA

1. Dé tiempo para que hagan los ejercicios de la sección *Prueba* que aparece en el libro del alumno. **2.** Haga un sumario general de lo estudiado en esta Unidad sobre el libro de Hebreos. **3.** Anuncie que la siguiente Unidad trata del libro de Santiago.

Sabiduría y fe frente a las pruebas y las tentaciones

Contexto: Santiago 1:1-27
Texto básico: Santiago 1:1-7, 13-17, 21-27
Versículos clave: Santiago 1:5, 6
Verdad central: Las instrucciones de Santiago acerca de las pruebas y las tentaciones ponen énfasis en la necesidad de obedecer la Palabra de Dios.
Metas de enseñanza-aprendizaje: Que el alumno demuestre su conocimiento de las instrucciones que da Santiago sobre cómo tratar con las pruebas y las tentaciones, y su actitud de aceptación de esas instrucciones.

Estudio panorámico del contexto

A. Fondo histórico:

La carta de Santiago es eminentemente práctica en su enfoque. De principio a fin el escritor acentúa el desarrollo práctico de la verdadera religión. No se ve lo que aparece en las cartas paulinas: la intención de asentar una base doctrinal que sirva de fundamento para una amplia gama de mandatos. El elemento unificador de esta carta es la insistencia de ser hacedor de la Palabra. Por lo cortante de su predicación en contra de la injusticia social y de la desigualdad, ha sido llamada el "Amós" del Nuevo Testamento.

¿Quién fue el autor de esta carta? Por el nombre "Santiago" o "Jacobo", y por quienes en el Nuevo Testamento llevan este nombre, se considera a: (1) Jacobo, hijo de Zebedeo. Este es poco probable ya que fue martirizado en el año 44 d. de J.C. (Hech. 12:2); (2) Jacobo, hijo de Alfeo. Puede ser rechazado inmediatamente, ya que no hay ninguna tradición a su favor. (3) Jacobo, hermano del Señor Jesucristo. Las semejanzas lingüísticas de este libro con su discurso en Hechos 15, lo mucho que depende de la tradición judía, y la armonía de los datos históricos del Nuevo Testamento referentes a él, favorecen su candidatura como el autor de esta carta.

Diferencia entre pruebas y tentaciones. Las pruebas son instrumentos o medios para probar algo. En este caso las pruebas en la vida cristiana son los agentes que examinan la fe y manifiestan cuál es su verdadera naturaleza. De la manera como el oro es purificado por el fuego, así la fe es purificada y reforzada mediante las pruebas. Es posible que al escribirse esta Epístola la fe de los lectores estuviera siendo probada. Santiago afirma que Dios tiene una parte importante en las pruebas que muchas veces rodean al creyente, porque las usa para madurar su carácter. El cristiano que entiende esto, debe buscar la sabiduría divina para comprender el significado de las pruebas que le toca vivir. Así saldrá aprobado delante de Dios.

La gran diferencia con las tentaciones es que éstas no provienen en ninguna manera de Dios. Santiago afirma la absoluta impecabilidad de Dios, por lo tanto no puede ser incitado a pecar. El no es susceptible al pecado, es absolutamente santo, apartado de todo lo que es pecado o pecaminoso, por lo tanto ser tentado o tentar sería contrario a su naturaleza. Su misma perfección impide tanto que él sea tentado como que él tiente a alguien. Por lo tanto, Santiago presenta un marcado contraste entre pruebas y tentaciones. Las pruebas son provistas por Dios con el propósito de madurar el carácter del creyente. En cambio las tentaciones no provienen de Dios y tienen como propósito incitar al mal. Dios no provoca la tentación, por el contrario libra a sus hijos de ella.

Relación entre sabiduría y fe. Un creyente que desea depender de Dios debe reconocer que tiene una gran necesidad de sabiduría. Esta es necesaria para poder entender la razón y propósito de las pruebas y cómo soportarlas. La sabiduría no es simple conocimiento, sino es una percepción espiritual especial que el creyente requiere para no caer en la vanidad del hombre inconverso. Santiago señala que cuando un creyente se siente necesitado de sabiduría, debe pedirla a Dios, que es el dador de ella y que la proporciona con abundancia y desinteresadamente. Sin embargo, es importante la indicación de que al pedirla, existe un requisito indispensable para que la oración sea eficaz: pedir con fe. En este caso la fe es una actitud de compromiso total y pleno de una dependencia en Dios. La confianza en Dios es un requisito indispensable en la oración eficaz. Por esto el que pide debe hacerlo con la seguridad en su corazón de que Dios ha de contestarle. El que pide dudando, no tiene derecho a esperar que recibirá lo que ha pedido.

B. Enfasis:

La actitud correcta hacia las pruebas, Santiago 1:1-4. Las reacciones de un creyente ante las pruebas puedes ser un buen indicador de su madurez espiritual y de su fe. Algunas personas reaccionan con rebeldía hacia Dios cuando enfrentan dificultades. Otras actúan con resignación. Sin embargo, la actitud más apropiada debiera ser de gratitud y alegría, pues debemos recordar que su propósito es hacernos mejores personas.

La actitud correcta hacia la oración, Santiago 1:5-8. La actitud que se requiere al orar es de pedir con fe. Esa fe significa plena confianza en Dios. Es una confianza activa, no pasiva, que lleva a alguien a pedir algo a Dios con la expectativa de recibir lo que ha pedido. Es cierto que Dios no siempre da exactamente lo que se pide. En ocasiones su respuesta es "espera", lo cual sirve para probarnos. Existen peticiones que no son necesarias o que nunca debieran hacerse. Se puede orar de manera sabia o de manera necia. Dios nunca va a contestar peticiones que no sean de provecho para sus hijos. Sin embargo, una petición apropiada, como es la de solicitar sabiduría, es seguro que el Señor desea concederla, por lo tanto es importante pedir sin dudar.

Pobreza y riqueza, Santiago 1:9-11. Por la alusión que presenta Santiago es posible que creyentes ricos discriminaran a los que eran pobres. Esto constituía un motivo de desaliento y frustración para los pobres. Santiago les alienta con la exhortación de que en medio de su pobreza deben alegrarse porque "en Cristo" son inmensamente ricos. De igual forma recomienda a los ricos que sean humildes y no pongan su confianza en sus posesiones, lo cual es peligroso para su vida espiritual.

La actitud correcta hacia la tentación, Santiago 1:12-18. El hombre en su intento de disculparse por su pecado trata de culpar a Dios. Santiago rechaza firmemente esta actitud. Es cierto que el pecado es inexplicable, pero a la vez no tiene excusa y el hombre es totalmente responsable de cometerlo. La actitud que el creyente debe tener es reconocer que la tentación viene de sí mismo, pero que puede acudir a Dios en busca de ayuda para superarla. Por fe en Cristo, quien venció la tentación y al tentador, el creyente también puede obtener la victoria.

La actitud correcta hacia la Palabra de Dios, Santiago 1:19-25. Santiago da énfasis al lugar que debe ocupar la Palabra de Dios en la vida del creyente. Ella fue el instrumento que Dios utilizó para mostrarnos el camino de salvación. Dios también la utiliza para ayudarnos a guiar nuestro comportamiento en este mundo. Para que se cumpla este objetivo, el creyente debe practicar los principios que la Palabra de Dios establece y ser obediente a ella.

La verdadera religión, Santiago 1:26, 27. La verdadera religión se evidencia mediante la práctica. No basta oír la Palabra de Dios, ni decir que uno es religioso, es necesario demostrarlo en una forma genuina y concreta. La verdadera religión no es solamente teoría sino práctica. Aquel que habla de religión sin vivirla, está practicando una religión vacía y engañándose a sí mismo.

────────────── **Estudio del texto básico** ──────────────

1 La actitud correcta hacia las pruebas, Santiago 1:1-4.

V. 1. Santiago se presenta de una manera sencilla como esclavo de Dios y del Señor Jesús. No hace mención de algún merecimiento personal. Además dirige su carta en forma general a todos los judíos dispersos en todo el Imperio romano. Sin embargo, es notable que su interés principal estaba dirigido hacia los judíos ya cristianos.

Vv. 2-4. Algunas actitudes incorrectas ante las pruebas son: 1) negarlas, es decir que se pretende no estarlas viviendo; 2) tomar una vía de escape, en especial mediante drogas o conductas impropias; 3) enfrentarlas con superficialidad, sin darles importancia. Sin embargo, el autor desafía al creyente a tener una actitud diferente. Las pruebas no son en sí un gozo, pero Santiago dice que para el creyente pueden ser una oportunidad para gozarse. La actitud necesaria para lograrlo es entender el propósito que Dios quiere que alcancemos a través de ellas, la madurez y firmeza en la fe.

2 La actitud correcta hacia la oración, Santiago 1:5-7.

Vv. 5-7. Un cristiano que ora con titubeos y dudas, se está acercando a Dios de manera incorrecta y su incredulidad lo conduce al fracaso. Esta actitud muestra inestabilidad, y por lo tanto, no sólo se priva el creyente de las respuestas de Dios, sino que manifiesta ser una persona poco digna de confianza. La actitud apropiada es de completa dependencia en Dios, aceptando su perfecta capacidad para conceder la petición y también su disposición de hacerlo.

3 La actitud correcta hacia la tentación, Santiago 1:13-17.

Vv. 13-17. Siempre los seres humanos han tratado de culpar a otros de sus propios pecados. En la actualidad las personas atribuyen la culpa a todo tipo de factores externos a ellas mismas. Factores económicos, sociales, educativos, culturales y hasta genéticos. Suelen decir que estos elementos son los responsables de su fracaso en vivir como Dios espera. Esta actitud es cobarde e irresponsable.

El creyente debe entender que el pecado se da mediante un proceso que se inicia con un deseo incontrolado dentro de uno mismo que le impulsa a saciarlo aun de manera contraria a la voluntad de Dios. La tentación consiste en sentirse atraído por una especie de "carnada" que nos invita a saciar el deseo. Si lo hacemos caemos en el engaño, pecamos y quedamos sujetos a sus consecuencias. Por el contrario, si dependemos del Señor y nos dejamos guiar por su Palabra, podemos detectar esas "carnadas" y rechazarlas con firmeza. Esto es lo que significa andar por fe y lograr una actitud correcta frente a la tentación.

4 La actitud correcta hacia la Palabra de Dios, Santiago 1:21-27.

Vv. 21-25. La actitud correcta de un hijo de Dios hacia su palabra implica no sólo escucharla sino también practicarla. Algunos creyentes consideran que con escuchar un buen sermón o estudio bíblico pueden crecer espiritualmente y recibir las bendiciones de Dios. En un sentido, esto es cierto, pero sólo parcialmente porque no es tanto el escuchar como el hacer lo que trae bendición. Muchas veces, esta clase de cristianos tienen la Biblia marcada en muchos pasajes importantes, sin embargo, sus vidas no se ven impactadas por la Palabra de Dios. La persona que piensa que es muy espiritual porque escucha y estudia mucho la Escritura se engaña a sí misma. Debemos acercarnos a la Biblia con una actitud dispuesta a permitir que ella nos examine y nos señale los aspectos de nuestra vida que desagradan a Dios. Esto implica que debemos recordar lo que ella nos enseñe continuamente y no pasar por sus páginas de una manera superficial y por costumbre.

Vv. 26, 27. La religión pura consiste en la práctica de la Palabra de Dios y en anunciarla a otros. El compartirla se puede hacer de palabra, pero siempre acompañada del servicio a otros, así como llevando vidas santas.

Aplicaciones del estudio

1. La actitud correcta del cristiano ante las pruebas ha de mostrarse de una manera práctica. No es suficiente comprender que Dios tiene un propósito para nuestras vidas cuando permite que las vivamos y que sintamos gozo al reconocer que en su sabiduría está puliendo nuestras vidas.

2. Debemos reconocer las buenas dádivas que Dios ofrece. Muchos afirman que los desastres naturales son actos de Dios, incomprensibles quizás pero divinos. En cambio, son muy pocos los que afirman con igual seguridad y con similar frecuencia que las cosas buenas que suceden en el mundo provienen del Señor. Los cristianos debemos ser más atrevidos en nuestra confianza en Dios y declarar sin timidez que lo bueno que le ocurre al mundo y a los seres humanos son actos igualmente portentosos de lo Alto.

Ayuda homilética

La religión que complace a Dios
Santiago 1:27

Introducción: Muchas personas afirman que todas las religiones son buenas, todas llevan a Dios, la Biblia nos enseña que sólo existe una verdadera religión; es una religión que se evidencia de manera muy práctica.

   I. Mediante lo que uno hace en la sociedad (v. 27a)
     A. Mostrando interés y cuidado por otros.
     B. Mostrando un servicio fraternal.
  II. Mediante lo que uno es en la sociedad (v. 27b)
     A. Forjando nuestro ser al actuar en favor de otros.
     B. Preservándonos del mal al actuar en contra de él.

Conclusión: La religión que agrada a Dios es aquella que es genuina y sincera. Una religión que simple y sencillamente hace sentir autocomplacencia a quien la practica, no es pura. La religión en su lado práctico significa hacer algo por alguien. ¿Quiere experimentar en su propia vida la religión que verdaderamente agrada a Dios? Hoy es el tiempo para tomar esta decisión.

Lecturas bíblicas para el siguiente estudio

Lunes: Santiago 2:1-4   **Jueves**: Santiago 2:11-13
Martes: Santiago 2:5-7   **Viernes**: Santiago 2:14-17
Miércoles: Santiago 2:8-10   **Sábado**: Santiago 2:18-26

AGENDA DE CLASE

Antes de la clase
1. Haga un dibujo donde aparezca el fondo del mar con corales y algunas algas, o busque una ilustración del fondo del mar que muestre este mismo ambiente. Con un sujetapapeles de alambre ("clip") haga una especie de anzuelo, coloque lo que simularía la carnada y ponga un hilo en el extremo. Así mismo en un trozo de cartulina dibuje un pez. **2.** Realice una investigación un poco más amplia acerca de los tres "Jacobos" que aparecen en el *Estudio panorámico del contexto* del LIBRO DEL ALUMNO. **3.** En una cartulina escriba las diferencias entre una "prueba" y una "tentación" que aparecen en el *Estudio panorámico del contexto* del LIBRO DEL ALUMNO. **4.** Lleve un espejo pequeño a la clase. **5.** Responda las preguntas dadas en el LIBRO DEL ALUMNO en la sección *Lea su Biblia y responda*, del presente estudio.

Comprobación de respuestas
JOVENES: **1.** a. Visitar a los huérfanos y a las viudas en sus tribulaciones y guardarse sin mancha del mundo. b. Al hombre que considera su cara en un espejo. Se va y se olvida cómo es. c. De lo alto del Padre de las luces. d. La concupiscencia. e. Le dará sin reproche y sin medida. **2.** 1-b, 2-a. **3.** a-c, b-f, c-a, e-b, f-e.
ADULTOS. **1.** a. A las doce tribus que están en la dispersión. b. Con gozo. c. Paciencia. d. Completos y cabales. e. Con fe, no dudando nada. **2.** a-2, b-5, c-6, d-3, e-1, f-4.

Ya en la clase
DESPIERTE EL INTERES
1. Coloque el dibujo del mar al frente del grupo y solicite la ayuda de dos voluntarios para que participen en la pesca. Que uno de ellos mueva el anzuelo tratando de llamar la atención del pequeño pez, y el otro mueva el pez acercándolo y alejándolo del anzuelo. Después de algunos instantes, pida que el pez sea atraído al anzuelo y enganche con el "clip" el pececillo y déjelo colgando. Mientras más divertida y jocosa sea la representación será mejor. **2.** Reflexione en que el pequeño pez fue seducido por aquello que parecía alimento "fácil", pero detrás de ello estaba la muerte para él. **3.** Solicite la participación de la clase para buscar la aplicación de la tentación en la vida del creyente, y cómo algunas veces es seducido como un pez al anzuelo. **4.** Termine esta sección con una oración pidiendo la fortaleza contra la tentación.

ESTUDIO PANORAMICO DEL CONTEXTO
1. Analice juntamente con la clase la siguiente afirmación: "Tus hechos hablan tan fuerte que no me dejan escuchar tus palabras." Enfatice sobre el aspecto predominantemente práctico de la carta de Santiago.
2. Presente a la clase su investigación acerca de los "Jacobos" y lleguen a

la conclusión de presentar quién es el autor. **3.** Muestre a la clase la diferencia entre una "tentación" y una "prueba", y pida que participen aportando ejemplos de una y de otra. Enfatice sobre nuestra responsabilidad en la tentación y el propósito de Dios en la prueba. **4.** Tomando el ejemplo de José, hijo de Jacob, registrado en Génesis 39:7-15, analice juntamente con la clase si se trata de una prueba o una tentación, y cómo fue que José la superó.

ESTUDIO DEL TEXTO BASICO

1. Dirija la lectura del texto básico. Aclare las dudas que pueda haber en cuanto a las actividades de la sección *Lea su Biblia y responda.* Cuando hayan terminado, pida la participación de todos para compartir sus respuestas.

2. Exponga el material presentado en el Estudio del texto básico respecto a la actitud correcta hacia las pruebas. Mediten en su contenido. Tomando el ejemplo de Abraham, ¿cómo diríamos que soportó la prueba de Dios al le fue solicitado que sacrificara a Isaac su hijo, según Génesis 22?

3. Pida la participación de la clase para hacer una lista de las bendiciones de la oración. Solicite que un alumno dé su testimonio acerca de una oración contestada por Dios.

4. Nuevamente utilizando el material de pequeño pez que está al frente de la clase. Haga una reflexión acerca de la manera en la que el pez fue seducido por el anzuelo. Haga una aplicación de lo sucedido en Génesis 3:1-6 cuando Eva fue atraída por el fruto del árbol.

5. Solicite tres voluntarios de su clase que pasen al frente y pida que describan la apariencia de su rostro. Después permítales el espejo que lleva usted y pida que se analicen su rostro. Pregúnteles sí hay algo de su rostro o cabeza que quisieran cambiar. Enfatice sobre la importancia del espejo para todo esto, y aplíquelo a la naturaleza de la Palabra de Dios.

6. Pida a la clase que describa el proceder de un buen cristiano. Hagan una lista de las acciones descritas. Si nadie lo mencionó haga una reflexión sobre lo apuntado por Santiago en 1:26, 27.

APLICACIONES DEL ESTUDIO

Divida la clase en tres grupos y asigne a cada grupo una de las aplicaciones que aparecen en sus libros y que hagan una pequeña reflexión por escrito. Después pida a un representante del grupo que lea en voz alta el resultado de su reflexión. Termine esta sección mencionando aspectos bien prácticos de estas aplicaciones.

PRUEBA

Pida que cada alumno, individualmente, realice esta actividad y que vuelvan a dar un solo reporte por grupo, pero con la participación de todos. Invítelos a que hagan sus lecturas diarias sugeridas en sus libros, para ayudarles a preparar su siguiente estudio.

Fe y obras

Contexto: Santiago 2:1-26
Texto básico: Santiago 2:1-4, 8-10, 14-18, 21-24
Versículo clave: Santiago 2:18
Verdad central: La advertencia de Santiago contra la parcialidad y la fe muerta enseña que los cristianos deben respetar a todas las personas por igual y dar evidencia de su fe en cada área de su vida.
Metas de enseñanza-aprendizaje: Que el alumno demuestre su conocimiento de las advertencias de Santiago contra la parcialidad y la fe muerta, y su actitud para dar evidencia de su fe en Cristo.

—————Estudio panorámico del contexto —————

A. Fondo histórico:

En el capítulo dos de Santiago se tratan dos asuntos muy importantes: la distinción entre personas (2:1-13) y la relación entre la fe y las obras en la vida del cristiano.

En cuanto a la primera, hacer distinción entre personas, siempre en el Nuevo Testamento es vista como una parcialidad injusta. Significa mostrar espíritu servil o prestar atención especial a alguien por ser una persona rica e influyente; y el menosprecio de la que es pobre y humilde. De esto nunca pudieron acusar los líderes a Jesús, pues nunca trató a nadie con favoritismo (Luc. 20:21). La palabra "distinción" podía aplicarse en dos sentidos: elevar la apariencia de una persona considerándola con favor, o estimándola como poca cosa.

Con respecto a la relación entre fe y obras, Santiago ha sido criticado por algunos. Por ejemplo, la actitud de Lutero fue de desconfianza y de desilusión, ya que la encontraba en desacuerdo con la enseñanza de Pablo respecto a la justificación por la fe. Aparentemente Pablo pone el énfasis en que el hombre es salvo mediante la fe, y sólo eso, y que las obras para nada intervienen (Rom. 3:28; Gál. 2:16). Por esto, no sólo se dice que Santiago difiere de Pablo, sino que está en oposición a él, sin embargo, podemos decir:

(1) El énfasis de Santiago es el mismo de todo el Nuevo Testamento. Juan el Bautista predicaba que los hombres deberían dar frutos de arrepentimiento (Mat. 3:8). De acuerdo con Jesús, los cristianos deben vivir una vida de buenas obras, para que los hombres glorifiquen a Dios (Mat. 5:16). Jesús insiste en que los hombres deben ser conocidos por sus frutos (Mat. 7:15-21). Y además, el hombre no será juzgado por la ortodoxia de sus declaraciones,

sino por los frutos prácticos de su fe (Mat. 25:31-46).

(2) Pablo habla igualmente de las obras que debe producir la fe. No importa cuán doctrinal sea su epístola, Pablo nunca deja de concluir con una sección ética en la cual subraya la expresión de las creencias en obras. Además de esto, Pablo deja claro que Dios pagará a cada cual conforme a sus obras (Rom. 2:6), e insiste en que cada uno dará cuentas de sus obras (Rom. 14:12). Dice que cada uno recibirá recompensa conforme a su labor (1 Cor. 3:8), y advierte que cada uno comparecerá ante Cristo, conforme a lo que haya hecho, sea bueno o sea malo (2 Cor. 5:10). A través de esto, se advierte que el cristianismo debe ser demostrado con obras.

B. Enfasis:

Advertencia contra la parcialidad, Santiago 2:1-13. La parcialidad o favoritismo no es congruente con la fe cristiana. El favoritismo es condenado por la Palabra de Dios porque pasa por alto la justicia y el mérito. Aún peor es usar la fe en Cristo para practicar la discriminación, porque precisamente él es el máximo ejemplo de justicia y trato igualitario hacia todas las personas. Cristo se humilló a sí mismo, siendo el Hijo eterno y poderoso de Dios, para salvar sin distinción a toda persona que esté dispuesta a aceptarlo como Salvador y Señor. Hacer distinciones que él no hizo es ofenderlo y menospreciar su obra salvadora en favor de todos los seres humanos. Un ejemplo en la vida de Cristo que se puede recordar es la manera en la cual trató tanto al rico e influyente Nicodemo, como a la mujer samaritana considerada indigna y pecadora por sus conocidos. Jesús no hizo ninguna distinción, por el contrario trató a ambos con igual cortesía y atención. Santiago enfatiza esta enseñanza mencionando un caso a modo de ilustración. La situación que presenta podría haber sido hipotética, pero también es muy posible que en realidad hubiera sido la experiencia de los creyentes a quienes se dirigió la carta. Inclusive, el ejemplo presentado podría ilustrar muy bien situaciones actuales en las congregaciones cristianas.

Advertencia contra la fe muerta, Santiago 2:14-26. Este pasaje es el más difícil de toda la Epístola. Ha causado tanta controversia que algunos han llegado a dudar que esta carta debiera formar parte de la Escritura. Tal vez el problema principal en este pasaje se encuentra en el hecho de que muchos creyentes piensan que en estos versículos hay una completa polarización entre la fe y las obras. Esta actitud ha provocado muchas conclusiones equivocadas. Las enseñanzas de Santiago en este capítulo 2, no se contradicen con las del apóstol Pablo en Romanos y Gálatas. Una interpretación más acertada es reconocer que Santiago está haciendo hincapié en este pasaje que la fe genuina no puede existir aparte de las obras. En otras palabras la fe verdadera es una fe de acciones. El autor no está sugiriendo que la salvación se obtenga mediante esas obras, pero sí manifiesta que la persona que ha sido justificada mediante la fe debe producir como resultado buenas obras. Esas obras son las que demuestran el carácter de su fe. Es importante aclarar que el tema general de la Epístola de Santiago ni siquiera tiene que ver directamente con la doctrina de la salvación. Su propósito es principalmente considerar el tema de la ética cristiana. En otros términos, Santiago señala la conducta que debe caracterizar a los que ya son salvos.

───────────── **Estudio del texto básico** ─────────────

1 Advertencia contra la parcialidad, Santiago 2:1-4, 8-10.

Vv. 1-4. Santiago da cuatro razones fundamentales por las cuales los cristianos no deben practicar la discriminación de personas: 1) ser parcial no es congruente con una fe viva y dinámica; 2) hacer favoritismos no va de acuerdo con los propósitos de Dios; 3) hacer acepción de personas es ir en contra de un mandato específico de la Palabra de Dios; y 4) hacer discriminaciones es usurpar el juicio venidero del Señor. El autor condena las distinciones en base al nivel social que tenga cada persona. Presenta la enseñanza mediante el caso de una congregación cristiana mostrando diferente estima entre dos personas que llegan a la reunión. Estos dos individuos tienen apariencias totalmente distintas. El primero es una persona de la alta sociedad de aquellos tiempos. Es un hombre rico, lo cual se manifiesta por llevar no uno sino varios anillos de oro que le cubren todo un dedo. Además viste lujosamente. El segundo es un hombre pobre que viste ropas andrajosas y hasta sucias, su apariencia física manifiesta que pertenece al nivel social más bajo. La congregación entera manifiesta una actitud preferencial hacia el hombre opulento y le brindan un lugar de honor en base a su apariencia externa. Santiago expresa esa actitud con las palabras: *"Y sólo atendéis con respeto al que lleva ropa lujosa..."*. El verbo está en plural, lo cual indica que es toda la congregación la que da su anuencia a este trato. Luego el autor describe el contraste que representa la actitud de indiferencia y discriminación para con el pobre. En el caso presentado, las apariencias externas son la base para hacer la diferencia entre los dos hombres.

En la actualidad las congregaciones cristianas son igualmente propensas a juzgar a las personas y a hacer acepción de personas en base a criterios puramente humanos. La situación que se expresa en este pasaje puede ocurrir el día de hoy a cualquier iglesia que pierda de vista el objetivo de una fe viviente. Si se descuida el vivir de acuerdo con una fe genuina y dinámica, el resultado inevitable será que el trato hacia otras personas se verá afectado. Hacer juicio no es en sí pecaminoso, pero el emitir un fallo sin examinar las evidencias o hacerlo de manera superficial, sí es pecado. Finalmente, se debe recordar que aún cuando nuestra perspectiva nos incline a juzgar a los que nos rodean y nos parezca que tenemos bases suficientes para hacerlo, ante el Señor Jesús y su cruz todos los hombres están al mismo nivel.

Vv. 8-10. Santiago refuerza la enseñanza afirmando que la parcialidad como práctica entre los cristianos va en contra de lo que Dios ha revelado en su Palabra. En términos positivos es posible decir que la imparcialidad armoniza con la enseñanza total de las Escrituras y con los principios del juicio venidero. El escritor hace referencia a la enseñanza de Jesús cuando manifestó que los mandatos de amar a Dios y al prójimo encierran todo lo demás. Estos son mandamientos específicos que se violan cuando se practica el favoritismo. Cumplir con la regla de oro manifestada en estos mandatos, es actuar apropiada y correctamente como hijos de Dios. Sin embargo, Santiago es muy claro al afirmar que el hacer acepción de personas es pecado, es desobedecer el mandato expreso de Dios nuestro Señor. Aun es posible cumplir muchos otros mandatos dados por Dios en su Palabra, pero basta con infringir uno sólo para ser culpables y merecer el juicio divino. En otras palabras los principios éticos revelados en su Palabra, reflejan el carácter mismo de Dios. Violar alguno de sus mandatos de hecho o con una actitud merece el castigo. Por lo tanto, los creyentes debemos buscar en todo momento exhibir el fruto del Espíritu y conducirnos de modo que nuestra fe se muestre viva y nuestro estilo de vida esté basado en los principios éticos de la Biblia.

2 Advertencia contra la fe muerta, Santiago 2:14-18, 21-24.

Vv. 14-18. En este párrafo Santiago trata la relación que existe entre la fe y las obras. Es un asunto de vital importancia pues la salvación puede estar en juego. La cuestión que Santiago aclara es cuál es la clase de fe que salva y cómo saber si la persona tiene y practica esa clase de fe. Al igual que en el día de hoy, había en tiempos de los primeros cristianos a quienes se dirige esta Epístola, personas que creían tener fe y, sin embargo, no eran salvas. Por lo tanto, el autor les advierte que así como hay una fe verdadera, también hay una fe falsa. Esta clase de fe es identificada como una fe muerta en la cual se sustituyen los hechos por palabras. Las personas que tienen una fe muerta son aquellas cuyo hablar y su conducta no concuerdan. La frase del versículo 14: *¿Podrá esa clase de fe salvarle?* se refiere a esta fe muerta que nunca se demuestra mediante obras prácticas. De acuerdo con esta enseñanza es posible afirmar que una profesión de fe que no se manifiesta en una vida trasformada y en buenas obras, es una profesión de fe falsa, es una fe muerta (v. 17). Una persona con fe muerta, posiblemente ha tenido una experiencia puramente intelectual, pero nunca ha entregado su corazón al Señor ni ha confiado en Jesucristo como su Salvador personal. Santiago nos alerta a tener mucho cuidado con un fe intelectual, es una fe muerta y falsa. Esta clase de fe es muy peligrosa porque hace que las personas tengan una falsa esperanza en que son salvas.

Vv. 21-24. Por el contrario, la fe verdadera es una fe dinámica y poderosa que provoca cambios en la vida de la persona. Esta es la única fe que salva. Es una fe basada en la Palabra de Dios. No basta tener mucha fe, es indispensable que esa fe esté dirigida apropiadamente. La salvación sólo se obtiene mediante una fe puesta en Cristo de la manera como se revela en la Palabra de Dios. Además, la verdadera fe atañe a todos los aspectos del ser humano: el intelecto, las emociones y la voluntad. De acuerdo con lo anterior, la fe que salva conduce a la acción, implica la obediencia voluntaria a la Palabra de Dios en la vida diaria.

—————————— Aplicaciones del estudio ——————————

1. ¡Cuidado con el favoritismo! Para identificar si existe en nuestra vida algún problema de favoritismo, un ejercicio interesante sería elaborar un inventario de todas nuestras relaciones. El objetivo sería reflexionar en cada una de ellas y analizar cómo nos relacionamos con cada persona y por qué.

2. Los creyentes debemos guardar la relación entre las palabras y los hechos en la vida cristiana. Dos áreas en que los cristianos somos confrontados a practicar una fe que obra son: el hogar y la ayuda a los necesitados. El hogar, porque es donde uno se da a conocer tal como es, por lo tanto si la persona tiene una fe genuina se reflejará en su manera más íntima de vida. La atención a los pobres y necesitados porque una fe genuina toma cuidado del prójimo y de sus necesidades más elementales.

Ayuda homilética

El pecado de la parcialidad
Santiago 2:5-13

Introducción: La actitud de favoritismo es condenada por Dios en muchas partes de la Escritura.

I. Sus resultados, (vv. 5-7).
   A. Se comete pecado (v. 5).
   B. Se obra injustamente (v. 6a).
   E. Se comete opresión (v. 6b).
   D. Se blasfema contra Dios (v. 7).
II. Sus remedios (vv. 8-13).
   A. Practicar la ley de oro del Señor (v. 8).
   B. Reconocer que la parcialidad es pecado (v. 9).
   C. Reconocer la imperfección de la ética humana (vv. 10, 11).
   D. Practicar la misericordia en vista del juicio venidero (vv. 12, 13).

Conclusión: El Señor manda que no se haga acepción de personas. El precepto divino es claro. Apartarnos de él implica desobediencia. Es pecado delante de Dios.

Lecturas bíblicas para el siguiente estudio

Lunes: Santiago 3:1-3   **Jueves**: Santiago 3:10-12
Martes: Santiago 3:4-6   **Viernes**: Santiago 3:13-16
Miércoles: Santiago 3:7-9   **Sábado:** Santiago 3: 17, 18

AGENDA DE CLASE

Antes de la clase
1. Prepare hojas de.papel blanco y lápices para cada miembro de su clase.
2. Piense en algunas maneras prácticas como usted y sus alumnos pueden crecer para ser imparciales y dar evidencia de su fe. **3.** Responda a los ejercicios dados en la sección *Lea su Biblia y responda* en el libro del alumno.

Comprobación de respuestas
JOVENES: **1.** a-F, b-V, c-V, d-F, e-F. **2.** 1-b, 2-a. **3.** a-c, b-e, c-a, d-b, e-d.
ADULTOS: **1.** a. Tener la fe de nuestro Señor Jesucristo. b. En jueces con malos criterios. c. Al que le ama. d. (1) De cometer pecado. (2) De ser reprobados por la ley. e. Se es culpable de todo. **2.** a-2, b-4, c-1, d-3, e-5.

Ya en la clase
DESPIERTE EL INTERES
1. Entregue a cada alumno hojas de papel en blanco y un lápiz. Pida que escriban: a. Dos reacciones que ellos sienten hacia una persona que obra con parcialidad. b. Una declaración breve acerca de cómo se evidencia la fe de una persona.
2. Después solicite que quienes deseen hacerlo compartan lo que escribieron.
3. En la parte de atrás de la misma hoja, indique que escriban una manera práctica cómo pueden crecer para ser imparciales y otra, sobre cómo dar evidencia de su fe.
4. Presente el *Estudio panorámico del contexto.*

ESTUDIO PANORAMICO DEL CONTEXTO
1. Explique los dos grandes asuntos que Santiago aborda en el capítulo dos de su carta. a. La tragedia de hacer distinción entre personas. Esta distinción puede ser para alabar y exaltar a la persona o bien para rebajarla o denigrarla. b. La relación entre la fe y las obras en la vida del creyente en Cristo. Debemos recordar dos pasajes que presentan las enseñanzas de Jesús en relación con esto. Uno es Mateo 7:15-21, en el cual Jesús dice que los hombres son conocidos por los frutos que producen. El otro es Mateo 25:31-46 en el cual Jesús hace claro que el hombre será juzgado por los frutos que produjo mientras tuvo la oportunidad de hacerlo.
2. Evite entrar en la vieja discusión acerca de la oposición entre Pablo y Santiago más que todo para dar tiempo a lo positivo de este estudio.

ESTUDIO DEL TEXTO BASICO
1. Advertencia contra la parcialidad, Santiago 2:1-13. Pida que varios alumnos lean lo que escribieron acerca de las reacciones que tienen cuan-

do se dan cuenta de la parcialidad que alguien demuestra. Lean el pasaje de nuevo y pídales que busquen un paralelo entre el relato y una situación contemporánea. Forme dos grupos y que cada uno piense en tres preguntas basadas en el pasaje (Stg. 2:1-13) para que el otro grupo las responda. Dé tiempo a ambos grupos para hacer y responder a las preguntas respectivamente. Termine señalando las tres razones que da Santiago para evitar la parcialidad: a. Dios ha elegido a los pobres (v. 5); b. hacer distinción es hablar mal en contra de Dios (vv. 6-8); c. es pecado (vv. 9-11).

2. *Advertencia contra la fe muerta, Santiago 2:14-18, 21-24.* Escriba en la pizarra las preguntas que aparecen en estos pasajes. Ejemplos: a. "Si alguno dice que tiene fe y no tiene obras, ¿de qué sirve?" b. "¿Puede acaso su fe salvarle?" Elabore otras usando los versículos 16, 21, 25. Organice a los alumnos en pares. Asigne una pregunta a cada par elabore para que elabore la respuesta. Después de dos o tres minutos solicite las respuestas. Finalmente escriba en la pizarra: "¿Puede existir la fe sin obras?" Cuando los alumnos hayan dicho sus opiniones, conduzca la conversación hacia el hecho de que la única evidencia de una fe cristiana válida son las obras.

APLICACIONES DEL ESTUDIO
1. Estudie cuidadosamente las *Aplicaciones del estudio* que aparecen el libro de sus alumnos.
2. Estudie las que aparecen en el libro del maestro.
3. Seleccione dos o tres que sean más adecuadas para sus alumnos.
4. Es importante poner énfasis: a. sobre el hecho que debemos evitar la parcialidad y el "favoritismo" entre nuestras relaciones; b. que la única evidencia válida de nuestra fe en Cristo es lo que hacemos.
5. Presente algunas maneras prácticas como usted y sus alumnos pueden crecer para ser imparciales y dar evidencia de su fe (use el material que preparó antes de la clase).

PRUEBA
1. Anime a sus alumnos a hacer los ejercicios que aparecen en la sección *Prueba.*
2. Provea la oportunidad para que quienes lo deseen compartan sus respuestas.
3. Exponga algunos elementos que estudiaremos la próxima semana con el fin de despertar el interés y animarles a estudiar su lección.

Unidad 9

Poder y peligro de la lengua

Contexto: Santiago 3:1-18
Texto básico: Santiago 3:1-10, 13-17
Versículo clave: Santiago 3:5
Verdad central: Las instrucciones de Santiago acerca de la verdadera sabiduría y el control de la lengua, declaran que los cristianos deben evitar las palabras que no edifican y vivir bajo la sabiduría de Dios.
Metas de enseñanza-aprendizaje: Que el alumno demuestre su conocimiento de las instrucciones de Santiago acerca del control de la lengua y la verdadera sabiduría, y su actitud de evitar las palabras que no edifican y vivir bajo la sabiduría de Dios.

—————Estudio panorámico del contexto —————

A. Fondo histórico:
Santiago quiere advertir a sus lectores de tres asuntos muy peligrosos: (1) la enseñanza (3:1-2a); (2) la lengua (3:2b-12), y (3) la sabiduría humana (3:13-18).

En todo el capítulo tercero de su carta, Santiago enfoca varios temas relacionados con la comunicación verbal. Para hacerlo, usa el simbolismo de la lengua y sus efectos, especialmente en la vida de quienes tienen una función como maestros entre los cristianos. Además, Santiago considera el asunto de la verdadera sabiduría. Se puede afirmar sin duda, que el tratar estos temas juntos es muy apropiado ya que el control de la lengua es una señal de sabiduría, o de ignorancia y necedad en la vida de una persona. Lo anterior es aún más importante si se trata de alguien que enseña la Palabra de Dios. La ética expuesta por Santiago abarca tanto la relación del hombre con Dios como las relaciones entre los hombres. En su carta, el autor dice que tanto el hablar como el hacer del hombre, deben estar de acuerdo con la ética del Creador. En el capítulo 2, Santiago trata con el hacer, mientras que en el tres da atención a la manera de hablar del hombre de Dios.

B. Enfasis:
El poder de la lengua, Santiago 3:1-5. Santiago utiliza la figura de la lengua para ilustrar el don de hablar que Dios puso en el hombre. Señala que la lengua es una parte muy pequeña en el cuerpo humano, sin embargo, su tamaño no debe engañarnos porque su poder e influencia pueden ser enormes. Santiago usa tres comparaciones para indicar el tremendo poder

que representa la lengua: 1) El pequeño freno que controla la gran potencia del caballo. 2) El pequeño timón que controla el rumbo de un gigantesco barco. 3) La chispa insignificante que puede provocar la destrucción de un inmenso bosque. La idea que expresa Santiago con estas ilustraciones es que, si una persona es capaz de controlar su lengua, entonces puede controlar todo su cuerpo. En otras palabras, si una persona que puede ejercer su hablar con sabiduría, también puede guiar los demás aspectos de su vida sabiamente.

El peligro de una lengua sin control, Santiago 3:6-12. Lo que decimos y cómo lo decimos es una prueba del cristianismo que vivimos. Santiago presenta la necesidad de controlar la lengua para que todo el cuerpo y la vida vayan de acuerdo con lo que se profesa ser. Una lengua sin control es peligrosa porque ocasiona destrucción y desastre. Al igual que un pequeño fuego puede convertirse en un gran incendio que destruya todo un bosque, la lengua puede contaminarlo todo. Un hablar maléfico no descansa hasta arruinarlo todo y destruir las vidas de muchos a su alrededor. Especialmente entre los cristianos es contradictorio que el don de hablar se use tanto para bendecir a Dios y honrarlo, como para maldecir o destruir las vidas de seres humanos creados por el mismo Dios a su imagen y semejanza.

La sabiduría para el uso de la lengua, Santiago 3:13-18. La primera impresión que causa este párrafo es que no tiene relación alguna con el tema previo. Sin embargo, al observar con más detenimiento es posible percibir la estrecha relación que tienen las palabras y la sabiduría de una persona. Es la sabiduría que tiene en la mente un individuo, la que determina las palabras que salen de su boca.

———————————— **Estudio del texto básico** ————————————

1 El poder de la lengua, Santiago 3:1-5.

V. 1. *No os hagáis muchos maestros* es una frase que indica una situación que ya se practicaba entre los creyentes a quienes Santiago dirigió su carta. Al parecer existía la tendencia a desear el ministerio de la enseñanza por encima de los otros. Santiago les advierte los peligros de ejercer dicha función sin tener el don de parte de Dios. De ninguna manera, el autor está restringiendo el ministerio de enseñar, más bien está haciendo hincapié en que para ejercer ese don es necesario tener una preparación adecuada. Además ningún ministerio de la iglesia supera en influencia e importancia al de la enseñanza. Por eso el maestro está sujeto a juicio más severo.

V. 2. Se debe estar consciente de que *todos ofendemos en muchas cosas* y todos erramos. Los maestros también, pero al mismo tiempo deben cuidarse de cometer errores. *Si alguno no ofende en palabra, éste es hombre cabal, capaz también de frenar al cuerpo entero.* La idea no es que una persona nunca cometa errores, pues la perfección total sólo se alcanzará cuando se llegue a la presencia del Señor, pero sí implica que este tipo de hombre no ofende habitualmente, por lo tanto es maduro. Es capaz de controlar su lengua, es decir su hablar. En resumen, el maestro está más expuesto a usar mal su lengua. El que ejerce el ministerio de enseñanza, por su influencia, debe mostrar un hablar controlado por el Señor para evitar resultados fatales.

Por lo tanto, quienes han sido dotados por el Espíritu Santo con este don, deben prepararse estudiando la Palabra de Dios y dependiendo de su Espíritu para llegar al grado de madurez que Santiago describe en este versículo.

Vv. 3-5. En este párrafo, el autor apela a situaciones de la vida diaria para ilustrar su enseñanza. Señala que así como el freno en la boca de los caballos tiene la función de controlar toda su potencia, el dominio sobre nuestro hablar indica la capacidad de controlar el resto de nuestro ser. Por otro lado, si se pone cuidado en controlar a los caballos, mucha más atención se debe poner en controlar la lengua. El otro ejemplo que usa Santiago es el control que el piloto de una embarcación ejerce a través de un simple y pequeño timón. Sin embargo, ese control determina y controla el curso de la nave. Lo anterior se compara con la acción de la lengua que siendo un órgano muy pequeño, realiza una función muy importante. Por eso un mal uso de ella por descuido o maldad, puede ocasionar daños verbales lamentables. Una lengua sin control es tan destructiva como un incendio forestal.

2 El peligro de una lengua sin control, Santiago 3:6-10.

Vv. 6-8. Santiago discute la naturaleza maliciosa y destructiva de la lengua. *La lengua es un fuego*, esta metáfora ilustra el carácter ingobernable de la lengua y llama la atención a su poder destructor que produce ruina y miseria. Además la lengua es *un mundo de maldad*, apuntando al abundante mal que la lengua es capaz de producir. Puede corromper el carácter de una persona y afectar todo el curso de la creación. Además, Santiago afirma que ese poder destructivo y malévolo tiene su fuente en el mismo infierno. Por otra parte, el autor dice que la lengua es difícil de domesticar completamente. Es posible ejercer control sobre ella, sólo mediante una cuidadosa vigilancia porque la lengua es *un mal incontrolable*. Además la lengua está *llena de veneno mortal*, no hace falta buscar mucho para encontrar las víctimas de su actividad.

Vv. 9, 10. Estos versículos muestran la inconsistencia en el uso de la lengua. Algunas veces usándose bien, para bendecir a Dios. Otras usándose mal, para maldecir a los hombres, pero así es la lengua; así es de inconsistente el hablar del hombre. "Bendecir" en referencia a Dios, significa alabarle con amor y gratitud. Esta se podría considerar la más alta función del hablar humano. En otras palabras, el fin último por el cual la lengua existe. Sin embargo, la lengua también es usada para "maldecir" a los hombres. Esto significa pronunciar algo que les dañe e invocar el mal sobre ellos. Lo que Santiago demuestra con estas palabras es que al maldecir a los hombres, realmente también se está maldiciendo a Dios quien ha creado a todo ser humano a su imagen y semejanza. Santiago afirma que es incorrecto y anormal usar nuestro hablar para bendecir a Dios y al mismo tiempo usarlo para desear el mal a miembros de la familia de Dios. Esto es contrario a la gracia y contrario a la naturaleza.

3 La sabiduría para el uso de la lengua, Santiago 3:13-17.

V. 13. Cuando se menciona a un hombre sabio se piensa en alguien que tiene una inteligencia y educación por encima del promedio, es hablar en términos técnicos, de un maestro. En este caso se trata de alguien que posee un conocimiento verdadero de cosas tanto humanas como divinas. Sin embargo, Santiago afirma que es más difícil de lo que se supone, encontrar a un hombre de estas características. Una prueba confiable de que una persona es sabia es analizando sus obras y no tanto sus palabras. Además, se menciona que una característica inseparable de la sabiduría es la *mansedumbre*. Es importante abundar en lo que significa esta última cualidad ya que con mucha frecuencia es mal entendida. La palabra está íntimamente relacionada con la humildad, la paciencia, y el amor. Incluye la idea de amabilidad y sumisión. Es lo opuesto a la arrogancia.

Vv. 14-16. A continuación sigue la discusión acerca de la falsa sabiduría que se evidencia en la vida de una persona a través de sus características distintivas y de sus consecuencias destructivas. La falsa sabiduría se evidencia en la vida de una persona mediante celos amargos y contenciones. Lo anterior sugiere que hay una actitud de resentimiento y un espíritu de rivalidad y división. Santiago agrega algunas de las características de esta sabiduría y afirma que es *terrenal, animal y diabólica*. Proviene de consideraciones humanas, no espirituales y tiene su fuente no en Dios, sino en el diablo. Sus consecuencias son destructivas porque causa confusión, desorden, disturbio entre el pueblo de Dios.

V. 17. En cambio la verdadera sabiduría se define como libre de intereses mezquinos. Proviene de los principios divinos, por lo cual es pura, pacífica, tolerante, complaciente, llena de misericordia y de buenos frutos, imparcial y no hipócrita.

────────────── **Aplicaciones del estudio** ──────────────

1. La lengua fue creada por Dios como un instrumento para comunicarnos unos con otros. Su propósito original fue proporcionar bendición al hombre. Este objetivo aún se puede cumplir, pero es necesario reconocer que esta creación de Dios ha sido pervertida por el pecado. Por lo tanto, para que la lengua sea de bendición es necesario ejercer un cuidadoso control sobre ella, con la ayuda de Dios. Hacer el propósito de controlar nuestro hablar por un tiempo determinado, puede ayudar a ir domando nuestra lengua. Se puede fijar la meta de medir cuidadosamente nuestras palabras durante un día. Procurar que durante ese tiempo nuestro hablar sea de edificación. Después analicemos los resultados y fijémonos metas mayores cada vez.

2. La sabiduría que proviene del Señor debe caracterizar la vida del cristiano. Cuando una persona posee esta clase de sabiduría, lo evidencia al poner de manifiesto las cualidades que identifican y distinguen la verdadera sabiduría de la que es falsa. Una de esas cualidades es la capacidad de reconciliación. Si como creyentes mostramos más un espíritu de división que una actitud pacificadora, no estamos manifestando la clase de sabiduría que corresponde a un hijo de Dios.

Los males de la lengua
Santiago 3:6

Introducción: No hay pecado alguno que no tenga relación con la lengua y el empleo de ella a su servicio. Si buscamos en el largo catálogo de pecados en contra de Dios, en contra de nuestros prójimos, y aun en contra de nosotros mismos, encontraremos que no existe ni uno que no tenga a la lengua como su aliado principal.

I. El carácter de la lengua sin control.
  A. Es un fuego.
  B. Es un mundo de maldad.
II. Los efectos de la lengua sin control.
  A. Corrupción.
  A. Destrucción.
III. Las causas de la lengua sin control.
  A. Lo grande que es el mal en el corazón humano.
  B. Lo mucho que es necesaria la influencia del Espíritu Santo en el ser humano.
  C. Lo importante que es cuidar cada palabra que pronunciamos.

Conclusión: El Espíritu Santo puede ayudarnos en nuestra debilidad para controlar la lengua. Es necesario que estemos conscientes de los daños tan graves que podemos causar a alguien por una palabra mal dicha. Debemos procurar que nuestra lengua sea como plata escogida o como árbol de vida que enriquezca y conforte al pueblo de Dios. Que "nuestro hablar sea siempre con gracia y sazonado con sal", para honrar a nuestro Dios y para bendición de quienes nos rodean. ¿Está dispuesto a dejar que de hoy en adelante, el Espíritu Santo le ayude a controlar más y más su hablar? ¡Ojalá que sí!

Lecturas bíblicas para el siguiente estudio

Lunes: Santiago 4:1-3   **Jueves**: Santiago 4:11, 12
Martes: Santiago 4:4-6   **Vienes:** Santiago 4:13-17
Miércoles: Santiago 4:7-10 **Sábado:** Santiago 5:1-6

AGENDA DE CLASE

Antes de la clase

1. Consiga recortes de revistas o de periódicos donde aparezcan los efectos de un gran incendio. Además lleve a la clase una cajetilla de cerillos. **2.** Tomando como referencia Mateo 23:1-30, haga una lista de cinco acusaciones que hace el Señor Jesucristo a los escribas y fariseos, quienes eran los maestros de aquel entonces. Así mismo, basado en Juan 13:3-17, haga otra lista de cinco acciones correctas del Señor Jesucristo como Maestro de maestros. Ambas listas escríbalas en una cartulina **3.** Consiga una ilustración de la lengua. En las papelerías venden "monografías" a colores de este órgano del cuerpo humano. Así mismo, consiga o haga una ilustración de un freno de caballo o de un timón de un barco. **4.** Busque en un diccionario de la lengua española la definición de la palabra "independiente." **5.** En hojas de papel escriba las palabras que definen la sabiduría mundana y la sabiduría divina. **6.** Realice una investigación un poco más amplia acerca de la sabiduría mundana, tema que aparece en el *Estudio panorámico del contexto* del libro del alumno de ADULTOS. **6.** Responda las preguntas dadas en el libro del alumno en la sección *Lea su Biblia y responda*, del presente estudio.

Comprobación de respuestas

JOVENES: **1.** En cambio, la sabiduría que procede de lo alto es primeramente pura; luego pacífica, tolerante, complaciente, llena de misericordia y de buenos frutos, imparcial y no hipócrita. **2.** Terrenal, animal, diabólica. **3.** Cabal, capaz de frenar al cuerpo entero. **4.** a, c, d. **5.** Por su buena conducta. ADULTOS. **1.** a. Recibir un juicio más riguroso. b. El freno en la boca de los caballos (3:3) y el timón de los barcos (3:4). c. A un fuego que puede producir un incendio. d. Puede producir un incendio y contamina todo el cuerpo. e. Está llena de veneno mortal. f. Un manantial que produce agua dulce y amarga simultáneamente. **2.** a-V, b-F, c-F, d-V, e-F, f-V.

Ya en la clase
DESPIERTE EL INTERES

1. Con los recortes de revistas donde aparecen los efectos de un incendio, lleve a sus alumnos a imaginar las causas que produjeron esa catástrofe tan enorme. Por ejemplo, se puede hablar del descuido de unos camperos al dejar prendida una fogata o la imprudencia de un turista al tirar un cigarrillo encendido. **2.** Comenten sobre los efectos de este terrible incendio. Por ejemplo, se puede mencionar el daño ecológico ambiental (la contaminación), la muerte de los animales del bosque, la pérdida de valiosos árboles, etc. **3.** Por último, hablen un poco acerca de las pérdidas irreparables ocasionadas por el incendio. Por ejemplo, se puede comentar del largo tiempo que debe transcurrir para que allí vuelva a surgir vida vegetal y animal, la contaminación mundial producida por el propio incendio, etc. **4.** Aplique la figura del incendio a los problemas ocasionados por una difamación o calumnia.

ESTUDIO PANORAMICO DEL CONTEXTO

1. Analice los tres peligros que Santiago quiere advertir. **2.** Considerando los pasajes de Mateo 23:1-30 y Juan 13:3-17, comparta con su clase las listas de las acusaciones que hizo el Señor Jesucristo a los fariseos, y las acciones correctas de un maestro. Consideren los peligros de ser maestros y cómo los fariseos cayeron en ellos. **2.** Utilizando las ilustraciones del incendio de las sección anterior, comente sobre los peligros de una lengua no controlada. **3.** Leyendo a la clase la definición de la palabra "independiente", comente sobre el peligro de la sabiduría mundana.

ESTUDIO DEL TEXTO BASICO

1. Dé oportunidad para que los alumnos lean el texto básico. Pida que lo hagan en voz alta y completen las actividades de la sección *Lea su Biblia y responda* del libro de alumnos.

2. Explique claramente a la clase el contenido del pasaje de Santiago 3:1-5, el poder de la lengua. Enfatice sobre la enorme responsabilidad de ser maestro, pero sin descuidar el enorme privilegio de serlo.

3. Con la ayuda de la ilustración del freno de caballo o del timón, explique cómo algo pequeño puede controlar algo grande. Así mismo, la lengua, siendo pequeña, puede llegar a tener efectos muy grandes.

4. Dirija a sus alumnos a que comenten acerca de los efectos grandes que puede tener algo pequeño. Para esta enseñanza encienda uno de los cerillos que lleva para la clase, y mencione los efectos desastrosos que puede ocasionar un pequeño fósforo. La ilustración de la lengua ayudará a comparar su tamaño relativamente pequeño, en comparación con el resto del cuerpo.

5. Reparta a la clase las palabras escritas en hojas de papel que describen las dos sabidurías. Entre estas palabras están: "CELOS", "CONTIENDAS", "JACTANCIAS", "MENTIRAS", "OBRA PERVERSA", "PURA", "PACIFICA", "AMABLE", "LLENA DE MISERICORDIA", "SIN HIPOCRESIA", etc. Primero, pida a los alumnos que definan las palabras y luego que las arreglen dependiendo si son de la sabiduría mundana o divina.

6. Comparta con sus alumnos su investigación acerca de la sabiduría mundana. Pida a la clase que dé ejemplos concretos de lo que este tipo de sabiduría significa.

7. Haga notar que mientras la sabiduría mundana tiende a dividir, la celestial busca la paz y la unidad.

APLICACIONES DEL ESTUDIO

Pida que diferentes alumnos lean las aplicaciones que aparecen en sus libros y las comenten. Haga hincapié sobre la importancia de buscar la sabiduría de Dios.

PRUEBA

Dirija a la clase a leer y completar las actividades de esta sección.

Mejorando nuestras actitudes

Contexto: Santiago 4:1 a 5:6
Texto básico: Santiago 4:1-4, 7-9, 13-17; 5:1-4
Versículo clave: Santiago 4:7
Verdad central: Las enseñanzas de Santiago acerca de mejorar nuestras actitudes nos muestran que la práctica de actitudes correctas es el resultado de la sumisión a Dios.
Metas de enseñanza-aprendizaje: Que el alumno demuestre su conocimiento de las enseñanzas de Santiago acerca de las actitudes correctas, y su actitud para someter su vida a la voluntad de Dios.

—————— Estudio panorámico del contexto ——————

A. Fondo histórico:

Uno de los problemas que con mayor frecuencia agobia a los cristianos es el tener que vivir en un mundo cuya ética está lejos de las enseñanzas de la Palabra de Dios. Esta ha sido la razón por la cual muchos creyentes de todos los tiempos y lugares han optado por separarse completamente de la sociedad, y se han convertido en monjes o en místicos apartados de las realidades que los rodean. Otros, sin embargo, se han ido al extremo opuesto de adoptar las normas del mundo con el consecuente detrimento de su vida espiritual. En esta sección de su Epístola, Santiago propone una ética que establece lo que el cristiano debe hacer al enfrentarse con el mundo. Para Santiago, la clave del éxito en la vida del creyente que desea tener victoria sobre el mundo y sus atracciones es la sumisión a Dios.

B. Enfasis:

Mejor actitud hacia el mundo, Santiago 4:1-6. El escritor describe la situación espiritual de sus lectores. Los presenta involucrados en pleitos y contiendas, causados por la envidia y la codicia que domina sus corazones. Para esos creyentes el deseo de disfrutar los placeres del mundo está destruyendo sus bases espirituales. En otras palabras, su ética tiene más afinidad con el mundo que con Dios. La solución para ellos es volver a los principios éticos de la Biblia y dar a Dios el lugar preeminente que le corresponde. Santiago exhorta a sus lectores para que se alejen de inmediato del mundo, es decir, de los valores que caracterizan el sistema pecaminoso que domina al mundo.

Mejor actitud hacia Dios, Santiago 4:7-10. La sujeción a Dios y la obediencia a su palabra son las indicaciones que Santiago presenta como ingredientes indispensables en la vida de un creyente que desea agradar a su Señor y no al mundo que lo rodea. La metáfora usada por Santiago presenta al cristiano primeramente sometiéndose a la autoridad de Dios, y luego resistiendo al enemigo, es decir, el diablo.

Mejor actitud hacia nuestro hermano, Santiago 4:11, 12. La ley es la expresión escrita de la voluntad de Dios para sus hijos. A través de ella, Dios ha dado a conocer al hombre sus demandas. Uno de los mandatos que más se recalcan en esa ley es el relacionado con el amor al prójimo. Se puede decir que el amor al prójimo resume los demás preceptos porque no se puede cumplir este mandato sin obedecer los demás.

Mejor actitud hacia nosotros mismos, Santiago 4:13-17. Cuando el hombre desafió la soberanía de Dios, el pecado invadió a la raza humana. Adán quiso independizarse de Dios, pero eso lo convirtió en esclavo del pecado. Desde entonces todo ser humano ha seguido el mismo rumbo. La única actitud correcta hacia nosotros mismos es reconocernos dependientes de nuestro Creador y someternos a su soberanía.

Mejor actitud hacia la justicia social, Santiago 5:1-6. El autor presenta lo importante que es la práctica de la justicia para con todos, pero en especial hacia los pobres y menos afortunados. Santiago confronta particularmente a los ricos, los de su tiempo y los de ahora, con esta situación. Pero la exhortación es válida para toda persona, debemos preocuparnos porque exista justicia para todos y negarnos a participar en fraudes y actos injustos.

─────────────── **Estudio del texto básico** ───────────────

1 Mejor actitud hacia el mundo, Santiago 4:1-4.

Vv. 1-4. El autor describe la raíz del problema que vivían sus lectores afirmando que procedía *de vuestras mismas pasiones.* Estas palabras hacen hincapié en que se trata de dar placer a los sentidos. La peor actitud que se puede tener hacia los placeres que el mundo ofrece es desearlos descontroladamente y el resultado es *codiciáis y no tenéis.* Santiago señala que sus lectores eran incapaces de obtener lo que buscaban porque usaban los medios incorrectos.

No tenéis, porque no pedís, esto se refiere a pedir a Dios en oración. El creyente encuentra verdadera satisfacción cuando pide a su Padre celestial las cosas que están de acuerdo con su voluntad. *Pedís y no recibís; porque pedís mal,* son palabras que explican por qué en ocasiones aunque pretendemos estar pidiendo a Dios algo de manera correcta, en realidad nuestra motivación para hacerlo no es obedecer su voluntad, sino lograr una satisfacción propia y egoísta. Es posible que pedimos cosas equivocadas al no entender la voluntad de Dios para nuestras vidas, pero también podemos estar pidiendo cosas buenas pero hacerlo por motivos equivocados.

Santiago advierte que esta situación se debe principalmente a que los creyentes condescienden con los valores del mundo. Por lo tanto los exhorta a alejarse de esas prácticas y de ese sistema mundial que es contrario a la voluntad divina. El hacer buenas relaciones con ese sistema pecaminoso es oponerse abiertamente a Dios.

2 Mejor actitud hacia Dios, Santiago 4:7-10.

Vv. 7-10. *Someteos, pues, a Dios.* Son palabras que presentan un llamado a una subordinación voluntaria a Dios y a su voluntad. Además, mientras la voluntad de la persona esté sujeta al control y guía del Espíritu Santo, podrá mantenerse victorioso ante los ataques del diablo.

Acercaos a Dios, y él se acercará a vosotros, es otro llamado de Santiago a los creyentes para que entren a una relación de estrecha comunión con el Señor. No importa qué tan lejos un hijo de Dios haya estado de su Señor, cuando se acerca de nuevo a Dios, Dios se acerca a él. El creyente tiene libre acceso a la presencia de Dios y puede "acercarse confiadamente al trono de la gracia" (Heb. 4:16). Santiago recomienda a sus lectores que se arrepientan de sus pecados y se humillen ante Dios. La humillación del creyente debe ser voluntaria y espontánea, hacerlo implica el reconocimiento de la soberanía de Dios.

3 Mejor actitud hacia nuestro hermano, Santiago 4:11, 12.

Vv. 11, 12. *Hermanos, no habléis mal los unos de los otros.* Indican una prohibición en contra de un hábito que evidentemente practicaban los lectores de esta carta. La idea que Santiago presenta es que entre aquellos creyentes existía la costumbre de "difamar" a otros, es decir, que se usaban palabras duras en contra de una persona ausente. La frase sugiere que la iglesia estaba involucrada en esa actitud negativa. En lugar de edificarse mutuamente, se estaban destruyendo unos a otros. Santiago añade que el emitir tales juicios es absurdo puesto que en esa forma el hombre se constituye en juez de su prójimo, y la misma Escritura afirma que hay un solo juez, Dios mismo. El es el dador de la ley, el juez, el que puede salvar o condenar. Es el soberano sobre su creación y sus criaturas, por lo tanto él es el único con derecho a pronunciar juicios y sentencias sobre un ser humano. El es el único santo y justo para poder hacerlo. La actitud correcta que se espera del creyente hacia su prójimo no es juzgarlo, sino amarlo. No es difamarlo, sino edificarlo.

4 Mejor actitud hacia nosotros mismos, Santiago 4:13-17.

Vv. 13-17. Los seres humanos debemos tener un adecuado concepto de nosotros mismos. Ni muy bajo, al grado que nos menospreciemos, ni tampoco muy alto, considerándonos algo que no somos. La Biblia enseña que es más común tener más alto concepto de nosotros que lo que debemos tener. Una actitud que lo evidencia es la autosuficiencia. Esta es producto directo del orgullo que se anida en los corazones de las personas. Santiago hace un llamado a los creyentes para que se sometan a la voluntad de Dios y renuncien a su autosuficiencia. Hoy como en tiempos de Santiago, los creyentes hacen planes y los llevan a cabo sin consultar previamente con Dios. A esto se deben muchos de los fracasos que existen en las vidas de los creyentes.

No debe sorprendernos ver vidas frustradas, tristes y estériles si no buscan la dirección divina antes de actuar. El cristiano debe entender que tiene la maravillosa opción de confiar en su Padre celestial en todo lo que tiene que ver con su vida y con su futuro. Pensar en que la vida es tan breve y frágil, nos debe motivar a confiar plenamente en Dios. La alternativa que Santiago sugiere para la autosuficiencia es la sumisión a la soberanía de Dios: *Más bien, deberíais decir: "Si el Señor quiere, viviremos y haremos esto o aquello."* Estas palabras sugieren que la opción de lo que ha de hacerse descansa completamente sobre la determinación divina y que será aceptada con gozo por el creyente. La actitud correcta hacia nosotros mismos es vernos en la perspectiva de Dios y aceptar el control absoluto que él tiene sobre todas las cosas. De Dios no sólo depende la vida, sino las fuerzas para actuar, por lo tanto, necesitamos depender de él para todas las actividades de la vida. Esto no significa que el hacer planes sea pecado o que sea contrario a la voluntad de Dios, pero hacerlos a espaldas suyas sí lo es.

5 Mejor actitud hacia la justicia social, Santiago 5:4-6.

Vv. 4-6. Santiago pronuncia una denuncia de la clase rica. El contenido del párrafo indica que está dirigido a ricos inconversos. Señala el juicio inminente que viene sobre ellos y da énfasis a que todos los bienes materiales que han acumulado no podrán ayudarles y serán destruidos junto con ellos. Además, Santiago expone la naturaleza de las injusticias de esos ricos: reteniendo el salario de sus trabajadores, usando el fraude para hacer sufrir a los pobres, y causando penas a quienes no podían defenderse. El autor les advierte que Dios está al tanto de esos acontecimientos y todos los que han actuado injustamente han de dar cuentas a Dios, quien les dará su justa recompensa. Lo anterior muestra que la actitud que como creyentes debemos guardar hacia la justicia social, es importante. Se debe practicar la justicia para con todos, pero en especial con los menos afortunados.

—————— Aplicaciones del estudio ——————

1. **Es muy común encontrar cristianos que mantienen su vida ocupada con infinidad de actividades.** Es bueno recordar que esa manera de actuar puede estar ocultando una necesidad urgente de reflexión espiritual y de arrepentimiento. Es necesario mantener en nuestras vidas una actitud de autoexamen, y reconocer que un cristiano que no se arrepiente continuamente se estanca espiritualmente.

2. **Los creyentes debemos guardar una correcta apreciación de nosotros mismos delante de Dios.** Es saludable reconocer que la vida es un regalo suyo y que cada día se debe usar plenamente para Dios. Por lo tanto, los cristianos debemos planear qué hacer en y con nuestras vidas, pero nunca debemos hacerlo sin tomar en consideración la voluntad de nuestro Padre celestial.

3. **Una advertencia importante que hace Santiago en su carta es acerca de depositar una excesiva confianza en los bienes materiales.** Debe-

mos reforzar nuestra fe en Dios que nos ha prometido tesoros espirituales eternos, en lugar de aferrar nuestra seguridad a las posesiones materiales que son tan frágiles y perecederas.

————————————— Ayuda homilética —————————————

La Humildad, madre de otras virtudes
Santiago 4:6-10

Introducción: El resto de las virtudes cristianas nacen de la humildad. La enseñanza de nuestro Señor está llena de la necesidad de ser humildes. En varias maneras insiste en que la humildad debe ser el estado elemental en la vida cristiana. Dios da gracia al humilde, porque el humilde es receptivo a su presencia.

I. Consideraciones que motivan a la humildad.
   A. Como criaturas de Dios, todo lo que tenemos es por él.
   B. El hecho de ser pecadores.
   C. La tremenda insensatez del orgullo y sus resultados.
II. Pecados que se oponen a la humildad.
   A. Rechazar un castigo que merecemos.
   B. Estimar exageradamente nuestras capacidades.
   C. Juzgar habitualmente el carácter y conducta de otros.
III. Bendiciones que acompañan a la humildad.
   A. A través de la humildad viene la exaltación.
   B. A través de la humildad encontramos fuerza en Dios.
   C. La humildad genera y preserva las demás virtudes.

Conclusión: Santiago da a entender en estos versículos que Dios siempre está en pie de guerra contra toda forma de orgullo humano. El resiste a los soberbios, siempre está dispuesto a confrontar y derrotar ese orgullo que tanto y tan sutilmente llega a dominarnos. Si usted se está resistiendo a Dios, es tiempo de recapacitar y postrar su vida humildemente en dependencia absoluta de Dios. Esta es la única manera de obtener la gracia divina que nos permite vivir de acuerdo con la voluntad y los propósitos del Señor.

Lecturas bíblicas para el siguiente estudio

Lunes: Santiago 5:7, 8   **Jueves**: Santiago 5:14, 15
Martes: Santiago 5:9-11   **Viernes**: Santiago 5:16-18
Miércoles: Santiago 5: 12, 13 **Sábado**: Santiago 5:19, 20

AGENDA DE CLASE

Antes de la clase
1. Comience su preparación de este estudio con debida anticipación. **2.** Busque información e ilustraciones de los conceptos: actitudes, valores y conducta. **3.** Prepare suficientes materiales para hacer montajes o *"collages"*. Pueden ser periódicos, revistas y fotografías con palabras o frases que ilustran: actitudes, valores y conductas negativas. **4.** Responda los ejercicios que aparecen en el libro del alumno; si necesita ayuda vea la *Comprobación de respuestas* que corresponde.

Comprobación de respuestas
JOVENES: **1.** a-f, b-f, c-f, d-v, e-f, f-f. **2.** a. Porque nuestra vida es breve. b. 1) Amontonaron tesoros; 2) Retuvieron el jornal de los obreros; 3) Vivieron en placeres. c. Que él estará accesible. d. Hay un solo dador de la ley y Juez. **3.** a-2, b-5, c-4, d-1, e-3.
ADULTOS: **1.** a. De las pasiones. b. Enemistad con Dios. c. Someterse a Dios. d. Acercarse a Dios; limpiarse las manos; purificar el corazón. f. Como un vapor. **2.** a-2, b-3, c-4, d-1.

Ya en la clase
DESPIERTE EL INTERES
1. Mientras llegan los alumnos, guíelos a sentarse en las sillas arregladas para formar cuatro o cinco grupos. Sobre el suelo en el centro de cada grupo coloque una cartulina u hoja grande de papel con tijeras, pegamento, y las revistas, periódicos y fotografías que encontró. Dígales que elaboren un montaje que ilustra actitudes, valores o conducta negativa. Por ejemplo, orgullo, vanidad, ambición y poco aprecio por otros seres humanos. Mientras tanto usted haga un letrero grande que diga: "¡Extra! ¡Extra! ¡Lea la noticia del día: los resultados de actitudes negativas!"
2. Cuando todos hayan terminado, en una pared coloque su letrero y debajo los montajes o murales. **3.** Guíe al grupo a conversar acerca de cómo se podrían corregir las actitudes negativas y más, cambiar a actitudes positivas.

ESTUDIO PANORAMICO DEL CONTEXTO
1. Presente a los alumnos lo que usted investigó sobre lo que significan los términos: actitudes, valores y conducta. Presente las ilustraciones de tal manera que los conceptos queden claros para todos. **2.** Enseguida diga que hoy estudiaremos cuál debe ser la actitud y valor que como cristianos tenemos hacia el mundo, hacia Dios, hacia nuestro hermano, hacia nosotros mismos y hacia la justicia social.

ESTUDIO DEL TEXTO BASICO
1. Mejor actitud hacia el mundo, Santiago 4:1-4. Pida que un alumno lea el pasaje. Después guíe su presentación alrededor de dos conceptos clave: pasiones y mundo. Santiago considera que las pasiones son los deseos incontrolados y manipulados por la codicia que conducen al hombre a

trastornar sus valores y como resultado a desobedecer a Dios. Por otro lado está el mundo, una palabra con la cual el autor encierra el sistema de valores que está en franco desacuerdo con la voluntad y propósito de Dios.

2. Mejor actitud hacia Dios, Santiago 4:7-10. En este pasaje Santiago presenta nueve órdenes para todo creyente. Son imperativos para aquel que desea mantener una relación adecuada con Dios. Declarados brevemente: (1) Someterse en todo a Dios. (2) Resistir al diablo. (3) Acercarse con confianza a Dios. (4) Limpiarse las manos de las malas acciones. (5) Purificar los corazones. (6) Lamentar el haber desobedecido a Dios. (7) Sentir un dolor mental y emocional por haber hecho lo malo. (8) Determinar no volver a hacer lo malo. (9) Aceptar el perdón de la gracia de Dios.

3. Mejor actitud hacia nuestro hermano, Santiago 4:11, 12. La manera como emitimos nuestra opinión acerca de nuestro hermano da a conocer lo que sentimos y pensamos acerca de él. Hemos de evitar emitir juicios sobre nuestro hermano, pues solamente Dios es el Juez justo. Guíe a sus alumnos a hablar de situaciones en las cuales la conversación se derive a hablar acerca de alguien y cómo expresamos nuestras ideas y sentimientos acerca de otros.

4. Mejor actitud hacia nosotros mismos, Santiago 4:13-17. Después de leer el pasaje, pregunte: ¿Se opone Santiago a que hagamos planes para el futuro? ¿Cómo debemos entender lo que Santiago está diciendo? Permita que los alumnos expresen sus opiniones. Guíe la conversación para poner énfasis sobre el hecho que Santiago está atacando un complejo de inferioridad que se expresa como si la persona es dueña de su vida, del tiempo y del resultado de todo lo que piensa y hace. Por otro lado está hablando a favor de pensar y confiar en Dios para todas las actividades que debemos realizar.

5. Mejor actitud hacia la justicia social, Santiago 5:4-6. Después de leer el pasaje entregue a sus alumnos una hoja de papel en blanco y lápices. Solicite que hagan una caricatura que ilustre cómo ciertas personas que tienen recursos financieros tratan a sus empleados y a otras personas en desventaja económica. Luego, invítelos a sugerir maneras prácticas de denunciar y corregir esa conducta.

APLICACIONES DEL ESTUDIO

Anime al grupo a leer cuidadosamente cada una de las aplicaciones que aparecen en la sección *Aplicaciones del estudio* en el libro del alumno. Que un alumno escoja una de las aplicaciones y luego exprese sus ideas acerca de cómo ponerla en práctica. Haga lo mismo con las otras aplicaciones.

PRUEBA

Dé oportunidad para que los alumnos respondan a los dos ejercicios que se ofrecen en sus libros. Después pida que todos lean su respuesta al primer ejercicio. Haga lo mismo con el segundo ejercicio. Termine con un tiempo de oración a Dios pidiendo que él les provea una mejor actitud hacia los cinco aspectos mencionados en el estudio de hoy.

Unidad 9

Oración y perseverancia

Contexto: Santiago 5:7-20
Texto básico: Santiago 5:7, 9-20
Versículo clave: Santiago 5:16
Verdad central: Las exhortaciones de Santiago enseñan que los cristianos deben esperar la segunda venida de Cristo con paciencia, perseverancia y preocupación auténtica por los demás.
Metas de enseñanza-aprendizaje: Que el alumno demuestre su conocimiento de la enseñanza de Santiago acerca de la paciencia y perseverancia del creyente mientras espera la venida de Cristo, y su actitud de preocupación por los necesitados.

──────────Estudio panorámico del contexto ──────────

A. Fondo histórico:

Al final de su carta Santiago enfoca la segunda venida de Cristo desde un punto de vista práctico. Esta doctrina es la que ha proporcionado más consuelo a los cristianos de todas las épocas. Santiago anima a sus lectores a cultivar la paciencia en vista de la realidad de este acontecimiento. Así mismo les exhorta a practicar una ética basada en los principios de la Palabra de Dios. Les muestra cómo deben vivir los creyentes mientras aguardan con paciencia el retorno de Cristo. Incluso les muestra qué hacer en situaciones difíciles y cómo aplicar, en esas circunstancias, las armas espirituales con las que cuenta el pueblo de Dios.

B. Enfasis:

Exhortación a ser pacientes, Santiago 5:7-11. Esta exhortación tiene como propósito estimular a los creyentes que se encontraban bajo la persecución y que sufrían aflicción por causas diversas. El escritor les anima para que a la luz de la segunda venida de Cristo, los lectores tengan una actitud paciente hacia las pruebas, actuando con un espíritu de esperanza y de confianza. A pesar de la hostilidad y el antagonismo, el creyente debe manifestar la paciencia que produce el Espíritu Santo.

Exhortación a ser veraces, Santiago 5:12. La razón por la que no se debe jurar es para no caer en juicio. El autor relaciona la práctica de jurar con la consecuencia que conlleva, es decir llegar a ser juzgados o a juzgar. Santiago afirma que el cristiano no necesita jurar porque su palabra es una firme garantía. El jurar es una práctica que se requiere únicamente entre personas que no respetan la verdad. Los judíos entendían mal las palabras de Levítico 19:12 que dicen: "no juréis falsamente por mi nombre", interpretaban en ellas que era correcto jurar, pero que cuando el juramento se hacía sin mencionar el nombre de Dios, no estaban comprometidos a cumplirlo. Santiago tiene en mente este contexto y enfatiza que el cristiano no debe jurar, ya que debe distinguirse del resto de las personas por hablar siempre con veracidad.

Exhortación a la oración, Santiago 5:13-18. La Epístola de Santiago finaliza con el mismo tono que inició. En el primer capítulo, el autor anima a sus lectores a practicar la oración (1:5), mantener el gozo (1:2) y recordar que "toda buena dádiva y todo don perfecto" provienen de Dios (1:17). De la misma manera, en la parte final de su carta, invita a sus lectores a practicar la oración con todas sus facetas, las cuales representan las armas espirituales que se necesitan para enfrentar las dificultades. La oración debe ir acompañada de alabanza, de confesión y de intercesión. Todos estos aspectos en la oración, representan la fortaleza que el creyente requiere para salir victorioso de las situaciones difíciles que se le presentan. La oración en todo su alcance es el recurso que ofrece una fe viva al creyente en momentos de necesidad.

Exhortación a rescatar al extraviado, Santiago 5:19, 20. Varias veces, a lo largo de su Epístola, Santiago se refiere al cuidado que un creyente debe tener de su hermano en la fe. Es cierto que el autor pone énfasis sobre el cuidado material y físico que se debe tener hacia otros, pero también menciona la necesidad del cuidado en el aspecto espiritual.

Estudio del texto básico

1 Exhortación a ser pacientes, Santiago 5:7, 9-11.

V. 7. *Por lo tanto, tened paciencia, hasta la venida del Señor.* La actitud que se pide de los creyentes es una que es capaz de sufrir la tardanza y sobrellevar los sufrimientos sin desmayar. El autor está hablando de resistir una prueba sin claudicar. En otras palabras, está animando a sus lectores a que "resistan hasta el fin". Además, hace una referencia incuestionable a la segunda venida del Señor. Este regreso es un tema central en la Biblia. Será una venida literal, visible, majestuosa y para juicio, pero sobre todo, es una fuente de esperanza y una motivación para practicar la paciencia por parte de todos los creyentes.

Vv. 9-11. El creyente no sólo debe esperar a Cristo con *paciencia*, sino que también debe vivir una vida que armonice con la realidad de ese retorno de Cristo. Esta es la razón por la cual, Santiago urge a sus lectores a practicar una ética bíblica, tanto en sus relaciones con otros creyentes, como con los no creyentes. Uno de los principios importantes señalados en este párrafo es el de no murmurar contra el hermano en la fe. Santiago explica que al murmurar, uno se convierte en juez de su hermano. Esto es indebido, ya que Dios es el único Juez justo con derecho a realizar esa labor. El autor manda a los lectores que dejen de quejarse unos contra otros y de culparse mutuamente por las aflicciones que vivían. Les anima para que opten por edificarse unos a otros. Esta es una alternativa viable también para los cristianos de hoy.

2 Exhortación a ser veraces, Santiago 5:12.

V. 12. Un tema recurrente en esta carta ha sido el de los pecados en el hablar. En Santiago, se menciona mucho más sobre esta clase de pecados que sobre cualquier otra. La exhortación en este versículo está dirigida a cuidar que nuestra conversación diaria sea respetuosa y honesta. Los cristianos deben adherirse estrictamente a la verdad. Su hablar debe ser sencillo y sincero. El creyente debe tener suficiente credibilidad como para que no tenga que recurrir a juramentos, sino que su palabra es confiable.

3 Exhortación a la oración, Santiago 5:13-18.

V. 13. *¿Está afligido alguno entre vosotros?* La pregunta formulada por Santiago puede referirse a cualquier clase de calamidad. Sin embargo, el énfasis no cae sobre el aspecto físico del sufrimiento, sino más bien sobre el aspecto emocional o espiritual. El escritor recomienda que cualquiera que sea el origen de la aflicción por la que el creyente atraviese, la terapia más efectiva es la oración. *¡Que ore!*, esta es la actitud correcta del cristiano, orar sin cesar. Acudir al Padre celestial es lo más saludable que un creyente puede hacer cuando se enfrenta con las dificultades. Dios puede quitar la aflicción, pero aun cuando ésta no fuera la voluntad de Dios, la oración también da la fortaleza para resistir los problemas. Además, Santiago contrasta la aflicción con otro estado de ánimo, el estar alegres. *¿Está alguno alegre?* *¡Que cante salmos!*, con esto el autor dice que al igual que es importante saber orar en medio de las aflicciones, también lo es cantar alabanzas cuando hay alegría y prosperidad. Un creyente que se olvida de Dios cuando todo va bien evidencia un profundo problema espiritual.

Vv. 14, 15. Santiago pregunta si alguno de entre los lectores estaba enfermo. Usó dos palabras para "enfermedad" en este pasaje. Ambas palabras se refieren al impacto emocional que hace la enfermedad más que a la naturaleza origen de la misma. La palabra *enfermo* usada en el v. 14 siempre se aplica a la dolencia física producida por la enfermedad. En el v. 15 la palabra que se traduce traduce por *enfermo* es *astheneo*, ésta se refiere a cualquier tipo de enfermedad y es la palabra más usada en el Nuevo Testamento. Nuestra palabra *asténico*, que quiere decir débil, viene directamente del verbo griego. La expresión destaca el cansancio y la fatiga que vienen a una persona como resultado de una enfermedad. En tales condiciones Santiago aconseja que el hermano enfermo *llame a los ancianos de la iglesia* para que vengan a orar por él. ¿Quiénes son estos ancianos? Sin duda eran hombres maduros en la fe y no simplemente los hombres de más edad en la iglesia. El cargo de anciano probablemente toma su modelo de la sinagoga judía. En una ciudad judía era costumbre que los rabinos más dedicados fuesen a la casa de un vecino enfermo a fin de orar por él. Para nosotros los equivalentes a los ancianos son nuestros pastores, y yo incluiría a los diáconos. Recordemos que en el Nuevo Testamento las palabras griegas para ancianos, obispos y pastores se usaban en forma intercambiable para aquellos con funciones pastorales. Cuando los ancianos estaban reunidos debían hacer dos cosas: orar por el enfermo y ungirlo con aceite en el nombre del Señor. Desafortunadamente, el hincapié dado al ungimiento con aceite ha eclipsado el elemento dominante: la oración de fe. La palabra "orar" en sus diferentes variaciones está presente en cada versículo de 5:13-18. Es interesante que no se nos aclara si el uso del aceite de oliva (que es la idea de la palabra completa para "aceite") era medicinal, simbólico de la oración, o concretamente un vehículo para el poder de Dios. Como quiera que sea, *el Señor lo levantará*. La obra de sanidad física y el perdón de los pecados son la acción maravillosa del amor de Dios.

Vv. 16-18. Hay que orar a Dios para que él perdone nuestras ofensas, sin olvidar que la relación del cristiano es doble, para con Dios y para con su prójimo. Si uno ofende a Dios, es casi seguro que también se ha ofendido al prójimo. Santiago expresa la necesidad de que el cristiano pida perdón por sus ofensas a quien ofende. El acto de pedir disculpas al ofendido tiene un efecto sanador en el ofensor que con humildad busca la reconciliación. *La ferviente oración del justo... puede mucho*, el mundo requiere de muchos hombres y mujeres de oración. Debemos practicar el ejemplo de Elías.

4 Exhortación a rescatar al extraviado, Santiago 5:19, 20.

Vv. 19, 20. Estos últimos versículos están saturados de amor. Nada en ellos indica que al hablarle al extraviado se deba hacer con aspereza o duramente. El que anda desviado del camino correcto necesita amor y simpatía, necesita ayuda. *Y otro le hace volver*, indican que la responsabilidad de restaurar al extraviado no es exclusiva de los líderes, sino de todo aquel creyente que esté en capacidad de hacerlo. Además, la restauración de un hermano caído debe ser motivo de gozo para toda la congregación. Es responsabilidad de todo hermano maduro, ayudar al débil en la fe para restaurarlo y fortalecerlo en su vida espiritual.

───────────**Aplicaciones del estudio**───────────

1. La paciencia es una de las áreas más débiles en las vidas de muchos cristianos, sin embargo, es una de las cualidades espirituales más necesarias. Es la paciencia, que nos puede ayudar a soportar las situaciones adversas que se nos presentan día con día. Por lo tanto, una buena medida para progresar en nuestra capacidad de ser pacientes sería elaborar una lista de las áreas de nuestra vida en las que nos cuesta más trabajo ser pacientes. Tal vez incluyamos las tareas domésticas, responsabilidades en la iglesia, algunas relaciones interpersonales. Luego hagamos el propósito de avanzar en cada una de ellas con perseverancia y examinemos el progreso que logremos para estimularnos a lograr más altas metas.

2. Nuestras iglesias están siendo destruidas por el constante hablar negativamente unos de otros. Los creyentes nos olvidamos muy frecuentemente de que nuestro hablar debe ser para edificación. Por el contrario, nos mostramos quejumbrosos y desalentadores. Es importante que apliquemos las recomendaciones de Santiago a nuestra propia vida y a la de nuestras iglesias. Seamos positivos y dejemos que el Espíritu Santo controle nuestras conversaciones.

────────────── **Ayuda homilética** ──────────────

La restauración del extraviado
Santiago 5:19, 20

Introducción: La posibilidad de que alguno se desvíe de la verdad que es el fundamento de la fe cristiana puede venir como resultado de dos causas diferentes. Una, que ese creyente sea desviado por la acción de otra persona. La otra, que el desvío sea voluntario. Cualquier creyente que no está dependiendo de la dirección del Espíritu Santo a través de la Palabra de Dios, está expuesto a ambos peligros.

I. Aspectos de una desviación espiritual.
  A. La renuncia a los principios de la fe.
  B. La falta de vivir a la altura de esos principios.
II. Armas contra la desviación espiritual.
  A. La meditación de la Palabra de Dios.
  B. La oración perseverante.
  C. El ministerio del Espíritu Santo.
III. Alcances del ministerio al extraviado.
  A. Se librará a un alma de la muerte.
  B. Se cubrirá una multitud de pecados.

Conclusión: El creyente que ha caído en error necesita ayuda. Este ministerio puede ser realizado por un cristiano maduro que ama a sus hermanos. Además este ministerio de restauración tiene resultados muy positivos. Por lo tanto, los creyentes deben mostrar la actitud de perdón que Dios tiene para con los descarriados y regocijarse cuando uno de ellos regresa al redil del compañerismo cristiano.

Lecturas bíblicas para el siguiente estudio

Lunes: Rut 1:1-5   **Jueves**: Rut 1:15-18
Martes: Rut 1:6-9   **Viernes**: Rut 1:19-21
Miércoles: Rut 1:10-14   **Sábado**: Rut 1:22

AGENDA DE CLASE

Antes de la clase
1. Consiga una fotografía de una gran urbe del mundo (Nueva York, México, Tokio, París) donde aparezcan grandes edificios o grandes unidades habitacionales. **2.** Utilizando una Concordancia de la Biblia, haga una lista de los pasajes en donde aparece la expresión "unos a otros". **3.** Cuando se considera el sufrimiento de Job regularmente se piensa en un serio problema de la piel, pero era mucho más que eso. Los síntomas que sufrió fueron estremecedores: supuración (Job 7:5), aliento fétido (19:17), corrosión de los huesos (30:17), ennegrecimiento de la piel (30:30), pesadillas nocturnas (7:14) y, posiblemente sensación de estrangulamiento (7:15). Escriba en una cartulina estas descripciones. **4.** Haga una breve reseña de la vida del profeta Elías. **5.** Estudie sobre la oración, ¿qué es?, ¿cómo hacerla?, ¿cuándo hacerla?, ¿cuántos tipos de oración hay?, ¿quiénes han sido verdaderos campeones de la oración? Para esto, consulte un libro sobre la oración. **6.** Consiga un mapa de la ciudad donde se encuentra la iglesia. De ser posible, localice en el mapa la ubicación de la iglesia.

Comprobación de respuestas
JOVENES: **1.** a. Los profetas. b. Job. c. El Señor. **2.** Se puede caer bajo condenación. **3.** a. Sujeto a pasiones. b. Oró con insistencia. **4.** Hacerlo volver. **5.** a. Confesión de pecados. b. Oración de intercesión. **6.** Vea Santiago 5:13, 14.
ADULTOS: **1.** a. Paciencia. b. Con el campesino que espera las lluvias para poder disfrutar de la cosecha. c. Los profetas del Señor. d. 1. ¡Haga oración! d. 2. ¡Cante Salmos! d. 3. ¡Llame a los ancianos de la iglesia para que oren por él. **2.** a-f, b-f, c-v, d-v.

Ya en la clase
DESPIERTE EL INTERES
1. Coloque la fotografía o el recorte de la gran ciudad frente al grupo. **2.** Lea a la clase el siguiente párrafo: "Resulta deprimente el cuadro de las grandes urbes con sus grandes edificios de concreto y acero, donde la gente no convive sino coexiste. La mayoría de los habitantes de estas ciudades no conocen a sus vecinos, no conocen sus necesidades, sus éxitos y fracasos. Estas gentes a pesar de vivir en medio de millones de seres humanos, se sienten solos, abandonados en angustia total." **3.** Ahora invite a reflexionar sobre la bendición que se vive en una iglesia local, donde todos se conocen por nombre, se necesitan, oran unos por otros, se aman unos a otros. **4.** Comente sobre lo que significan Cristo y la iglesia local para los habitantes de una gran ciudad.

ESTUDIO PANORAMICO DEL CONTEXTO
1. Explique a la clase el sentido de la "koinonía" y las relaciones personales profundas que se establecen en el seno de la iglesia. **2.** En base a su

investigación acerca de la expresión "unos a otros", comente de las diferencias que existen entre las relaciones de una gran ciudad y las de una iglesia local. **3.** En base a Hechos 2:43-47, reflexione acerca de las características de la comunión de la iglesia primitiva. **4.** Hagan una lista de las cualidades de la propia iglesia en las que están fuertes y otra en las que están débiles.

ESTUDIO DEL TEXTO BASICO

1. Considerando el significado de la palabra "paciencia", exponga el material exegético de su libro de texto.

2. Presente al grupo la lista de síntomas que probablemente sufrió Job en su prueba. Enfatice sobre la capacidad de resistencia de este hombre de Dios, sobre el crecimiento de su fe y sobre la bendición que significó para él soportar esta dura experiencia.

3. Exponga a su clase el material exegético del libro de texto referente a la veracidad del creyente. Analice juntamente con la clase la siguiente afirmación: "Una verdad a medias es una mentira." Guíe a la clase a que saque sus propias conclusiones.

4. Presente a la clase su investigación acerca de la oración. Considere la edificación que recibe aquel cristiano que tiene la disciplina de la oración y cómo fortalece en momentos de dificultad. Presente una breve lista de los campeones de la oración y los logros por ellos alcanzados.

5. Comparta con la clase su investigación acerca de la vida de Elías y cómo la oración fue para él un elemento clave. Considere la relación que existe entre la oración y los hechos portentosos de Dios.

6. Considere con la clase la tranquilidad que significa conocer cómo llegar a un lugar determinado. Con el mapa de la ciudad y habiendo localizado la ubicación de la iglesia, considere lo fácil que es llegar allí. Lleve a su clase a la consideración de poder ayudar a una persona que está perdida con la ayuda de un mapa. Haga la aplicación correspondiente para aquellos cristianos que se han alejado del camino del Señor.

APLICACIONES DEL ESTUDIO

Pida a tres hermanos de la clase que lean en voz alta cada una de las aplicaciones del estudio. A medida que vayan leyendo, solicite que cada participante de la clase vaya subrayando aquellos elementos que necesitan cambiar en su propia vida. Al término de esta actividad, usted mismo como maestro lleve en conjunto en oración a su clase. Si alguno de la clase quiere comentar en voz alta su propio análisis permita que lo haga.

PRUEBA

Divida la clase en dos grupos. Que cada grupo trabaje en forma unida en las respuestas de la primera sección y anoten sus respuestas en sus libros. ADULTOS póngase de acuerdo con su clase acerca de cómo harán la actividad propuesta.

La lealtad de Rut

Contexto: Rut 1:1-22
Texto básico: Rut 1:1, 3-6, 8, 16-21
Versículo clave: Rut 1:16, 17
Verdad central: La lealtad de Rut hacia Noemí y hacia Dios ilustra lo que ocurre cuando los miembros de una familia son leales a Dios y el uno al otro.
Metas de enseñanza-aprendizaje: Que el alumno demuestre su conocimiento de lo que hizo Rut para demostrar su lealtad a Noemí, y su actitud hacia el compromiso que debe aceptar para fortalecer la lealtad entre los miembros de su familia.

─────────── **Estudio panorámico del contexto** ───────────

A. Fondo histórico:

El contexto de la historia que se desarrolla en el Libro de Rut es el tiempo de los jueces, un período turbulento, relativamente primitivo en la historia de Israel. Sin embargo, el libro mismo es producto de un período posterior al exilio babilónico que tuvo lugar en 587 a. de J.C. Esto significa que el mismo escritor bíblico tomaba materiales e ideas de otros tiempos para hacerlos "vivir" durante sus propios días.

B. Enfasis:

La amarga historia de Noemí, Rut 1:1-5. A consecuencia de una hambruna, característica de los tiempos, una familia hebrea encabezada por Elimelec tiene que exiliarse a Moab, país vecino. Ya en Moab, Noemí queda viuda y desamparada. Su desesperación se agudiza al morir sus hijos.

Su estado precario sólo se entiende a la luz de los tiempos en que ella vivía. La mujer que quedaba viuda y máxime sin hijos varones, sólo podía casarse de nuevo o dedicarse a la prostitución. La posibilidad de un nuevo casamiento de Noemí se dificultaba por dos factores: (1) era extranjera en Moab, en donde había habido animosidades contra los hebreos desde los tiempos patriarcales, y (2) su edad; por confesión perso-nal, ya estaba fuera de la edad de procrear hijos. Dedicarse a la prostitución tampoco era posible para una mujer hebrea que tenía sus convicciones morales basadas en la ley de Dios.

Noemí acepta su condición, Rut 1:6-14. Antes de morir, los dos hijos de Noemí se habían casado con mujeres moabitas, Rut y Orfa. Aunque aceptables durante los días de la Confederación Tribal, como también se denomina al período de los jueces, los matrimonios mixtos eran generalmente muy mal vistos por los judíos. Noemí opta por regresar a su patria donde tenía parientes y posibilidades mayores; las dos nueras lealmente quieren acompañarla, pero Noemí insiste en que retornen a sus casas paternas para casarse de nuevo. Al final, Orfa accede, pero Rut fielmente se queda con su suegra.

Rut demuestra su lealtad a Noemí, Rut 1:15-18. Noemí, obedeciendo a la costumbre de su tiempo, insiste en que Rut se quede en su propia tierra y con "sus dioses", ya que se creía que los dioses de cada pueblo estaban circunscritos a sus propias fronteras geográficas. Rut, por su amor y lealtad para con Noemí, opta por abandonar a sus parientes sanguíneos, tierra y religión.

El triste retorno a Belén, Rut 1:19-21. Cuando Noemí abandonó Belén en compañía de su esposo, su nombre que significa "dulce" le venía muy bien. Ahora, al regresar a su terruño, no quiere que la llamen "Dulce" sino Mara, "Amarga", en virtud de sus experiencias en Moab.

─────────── **Estudio del texto básico** ───────────

1 La amarga historia de Noemí, Rut 1:1, 3-5.

a. El marco histórico-geográfico de Noemí (v. 1).

V. 1. *En los días en que gobernaban los jueces.* El período histórico abarcado por los jueces fue entre 1,200 y 1,020 a. de J.C. aproximadamente. El nombre "juez" no es del todo descriptivo de estos guerreros líderes carismáticos; lejos de oficiar en cortes, estos hombres y mujeres, dotados con poder del Espíritu, eran provistos por Dios durante períodos de crisis. Cada uno gobernaba sobre una tribu que formaba parte de la Confederación Tribal. Eran héroes tribales. *Hubo hambre en el país.* En más de una ocasión Dios sacó bendición de factores negativos como las hambrunas. Otras migraciones de los patriarcas pueden explicarse en parte por el hambre (por ejemplo, Abraham). *Un hombre de Belén de Judá.* Para los propósitos del escritor bíblico, es importante que los personajes principales sean oriundos de Judá, la sede del judaísmo, ya que desea, a la larga, ver la disposición de la familia para aceptar a no judíos dentro de su seno.

b. Eventos trágicos en la vida de Noemí (vv. 3-5).

V. 3. Aunque el Padre de Jesucristo nunca ocasiona adrede el mal, ciertamente sabe utilizarlo para sus propósitos (Rom. 8:28). Hasta el nombre *Elimelec* sugeriría tal cosa. Su nombre significa "mi Dios es rey". Tanto en la vida del esposo de Noemí como en su muerte Dios supo sacar bendición. Esto se aprecia al contemplar la enseñanza general del Libro de Rut. Al fallecer el esposo de Noemí, ésta quedó amparada por sus hijos ya de mayoría de edad.

V. 4. *Los cuales tomaron para sí mujeres moabitas.* En los tiempos primitivos del pueblo de Israel no era inusual que el hebreo se casase con mujeres extranjeras. Sólo hay que recordar a Moisés y a Salomón. Los moabitas eran el pueblo que ocupaba el territorio en la transjordania, ubicado al sur del valle del río Arnón, inmediatamente al este del mar Muerto. Para los propósitos del escritor bíblico, sirve bien que los moabitas hayan sido enemigos tradicionales de los hebreos desde los tiempos antes de la conquista de Canaán.

V. 5. Los nombres hebreos siempre encerraban el significado del carácter y a veces el destino del nombrado. Así, *Majlón* ("enfermizo"), probablemente desde la niñez era un muchacho propenso a la enfermedad; su vida se cortaría dentro de la juventud debido a su larga historia de enfermedad. *Quelión* significa "exterminio". Noemí quedó sin quien proveyera por ella. Dadas las circunstancias de los tiempos, no había modo de que se sostuviese sola.

2 Noemí acepta su condición, Rut 1:6, 8.
a. El regreso a Belén (v. 6).

V. 6. *Entonces*, más que simplemente expresión del marco cronológico, se puede imaginar toda la gama de emociones que Noemí habría sentido al verse en la condición antes descrita. *Con sus nueras*; a estas alturas, las dos nueras estaban decididas a viajar con Noemí hasta su tierra natal. Se debe notar que no era obligación de ninguna clase que permaneciesen con Noemí.

b. El amor agradecido de Noemí (v. 8).

V. 8. *Id y volveos, cada una a la casa de su madre.* No es que Noemí esté despreciando el amor de sus nueras para con ella, sino que, más bien, busca que ellas retornen a la casa maternal con el fin de que se vuelvan a casar. Por la muerte de sus esposos, ambas podrían perfectamente contraer matrimonio de nuevo. Según las costumbres antiguas, les tocaría a los padres respectivos de cada una la elección de un nuevo esposo. Prueba del amor y la solicitud de Noemí por ellas está en la oración de Noemí porque el Señor les *haga misericordia*. La palabra hebrea *hesed* es la que se traduce en "misericordia", pero los alcances y la profundidad del vocablo hebreo no son comunicados por la palabra en el castellano. *Hesed* es tal vez la palabra de Antiguo Testamento que más comunica el carácter de Dios mismo, El vocablo se refiere a la amorosa fidelidad absoluta de Dios respecto al pacto; encierra el calor del compañerismo con Dios tanto como la certeza de su solícita fidelidad.

3 Rut demuestra su lealtad a Noemí, Rut 1:16-18.
a. La súplica amorosa de Rut (vv. 16, 17).

V. 16. *No me ruegues.* Pareciera que era Noemí la que podía o no determinar dar el permiso a Rut para que la acompañase. Con todo, la cariñosa insistencia de Rut reviste grandes alcances. Afirma que está dispuesta a compartir con Noemí en las buenas y en las malas. Ofrecer acompañarla dondequiera implicaba el abandono de su propia tierra, sus costumbres, todo lo conocido. La expresión *dondequiera que tú vivas, yo viviré* puede leerse "dondequiera que tu te alojes, yo me alojaré". Dadas las circunstancias inciertas de los tiempos, esto podría acarrear grandes privaciones personales. *Tu pueblo será mi pueblo,* aún más, el compromiso de Rut con Noemí implicaría la pérdida de su propio pueblo y la adquisición de uno nuevo. En los tiempos antiguos el dejar un pueblo para unirse a otro no era tan fácil como el simple cambio de ciudadanía en el día de hoy. Encerraba profundas implicaciones para la vida futura de Rut. *Tu Dios será mi Dios.* El dios de los moabitas era Quemos, pero aquí llanamente Rut "adopta" la fe hebrea.

b. El destino y la oración de Rut (vv. 17, 18).

V. 17. La opción de Rut por acompañar a Noemí hasta la muerte involucraba varias cosas. Primera, significaba que estaba dispuesta a correr con todos los peligros que se le presentasen a Noemí en el curso de su vida. Si le tocaba morir por cualquier peligro, Noemí tendría quien la acompañase; no tendría que morir sola. Segunda, estar dispuesta a ser sepultada en tierra ajena, fuera de su propio país, sólo podía atemorizar a la mente común de su tiempo. Sólo hay que recordar cuán importante era para el pueblo de Israel trasladar los huesos de José, el patriarca, a la tierra de promisión para su debida sepultura. La expresión: *Así me haga Jehovah y aun me añada* es característica de los escritos hallados en los libros de Samuel y Reyes.

V. 18. Ante la afirmación tan resuelta de Rut, a Noemí no le quedaba otra cosa sino acceder agradecidamente a la petición y las promesas de su nuera.

4 El triste retorno a Belén, Rut 1:19-21.

a. El camino de regreso a Judá (v. 19).

V. 19. *Caminaron ellas dos hasta que llegaron a Belén.* La ruta tomada por Noemí y Rut haría que se dirigiesen al norte y luego al oeste hacia el cruce inferior del río Jordán; de allí pasarían por el desierto rocoso de Judá rumbo a Belén. *Toda la ciudad se conmovió a causa de ellas.* Pareciera que Elimelec y Rut habían sido personas bien conocidas en la comarca antes de su partida para Moab. Pese a las condiciones generales de hambruna que imperaban cuando salieron, se les conocería como personas importantes. Ver cómo salieron y luego ver las condiciones bajo las cuales Noemí regresa era motivo de consternación.

b. Noemí explica las causas de su condición (vv. 20, 21).

V. 20. La pregunta retórica hecha por el pueblo de Belén, expresa la profundidad de su cuestionamiento del estado de la recién regresada (19b). Como ya se dijo, Noemí, cuyo nombre en el hebreo significa "dulce", pide que ya no la denominen así. Este nombre sólo puede entenderse contrastándolo con su opuesto "amarga", cosa que Noemí hace magistralmente.

V. 21. Es interesante el uso de los dos nombres de Dios en este versículo. *Jehovah* es el nombre particular del Dios de Israel revelado a Moisés en Madián. Jehovah es un nombre compuesto por las vocales del nombre sagrado revelado en Madián o sea YHWH, "Yo soy el que soy", y las vocales del nombre *Adonai* o "Señor".

El Todopoderoso, Shaddai, es uno de los nombres más antiguos, "el Dios de la montaña". Es uno de los nombres usados durante el período patriarcal.

Pese a los aparentes quejidos de Noemí, imperaba en ella una fe inquebrantable en la provisión de este Dios de los padres, vista ésta en la persona de su nuera, Rut.

Aplicaciones del estudio

1. Lecciones del pasado para hoy, Rut 1:1-5. Que bueno sería que los hombres y mujeres de hoy pudiéramos reconocer también nuestro propio pasado como individuos, iglesia, pueblo y nación.

2. Cuando hay problemas aparentemente sin solución, se puede encontrar solaz entre el pueblo de Dios, Rut 1:6. Hoy día los problemas agudos también requieren que acudamos a los amigos y familiares para que nos ayuden. ¿A quién más podemos acudir para mayor ayuda sino a la familia de Dios, nuestra iglesia?

3. En momentos difíciles, el Señor envía consuelo de fuentes inesperadas, Rut 1:19-22. Aunque "amargada" (*Mara*) por sus experiencias, Noemí tuvo una gran ayuda material y espiritual en su nuera, Rut. Por negras que se vean las nubes, el Señor siempre pone a alguien en nuestro camino para aligerar la carga.

Ayuda homilética

El regreso al pueblo de Dios
Rut 1:6-18

Introducción: Cuando las cosas nos van mal, es importante que regresemos a nuestras raíces espirituales para recibir ayuda. El regreso siempre involucra algunos pasos necesarios.

I. El regreso requiere iniciativa de parte nuestra (v. 6).
  A. Noemí tuvo que tomar la decisión.
  B. Dios siempre provee factores que alientan la iniciativa.

II. El regreso requiere que pensemos en el bienestar de otros (Vv. 7-14).
  A. Noemí pensó en el bienestar material de sus nueras.
  B. Noemí pensó en el bienestar espiritual de sus nueras.
  C. Noemí pensó en el bienestar afectivo de sus nueras.

III. El regreso requiere que tomemos en cuenta los deseos de otros (Vv. 15-18).
  A. Noemí estaba dispuesta a dejar que Orfa se quedara con sus parientes.
  B. Noemí atendió las súplicas de Rut.

Conclusión: Al encontrarnos en necesidad de buscar de nuevo nuestras raíces espirituales, habrá también responsabilidades de parte nuestra.

Lecturas bíblicas para el siguiente estudio

Lunes: Rut 2:1-7   **Jueves:** Rut 2:17-19
Martes: Rut 2:8-13   **Viernes:** Rut 2:20
Miércoles: Rut 2:14-16   **Sábado:** Rut 2:21-23

AGENDA DE CLASE

Antes de la clase
1. Prepare una cartulina con escenas de niños o familias hambrientos.
2. Escriba en una tira de papel de unos 50 cm x 10 cm. la frase: "Tu pueblo será mi pueblo y tu Dios mi Dios."
3. Escriba en una tira de papel lo siguiente: **BELEN = CASA DE PAN**. Coloque las cartulinas en un lugar visible.
4. Consiga un mapa donde pueda ubicar Belén y Moab.

Comprobación de respuestas
JOVENES: **1.** a-Noemí. b-Rut y Orfa. c-Rut. d-Los de la ciudad. **2.** a-Elimelec. b-Majlón y Quelión. c-Rut y Orfa. d-Amarga. **3.** a-Oyó que Jehovah había visitado su pueblo para darles pan. b- Una actitud de misericordia. c-Con Rut la moabita.
ADULTOS: **1.** Respuesta personal. **2.** No salieron a darles pan cuando salieron de la esclavitud en Egipto. **3.** a-F, b-V, c-F, d-V. **4.** V. 16.

Ya en la clase
DESPIERTE EL INTERES
1. Llame la atención de sus alumnos a la cartulina que tiene las ilustraciones de personas pasando hambre. Promueva un intercambio de respuestas a la pregunta: ¿Qué haría usted si en su comunidad hubiera una gran hambre y en otras partes abundancia?
2. Introduzca el estudio bíblico mencionando a la familia de Noemí que salió de donde vivía para buscar alimento en otro lugar.

ESTUDIO PANORAMICO DEL CONTEXTO
1. Familiarice a los alumnos con los protagonistas del estudio de hoy.
2. Explique el significado de los nombres de Noemí ("Placentera"), Elimelec ("Mi Dios es rey"), Majlón ("enfermizo"), Quelión ("exterminio").
3. Hable brevemente de la importancia que tenían los nombres en la cultura hebrea.
4. Ubique en el mapa Belén y Moab y pida a un alumno que pase al frente a decir a sus compañeros dónde se localizan los dos pueblos.

ESTUDIO DEL TEXTO BASICO
1. Dedique unos minutos para que sus alumnos completen la parte correspondiente a la sección: Lee tu Biblia y responde, en el caso de jóvenes y *Lea su Biblia y responda,* en el caso de adultos.
Revise la sección "Comprobación de repuestas", de esta misma agenda de clase para ayudar a aclarar las respuestas. Recuerde que no siempre se darán las respuestas literalmente iguales. Puede haber alguna variación en la forma de expresión, siempre que se cuide el sentido correcto de la respuesta.

2. Pase a la sección: Lee tu Biblia y piensa.

3. Presente la primera división del texto básico (1 La amarga historia de Noemí). Pida a sus alumnos que lean al unísono el pasaje de Rut 1:1, 3-5. Indíqueles que lean el material correspondiente a esta división que tienen en su libro del alumno. Enfatice el aspecto de las dificultades que tuvo que enfrentar Noemí.

4. Presente la división número dos del pasaje bíblico (2 Noemí acepta su condición). Pida a dos damas que lean los versículos 6 y 8 de Rut 1. Que ellas mismas presenten esta división. Usted termine con esta participación, haciendo hincapié en la actitud de Noemí de aceptar su condición y su disposición de regresar a su pueblo de Belén para participar de las bendiciones de Dios.

5. Pida que tres mujeres lean el pasaje de la tercera división: Rut demuestra su lealtad a Noemí. De preferencia que lo hagan parafraseado, representando a Rut, a Orfa y a Noemí, respectivamente. Termine usted este período subrayando las características de Noemí que hicieron que sus nueras le demostraran lealtad.

6. A manera de relato, presente la división número 4: El triste retorno a Belén. Termine la sección del estudio del texto básico señalando que aquí se inicia una parte importante del plan de Dios para la salvación de la humanidad.

APLICACIONES DEL ESTUDIO

1. Haga una lista de las aplicaciones que están en el libro de maestros y en el libro del alumno en la sección: Aplicaciones del estudio. Decida cuáles son más apropiadas para su grupo.

2. Pida que unos dos volunta-rios participen diciendo cómo aplicarían el estudio de hoy a su vida.

3. Usted termine esta sección haciendo las aplicaciones que usted escogió. Independientemente del grupo que usted enseña, adultos o jóvenes, considere las aplicaciones que se sugieren tanto en el libro de maestro, el libro de adultos y el libro de jóvenes en la sección: Aplicaciones del estudio.

PRUEBA

1. Aplique la prueba indicando a sus alumnos que sigan las instrucciones dadas en su libro. En el caso de los adultos, se sugiere que completen la primera actividad a nivel individual.

2. Si cree conveniente, una vez que haya pasado un tiempo prudente, provea las respuestas correctas. **3.** Termine la reunión con una oración de gratitud por la providencia de Dios.

Dios provee para Rut y Noemí

Contexto: Rut 2:1-23
Texto básico: Rut 2:2, 8-12, 17-20
Versículo clave: Rut 2:12
Verdad central: Las maneras cómo Dios proveyó para Rut y Noemí demuestran que Dios frecuentemente provee para sus hijos por medio del ministerio de otras personas
Metas de enseñanza-aprendizaje: Que el alumno demuestre su conocimiento de cómo Dios proveyó para Rut y Noemí por medio de Boaz, y su actitud hacia las maneras cómo puede compartir con otras personas lo que Dios le ha proporcionado.

──────────── **Estudio panorámico del contexto** ────────────

A. Fondo histórico:

El término *goel,* quiere decir "redentor". Se refiere al pariente más cercano que tiene el derecho y aun más, el deber de casarse con la viuda de un pariente difunto. Este derecho es "redentor", porque afirma que Jehovah es el que actúa dentro del pariente más cercano.

B. Enfasis:

El encuentro entre Rut y Boaz, Rut 2:1-7. El escenario que se estableció en el primer capítulo con la tragedia descrita en torno a Noemí y su nuera sirve de trasfondo para que en éste Boaz sea el *goel,* el redentor de la situación. El hecho de que en este caso sea una mujer moabita la viuda y que sea Dios mismo el redentor es muy sugestivo para el autor de Rut, pues quiere demostrar que Dios redime también a los extranjeros que están en relación con él.

Si bien Noemí y Rut son las actrices estelares del primer capítulo, en el segundo Boaz sobresale como el cabeza del reparto. En este capítulo Rut pide permiso para ir y espigar en algún campo para proveerse de algún alimento de grano. Providencialmente el campo es el de Boaz, pariente de Noemí; éste se fija en la joven moabita.

Boaz provee para las necesidades de Rut y Noemí, Rut 2:8-16. Cuando Boaz es informado por su siervo respecto a la identidad de Rut, éste queda impresionado por su dedicación a Noemí. Se da cuenta de que ella había estado en su campo todo el día sin siquiera tomar agua ni alimentarse. Boaz habla con ella e insiste en que limite su espigueo exclusivamente al campo suyo; reconocía los peligros en que esta joven se hallaba en campo extraño.

Siente lástima por ella, y le comparte su pan. Según Rut misma, el comportamiento de Boaz, aunque incomprensible para ella, era estímulo y consuelo.

Rut y Noemí hablan de Boaz, Rut 2:17-23. En conversación fructífera Noemí descubre que la persona en cuyo campo Rut había espigado es un pariente cercano, capaz de ser su *goel*. Su gratitud a Dios por su intervención es manifiesta (v. 20).

──────────── **Estudio del texto básico** ────────────

1 El encuentro entre Rut y Boaz, Rut 2:2.

Es obvio que el retorno a Belén en sí no había resuelto del todo la situación precaria de Noemí. Prueba de esto está en el hecho de que Rut le ruega a Noemí: *Permíteme ir al campo para recoger espigas.* Dentro de la legislación mosaica hay reglamentos que requieren que se haga provisión para los pobres. Uno de estos reglamentos estipula que no se permite que el dueño de algún campo sembrado siegue todo el campo ni que recoja las espigas dejadas. Estas habían de dejarlas para los pobres y los extranjeros (Lev. 23:22). *Tras aquel ante cuyos ojos yo halle gracia.*

Aunque Rut ignoraba quiénes eran los dueños de los campos, estaba dispuesta a espigar donde se lo permitiesen. No se nos explica por qué Noemí misma no fue a espigar; tal vez su edad no se lo permitía o quizás la vergüenza sería dema-siada para ella. De todos modos, Noemí accedió a la petición de Rut.

El autor de Rut insinúa anticipadamente (2:1) que el campo al cual iría Rut pertenecía a Boaz, pariente cercano del difunto esposo de Noemí. De no ser así, no habría introducido su nombre a estas alturas. El nombre de Boaz probablemente significa "en él hay fuerza". Boaz aparentemente era fuerte en muchos sentidos, física, moral y económicamente.

2 Boaz provee para las necesidades de Rut y Noemí, Rut 2:8-12.

a. La provisión de protección (vv. 8, 9).

Aunque el autor del libro de Rut dice que el campo al cual Rut fue a espigar por "casualidad pertenecía a Boaz que era de la familia de Elimelec" (2:3), una lectura cuidadosa del libro conduce a saber que el autor realmente veía la mano de Dios en la elección de Rut del campo para ir a espigar.

Aunque lo que aparentemente Boaz sentía hacia la joven moabita es del todo normal (2:5), su sentido de caballerosidad y generosidad se deja entrever. Al escuchar el informe del criado encargado de los segadores respecto de Rut, Boaz sintió tal vez lástima por ella, pero también sentiría admiración por su dedicación a la tarea y su fidelidad amorosa para Noemí. Ciertamente los términos empleados por Boaz: *Escucha, hija mía*, son palabras de cariño, pero a todas luces no pasan de los límites del recato. El que haya usado estos términos puede indicar que Boaz llevaba unos cuantos años a Rut. *No vayas a espigar a otro campo* podría, para algunos, indicar cierto espíritu posesivo de Boaz, pero el contexto indica que más influía un deseo para proteger a la joven contra los peligros que asedian a toda mujer joven, no importando el lugar o la época. Boaz pide a Rut que permanezca al lado de sus *criadas*. Estas no eran empleadas domésticas sino mujeres contratadas para segar la cebada y el trigo. Al estar con las mujeres que cosechaban, Rut no tan sólo aprovecharía la protección, sino también sería la primera en tener acceso a las espigas. *Mira bien el campo donde siegan y síguelas.*

Boaz advierte a Rut que no se distraiga, porque si se apartaba de las mujeres bajo su contrato, se expondría a que *los criados* la molestaran. Esta expresión probablemente no se refiere a ninguna agresión física, sino a las vejaciones a que se sometían los espigadores que se acercaban demasiado a los segadores (Ver 2:16). Además, Rut sería privilegiada al poder tomar agua de los cántaros grandes que se proveían para los segadores. Sin el permiso de Boaz, un espigador no podría ni acercarse al líquido preciado.

b. Razones por la protección (vv. 10-12).

V. 10. *Ella se postró sobre su rostro, se inclinó a tierra*, acto de abierta sumisión y respeto ante una persona de mayor rango social. Su calidad de extranjera era uno de los factores principales que motivaban su extrañeza ante la generosidad superlativa de Boaz. *¿Por qué he hallado gracia ante tus ojos ... siendo yo una extranjera?* El idioma original hebreo aquí hace un juego de palabras cuyo sentido sería: "Has reconocido a una desconocida".

V. 11. *... has dejado a tu padre, a tu madre y a la tierra donde has nacido, y has venido a un pueblo que no conociste previamente.* Ya que uno de los propósitos del libro de Rut era contrarrestar un indebido y exagerado nacionalismo racista durante el período postexílico, es fácil ver cómo el autor deliberadamente ocupa terminología y conceptos respecto de Rut (una extranjera) que recuerdan el proceso que Dios usó en el principio de la formación de la nación hebrea. Rut deja a sus padres, a su nación, para ir a una tierra desconocida (Gén. 12:1). Los hechos en la vida de Rut son más que coincidentales: son indicios, para el pensamiento del autor, de que Dios también admite a los extranjeros en su pueblo.

V. 12. *¡Que Jehovah premie tu acción!* Este premio sería la inclusión en el pueblo de Dios, *ya que has venido a refugiarte bajo sus alas.* Refugiarse bajo las alas es una figura empleada en los salmos para referirse a la oración (Ver Sal. 17:8; 36:8; 57:2; 61:5; 63:8; 91:4).

3 El gozo de Rut y Noemí, Rut 2:17-20.

a. Los antecedentes del gozo de las mujeres (vv. 17, 18).

V. 17. Aunque las tensiones y las labores físicas habían sido agotadoras, Rut *espigó en el campo hasta el atardecer.* Tal vez no entendería todo lo que estaba implícito en su encuentro con Boaz, pero como buena y amante nuera, quería aprovechar al máximo la oportunidad que se le presentaba, así que recogió *una efa de cebada*, una cantidad realmente extraordinaria para una sola espigadora. La *efa* era una medida de grano que pesaba como veinticinco kilos.

V. 18. Es digno de notar que la cebada que llenaba la efa ya había sido desgranada, y por lo tanto lista para ser usada. La hora de su llegada a casa de Noemí sería avanzada, y no habría tiempo para preparar la comida usual; Rut pensó en esto, y trajo a Noemí *lo que le había sobrado de la comida.* La comida aludida es la que Boaz había compartido con Rut.

V. 19. *¡Bendito sea el que se haya fijado en ti!* Noemí pronuncia una primera bendición sobre la persona, su identidad ignorada por el momento, que había permitido una bonanza tan grande en el espigueo. La generosidad de la persona desconocida no pasaría desapercibida por Noemí debido a la comida traída por Rut. Desde luego, la identidad de la persona no es ignorada ni por el autor del libro de Rut ni por Rut misma. *Ella contó a su suegra con quién había trabajado... se llama Boaz.* Rut sabía en este momento el impacto que estas noticias iban a tener sobre su suegra. Casi se palpa en la narración cierto matiz de suspenso.

V. 20. *¡Sea él bendito de Jehovah!* Al enterarse del nombre del benefactor, Noemí prorrumpe en una segunda bendición, esta vez sobre una persona bien conocida, Boaz. *No ha rehusado su bondad ni a los vivos ni a los que han muerto.* De inmediato se da cuenta de que éste ha de ser la solución no tan sólo del problema suyo y el de Rut, sino también el del esposo difunto de Rut que quedó sin hijo que perpetuará su nombre sobre la faz de la tierra. Casi tan trágico era para el hombre hebreo el morir sin descendiente varón como era para la mujer ser estéril. Morir sin hijo que llevara el nombre de uno significaba que el difunto quedaría en el olvido para siempre.

En una época del Antiguo Testamento cuando no había concepto del "Más Allá", morir sin hijo varón era perder toda esperanza de una posteridad. *El es uno de los parientes que nos pueden redimir,* la naturaleza de esta redención será vista con algún lujo de detalle en lecciones posteriores. Por el momento, baste decir que se refiere a una solución divina al problema de Noemí, Rut y hasta de los esposos muertos, Elimelec Majlón. Dios cumple sus propósitos, y el escritor del libro de Rut logra dejar una enseñanza poderosa para su propio día y para el nuestro.

Aplicaciones del estudio

1. La importancia de las relaciones familiares, Rut 2:1. Difícilmente se halla otras latitudes en donde los lazos familiares son tan importantes como en la América Latina. Aunque estos lazos sanguíneos nunca deben aprovecharse simplemente con fines egoístas, sí se deben fomentar porque quizá, como en la historia de Rut, Dios saque de ellos beneficios para su reino.

2. Los consejos de amigos mayores suelen ser beneficiosos, Rut 2:8. Pese a los instintos al contrario, es sabio atender los consejos de las personas mayores que uno. Esto es particularmente cierto cuando la otra persona cuenta con experiencia en relación con algún problema que enfrentamos. Boaz, a estas alturas era un simple benefactor amistoso para Rut, pero ella demostró su sabiduría al acatar sus consejos.

3. El trabajo hecho con amor rinde para el beneficio de otros, Rut 2:17, 18. Es inconcebible que Rut haya trabajado tanto sin que medie un amor profundo para con Noemí. El trabajo que sólo se hace para enriquecerse a uno mismo suele convertirse en la más pesada faena. El trabajo hecho con amor, desinteresadamente y con el bien de otro en mente, hace que sea ligero y hasta disfrutable. Será por esto que el trabajo hecho en el nombre del Señor y en beneficio del pueblo de Dios se torna cada vez más gozoso.

4. Buscar el bien ajeno puede resultar en bendiciones no soñadas, Rut 2:20. Sin que lo supiera en el momento Boaz, el favorecer a una muchacha extranjera resultó en beneficio para otros. Noemí misma reconocía que Boaz sería el instrumento de Dios para que tanto los vivos como los muertos fuesen bendecidos. Debemos aprovechar toda oportunidad de ayudar a otros en el nombre del Señor; quién sabe si Dios multiplicará nuestras acciones en beneficio de otros sin que lo sepamos.

——————Ayuda homilética ——————

El trabajo que satisface
Rut 2:17-23

Introducción: Veamos cuales son estos factores que pueden influir para que nuestro trabajo por el Señor sea satisfactorio.

I. El trabajo que satisface implica dedicación y constancia (v. 17a).
   A. Rut aprovechó todo el tiempo disponible para espigar.
   B. Rut persistió en su trabajo hasta terminar la tarea.
   C. Rut trabajó hasta cumplir con la ayuda a Noemí.
II. El trabajo que satisface se hace con las personas indicadas (vv. 19, 20).
   A. Los colegas de trabajo pueden ser bendición de Dios.
   B. Los colegas de trabajo pueden ser puestos por Dios.
   C. Los colegas de trabajo merecen nuestra oración.
III. El trabajo que satisface es perdurable (vv. 21, 23).
   A. Rut quiso aceptar la invitación de trabajar hasta el fin de la siega.
   B. Rut aceptó las palabras alentadoras de Noemí.
   C. Rut supo aprovechar la relación con otros durante la duración del trabajo.

Conclusión: Si queremos gozar de un trabajo satisfactorio hemos de darle la dedicación y el esfuerzo necesarios; buscaremos la aprobación de Dios sobre nuestros colegas, y reconoceremos que es imprescindible tener tenacidad en el trabajo hasta terminarlo.

Lecturas bíblicas para el siguiente estudio

Lunes: Rut 3:1-5   **Jueves:** Rut 4:7-12
Martes: Rut 3:6-18   **Viernes:** Rut 4:13-17
Miércoles: Rut 4:1-6   **Sábado:** Rut 4:18-22

AGENDA DE CLASE

Antes de la clase
1. Si es posible consiga ilustraciones de campos agrícolas de tiempos antiguos. También busque un cuadro donde se esté repartiendo alimento, medicina o ropa a gente necesitada. Colóquelos en un lugar visible a manera de centro de interés. **2.** Estudie bien el asunto del *goel* (Deut. 25:5-10). **3.** Investigue debidamente la ley que permitía a pobres y extranjeros recoger espigas en los campos de los hebreos (Lev. 23:22; Deut. 24:19). **4.** Pida a un alumno que venga disfrazado con ropa raída y desaliñado. Si es posible pida la participación de una persona que no es miembro de su clase. **5.** Escriba en un cartel lo siguiente: "EL QUE NO TRABAJA QUE NO COMA." Usará este cartel en la sección DESPIERTE EL INTERES.

Comprobación de respuestas
JOVENES: **1.** a-N. b-N. c-S. d-C. e-R. f-B. **2.** a-Acércate aquí, come pan. b-Que recoja espigas también entre las gavillas, no la reprendáis. c-¿Por qué ha hallado gracia ante tus ojos? d-Sal con tus criadas. e-Sea él bendito de Jehovah. **3.** Cuando siegues tu mies y olvides una gavilla, no regreses por ella.
ADULTOS: **1.** Matrimonio levirático. Para que el nombre de un difunto no sea eliminado de Israel. **2.** a-3. b-1. c-4. d-5. e-2. **3.** La provisión de Dios a través de Boaz.

Ya en la clase
DESPIERTE EL INTERES
1. Llame la atención a las ilustraciones que preparó, y diga que Dios de alguna manera suple para las necesidades de sus hijos cuando éstos pasan por necesidad.
2. Pida que dos alumnos lean o digan de memoria una promesa de Dios de suplir para las necesidades de sus hijos.
3. Coloque en un lugar bien visible el cartel titulado: EL QUE NO TRABAJA... Pregunte: ¿Se debe ayudar a todos sin investigar si en realidad tienen necesidad. No pase mucho tiempo en analizar las respuestas a esa pregunta.
4. Pida al alumno que vino disfrazado que pase al frente. Diga a la clase algo así: "El señor Ramírez está pasando por una gran necesidad y vino a pedir nuestra ayuda. Por favor, los que puedan ayudar pasen al frente y depositen su ayuda. Apunten en un papel el monto de su colaboración. Pida al visitante que descubra su identidad y devuelva la "ayuda" a quienes la dieron. **5.** Avance al siguiente paso del estudio señalando que tratarán el tema de cómo Dios proveyó para una familia en necesidad.

ESTUDIO PANORAMICO DEL CONTEXTO
1. Ayude a sus alumnos a ubicarse en el contexto que rodeó los acontecimientos que hoy vamos a tratar. Hable brevemente sobre la ley del *goel*

o pariente más cercano de una viuda y su responsabilidad para con ella. **2.** Hable sobre la ley que ordenaba ayudar a los pobres, las viudas y los extranjeros.

ESTUDIO DEL TEXTO BASICO

1. Divida la clase en tres grupos. Asigne a cada uno de los grupos un ejercicio de la sección: Lee tu Biblia y responde.

2. Llame la atención a los grupos y pida que un representante de cada grupo lea para los demás la respuesta al ejercicio que le correspondió.

3. Tenga a la mano las respuestas que están en esta misma agenda en la sección: Comprobación de respuestas.

4. Llame la atención al cuadro que ilustra un campo agrícola e introduzca la consideración de la primera división del estudio (1 El encuentro entre Rut y Boaz). Pida que las damas de la clase lean el v. 2 del capítulo 2 de Rut. Pregunte a las mujeres si ellas estarían dispuestas a hacer lo mismo que hizo Rut. Pida que un alumno voluntario lea Deuteronomio 24:9. Enfatice que esa medida era una ley, no una opción.

5. Para dar paso a la siguiente división, pida a dos alumnos, una dama y un caballero, que dramaticen el pasaje de Rut 2:8-12, cada uno haciendo un personaje. El caballero hará la lectura del texto que corresponde a Boaz, el maestro leerá lo que es la parte narrativa, y la dama lo que corresponde a Rut (2 Boaz provee para las necesidades de Rut y Noemí). Pida la participación de todos para comentar el pasaje. Ponga énfasis en el hecho de la providencia de Dios para Rut, a través de Boaz.

6. Pida a un alumno que lea Rut 2:17 20 (El gozo de Rut y Noemí). Mencione el equivalente de una efa (37 litros). El énfasis de esta división está en que de una manera concreta Rut y Noemí están disfrutando de las bendiciones de Dios. Noemí, al saber que es Boaz el dueño de los campos donde Rut ha espigado, recuerda que Boaz puede traer más bendiciones a su familia: la redención misma. Repita el significado del "Goel". Termine esta sección subrayando la disposición de Dios para suplir las necesidades de sus hijos.

APLICACIONES DEL ESTUDIO

De las aplicaciones que hay, tanto en el libro de maestros, como en los de los alumnos (jóvenes y adultos), escoja tres que sean más acordes con la edad y necesidades de sus alumnos.

PRUEBA

1. En el caso de adultos, forme parejas para completar el primer ejercicio de la prueba. El segundo ejercicio lo pueden hacer a nivel individual. **2.** Los jóvenes pueden completar su prueba a nivel individual. **3.** Termine la clase con una oración de gratitud a Dios por su fidelidad en proveer para las necesidades de sus hijos.

Rut es redimida por Boaz

Contexto: Rut 3:1 a 4:22
Texto básico: Rut 3:3, 4, 10-13; 4:5, 6, 13-16
Versículos clave: Rut 4:14, 15
Verdad central: Los eventos que hicieron posible que Rut fuera redimida por Boaz ilustran que las personas que actúan de acuerdo con la voluntad de Dios gozan de la bendición de él.
Metas de enseñanza-aprendizaje: Que el alumno demuestre su conocimiento de los eventos que hicieron posible que Rut fuera redimida por Boaz, y su actitud de vivir y actuar de acuerdo con la voluntad de Dios.

Estudio panorámico del contexto

A. Fondo histórico:

El marco histórico en el cual escribe el autor del Libro de Rut (y también el del escritor de los libros de Crónicas) se caracteriza no tan solo por un exclusivismo racial, sino también por la adulación al rey David. En la historia de Rut se conjugan dos grandes verdades: Dios ama e incluye en su pueblo a los hebreos que lo aman y están dispuestos a obedecerlo; también, que el rey David, quien en este momento es más una figura religiosa que política, es descendiente de una humilde moabita.

B. Enfasis:

Los consejos de Noemí a Rut, Rut 3:1-5. Noemí la suegra, haciendo el papel de la madre de Rut, reconoce su deber de buscar un marido para la esposa de su hijo difunto. Noemí no tan sólo reconoce sus propias responsabilidades, sino que emprende las acciones necesarias para que el esposo de Rut sea uno de los parientes de ella.

Rut conquista el corazón de Boaz, Rut 3:6-18. El procedimiento normal para buscar que un pariente cercano se casase con la viuda de un difunto familiar, era ir directamente al hombre y pedirle que cumpla con su deber. Noemí no lo hizo así, sino que optó por hacer madurar la relación incipiente que ya ella había visto comenzar entre Rut y Boaz. Rut cumple con toda las sugerencias de su suegra, y como resultado Boaz expresa su deseo de casarse con Rut, aunque reconoce que había otro pariente más cercano que podría querer ser su *goel* (redentor o rescatador) según la ley del levirato (Deut. 25:9).

Boaz hace los arreglos de redención, Rut 4:1-6. A estas alturas, leyendo entre líneas, se puede apreciar que Boaz realmente deseaba ser esposo de Rut, la moabita. Junto con su amor por ella, reconocía que había que guardar la ley del levirato. Es del todo interesante ver cómo Boaz usó su astucia para lograr que el pariente a quien le tocaba cumplir con la ley, cediese su derecho. Parece que conocía bien al "fulano" y sus preferencias por cuestiones económicas. Para el "fulano" la redención de la parcela de Noemí era demasiado cara, pues involucraba la adquisición de Rut y las demás secuelas de la redención. Se niega a redimir la parcela, y así queda abierto el camino para que Boaz redima a Rut.

Boaz es bendecido por su actuación, Rut 4:7-12. Antes de los días de los notarios públicos, se congregaba a varios testigos fidedignos para que presenciasen y legalizasen transacciones importantes. En este caso es el pariente más cercano de Elimelec el que se quita la sandalia para ceder oficialmente su derecho a la redención de los bienes del difunto. El pueblo reconocía que Boaz hacía una cosa muy admirable, y lo bendijo.

Boaz se casa con Rut, Rut 4:13-17. La redención fue completa, y la mano de Dios es reconocida en todo el proceso. Para el escritor bíblico fue Dios quien proveyó el pariente redentor. Los beneficiados son muchos: Rut, Noemí, Majlón, todo el pueblo de Israel y finalmente, toda la raza humana. Esto es así, porque el producto de este matrimonio resultó ser el abuelo del rey David.

Rut, la bisabuela del rey David, Rut 4:18-22. Para los fines teológicos del escritor del libro de Rut es importante demostrar que David desciende de una moabita, una extranjera.

─────────── **Estudio del texto básico** ───────────

1 Los consejos de Noemí a Rut, Rut 3:3, 4.

V. 3. Aunque no hay la más mínima duda de que Dios está controlando los eventos para proveer descendencia para Elimelec y Majlón, tampoco se ocultan los elementos muy humanos en el desarrollo de la relación prematrimonial entre Rut y Boaz. La suegra, Noemí, conoce de sobra todas las maquinaciones femeninas para que Rut atraiga al esposo en perspectiva. *Lávate, perfúmate, ponte tu vestido y baja a la era.* Noemí recomienda que Rut luzca lo mejor posible; el aseo personal, un poco de perfume y el mejor vestido no serían obstáculos para que Boaz sintiera una atracción normal para Rut. Es más, son casi las mismas instrucciones para una novia que se prepara para su esposo (Eze. 16:9, 10). Noemí sabía que Boaz pasaría la noche en la era para proteger el grano recogido. *No te des a conocer al hombre, hasta que él haya acabado de comer y de beber.* Es obvio que Noemí también conocía bien a los hombres; sabía que Boaz estaría de buen humor después de haber satisfecho su hambre y después de haber participado en la fiesta acostumbrada al final de la siega. Con todo, era importante que ocultase su identidad hasta el momento propicio.

V. 4. *Cuando él se acueste.* Rut obedece al pie de la letra las instrucciones de Noemí. Tendrá que estar presente, pero escondida en la era cuando Boaz llegue y se prepare para dormir. Parece que Rut esperó a que Boaz se durmiera, y luego se acostó a sus pies. *Y él te dirá lo que debes hacer.* Noemí, en sus instrucciones, asegura a Rut que al despertar, Boaz haría lo correcto respecto a su petición de casamiento; de allí en adelante Boaz tomaría las riendas y pondría las cosas en orden. Parece que desde los tiempos remotos, el hombre ha necesitado un empujoncito para tener el valor de responsabilizarse en el matrimonio.

2 Rut conquista el corazón de Boaz, Rut 3:10-13.

a. Cualidades de Rut que animan a Boaz (v. 10).

Al despertar en la noche, Boaz se da cuenta de que alguien está a sus pies. Su asombro es aún mayor cuando se entera de que es una mujer: pide que se identifique. Al decir su nombre, Rut en seguida pide formalmente que Boaz haga el papel del *goel*, el rescatador. La petición formal la hace mediante un eufemismo (v. 9) bien claro para Boaz. No quedaba ninguna duda respecto de las pretensiones de la joven, y Boaz se siente halagado. *Esta última acción tuya es mejor que la primera.* Por "la primera acción" parece referirse a lo que Rut hizo para establecer el bienestar de Noemí. La última acción alude a la valentía de Rut al llegar a la era para proponerle que sea el rescatador y por ende su esposo.

b. La respuesta de Boaz (vv. 11-13).

V. 11. *No temas, hija mía.* El mismo vocabulario de Boaz indica que era mayor que Rut en edad. Le asegura que no hace falta que tema: él se va a ocupar del asunto; se compromete a buscar que haya un redentor, sea él o sea otro. *Todos en mi ciudad saben que tú eres una mujer virtuosa.* Ya el comportamiento de Rut para con Noemí y su recato en su relación con los obreros campesinos hacían que tuviera buena fama en el pueblo.

V. 12. *Hay otro pariente redentor más cercano que yo.* Aunque Boaz era pariente del difunto Elimelec (y probablemente contemporáneo con él), había otro que guardaba una relación sanguínea más estrecha todavía. A éste cuyo nombre se ignora, le correspondía ser el redentor, el que debía casarse con la esposa de Majlón para darle descendencia y perpetuar así su nombre.

V. 13. *Cuando sea de día.* Para poder poner las cosas a andar respecto a la ley del levirato, hacía falta tramitar ciertas **cosas.** Las condiciones tenían que ser favorables. *Si él te redime,* Boaz reconoce que existe la posibilidad de que el otro la redima. Si el otro optara por hacerlo, Boaz no podía hacer nada para impedirlo. Eso sí, si el otro se negara por alguna razón, *¡vive Jehovah, que yo te redimiré!;* Boaz jura ante el Señor ser el redentor de ella. Es del todo claro que el interés de Boaz no era simplemente el cumplimiento de un requisito. Había de por medio un sincero amor para con la joven.

3 Boaz hace los arreglos de redención, Rut 4:5, 6.

Todo el proceso de tramitación tiene lugar en la puerta de la ciudad, el lugar de reunión pública. Se reúnen los ancianos para servir como testigos. Se sientan en el suelo y los ancianos hacen de concejales y notarios. Boaz explica la situación de Noemí ante todo este grupo selecto: habla de ella en términos de familia, recalcando así la responsabilidad de todos en la solución del problema. Pide al pariente más cercano de Elimelec que compre el terreno que Noemí tiene a la venta (y así quedaría la tierra de Elimelec dentro de la familia). **V. 5.** *El mismo día que adquieras el campo de manos de Noemí*, ya el primer rescatador había indicado interés en redimir la tierrá. Parece que todo iba bien hasta que Boaz indicó lo restante de]a responsabilidad del redentor: *deberás adquirir a Rut la moabita*. La propiedad había pertenecido a Elimelec; al morir éste, pasa a ser de Majlón; por ende, el adquirir el terreno implicaba]a redención también de la esposa de Majlón, hijo de Elimelec.

V. 6. *No puedo redimir para mí, no sea que perjudique mi propia heredad*. Si el primer rescatador hubiese redimido la propiedad de Elimelec y hubiese tomado a Rut por esposa, habría complicado bastante sus propios negocios. Es decir, cualquier hijo que Rut le hubiera dado habría sido descendiente de Elimelec, y la propiedad misma habría seguido siendo de los descendientes de Elimelec.

4 ¡Un hijo le ha nacido a Noemí!, Rut 4:13-16.

V. 13. Boaz recibió la sandalia de mano del "fulano" a quien correspondía ser el primer redentor. Esta era una señal que implicaba que cedía su derecho a la redención a otro. Boaz se compromete ante todos los ancianos para redimir la parcela de Elimelec y Majlón; hace evidente que desea recibir a Rut también como su esposa. El autor aclara de nuevo que Rut es moabita, no hebrea. Confiesa que desea que la unión entre él y Rut produzca un hijo para restaurar el nombre del difunto a su heredad y evitar así que su nombre sea borrado de la historia. Los mismos ancianos pusieron su sello de aprobación sobre la unión y como una sola voz expresan su deseo de que Rut le dé muchos hijos al igual que Raquel y Lea.

V. 14. *Alabado sea Jehovah, que hizo que no faltase hoy un pariente redentor*. b. Agradecimiento a Dios por la dádiva, vv. 14-16. Las mujeres del pueblo y su grito de alabanza a Dios por lo ocurrido en la vida de Rut y Noemí, se destacan como muy en contraste con el espíritu de Noemí al llegar a Belén desde Moab (ver Rut 1:19-21). Por grande que haya sido el papel de Noemí y Rut y la aceptación de Boaz de su derecho a la redención, el autor del libro está sobremanera convencido de que la mano de Dios estuvo presente en todo el proceso.

V. 15. *El restaurará tu vida y sustentará tu vejez*. Aunque el hijo es nacido de Rut, la beneficiada, al fin y al cabo, es Noemí. El cuadro de Rut es siempre de una nuera amorosa y abnegada, totalmente desinteresada. *Te es mejor que siete hijos*, es una forma muy clara de alabar la grandeza de Rut. El número siete es un número idealizado. Por ejemplo, el justo Job tenía siete hijos (Job. 1:2). En una sociedad en donde el hijo era mucho más preciado que la hija, esta expresión es inusual.

Aplicaciones del estudio

---

1. La virtud y sus recompensas, Rut 3:11. La predisposición de Boaz para ayudar a Rut obedece a su propia observación de la virtuosidad de la joven. No tan sólo eso, sino que la reputación de Rut fomentaba esta admiración en Boaz. Es tiempo de que los creyentes volvamos a reconocer, pese a las insistencias al contrario del medio corrupto en que vivimos, que la vida pura y limpia todavía puede ser significativa y provechosa.

2. Los gemelos cristianos: la astucia y la sencillez, Rut 4:5, 6. Boaz conocía de sobra el carácter avaro del "primer pariente redentor", y usó la astucia para llegar a ser él mismo el rescatador de Rut. Esta astucia no era maligna sino benéfica. Jesús mismo nos reta a que seamos astutos como serpientes y sencillos como palomas (Mat. 10:16).

Ayuda homilética

El hogar de descanso
Rut 3:1-5

Introducción: El hogar propicio al descanso no suele darse por sí solo. Hay requisitos imprescindibles para que esta clase de hogar se dé. Veamos algunos de ellos:

I. El hogar de descanso requiere responsabilidad (v. 1).
  A. Noemí se daba cuenta de su propia responsabilidad para que hubiera hogar de descanso para Rut y para sí misma.
  B. Noemí estaba dispuesta a aceptar esta responsabilidad.
  C. Noemí deseaba el hogar de descanso sin fines egoístas; sus motivaciones eran altruistas (v. 1b).

II. El hogar de descanso requiere la ayuda e intervención de otros (v. 2).
  A. Noemí reconocía en Boaz un redentor potencial, un posible "constructor" del hogar de descanso.
  B. Noemí supo utilizar relaciones ya establecidas por Rut para que Boaz ayudara.

III. El hogar de descanso requiere preparativos y acciones para su debida realización (vv. 3, 4).
  A. Noemí recomendó preparativos físicos.
  B. Noemí recomendó preparativos psicológicos.
  C. Noemí recomendó acciones positivas.

Conclusión: Para que haya hogares auténticamente cristianos que brinden descanso al alma, hace falta que cada miembro de la familia se responsabilice, busque la ayuda de otros y haga los preparativos necesarios y las acciones correctas.

Lecturas bíblicas para el siguiente estudio

Lunes: 1 Samuel 1:1-18   **Jueves**: 1 Samuel 2:12-26
Martes: 1 Samuel 1:19-28   **Viernes**: 1 Samuel 2:27-36
Miércoles: 1 Samuel 2:1-11   **Sábado**: 1 Samuel 3:1 a 4:1a

AGENDA DE CLASE

Antes de la clase

1. Pida con tiempo a unos tres alumnos (adultos) que traigan a la clase fotos de su boda. Para la clase de los jóvenes, pida a dos de ellos que vengan preparados para explicar a la clase qué significa su noviazgo y cuáles son sus planes para el futuro en el área sentimental. **2.** Consiga un cuadro que ilustre una boda. Colóquelo en la pared a manera de centro de interés.
3. Investigue acerca de las costumbres de la celebración de las bodas en diferentes regiones. **4.** Estudie la costumbre de sellar un compromiso con la entrega de un zapato.

Comprobación de respuestas

JOVENES: **1.** a-Lávate, perfúmate y ponte tu vestido. b-Todo lo que me dices. c-Tus alas sobre tu sierva. d-por ti todo lo que tú me digas. e-su mujer. f-Obed. **2.** a-Obed. b-Moabita. c-Cebada. d-Noemí. e-Zapato. f-Esposo. g-Testigos. **3.** Respuesta personal. (Ejemplo: Rut conquistó el corazón de Boaz).
ADULTOS: **1.** c. **2.** Rut solicitó de Boaz su cuidado y protección. **3.** En una transacción, se sellaba el compromiso quitándose la sandalia y dándola a la otra persona.

Ya en la clase
DESPIERTE EL INTERES

1. En el caso de la clase de adultos, inicie esta sección pidiendo a los alumnos que trajeron sus fotos de boda que compartan brevemente con los demás algunos detalles chuscos o sobresalientes de la ocasión de sus bodas.
2. En el caso de la clase de jóvenes pida a los alumnos indicados que pasen al frente a compartir con sus compañeros lo que para ellos significa su noviazgo y los planes que tienen para el futuro.
3. Señale el cuadro donde se ilustra una boda y mencione algunas costumbres que hay en diferentes regiones en relación con bodas. Indique que hoy hablarán de una boda muy especial que tiene relación directa con el plan de Dios de enviar al mundo un Salvador. De esa manera introduzca la siguiente sección.

ESTUDIO PANORAMICO DEL CONTEXTO

1. Señale que era costumbre entre los hebreos que los padres arreglaran el matrimonio de sus hijos.
2. Mencione que había leyes y costumbres que facilitaban la redención de una dama que quedaba viuda: el *goel* o redentor.
3. Comparta como dato curioso la costumbre de entregar un zapato en señal de compromiso. **4.** Al casarse, Boaz y Rut tienen un hijo llamado Obed (que significa "adorador") quien llegaría ser el abuelo del rey David.
5. Termine esta sección indicando la manera como la historia de la salvación se va entretejiendo.

ESTUDIO DEL TEXTO BASICO

1. Pida a una dama que lea Rut 3:1, 2. Los consejos de Noemí a Rut.
Señale que era costumbre entre los hebreos procurar preservar el nombre de una familia, de allí la importancia de la decisión de Noemí de aconsejar a Rut para atraer a Boaz. En nuestra cultura occidental, eso es difícil de comprender.

2. Promueva un intercambio de opiniones acerca de los detalles de Rut 3:2, 3. Termine esta división poniendo énfasis en el hecho central de esta actitud de Noemí: tratar de conservar el nombre de su familia. Por otra parte, se debe repetir constantemente que esta situación forma parte de un plan mucho más amplio como lo es la salvación del mundo a través de un descendiente de la familia que se está tratando de formar.

3. Pida a un alumno que lea Rut 3:10-13. Rut conquista el corazón de Boaz. Pida a una persona voluntaria que comparta con los demás cómo fue que se hizo novio/a de su pareja. Discutan los detalles sobresalientes que llevaron a Rut y Boaz a comprometerse en matrimonio. Señale la madurez y seriedad de Boaz al observar cuidadosamente las leyes y costumbres establecidas para demostrar que pretendía un matrimonio sólido con Rut.

4. Lean al unísono en Rut 4:5, 6. Boaz hace los arreglos de la redención. Comente que Boaz, conocedor de todo lo que implicaba llegar a ser un *goel*, usó todos sus recursos para llegar a ocupar legalmente esa posición.

5. Si cree conveniente puede enseñar que el "goel" es un hermoso tipo de Cristo. Dé las siguientes razones: (1) La redención efectuada por el pariente cercano tenía que ver con personas y con una herencia (Lev. 25:48; 25:25; Gál. 4:5; Efe. 1:7, 11, 14). (2) El redentor debe ser un pariente cercano (Lev. 25:48, 49; Rut 3:12, 13; Gál. 4:4; Heb. 2:14, 15). (3) El redentor debe ser capaz de redimir (Rut 4:4-6; Jer. 50:34; Juan 10:11, 18). (4) La redención se efectúa cuando el *goel* paga de manera completa lo que justamente se demanda (Lev. 25:27; 1 Ped. 1:18, 19; Gál. 3:13).

6. Finalmente, lean al unísono los versículos 13-16 de Rut 4:4 ¡Un hijo la ha nacido a Noemí! Subraye la importancia del nacimiento de Obed quien llega a ser el abuelo de David.

APLICACIONES DEL ESTUDIO

Pida a tres alumnos voluntarios que pasen al frente a leer las aplicaciones del estudio. Cada alumno leerá una de ellas. Si usted cree conveniente usar las que tiene en el libro de maestro, no hay inconveniente.

PRUEBA

1. En el caso de jóvenes, forme grupos de tres o cuatro alumnos para que completen el primer ejercicio. El segundo ejercicio es a nivel personal y es una decisión de consagración. Tome tiempo para orar por aquellos que están tomando esta decisión. **2.** En el caso de adultos, tenga usted a la mano una lista de por lo menos cinco elementos que Dios proveyó para la redención de Rut. Para el segundo ejercicio, indique que cada uno comparta con un compañero la experiencia que se menciona en la prueba en el libro del alumno.

Nacimiento y primeras tareas de Samuel

Contexto: 1 Samuel 1:1 a 4:1a
Texto básico: 1 Samuel 1:11, 20, 24-28; 3:8-10, 19, 20
Versículo clave: 1 Samuel 3:19
Verdad central: El nacimiento y las primeras tareas de Samuel demuestran cómo Dios guía y capacita a la persona que y está abierta a su dirección.
Metas de enseñanza-aprendizaje: Que el alumno demuestre su conocimiento de los eventos que rodearon el nacimiento de Samuel y las primeras tareas que Dios le asignó, y su actitud de estar abierto a la dirección de Dios.

——————Estudio panorámico del contexto ——————

A. Fondo histórico:

El contexto geográfico de la historia es el norte del territorio de la tribu de Efraín, específicamente en la aldea de Ramá o Ramataim. Ramá significa "lugar alto", y se aplicaba principalmente a fortalezas militares. El marco cronológico ubica a Samuel durante los últimos años del período de los jueces, antes de la monarquía.

B. Enfasis:

Ana ora pidiendo un hijo, 1 Samuel 1:1-18. Ana, una de las dos mujeres de Elcana, era estéril, no podía concebir y dar hijos a su esposo. Ana expresa su deseo de un hijo a Dios y al sacerdote Elí. Prometió dedicarlo a Dios.

Nacimiento y dedicación de Samuel, 1 Samuel 1:19-28. Después del período de adoración en Silo, lugar en donde se hallaba ubicado el tabernáculo y donde ejercían los oficios sacerdotales Elí y sus hijos, Elcana y Ana vuelven a Ramá en donde Dios concede que ella conciba un hijo. Lo nombra Samuel, cuyo significado es: "su nombre es Dios". Esto, porque su concepción no habría sido posible sin la ayuda de Dios. Después de aproximadamente tres años, Ana lleva al niño ya destetado al lugar de adoración en Silo con el fin de dedicarlo. Es impresionante que ella, y no Elcana (según el pasaje), haga los sacrificios pertinentes.

Oración de Ana al dedicar a Samuel, 1 Samuel 2:1-11. El contenido de esta oración expresa varias percepciones de Ana: su gran gozo (v. 1), la santidad de Dios (v. 2), el conocimiento excelso y poder de Dios (vv. 3, 4), la justicia de Dios para con las estériles (v. 5), la soberanía de Dios sobre la vida: su extensión y su condición (vv. 6-8a), el control de Dios sobre la naturaleza (v. 8b), la relación de Dios con los fieles y los infieles (vv. 9, 10).

Conducta de los hijos de Elí y la de Samuel, 1 Samuel 2:12-26. Esta sección muestra cómo hasta los siervos de Dios pueden corromperse, pero también ilustra cómo debe ser el buen siervo (Samuel). La descripción que se nos presenta en estos versículos del proceder infame de Ofni y Fineas, hijos de Elí y miembros de la tribu sacerdotal de Leví, es reveladora. Estos dos hombres abusaban de los ofrendadores, no mostraban respecto al protocolo en la administración de los sacrificios; caían en la inmoralidad sexual y deshonraban a su padre (vv. 12-17, 22-25). En contraste muy marcado se nos describen los oficios del niño Samuel y su crecimiento en el Señor.

Profecía contra la casa de Elí, 1 Samuel 2:27-36. Esta profecía habla de una transferencia de responsabilidades sacerdotales a Sadoc (sin mencionarlo). Los hijos de Leví quedarían en una posición inferior, y ya no les tocaría oficiar en los sacrificios sino ser dependientes serviles de los sacerdotes. El futuro sacerdote fiel (Sadoc) estaría en armonía con el rey (v. 35).

El Señor se revela al joven Samuel, 1 Samuel 3:1 a 4:1a. Por sus antecedentes, no es extraño que al mismo Elí le falte la visión, tanto física como espiritual. Dentro de estas condiciones el joven Samuel recibe su llamamiento como profeta. Dios se le revela a Samuel y Elí lo confirma como profeta del Señor.

———————————— Estudio del texto básico ————————————

1 Dios contesta la oración de Ana, 1 Samuel 1:11, 20.

V. 11. *E hizo un voto.* En esta ocasión la tragedia de la esterilidad hace que Ana acuda a la única persona que la podía ayudar. Aunque no es un abierto intento por "negociar" con el Señor, Ana, promete "algo" si el Señor le regala un favor. *Oh Jehovah de los Ejércitos.* Ana usa el nombre completo del Dios de Israel. Este nombre siempre recalcaba el poder de Dios, ya que se consideraba que Dios ganaba las victorias para Israel peleando juntamente con y en sus ejércitos. Jehovah de los Ejércitos, pues, es un nombre compuesto; *Jehovah* es el nombre revelado a Moisés; *Sabaoth,* "Ejércitos", es uno de los nombres usados por los patriarcas. Ana pide al Señor tres cosas: (1) que reconozca su condición de esterilidad, (2) que remedie su problema, (3) que le dé un hijo. En cambio, Ana promete dedicar el hijo al servicio del Señor. *No pasará navaja sobre su cabeza,* implica que ella dedicará a su hijo para que sea un nazareo. Todas las normas respecto al nazareato se dan en Números 6. En este caso, el voto es tomado por la madre y es por "toda la vida".

V. 20. *Y sucedió que a su debido tiempo,* dentro de los propósitos de Dios "se acordó de ella" (v. 19). Aunque los procesos normales de la procreación tuvieron ingerencia, "Elcana conoció a su mujer" (v. 19), el escritor bíblico reconoce la intervención divina. *Y le puso por nombre Samuel, diciendo: "Porque se lo pedí a Jehovah."* Con estas palabras el escritor bíblico encierra cierta ironía teológica. El libro de Samuel fue escrito mucho después del tiempo de la monarquía que principió con el rey Saúl. El nombre Samuel significa "el nombre de Dios"; el nombre Saúl significa "pedido". En realidad, lo que el escritor bíblico dice es que Samuel era todo lo que Saúl nunca fue. Samuel cumplió con los propósitos de Dios; Saúl, no.

2 La dedicación de Samuel, 1 Samuel 1:24-28.

V. 24. *Después de haberlo destetado.* Ana opta por no acompañar a su esposo en la peregrinación anual a Jerusalén. Se queda en Ramá atendiendo las necesidades del niño Samuel. El período probablemente se extendió hasta que el niño tenía aproximadamente tres años de edad. *Lo llevó consigo y lo trajo a la casa de Jehovah en Silo.* Llegó la hora de cumplir con su voto, y Ana, probablemente acompañada por Elcana, aunque el texto no lo detalla, viaja desde Ramá hasta Silo. *La casa de Jehovah en Silo* se refiere al tabernáculo. Ana lleva consigo lo que es considerada una ofrenda bastante grande: *un toro de tres años.* Algunos manuscritos dicen que la ofrenda aludida constaba de "tres toros". Como quiera que sea, era una ofrenda grande para gente de recursos corrientes. Que Elcana y Ana no eran gente pudiente puede indicarse por su costumbre de peregrinar a Silo sólo una vez al año en lugar de tres como estipulaba la ley (Exo. 23:17). *Un efa de harina y una vasija de vino.* La harina, como 22 litros, y el vino eran para completar el sacrificio a Dios.

V. 25. *Después de degollar el toro*, los que daban la ofrenda degollaban el sacrificio para que los sacerdotes pudieran rociar la sangre sobre el altar. La sangre representaba la entrega de su propia vida: el animal era representativo más que sustitucional. *Llevaron el niño a Elí* con el fin de que él se ocupara de su educación para el sacerdocio.

V. 26. *¡Oh, señor mío!* palabras de gran respeto. *Vive tu alma, oh señor mío*, son palabras que expresan una especie de juramento con el cual confirma que *yo soy aquella mujer que estuvo de pie aquí, junto a ti, orando a Jehovah.* Ana recuerda a Elí de la ocasión anterior cuando éste creía, al escucharla, que estaba ebria (1:13-16).

V. 27. *Jehovah me ha concedido lo que le pedí.* Ana relata a Elí su petición a Dios por un niño. El verbo que ella emplea indica que pedía que Dios le prestara al niño aunque fuera por un tiempo.

V. 28. *También lo dedico.* Esta frase incluye la idea de la adoración. La dedicación del niño a Jehovah no podía ser sino un acto de la más devota adoración. *Y adoraron allí a Jehovah.* Si se acepta la forma plural del verbo (véase la nota al pie de la página en la RVA), el acto incluiría a Elcana, Ana y al niño también.

3 Dios llama a Samuel, 1 Samuel 3:8-10.

V. 8. *Jehovah llamó por tercera vez a Samuel.* El que Dios haya tenido que llamar tres veces al muchacho no implica testarudez o terquedad de su parte. El contexto indica que había confusión en Samuel; creía que Elí lo había llamado, y por eso acude la tercera vez al viejo sacerdote. *Entonces Elí entendió que Jehovah llamaba al joven.* Lo sorprendente es que Elí mismo

haya tardado tanto en reconocer la actuación de Dios en la vida del muchacho. ¿Su propia condición espiritual habrá influido para que no distinguiera
el movimiento de Dios? **V. 9.** Pese a su torpeza en observar la acción de Dios, Elí instruye al
joven para que reciba el llamado de Dios. **V. 10.** *Habla, oh Jehovah, que tu siervo escucha.* Lo que convenía no era
que sólo oyera, sino que atendiera la voz de Dios. *¡Samuel, Samuel!* Dios
llama por nombre a los siervos suyos. El conocía la futura trayectoria de este
joven cuyo mismo nombre era portador de su propósito. El joven Samuel,
pese al ejemplo de su mentor, se hace dócil a la voz de Dios. Esta docilidad
ante el llamado de Dios lo convertiría en uno de los profetas más grandes.

4 **Samuel recibe la palabra de Dios, 1 Samuel 3:19, 20.**
V. 19. El profeta de Dios es aquel a quien Dios ha conferido el privilegio y
la tarea de proclamar su mensaje en su propio contexto. El viejo sacerdote
Elí, a estas alturas tan distanciado de la voz de Dios, sólo podía pedir que el
joven Samuel le contara lo sucedido. Para su crédito, por lo menos, reconoció que era Dios el que le había hablado (vv. 15-18). *Samuel crecía, y
Jehovah estaba con él.* Estas dos cosas van mancomunadas: el crecimiento
del joven Samuel no sería únicamente físico sino también espiritual. Esto
sólo puede señalar el hecho de que Dios estaba con él, y que Samuel era sensible a esa presencia. *Y no dejaba sin cumplir ninguna de sus palabras.* La
autenticidad del carácter profético de Samuel estribaba en que lo profetizado
por él se cumplía; lo predicado por él era veraz y certero.
V. 20. *Todo Israel*, es decir, toda la población agrupada dentro de las
respectivas tribus en la confederación tribal; aún Israel no se había constituido en una entidad política unida bajo una monarquía. *Desde Dan hasta
Beerseba.* Esta es una de las frases bíblicas predilectas para referirse a la
extensión geográfica del territorio israelita desde el norte hasta el sur. De
nuevo, a estas alturas no implicaba una identidad geopolítica unida, sino
sólo los respectivos territorios pertenecientes a la once tribus de Israel (a
Leví no se le asignó un territorio). *Sabía que Samuel estaba acreditado
como profeta de Jehovah.* No había duda dentro del pueblo de Israel de que
Dios había empezado a hablarles mediante su vocero, Samuel.

──────── **Aplicaciones del estudio** ────────

1. La oración y lo imposible, 1 Samuel 1:1-28. A menudo los creyentes
limitamos nuestra oración a aquellos momentos cuando nos encontramos
imposibilitados para lograr algo deseado. Ana ora a Dios bajo las mismas
circunstancias, pero imperan algunas diferencias significativas entre la
oración de ella y la nuestra. Ana está dispuesta a comprometerse; está dispuesta a pagar un precio por el favor concedido. Además, Ana busca aliarse
a los propósitos de Dios: dedica el hijo deseado al servicio de Dios. Su
oración carece de elementos egoístas.
2. Dios llama, pero ¿quién escucha?, 1 Samuel 3:8-10. Hoy Dios sigue
llamando, pero muchos, si oyen no escuchan. El llamamiento de Samuel se

facilitó por varios factores: (1) padres creyentes, dispuestos a entregarlo al servicio de Dios; (2) su crianza en un ambiente de adoración y servicio; (3) su propia disposición de ubicarse cerca de Dios para poder oír y atender la voz de Dios. Si todos nosotros nos dispusiéramos a oír y escuchar el llamado de Dios, muchas de nuestras iglesias no estarían carentes de líderes: nuestros seminarios no estarían con cuerpos estudiantiles muy limitados y cortos en número.

————————————— Ayuda homilética —————————————

El llamamiento de Dios
1 Samuel 1:24-28; 3:8-10

Introducción: Hoy, más que nunca, nuestras iglesias están urgidas de pastores y obreros llamados por Dios. Varios elementos se destacan en un llamamiento divino. Veamos:

I. **El llamamiento de Dios normalmente presupone preparación (1:24).**
   A. Ana preparó a Samuel físicamente.
   B. Ana preparó a Samuel llevándolo al templo.
   C. Ana preparó a Samuel enseñándole el precio de la fe.
II. **El llamamiento de Dios normalmente involucra la participación de creyentes allegados al llamado (1:25-28).**
   A. Ana y Elcana pusieron a Samuel en contacto con Elí.
   B. Ana oró desde antes de su nacimiento porque Dios llamara y usara a Samuel.
   C. Ana sacrificialmente dedicó a Samuel a Dios.
III. **El llamamiento de Dios siempre involucra directamente a la persona llamada (3:8-10).**
   A. Samuel buscó la ayuda de otros para aclarar su llamado.
   B. Samuel estuvo dispuesto a acatar las indicaciones de otros para aclarar el llamamiento.
   C. Samuel una vez que reconoció la voz de Dios, estuvo dispuesto a acatar el llamado.

Conclusión: Las personas que queremos ser sensibles ante un posible llamamiento de Dios debemos aprovechar y buscar una adecuada preparación; debemos atender las observaciones de otros creyentes, y debemos atender personalmente el llamado de Dios.

Lecturas bíblicas para el siguiente estudio

Lunes: 1 Samuel 4:1b-11   **Jueves:** 1 Samuel 6:1-18
Martes: 1 Samuel 4:12-22   **Viernes:** 1 Samuel 6:19 a 7:2
Miércoles: 1 Samuel 5:1-12 **Sábado:** 1 Samuel 7:3-17

AGENDA DE CLASE

Antes de la clase
1. Investigue los siguientes elementos del primer libro de Samuel: fecha; autor; propósito; características. (1) Fecha: 1075-1035 a. de J.C. (2) Autor: 1 Crónicas 29:29 demuestra que Samuel fue el autor. (3) Propósito: La función de los dos libros de Samuel es dirigir la atención al principio de la monarquía, con todas sus potencialidades y esperanzas. (4) Características: Una de las principales características de los libros de Samuel es la duplicación de narraciones o narraciones muy similares.
2. Pida a dos alumnas de su clase que traigan fotos de niños cuando eran bebés (puede ser la madre o una hermana quien traiga las fotos). Pídales que vengan preparadas para relatar a la clase algunas cosas interesantes acerca del nacimiento del bebé.

Comprobación de respuestas
JOVENES: **1.** a, c, e, h. **2.** a-Cumplir lo que se promete. b-Porque Dios no se complace en los necio., c-Mejor es que no prometas, que prometas y no cumplas. **3.** a-v. 2. b-v. 5. c-v. 9.
ADULTOS: **1.** a. Sara, Raquel, La madre de Sansón, Elisabet. **2.** a. Lo dedicaré a Jehovah por todos los días de su vida. b. No pasará navaja sobre su cabeza. **3.** Que Jehovah no dejaba sin cumplir ninguna de las palabras de Samuel.

Ya en la clase
DESPIERTE EL INTERES
1. Pida a las damas que trajeron las fotos de un bebé que pasen al frente a narrar a los demás algunos detalles interesantes acerca del nacimiento de ese bebé.
2. Pida a una alumna que relate qué significó para ella el nacimiento de un bebé.
3. Pregunte a todos si estarían dispuestos a dedicar a sus hijos al servicio de Dios.

ESTUDIO PANORAMICO DEL CONTEXTO
1. Hable un poco acerca de las costumbres del concubinato en tiempos del Antiguo Testamento.
2. Ubique a sus alumnos en la época de los persona-jes que son protagonistas en este pasaje (Ana, Elcana, Penina, Elí). Asimismo, recuerde la costumbre de ir a algún santuario a adorar cada año, en este caso fue en Silo donde había un santuario de construcción más sólida que el tabernáculo del desierto.
3. Explique la situación que reinaba entre el pueblo de Dios a estas alturas de la historia (el liderazgo religioso estaba en decadencia) lo cual le da mayor relevancia al nacimiento de Samuel.

ESTUDIO DEL TEXTO BASICO

1. Pida a sus alumnos que completen los ejercicios de la sección: Lee(a) t(s)u Biblia y responde(a).

2. Consulte las respuestas en la sección "Comprobación de respuestas".

3. Presente usted mismo la primera división: Dios contesta la oración de Ana. Pida que lean al unísono los versículos 11 y 20 de 1 Samuel 1. El énfasis de esta división está en la respuesta de Dios a la súplica de Ana.

4. Para introducir la segunda división: La dedicación de Samuel. Pregunte si han visto la presentación de un niño en el templo, y si saben de dónde proviene la costumbre de hacerlo. Pida a un alumno que lea 1 Samuel 1:24-28. Presente esta división subrayando la actitud de Ana de no olvidar su compromiso con Dios.

5. Lea usted mismo en 1 Samuel 3:8-10. Dios llama a Samuel. Por medio de preguntas ayude a sus alumnos a comprender la importancia del llamamiento de Samuel en un momento tan importante de la historia de Israel. Establezca una comparación entre la dificultad de Samuel de discernir de quién era la voz que estaba oyendo y nuestra distracción cuando Dios nos habla hoy. Introduzca la última división del pasaje pidiendo que un alumno lea 1 Samuel 3:19, 20 (Samuel recibe la palabra de Dios). Destaque la frase: "Jehovah estaba con él". Termine esta sección resaltando la importancia de estar atento al llamamiento de Dios a su servicio, y la fidelidad del Señor para con sus siervos.

APLICACIONES DEL ESTUDIO

1. Además de las aplicaciones que vienen en el libro de maestros y en los libros de alumnos, analice el material del estudio para considerar la posibilidad de crear sus propias aplicaciones.

2. La atención se centra en el llamamiento que Dios sigue haciendo hoy en día para que sus hijos le sirvan, y la actitud que tienen los creyentes ante ese llamamiento.

PRUEBA

1. Asegúrese de que a lo largo del estudio usted proveyó los elementos que faciliten el cumplimiento de la prueba.

2. Cuando uno de los ejercicios es de carácter personal, tenga cuidado de no incomodar a nadie haciendo comentarios o forzando un poco a que compartan con otros sus respuestas.

Los filisteos y el arca del Señor

Contexto: 1 Samuel 4:1b a 7:17
Texto básico: 1 Samuel 4:10, 11; 5:6, 7; 6:11-13; 7:3-6
Versículo clave: 1 Samuel 7:3
Verdad central: El relato de los filisteos y el arca del Señor nos enseña que Dios espera ser reconocido como el único Dios.
Metas de enseñanza-aprendizaje: Que el alumno demuestre su conocimiento de los eventos de los filisteos y el arca del Señor, y su actitud hacia la demanda que el Señor hace a cada persona de ser reconocido como el único Dios.

Estudio panorámico del contexto

A. Fondo histórico:

Los filisteos eran uno de los pueblos rivales de los israelitas, principalmente a lo largo de su historia premonárquica. Ocupaban la parte suroeste de la Palestina. La primera amenaza contra los hebreos se relata en las historias de Sansón (Jue. 13-16). La amenaza contra Israel se intensificó cuando los filisteos obligaron a la tribu de Dan a que se retirase hacia el norte (Jue. 18:11, 29). Sólo hasta el tiempo de David los filisteos dejaron de ser un problema pues fueron derrotados.

B. Enfasis:

Los filisteos capturan el arca, 1 Samuel 4:1b-11. El peligro de los filisteos se hizo sentir más agudamente cuando en la batalla de Eben-ezer fueron rotundamente derrotados los israelitas y el arca del pacto fue tomada.

Tragedia en la casa de Elí, 1 Samuel 4:12-22. Aunque hay elementos familiares muy trágicos en esta narración, el enfoque principal recae sobre la pérdida del arca de Dios. Los dos hijos de Elí, sacerdotes pero malvados, mueren en batalla, Elí mismo, ya anciano, por choque el emocional se cae fracturándose el cuello y muere. La nuera de Elí muere en el parto de un hijo cuyo nombre caracteriza el momento infame: *Icabod*, "sin gloria". Pareciera que con tanta tragedia personal se tendería a olvidar la pérdida del símbolo religioso principal de Israel. No fue así, porque el arca simbolizaba la presencia de Dios. Sin el arca, de verdad la gloria faltaba en Israel.

El arca de Dios y la imagen de Dagón, 1 Samuel 5:1-12. La presencia forzada del Dios de Israel en el templo de *Dagón*, el dios principal de los filisteos, no auguró bien para el pueblo. Su ubicación en *Asdod*, una de sus cinco ciudades principales, resultó en la destrucción de la imagen y el poder de Dagón, además de una plaga de tumores que vino sobre el pueblo. Trasladaron el arca a dos ciudades más, pensando así remediar el problema; no resultó, y cayó la peste sobre ambas ciudades.

Los filisteos devuelven el arca, 1 Samuel 6:1-18. Los filisteos, al ver las cosas muy difíciles, llamaron a sus propios sacerdotes y adivinos para saber cómo devolver el arca. Los sacerdotes recomendaron que el arca fuese devuelta con *una ofrenda por la culpa.* La ofrenda era oro en forma de tumores y ratones, cosas que simbolizaban su mal. Los ratones portaban la plaga bubónica y los tumores brotaban en sus cuerpos. Esta historia, hecha por israelitas creyentes en Jehovah, demuestra como aun la forma de devolver el arca era providencial. Hasta la superstición del pueblo filisteo sirvió para revelar el poder de Dios.

El arca de Dios vuelve a Israel, 1 Samuel 6:19 a 7:2. Los filisteos entregaron el arca a algunos hebreos en una ciudad fronteriza, Bet-semes. Esta ciudad estaba ubicada en el territorio de Dan, aproximadamente 45 kilómetros al oeste de Jerusalén. Por haber profanado el arca, algunos israelitas también fueron azotados con la plaga bubónica. Por su espanto, los de Bet-semes envían el arca a Quiriat-jearim ("Ciudad de Bosques"), como 15 kilómetros al norte de Jerusalén para ser custodiada por Eleazar, sacerdote consagrado en virtud de la destrucción de Silo y los sacerdotes de la familia de Elí.

Israel se consagra al Señor en Mizpa, 1 Samuel 7:3-17. El escritor bíblico atribuye la tribulación del pueblo a la ausencia del arca, pues ésta se quedó en manos de Eleazar por veinte años. El gemido del pueblo (v. 2) debe obedecer a las consecuencias de su idolatría. Samuel reaparece, ya no como sacerdote, sino como gobernante y profeta. Ante su insistencia el pueblo abandona los dioses cananeos y vuelve a Jehovah.

──────────── **Estudio del texto básico** ────────────

1 La captura del arca, 1 Samuel 4:10, 11

V. 10. *Los filisteos,* pueblo guerrero que constantemente resistía la presencia de los hebreos en territorio cananeo. No dejaban en paz a los hebreos que querían establecerse de forma permanente en Canaán. En batallas previas los hebreos habían sufrido bajas hasta de 4,000 hombres. Estas derrotas las achacaban a que Jehovah no estaba con ellos; mandaron a buscar el arca del pacto, símbolo de la presencia de Dios. El escritor bíblico atribuye a los mismos filisteos un conocimiento de lo que la presencia de Dios había hecho a los egipcios: los filisteos se amedrentaron, pero al fin *combatieron* a Israel. *Israel fue vencido,* cosa inexplicable en ese entonces para los hebreos. Tal fue la derrota que 30,000 hombres cayeron ese día.

V. 11. *El arca de Dios fue tomada.* No se puede exagerar el significado de esta pérdida para los hebreos. El arca les había acompañado desde los días de Moisés. Contenía los símbolos más sagrados de su fe. Más que un símbolo, era para ellos la garantía de la misma presencia de Dios en su medio. Se agudizó aún más la interrogante en torno a su derrota. El que fuera tomada el arca tuvo que haberles hecho sospechar que algo pasaba; este algo impedía que Dios siguiera con ellos. *Fueron muertos Ofni y Fineas, los dos hijos de*

Elí. La muerte de éstos debe haberles sugerido que la presencia de Dios no se garantiza donde no hay un sacerdocio santificado y leal. El impacto de la pérdida del arca y la muerte del sacerdocio conocido fue tal que el autor bíblico no menciona siquiera la destrucción total de Silo por los filisteos.

2 El arca trae plaga a los filisteos, 1 Samuel 5:6, 7.

V. 6. *La mano de Jehovah.* Los estratos primitivos del Antiguo Testamento no vacilan en ocupar antropomorfismos (términos descriptivos de los hombres) para hablar de Dios. *Contra los de Asdod.* Asdod era una de las ciudades principales de los filisteos, ubicada a como cuatro kilómetros del mar Mediterráneo, sobre la llanura costera. Era la ciudad más al norte de las cinco ciudades principales de los filisteos. Era centro de fabricación y exportación de textiles, específicamente una lana de color púrpura. *Los asoló y los hirió con tumores.* Aunque algunos manuscritos rezan "hemorroides", lo más certero es que eran señales de la peste bubónica, una epidemia ocasionada por los piquetes de las pulgas en los ratones. Aquí vemos la conjugación de lo "natural" y lo sobrenatural. Dios puede usar las fuerzas de la misma naturaleza para sus propósitos.

V. 7. *¡Que no se quede con nosotros el arca del Dios de Israel...!* El arca había sido llevada al templo de Dagón, uno de los dioses principales de los filisteos. En una serie de eventos que nos recuerdan de la lucha entre Jehovah y los dioses egipcios sobre el río Nilo. El escritor bíblico demuestra en cuadros muy pictóricos la impotencia del dios de los filisteos ante Jehovah (5:1-4). Había una urgencia por deshacerse de este símbolo de poder. *Porque su mano es dura sobre nosotros y sobre Dagón nuestro Dios.* No tan sólo los filisteos habían sentido el castigo del Señor sobre su carne, sino también habían observado que su propio dios era impotente. *Dagón* significa "grano" y no "pescado" como se creía anteriormente. Esto implica que Dagón era un dios de la agricultura cuya función principal era la de asegurar buenas cosechas.

3 Los filisteos devuelven el arca, 1 Samuel 6:11-13.

El arca del pacto era, para los tiempos narrados, el objeto más sagrado para los hebreos. La devolución del arca a los hebreos por los filisteos no tan sólo significaba que la presencia de Jehovah estaba de nuevo entre ellos, sino que el mismo Dios de los hebreos había derrotado a sus enemigos acérrimos. Por difícil que sea para nosotros hoy ubicar la presencia de Dios en un objeto, hay que reconocer que así era entre los hebreos de antaño.

V. 11. *Luego pusieron sobre la carreta el arca de Jehovah.* La ley (Exo. 25:13-15) requería que los levitas portaran el arca en los hombros por medio de las varillas hechas para tal fin. Los filisteos la transportaban en una carreta. Obviamente no había sacerdocio levítico entre los filisteos para que la portaran debidamente. Lo interesante es que la única ocasión en la que los hebreos intentaron llevar el arca en una carreta, resultó en una tragedia: la muerte de Uza (1 Crón. 13:9, 10). El problema no fue el vehículo de transporte, sino los transportadores; entre hebreos, el portador siempre tenía que ser descendiente de Leví, y la tenía que llevar cargada sobre su hombro. Además, llevaron *la caja con los ratones de oro y las figuras de sus tumores.* Esta caja contenía la "ofrenda por la culpa" que los adivinos filisteos habían especificado. Los tumores de oro pretendían aplacar al "dios ofendido" (Jehovah) y lograr simultáneamente una especie de exorcismo; sacaban fuera del territorio filisteo el símbolo de su mal: los tumores de la plaga bubónica. Esto es fuertemente sugerido por la segunda ofrenda propiciatoria: los ratones. Se enviaron cinco tumores y cinco ratones, uno por cada ciudad principal filistea.

V. 12. *Las vacas se fueron de frente por el camino de Bet-semes.* La superstición de los mismos filisteos (6:7-9) puso una especie de prueba. Si las vacas seguían rumbo a territorio israelita y no volvían a donde estaban sus terneros (como sería natural), entonces estaban ellos siendo castigados por Jehovah, el Dios de los hebreos; si no, todo el mal era por casualidad. Las vacas hicieron lo inesperado, y el escritor bíblico muestra cómo Dios puede usar para sus fines aun la superstición de otros pueblos.

V. 13. La ciudad fronteriza de *Bet-semes* externó su alegría (y la de todo Israel) al ver el arca de nuevo entre ellos. El símbolo de la presencia de Jehovah estaba de nuevo con ellos.

4 Samuel sirve como juez, 1 Samuel 7:3-6.

V. 3, 4. *Si de todo vuestro corazón os volvéis a Jehovah.* Samuel retaba al pueblo a demostrar eficaz y palpablemente un sincero arrepentimiento. "Volverse" es la expresión idiomática hebrea para arrepentirse, cambiar de parecer y actuar. *Los dioses extraños y las Astartes*; por dioses extraños se entiende cualquier dios que no sea Jehovah. En este caso eran los dioses de los cananeos, todos ellos ligados a la naturaleza. Las Astartes eran postes o árboles sagrados que representaban la diosa de la fertilidad, la madre de Baal. Los escritores bíblicos no distinguen siempre entre la diosa y los símbolos de madera (ver 2 Rey. 13:6; 17:16; 18:4: 21:3; 23:6, 15). Muchísimas placas de la diosa desnuda de la fertilidad han sido halladas por los arqueólogos en territorio cananeo. *Servidle sólo a él, y él os librará de mano de los filisteos.* La tentación perenne de los hebreos en Canaán nunca era el abandono total de Jehovah: era el sincretismo, o la aceptación de otros dioses juntamente con una pretendida lealtad al Dios de Israel.

V. 5, 6. *Sacaron agua y la vertieron delante de Jehovah*; el derramamiento del agua era símbolo de su arrepentimiento. *Y Samuel juzgaba a los hijos de Israel en Mizpa.* Aquí, Samuel fungía como juez ("juzgaba", v. 6), sacerdote ("oraré", v. 5) y profeta ("habló", v. 3). Esta combinación es muy poco usual en la historia de Israel.

──────────── **Aplicaciones del estudio** ────────────

1. ¿La reputación o el carácter?, 1 Samuel 4:10, 11. Los hebreos perdieron miserablemente en la batalla, pese a su gran reputación de vencedores. La forma de comprometer su fe había manchado su carácter. ¿Se deberán nuestras propias derrotas espirituales a la misma situación? ¿Habremos comprometido nuestras convicciones?

2. Es cuestión del punto de vista de uno, 1 Samuel 5:6. Para el escritor bíblico no había ningún problema en que una enfermedad "natural" pudiera ser vehículo de la expresión de Dios. La tendencia "moderna" es explicar todo en términos naturales. Los creyentes modernos reconocemos la legitimidad de las ciencias, pero también reconocemos el señorío de Dios sobre la naturaleza y la historia.

3. ¿Somos politeístas o monoteístas?, 1 Samuel 7:5. La verdad comprobable es que durante casi toda su historia, Israel era politeísta (creencia en muchos dioses) en la práctica, pero monólatra (adoración a uno) en teoría. Los cristianos actuales en teoría adoramos a un solo Dios por medio del Señor y Salvador, Cristo Jesús. En la práctica, nuestro "dios" es cualquier cosa: riquezas, fama, seguridad absoluta. Evaluemos nuestro monoteísmo.

Ayuda homilética

La liberación de los enemigos
1 Samuel 7:3

Introducción: Los hombres contemporáneos buscamos toda clase de libertad. Esta se halla únicamente en una relación correcta con Dios y los hombres. La genuina libertad se caracteriza de varias maneras.

I. La libertad involucra un arrepentimiento sincero y perenne ante Dios (v. 3a).
   A. Samuel apeló al corazón, al centro de la voluntad.
   B. Samuel exigió un deliberado retorno a Dios.
   C. Samuel demandó un abandono de los dioses falsos.

II. La libertad involucra la preparación y el servicio de parte nuestra (v. 3).
   A. Samuel ordenó que preparasen su corazón para Jehovah.
   B. Samuel mandó que sirviesen sólo a Jehovah.

III. La libertad involucra la acción de Dios mismo (v. 3c).
   A. Samuel recalcó que la libertad sería por parte de Dios.
   B. Samuel advierte que Dios conoce nuestros adversarios.

Conclusión: Sea la libertad que fuere, Dios nos la puede dar siempre y cuando cumplamos con las exigencias proféticas: el arrepentimiento sincero y perenne, la preparación y el servicio.

Lecturas bíblicas para el siguiente estudio

Lunes: 1 Samuel 8:1-9   **Jueves**: 1 Samuel 9:22-27
Martes: 1 Samuel 8:10-22   **Viernes**: 1 Samuel 10:1-16
Miércoles: 1 Samuel 9:1-21   **Sábado**: 1 Samuel 10:17-27

AGENDA DE CLASE

Antes de la clase
1. Prepare láminas que representan situaciones o cosas que vienen siendo los "dioses" del siglo XX: fama, riquezas (aquí puede incluir cosas tales como lujos, carros último modelo, etc.) éxito, las ocupaciones, etc. **2.** A manera de repaso, estudie Exodo 25:10-22 para investigar datos acerca de lo que era y representaba el arca del pacto. Consiga una ilustración de la misma. **3.** Tenga a la mano un mapa donde pueda ubicar Asdod, Betsemes, Mizpa y Silo.

Comprobación de respuestas
JOVENES: **1.** a-Vacas que llevaron el arca. (2), b-Carro nuevo. (1), c-Meses que permaneció el arca con los filisteos. (7), d-Gobernantes de los filisteos. (5). **2.** a-Adorar a dioses ajenos y Astartes. b-Servidle sólo él y él os librará de mano de los filisteos. **3.** a-v. 3, b-v. 5, c-v. 6.
ADULTOS: **1.** Murieron Ofni y Fineas, hijos de Elí. **2.** Asdod, Gaza, Ascalón, Gat y Ecrón. **3.** Respuesta personal.

Ya en la clase
DESPIERTE EL INTERES
1. Presente las láminas y comenten cómo estas frecuentemente llegan a ocupar el lugar de Dios en nuestras vidas. Pregunte: ¿Qué beneficios nos brindan? ¿Qué es lo que no nos ofrecen? **2.** Pregunte que lo que solamente Dios nos puede dar. Pregunte: Si ante cualquier análisis es obvio que Dios nos puede dar mucho más de lo que nos da cualquiera de nuestros otros "dioses", ¿por qué demasiadas veces nos es mucho más atractivo prestar mayor atención a las otras cosas que a Dios mismo? **3.** Aclare que no es malo en sí obtener estas cosas, lo malo es que lleguen a ser nuestra prioridad, en lugar de Dios. **4.** Indíqueles que hoy aprenderán de los resultados de no haber dado a Dios su debido lugar como el único Dios.

ESTUDIO PANORAMICO DEL CONTEXTO
1. Explique a los alumnos quiénes eran los filisteos, y cuál fue el papel de ellos a través de la historia de Israel. **2.** Localícelos en un mapa. **3.** Comparta brevemente lo que era y representaba el arca para el pueblo de Dios. Muestre la ilustración. **4.** Ubique Mizpa en un mapa para señalar el lugar donde se llevó a cabo la reunión solemne donde el pueblo de Dios expresó su arrepentimiento de la idolatría.

ESTUDIO DEL TEXTO BASICO
1. Completen la sección de leer la Biblia y responder.
2. Consulte la sección de comprobación de respuestas para ayudar a aquellos que tengan cierta dificultad con sus respuestas.

3. Anuncie la transición al siguiente paso pidiendo que lean 1 Samuel 4:10, 11. La captura del arca. Aquí sobresale la derrota de Israel por parte de los filisteos. Mencione la razón de su fracaso (Jehovah no estaba con ellos).

4. Ubique Asdod en el mapa para pasar a la segunda división del estudio: El arca trae plaga a los filisteos. Esta era una de las cinco grandes ciudades filisteas. Lean al unísono 1 Samuel 5:6, 7. Pregunte a sus alumnos por qué creen que Dios envió castigo a los asdoditas. Haga resaltar el hecho de que Dagón, dios de los filisteos, no fue suficientemente poderoso para evitar el castigo de Jehovah.

5. La tercera división: Los filisteos devuelven el arca. La pueden desarrollar entre todos organizados en tres grupos. Cada grupo leerá un versículo de 1 Samuel 6:11-13 respectivamente. Después de leer el versículo que le corresponde, cada grupo explicará su contenido. Al terminar esta división, haga un concurso para determinar quién ubica primero en el mapa la ciudad de Bet-semes. El ganador recibe un fuerte aplauso de sus compañeros.

Enfatice que en esta parte del pasaje los filisteos reconocen el castigo de Dios y hasta entregan una "ofrenda de culpa" para tratar de remediar la falta cometida.

6. Presente la última división del pasaje leyendo 1 Samuel 7:3-6. Samuel actúa como juez. El énfasis de este pasaje recae en el arrepentimiento del pueblo de Dios. Pueden terminar cantando la canción: "No hay Dios tan grande como tú."

APLICACIONES DEL ESTUDIO
1. Actualicen el relato bíblico de hoy: Elí puede ser cualquier creyente, puesto que todo creyente es sacerdote. Tomando esto en cuenta, pregunte: ¿Qué errores cometió Elí que estamos en peligro de cometer nosotros? ¿Qué pecados cometemos nosotros que demuestran desprecio a las cosas de Dios, tal como lo hicieron los hijos de Elí, el pueblo de Israel y los filisteos? ¿Cuáles son las consecuencias de esos errores y pecados hoy en día? **2.** Pida a dos voluntarios que digan de qué manera se aplica el estudio de hoy a nuestra vida. **3.** Incluya las aplicaciones del Libro del Alumno para llegar a las conclusiones pertinentes.

PRUEBA
1. En el caso de los adultos, permita que usen su Biblia para responder el primer ejercicio. El ejercicio número dos puede usarlo el maestro para hacer una invitación a aceptar el señorío de Cristo o reconsagración. Con los jóvenes se procede normalmente. El segundo ejercicio es un compromiso personal.

Israel pide un rey

Contexto: 1 Samuel 8:1 a 10:27
Texto básico: 1 Samuel 8:17-22; 9:15-17; 10:1, 17-19
Versículo clave: 1 Samuel 9:17
Verdad central: La petición de Israel de tener un rey ilustra el peligro de tratar de resolver los problemas usando soluciones humanas en lugar de confiar en Dios.
Metas de enseñanza-aprendizaje: Que el alumno demuestre su conocimiento de los dos grandes errores que condujeron a Israel a pedir un rey, y su actitud hacia las maneras cómo puede someter su vida y la solución de sus problemas a la dirección del Señor.

─────────── Estudio panorámico del contexto ───────────

A. Fondo histórico:

Israel estaba en un momento crucial de su historia. El profeta y juez, Samuel, ya había envejecido y sus dos hijos, quienes debían asumir las responsabilidades de administrar la justicia, eran injustos y deshonestos. Los ancianos hebreos decidieron pedir a Samuel que les proveyera de un rey que les diera estabilidad, dirección y protección como nación. Ofendido y triste, Samuel ora a Dios sobre el asunto. Dios le dice que Israel puede tener su rey "terrenal" pues han rechazado y continuamente abandonado a su Rey "celestial".

B. Enfasis:

Israel pide un rey, 1 Samuel 8:1-9. Beerseba era un centro importante en el sur en donde los hijos de Samuel se dejaban sobornar; Elí residía en Ramá, el lugar de su nacimiento. Aunque la petición de un rey se atribuía a la mala administración de los hijos de Samuel, la verdadera razón era ser "como otras naciones".

Advertencia sobre el proceder del rey, 1 Samuel 8:10-22. El viejo juez, por instrucción de Dios, advierte al pueblo cómo será su vida bajo el control de un rey. La descripción que se da no es la del comportamiento preciso de algún rey hebreo, sino el de los déspotas orientales en general. Este comportamiento incluía un desprecio total por los derechos de propiedad de sus súbditos, el convertir a los ciudadanos en esclavos domésticos, el obligarlos a participar en las fuerzas militares. Pese a este cuadro deprimente, los líderes exigen un rey para pelear sus batallas.

El encuentro de Samuel y Saúl, 1 Samuel 9:1-21. Hay dos tradiciones respecto al rey en el Antiguo Testamento: una pro monarquía, otra anti monarquía. 1 Samuel 9:1-10:16; 11:15 representan la tradición favorable al rey. A Saúl se le describe como de una buena familia y de buen parecer físico. Su comisión de hallar algunos animales perdidos lo lleva, juntamente con un siervo, a la tierra de Samuel. El viejo juez no tan sólo resuelve la incógnita de los animales, sino que hace a Saúl saber que él va a ser rey por decisión divina.

Samuel unge a Saúl como rey, 1 Samuel 9:22-27. Samuel lleva a Saúl al lugar en donde se habían hecho preparativos para celebrar una de las fiestas hebreas. Samuel, como sacerdote, tiene que bendecir al animal sacrificado antes de que se celebre la comida comunal. Con anterioridad el juez, sacerdote y profeta recibe una revelación divina respecto a Saúl; éste ha de ser rey. A Saúl se le da el lugar de honor en la fiesta. También, se le da una cama en la azotea de la casa para pasar la noche; en el oriente cercano, la azotea era un lugar común donde dormir. Por la mañana Samuel, como sacerdote, unge a Saúl como rey.

El pueblo rechaza a Dios, 1 Samuel 10:1-16. Todo esto parece increíble a Saúl; se le dan tres señales para confirmar lo que Samuel le había dicho: primera, topará con dos hombres cerca del sepulcro de Raquel, en los contornos de Betel. Ellos le confirmarán que los animales han sido hallados y que su padre se preocupa por él. Segunda, topará con tres hombres que caminan rumbo a Betel para un sacrificio; le entregarán dos panes. Tercera, se unirá a un grupo de profetas ambulantes temporalmente. Al preguntársele respecto a lo sucedido, Saúl se limita a mencionar lo de los animales: no comenta lo del reino.

Saúl es aclamado rey en Mizpa, 1 Samuel 10:17-27. Este pasaje es una variación de la tradición; el ungimiento previo por Samuel se ignora como si no existiera. Acá el rey es seleccionado por una especie de suerte en la que toda la gente está involucrada. Dios dirige la mano de Samuel al hacer la selección del rey por suerte entre las tribus y los clanes. Al final, Saúl es destacado de entre las multitudes por su estatura. Samuel lo identifica, y el pueblo lo aclama popularmente. Saúl regresa a su casa en Gabaa dándose cuenta de que no faltan opositores a su reinado dentro del pueblo.

─────────────── Estudio del texto básico ───────────────

1 Israel persistentemente pide un rey, 1 Samuel 8:17-22.

V. 17. Al explicar Samuel los resultados de la elección de un rey, aclara que habrá que pagar fuertes tributos, impuestos excesivos. *También tomará el diezmo de vuestros rebaños.* Samuel afirma que se preparen para pagar una décima parte de sus rebaños a los cofres reales; desde luego, esto se daría por encima de los diezmos a la tribu de Leví. *Y vosotros mismos seréis sus siervos*: no tan sólo sus bienes materiales serían acaparados por el rey, sino ellos mismos perderían sus libertades y derechos.

V. 18. *Clamaréis a causa de vuestro rey.* Samuel emplea términos recordatorios de lo que hizo el pueblo en Egipto durante su esclavitud bajo faraón. No es nada halagador que el rey hebreo sea comparado con el faraón egipcio. Pero, esta vez, por haber rechazado el reinado de Dios, éste no escuchará sus gemidos. ¡Ya se lo habrán buscado ellos mismos!

V. 19 *El pueblo rehusó escuchar a Samuel.* Samuel, como profeta de Dios, era el vocero de ese mismo Señor. Al no atender las súplicas de Samuel, el pueblo prestaba oídos sordos a la voz de Dios. Terca y obstinadamente se negaba a escuchar las advertencias de Dios por medio del profeta. *¡No! Más bien, haya rey sobre nosotros.* Aquí, en forma directa y sin rodeos, el pueblo patentiza su rechazo del gobierno de Dios y, en su lugar, prefieren el gobierno humano, cueste lo que cueste.

Vv. 20-22. *Seremos también como todas las naciones.* Se proponía una unificación de todas las tribus bajo un gobierno centralizado. De nuevo, la motivación del pueblo no era otra cosa sino la de buscar la forma de sobrevivir. La antigua confederación tribal no había dado resultados contra los embates de los filisteos. El pueblo creía que la única solución se hallaba en un fuerte gobierno centralizado con el consecuente aparato militar. Desde luego, por parte del escritor de esta sección de la Escritura, esto representaba un rechazo al gobierno de Dios. Se olvidaba el pueblo de las hazañas de Dios a su favor en el pasado.

2 El encuentro de Samuel y Saúl, 1 Samuel 9:15-17.

V. 15. *Jehovah le había revelado al oído a Samuel.* El escritor insinúa que Dios estaba trabajando en todo el proceso para lograr su propósito. Aquí Samuel es visto como profeta en que recibe anticipadamente una revelación de Dios respecto a Saúl.

V. 16. *Mañana a esta misma hora.* La mano de Dios, según el escritor bíblico, está sobre la unción de Saúl de tal forma que hasta la hora está señalada. *Te enviaré un hombre de la tierra de Benjamín.* Expresamente el hombre que ha de ser ungido como rey viene enviado por Dios a Samuel. Hay que recordar que las dos actitudes respecto a un rey humano están incluidas en la edición final del Antiguo Testamento. Esto, porque ambas representan tradiciones convalidadas por su uso en distintos sectores del pueblo de Israel, ambas reflejan períodos diferentes: la actitud contra un rey humano es más tardía que la favorable. ¿Se deberá esto a que la tardía expresa el sentir del pueblo después de una larga historia de reyes malos en Israel? *A éste ungirás como soberano de mi pueblo Israel.* La tradición que acepta a un rey humano, y específicamente a Saúl, proviene cerca de la misma época de Saúl y los eventos narrados. Se debe entender que Saúl había de ser sólo el vehículo por el cual Jehovah iba gobernar a su pueblo. Al rey le correspondía ser muy sensible ante los propósitos de Dios. *El librará a mi pueblo de mano de los filisteos.* Es muy evidente que el factor principal que urgía la función de un rey era el militar. Se esperaba que el rey encabezara no tan sólo el gobierno civil, sino que fuese un valiente líder militar para poner coto a las incursiones de los filisteos. *Porque yo he visto la aflicción de mi pueblo, y su clamor ha llegado hasta mí.* En una época el pueblo aceptaba al rey como regente puesto por Dios: en otra, el rey humano significaba un rechazo a Dios como rey.

V. 17. *Este gobernará a mi pueblo.* Jehovah confirma para Samuel su deseo de que Saúl reine.

3 Samuel unge a Saúl como rey, 1 Samuel 10:1.

Cuando rayaba el sol, Samuel lleva a Saúl fuera de los muros de la ciudad y lo unge secretamente. El ungimiento con aceite era un acto simbólico que indicaba la aprobación divina sobre las funciones del ungido, fuera este profeta, sacerdote o rey. El beso de Samuel indica que en el principio de la relación entre los dos había cierta simpatía y cordialidad. Posteriormente, este no sería el caso. *¿No te ha ungido Jehovah como el soberano de su heredad?* Samuel, el profeta, sacerdote y juez de Israel, es autorizado a ser el vehículo de Dios en el ungimiento, pero es como si fuera Dios mismo actuando en la unción.

4 El pueblo rechaza a Dios, 1 Samuel 10:17-19.

Para el lector común del Antiguo Testamento la actitud ambivalente, si no contradictoria, respecto a la legitimidad de un rey humano es preocupante. ¿Se contradice la Biblia a sí misma en su calidad revelatoria? La respuesta es terminantemente ¡no! El largo y complejo proceso de formación del Antiguo Testamento tiene que tomarse en cuenta. Se reflejan ideas y conceptos condicionados por los contextos históricos a todo lo largo de los casi 900 años de producción literaria hebrea. Los editores finales del Antiguo Testamento, respetando lo sagrado de sus tradiciones escritas, hilvanan conceptos contrastantes lado a lado. Los autores se daban cuenta perfectamente de su naturaleza variante: no obstante, veían la mano de Dios en todo el proceso.

V. 17. Es obvio que, por el tenor de estos versículos, estamos de nuevo con una tradición antimonárquica. En efecto, con la continuación de lo relatado en 1 Samuel 7:5-17. Es como si Samuel no hubiese ungido a Saúl todavía. *Entonces Samuel convocó al pueblo delante de Jehovah, en Mizpa.* La ciudad de Mizpa, ubicada a poca distancia al norte de Jerusalén en territorio de Benjamín, era el lugar en donde Samuel ejercía su labor como juez. Cuando antes eran los ancianos los involucrados en la selección de un nuevo rey (1 Sam. 8), ahora es todo el pueblo el que aprueba y participa en el escogimiento.

V. 18. *Así ha dicho Jehovah Dios de Israel.* Esta es una expresión clásica de los profetas antes de declarar el mensaje de Dios. *Yo saqué a Israel de Egipto.* Los profetas siempre recordaban al pueblo de Israel de su ingratitud ante todo lo que Dios había hecho a favor de ellos.

V. 19. *Pero vosotros habéis desechado hoy a vuestro Dios.* La historia posterior de Israel comprueba que el seguir a los reyes humanos resultó en la apostasía, el abandono a la fe de Israel. Muchos de los reyes eran idólatras ellos mismos y fomentaban oficialmente la idolatría entre el pueblo. *Quien os libra de todas vuestras desgracias y angustias,* la pretensión del pueblo era tener un rey humano que les dirigiera en campañas militares contra sus enemigos, como si Dios no los hubiese protegido a todo lo largo de su historia. *Ahora, pues, presentaos delante de Jehovah por vuestras tribus y por* *vuestros millares.* Samuel organiza al pueblo para realizar una especie de suerte para escoger al rey. Todo el pueblo sería testigo ante Dios de su propia equivocación.

Aplicaciones del estudio

1. El libertador por excelencia, 1 Samuel 9:16. Nuestras naciones están urgidas de muchas clases de liberación: política, económica, social, educativa, espiritual. Cristo, el libertador, puede solucionar estos problemas en y con el pueblo de Dios.

2. Decisiones mal tomadas resultan en desastres, 1 Samuel 10:19. Decimos ser miembros del reino de Dios; esto llanamente significa que tenemos a Dios por rey.

Ayuda homilética

Los rasgos de un buen caudillo del pueblo
1 Samuel 9:15-21

Introducción: Todo pueblo merece buenos líderes. Sin éstos las cosas sólo pueden ir de mal en peor para la nación. Los caudillos meritorios son los que gozan de ciertos rasgos.

I. Un buen caudillo es dádiva de Dios (vv. 15, 16).
 A. Dios ayuda para que otros vean que es buen líder.
 B. Aunque enviado por Dios, el pueblo lo conoce bien.
 C. El buen caudillo es ungido de Dios.
II. Un buen caudillo reconoce a otros (vv. 16, 17, 18).
 A. Reconoce las necesidades de otros.
 B. Reconoce su propia necesidad de otros.
 C. Reconoce la importancia de estar con la gente.
III. Un buen caudillo es humilde (v. 21).
 A. Saúl reconoció las limitaciones de su tribu.
 B. Saúl reconoció las limitaciones de su familia.
 C. Saúl reconoció sus propias limitaciones.

Conclusión: Cuando el pueblo busca un líder, es bueno que busque al hombre sea: aprobado por Dios, que reconozca la importancia de otros, y sea humilde.

Lecturas bíblicas para el siguiente estudio

Lunes: 1 Samuel 11:1-11   **Jueves:** 1 Samuel 12:6-12
Martes: 1 Samuel 11:12-15   **Viernes:** 1 Samuel 12:13-17
Miércoles: 1 Samuel 12:1-5   **Sábado:** 1 Samuel 12:18-25

AGENDA DE CLASE

Antes de la clase
1. Traiga el periódico de ese día o del día anterior. Sepárelo en cuatro secciones: Las noticias internacionales, las noticias nacionales, las noticias locales que traten propiamente con los problemas de la población en sí, y las noticias que traten con desgracias personales (asesinatos, robos, etc.). **2.** Lleve hojas grandes de papel y marcadores.

Comprobación de respuestas
JOVENES: **1.** b, c, e, g. **2.** a-El pueblo de Israel. b-Los ancianos de Israel. c-Jehovah. d-Samuel. e-El pueblo. f-Jehovah. **3.** Que el pueblo desechó su gobierno.
ADULTOS: **1.** a-Has envejecido. b-Tus hijos no andan en tus caminos. c-Necesitamos un rey que nos gobierne. e-Querían ser como las demás naciones. **2.** a, c, f, g. **3.** Respuesta personal.

Ya en la clase
DESPIERTE EL INTERES
1. Divida la clase en cuatro grupos. A cada grupo entréguele una sección del periódico. Deberán seleccionar uno de los casos allí presentados, relatarlo a los demá, comentando las medidas tomadas por los involucrados en cada caso, y las opiniones del grupo al respecto. Después de que los cuatro grupos hayan participado, haga la pregunta: ¿Cómo creen que cambiarían las noticias si en cada uno de estos casos los involucrados se sometieran totalmente al gobierno de Dios? Permita que opinen en cuanto a cada uno de los casos. **2.** Diga que el estudio de hoy marca el comienzo de una nueva era para los israelitas: ellos escogen ya no someterse al gobierno directo de Dios, y de ese momento en adelante su historia cambia.

ESTUDIO PANORAMICO DEL CONTEXTO
1. Haga notar a sus alumnos que de aquí en adelante se sientan las bases para un cambio en la forma de gobierno en Israel. De ser un pueblo guiado por Dios (teocracia) pasan a ser gobernados por un rey (monarquía). **2.** Dé un breve resumen de los eventos que antecedieron al día en que Israel pidiera un rey, y explique por qué esta decisión no agradó ni a Dios ni a Samuel. **3.** Hable brevemente acerca de Saúl, cuáles eran sus cualidades para que fuera el rey para esa época.

ESTUDIO DEL TEXTO BASICO
1. Inicie esta sección pidiendo a un alumno que pase al frente a escribir en el pizarrón, o una cartulina, una lista de razones por las cuales Israel quería un rey. Otro alumno hará una lista de las cosas que haría un rey humano en contraste con la actitud del Rey de reyes (1 Sam. 8:10-18).
2. Pida que sus alumnos completen los ejercicios dados al principio de esta sección (Estudio del texto básico).

3. *Inicie la presentación de las 4 divisiones del pasaje para hoy.* En primer lugar, pida que todos juntos lean el pasaje de 1 Samuel 8:17-22. Israel persistentemente pide un rey. Forme dos grupos para hacer un debate. El primer grupo hablará a favor de establecer una monarquía; el segundo grupo insistirá en que es mejor tener a Dios por Rey. Deben usar la Biblia para fundamentar sus argumentos. Pasen a la segunda división: El encuentro de Samuel y Saúl. Pida que un alumno lea 1 Samuel 9:15-17. Explique que a pesar de la dureza del corazón del hombre Dios actúa permisivamente. No está de acuerdo, pero permite al hombre experimentar. Es claro que hay que pagar las consecuencias de las decisiones tomadas.

4. *Lea 1 Samuel 10:1.* Presente esta división como una parte muy importante de la historia del pueblo de Israel: Samuel unge a Saúl como rey. Desde este momento se inicia una nueva forma de gobierno.

5. *Termine esta sección del estudio leyendo 1 Samuel 10:17-19.* El pueblo rechaza a Dios. Promueva un diálogo, ayudando a sus alumnos a reconocer que aunque Dios permitió a Israel tener un rey, también les advirtió sobre las consecuencias de su decisión.

APLICACIONES DEL ESTUDIO
1. Destaque el punto 1 de las Aplicaciones: el peligro de olvidarnos de las grandes cosas que Dios ha hecho en nuestras vidas. **2.** En el pizarrón, y con la participación de todos los alumnos, hagan una lista de las "grandes cosas" que Dios ha hecho y hace en sus vidas. Posteriormente, inste a sus alumnos a escribir en un papelito 3 "grandes cosas" concretas que él reconoce que Dios ha hecho en su propia vida. Ahora pida a sus alumnos que piensen en algún problema o situación difícil que ellos, o algún ser querido, están enfrentando. Que en su hoja de papel escriban: Yo confío totalmente en que el Dios que me sacó de las situaciones arriba mencionadas, ahora puede solucionar esta situación (que la relate). Dirija a los alumnos en una oración de entrega del problema mencionado. **3.** (Enfoque especial para jóvenes). Una de las razones principales por la que los israelitas querían rey era porque querían ser iguales a los demás. Comenten aquellas cosas en que los jóvenes quieren ser iguales a los demás del mundo. ¿Qué acarrea más peligro: ser diferentes, o ser iguales? Discutan las preguntas que vienen en el inciso dos de las Aplicaciones para jóvenes. **4.** Dios ayudó al pueblo a escoger un rey, aunque era una decisión que él no aprobaba. ¿Qué podemos aprender de esta verdad?

PRUEBA
Desarrollen esta actividad de manera individual. Después de un tiempo pertinente termine el estudio con una invitación a ser fieles al Señor.

Victoria de Saúl y despedida de Samuel

Contexto: 1 Samuel 11:1 a 12:25
Texto básico: 1 Samuel 11:5-7, 11; 12:1-3, 20-25
Versículo clave: 1 Samuel 12:24
Verdad central: La victoria de Saúl y la despedida de Samuel nos enseñan que Dios usa para bendición de otros a aquellos que confían en su Santo Espíritu y le sirven con fidelidad.
Metas de enseñanza-aprendizaje: Que el alumno demuestre su conocimiento de los factores que contribuyeron a la victoria de Saúl y los eventos que rodearon la despedida de Samuel, y su actitud hacia el compromiso de confiar y servir, en el Espíritu de Dios, para poder ser de bendición a otros.

———— Estudio panorámico del contexto ————

A. Fondo histórico:

En el estudio de hoy se fija el escenario para que Saúl quede sólidamente en el trono de Israel; demuestra cómo la necesidad de protección militar sirvió de acicate para unificar las fuerzas de Israel contra un enemigo común. Jabes de Galaad era una ciudad que quedaba al este del río Jordán y a como 30 kilómetros al sur del mar de Galilea. "Jabes" quiere decir "lugar seco", y había sido destruida por los israelitas exceptuando a 400 vírgenes (Jue. 21:8-12). Las sobrevivientes llegaron a ser esposas de los benjaminitas.

B. Enfasis:

Saúl libra a Jabes del ataque amonita, 1 Samuel 11:1-11. El rescate de Jabes por Saúl registra el comienzo efectivo de la monarquía. Ilustra los pasos drásticos para unificar a las tribus de Israel.

Saúl es confirmado rey en Gilgal, 1 Samuel 11:12-15. Ante la evidente presencia de Dios con Saúl en la derrota de los amonitas, el pueblo quiere destruir a cualquier opositor de Saúl como rey (ver 1 Sam. 10:26). Saúl, magnánimamente y por gratitud a Dios, no permite que haya venganza contra sus enemigos. Es significativo, no obstante, que desde el comienzo de su reinado Saúl tuvo enemigos. Samuel desea confirmar el régimen de Saúl (ya lo había ungido secretamente) ante el pueblo en Gilgal, el lugar en donde Samuel juzgaba. La participación del pueblo en el acto político y religioso confirma el hecho de que Dios había de gobernar al pueblo mediante el rey.

Samuel concluye su labor como juez, 1 Samuel 12:1-5. Por su edad,

Samuel, opta por jubilarse, con un recuento de su actividad como juez: no se había enriquecido por medio de la opresión, el fraude, el robo o el soborno. Tanto el rey Saúl (el ungido) como Dios mismo son llamados a ser testigos de su honradez. El pueblo confirma todo lo dicho.

Samuel cede paso a la monarquía, 1 Samuel 12:6-12. El escritor bíblico registra el testimonio de Samuel contra el deseo del pueblo por un rey. Relata de nuevo la historia salvífica desde el tiempo de la estadía del pueblo en Egipto; recuenta la liberación del pueblo por los actos portentosos de Dios a través de Moisés y Aarón. Habla de la continua infidelidad del pueblo en la tierra de promisión y las consecuencias de su apostasía. Pese a 200 años del cuidado divino por medio de los jueces, ahora piden un rey que no sea Jehová.

Samuel amonesta a Israel, 1 Samuel 12:13-17. Este trozo es clásico, porque encierra uno de los principios teológicos fundamentales del autor de Josué, Jueces, 1 y 2 Samuel y 1 y 2 Reyes. Reza así: la obediencia a Dios acarrea bendición; la desobediencia redunda en desastre. Samuel afirma la vigencia de este principio tanto para el pueblo como para el rey. Para demostrar que efectivamente Dios sigue estando en control, Samuel pide una demostración de su poder sobre su cosecha de trigo; tal demostración condenaría su preferencia aciaga por un rey humano.

Samuel hace un último llamado a la fidelidad, 1 Samuel 12:18-25. Vino la destrucción de las cosechas y, típicamente, el pueblo pide que el viejo Samuel, el sacerdote, interceda ante Dios por ellos; reconocen su pecado en no aceptar la soberanía de Dios. Samuel insiste en que el pacto quedará seguro, no necesariamente por la fidelidad de ellos, sino "por causa de su gran nombre".

———————— Estudio del texto básico ————————

1 Saúl triunfa sobre los amonitas, 1 Samuel 11:5-7, 11.

V. 5. Prueba de que aún no había un gobierno central efectivo es el dilema de los residentes de Jabes. Najas, cuyo nombre puede significar "serpiente" o bien "magnificencia", era el caudillo de los amonitas quienes controlaban la parte norte de la Transjordania. La etiqueta bélica de los tiempos antiguos permitía que los de Jabes buscasen ayuda dentro de una semana. Saúl se entera de la situación al regresar de labores agrícolas, indicio de que aún no había comenzado a fungir como rey.

V. 6. *Y cuando Saúl oyó estas palabras,* es decir, el mensaje de los emisarios de Jabes con su obvia respuesta deseada, *el Espíritu de Dios descendió con poder sobre él.* Tal como sus predecesores, los jueces, Saúl experimenta la presencia de Dios, dotándole de valor y poder para liberar. Implica, desde luego, que Saúl se deja guiar por el Espíritu de Jehová. *Y se encendió su ira en gran manera.* Esta vez la reacción de Saúl es justificable; hay tal cosa como la ira justa.

V. 7. La reacción de Saúl no tardó en expresarse. *El tomó un par de bueyes,* probablemente los mismos con los cuales llegaba del campo, *los cortó en pedazos y los envió por medio de mensajeros* a todo el territorio de

Israel: esta acción puede repugnarnos, pero nadie puede negar su eficacia. Momentos difíciles requieren, a veces, respuestas que llamen la atención. En efecto, lo que Saúl decía con el envío a las once tribus era: "o ayudas en esta crisis, o esto mismo te va a pasar". Ante tal "invitación" pocos vacilarían en responder.

V. 11. Israel y Judá (el autor escribe después de la división del reino) responden con tropas más que adecuadas. Saúl, como comandante en jefe, les pasa revista en Bezec, lugar que quedaba a como 22 kilómetros al noreste de Siquem, en un cerro que daba al valle del Jordán. Desde este punto, se podía ver con claridad a Jabes. Saúl demuestra su destreza castrense al organizar sus tropas; aquí comienza su fama como guerrero israelita. La destrucción de los amonitas fue casi total; la batalla duró varias horas, y al final, no quedaba en pie ninguna fuerza amonita capitaneada por Najas que pudiera volver a amenazar a los de Jabes.

2 Samuel concluye su labor como juez, 1 Samuel 12:1-3.

V. 1. El viejo juez, sacerdote y profeta advierte al pueblo diciendo: *he escuchado vuestra voz*; es decir, el pueblo es testigo de que Samuel ha hecho lo que el pueblo quería, aun en contra de sus propios deseos.

Aunque es muy factible que el Samuel histórico haya resentido su propio rechazo como líder, aquí probablemente encontramos los sentimientos antimonárquicos del escritor. *He constituido un rey sobre vosotros.* Hay dos tradiciones respecto a esto: Primera, Samuel unge a Saúl secretamente (1 Sam. 10:1), y segunda, Samuel echa suerte para encontrar a Saúl (10:20-24). La primera se halla en un pasaje con tenor favorable a la monarquía; la segunda refleja un sentir (característica de Mizpa) en contra de un rey humano.

Las dos, aunque antagónicas, representan dos etapas históricas de la fe de Israel; ambas son inspiradas por Dios para las necesidades particulares de cada etapa.

V. 2. *Vuestro rey irá delante de vosotros,* Samuel cede la dirección del pueblo al nuevo rey. Se infiere que las riendas del gobierno están en sus manos, pero también puede indicar que Saúl estaría al frente de sus tropas en el proceso de proteger a Israel.

He aquí mis hijos están con vosotros, esta frase no quiere reanudar la problemática de la mala administración de sus hijos en el sur (1 Sam. 8:3-5), sino que Samuel, al hablar de sus hijos, simplemente recalca su propia ancianidad. Sus propios hijos contarían con algunos años también. *Yo he andado delante de vosotros desde mi juventud hasta el día de hoy.*

Samuel recuerda al pueblo de su dedicación a la tarea del sacerdocio, la profecía y la justicia. Aunque va terminando su gesta como juez, su tarea como sacerdote y profeta no se acaban hasta su muerte.

Serán estos oficios de Samuel los que harán que la vida de Saúl sea un tanto incómoda.

V. 3. *Testificad contra mí en presencia de Jehovah y en presencia de su ungido,* Samuel exige que tanto el pueblo como el mismo rey confirmen su honradez y su capacidad como juez. Samuel quiere, a toda costa, hacer que el pueblo reconozca que la exigencia de un rey no obedece al fracaso del juez. Todavía hay cierta añoranza por "los buenos días" del pasado.

Pero Samuel interpreta la legitimidad de su papel como juez en términos moralistas: no pueden acusarlo de haber robado, de haber defraudado, de haber tomado soborno. El mismo pueblo confirma lo dicho por Samuel respecto a su función honesta como juez; el rey Saúl y Dios mismo pueden testificar de lo mismo.

Dado el contexto histórico y las nuevas amenazas de los enemigos de Israel, hacía falta una nueva forma unificada de gobierno (la monarquía) para enfrentar las crisis imperantes. Es muy probable que la mayoría de los israelitas contemporáneos con Samuel reconocían en el rey la provisión de Dios.

3 Samuel hace un llamado a la fidelidad, 1 Samuel 12:20-25.

V. 20. *No temáis.* Samuel quiere infundir en el pueblo un sentido de confianza; es cierto que han pecado, pero todo no está perdido. *No os apartéis de en pos de Jehovah, sino servid a Jehovah con todo vuestro corazón.* Puede haber plena confianza de parte del pueblo siempre y cuando se dediquen a cumplir el pacto. Esto, desde luego, significa principalmente que no incurrirán en el mal de la apostasía o no permitirán que otros dioses compartan la lealtad ofrecida a Jehovah. Servir a Jehovah con todo el corazón significa un servicio cabal y total de la persona.

V. 21. *No os apartéis tras las vanidades.* Aquí Samuel detalla lo que quiere decir por "no apartarse de Jehovah". Para el concepto profético, los dioses en realidad no eran nada, eran "vanidades". Los dioses carecían de una realidad palpable, porque eran impotentes. Fincar sus esperanzas en dioses ajenos era hacer castillos en el aire. No así con Jehovah quien se había revelado precisamente en el poder del éxodo.

V. 22. *Pues Jehovah no desamparará a su pueblo, por causa de su gran nombre.* Este también es uno de los grandes principios proféticos: pese a la continua rotura del pacto por los israelitas, Dios iba a lograr sus propósitos de alguna forma. Su pacto sería cumplido por él, y Jehovah haría que el propósito redentor del pacto se cumpliera. Su propio *nombre* (su persona) está de por medio. No es cuestión de una simple reputación; el carácter de Dios no permitirá que nada obstaculice definitivamente sus propósitos. Históricamente, desde este lado de la cruz, hemos visto cómo Dios ha logrado su propósito pese a la infidelidad de su pueblo.

V. 23. *¡Lejos esté de mí pecar contra Jehovah dejando de rogar por vosotros!* Samuel recuerda al pueblo que, aunque terminada su obra como juez, sigue fungiendo como sacerdote; intercederá por ellos ante Dios. *Os instruiré en el camino bueno y recto.* Tampoco su función como profeta ha cesado; seguirá dando al pueblo instrucción de Dios.

Vv. 24, 25. De nuevo se aprecia el tema general del escritor bíblico: la obediencia al pacto acarrea bendición, mientras la desobediencia a Dios conlleva desastre para el pueblo.

Aplicaciones del estudio

1. ¿Deben enojarse los cristianos?, 1 Samuel 11:6. Pese a una idea muy común entre el pueblo cristiano, el creyente no tan sólo puede sino debe enojarse ante el sufrimiento, el llanto y la injusticia de toda índole. Su reacción no debe ser tan sólo emotiva, sino activa.

2. ¿Cuál sería nuestra calificación?, 1 Samuel 12:3. Si nosotros tuviéramos el valor de pedir un examen, como lo hizo Samuel, ¿qué tal saldríamos? ¿Con qué calificación terminaríamos el curso?

3. La oración pecaminosa, 1 Samuel 12:23. Pareciera que la oración pecaminosa es la que no se hace a favor de otros. ¿Hemos pecado hoy?

Ayuda homilética

Una carrera cumplida
1 Samuel 12:1-3

Introducción: Terminar una tarea da gozo; terminar una carrera de toda una vida provee enorme satisfacción. Cumplir con las órdenes de Dios hace que uno se sienta totalmente realizado y agradecido. Tal carrera tiene algunas características:

I. Una carrera cumplida se caracteriza por la terminación de una tarea encomendada (v. 1).
   A. Samuel escuchó la petición del pueblo.
   B. Samuel realizó lo que el pueblo pidió.
II. Una carrera cumplida se caracteriza por la inversión de toda una vida en la tarea (v. 2).
   A. Samuel había guiado al pueblo.
   B. Samuel había gastado su vida física en su tarea.
   C. Samuel había invertido su vida hasta el último momento.
III. Una carrera cumplida se caracteriza por el buen testimonio de otros (v. 3).
   A. El pueblo testificó de su honradez.
   B. El gobernante testificó de su cumplimiento.
   C. Jehovah es testigo de su carrera cumplida.

Conclusión: Al llegar al final de una carrera es bueno tener la satisfacción de haber terminado lo encomendado, de haber invertido toda una vida en la tarea y de saber del testimonio halagador de otros.

Lecturas bíblicas para el siguiente estudio

Lunes: 1 Samuel 13:1-23   **Jueves:** 1 Samuel 16:1-13
Martes: 1 Samuel 14:1-52   **Viernes:** 1 Samuel 16:14-23
Miércoles: 1 Samuel 15:1-35   **Sábado:** 1 Samuel 17:1 a 18:5

AGENDA DE CLASE

Antes de la clase

1. Consiga los datos biográficos de algún héroe reconocido de su país. El enfoque debe ser sobre cuáles fueron las cualidades y acciones que lo hicieron héroe.

2. Escriba en un cartel la siguiente frase: "Sólo aquel que se fabrica un trono en el corazón de los hombres es un gran príncipe." Coloque el cartel en un lugar visible como centro de interés.

Comprobación de respuestas

JOVENES: **1.** Sólo la h. **2.** a-Se olvidó de Jehovah. b-Dios los entregó en manos de Sísara. **3.** a-Arrepentidos clamaron a Jehovah. b-Los libró de sus enemigos. **4.** a-1 Samuel 12:22. b-1 Samuel 12:24. c-1 Samuel 12:19. d-1 Samuel 12:23. e-1 Samuel 12:15.

ADULTOS: **1.** Se encendió su ira en gran manera... por la afrenta que Najas el amonita quería hacer contra Israel. **2.** Sí. **3.** a-se olvidaron, b-los entregó, c-Clamaron, d-Envió. **4.** 1-b, 2-d, 3-c, 4-a.

Ya en la clase

DESPIERTE EL INTERES

1. Comparta los datos biográficos de la persona que seleccionó. Después, que los alumnos comenten de otras personas ejemplares que hayan conocido, y cuáles fueron las cualidades y acciones que hicieron a éstas destacarse.

2. En el pizarrón, o en una hoja grande de papel, elaboren una lista de las cualidades de una persona cristiana para que sea de bendición para otros.

3. Llame la atención al cartel donde escribió la frase: "Sólo aquel que se fabrica un trono en el corazón..."

4. Dígales que hoy van a enterarse de una ocasión cuando Saúl obtuvo una victoria que resultó en bendición para todo su pueblo. Durante el estudio deben prestar atención a cuál fue el principal factor que permitió que él obtuviera la victoria.

ESTUDIO PANORAMICO DEL CONTEXTO

1. Ayude a sus alumnos a ubicar geográficamente Jabes de Galaad y Gilgal.

2. Ayude a sus alumnos a saber quiénes eran los amonitas.

3. Subraye el hecho de que Samuel había ejercido en Israel las tareas de profeta, sacerdote y juez.

ESTUDIO DEL TEXTO BASICO

1. Inicie esta sección pidiendo a sus alumnos que completen los ejercicios que se indican en el libro del alumno al principio del estudio del texto básico.

2. Divida la clase en tres grupos, y asigne a cada grupo una de las divisiones de que consta esta sección.

3. El primer grupo deberá leer 1 Samuel 11:5-7, 11. Saúl triunfa sobre los amonitas. Pídales que entre ellos se pongan de acuerdo para decidir la manera como quieren presentar a los demás su información. El segundo grupo considerará el pasaje de 1 Samuel 12:1-3 (Samuel concluye su labor como juez). Indíqueles que ellos deberán elegir, de entre los integrantes de su grupo, a una persona para que presente ante los demás un breve resumen de lo que investigaron.

4. El último grupo deberá ponerse de acuerdo para presentar a la clase el informe de 1 Samuel 12:20-24 (Samuel hace un llamado a la fidelidad). En este caso, pida que hagan su presentación como si Samuel estuviera frente al pueblo, haciendo su exhortación a la fidelidad.

APLICACIONES DEL ESTUDIO

1. Pregunte cuál fue el principal factor que permitió que Saúl obtuviera la victoria... la respuesta es que "el espíritu de Dios vino sobre él para equiparlo para la batalla".

2. Recuerde a sus alumnos que aunque lo más probable es que a ninguno de nosotros nos toque dirigir una batalla como la de Saúl, a diario tenemos que enfrentar las batallas propias de la vida.

3. Dé a los alumnos la oportunidad para mencionar algunas de éstas; quizá algunos quieran mencionar alguna batalla específica por la que estén pasando en estos momentos. Entonces recuérdeles que uno de nuestros más grandes errores como cristianos es tratar de ganar estas batallas con nuestras propias fuerzas, en vez de aprovechar el recurso que Dios ha dado a todo cristiano: el Espíritu Santo. Así como él le dio la victoria a Saúl, nosotros debemos permitir al Espíritu hacer lo mismo con nosotros.

4. A la luz de esta verdad, comenten las otras aplicaciones sugeridas en los libros de alumnos y el de maestros. Entonces, diríjalos en una oración de consagración, en que rindan al Espíritu de Dios el gobierno de sus propias vidas, sea cuál sea la etapa que estén viviendo.

PRUEBA

En esta ocasión, dirija usted la evaluación usando las preguntas sugeridas en el libro de los alumnos. Usted mismo decida quiénes deben contestar lo que pregunte.

Saúl desobedece a Dios

Contexto: 1 Samuel 13:1 a 18:5
Texto básico: 1 Samuel 13:5, 8-14; 15:2, 9, 22-24, 27, 28; 16:11-13; 17:50, 51
Versículo clave: 1 Samuel 15:22
Verdad central: La experiencia de Saúl al no desobedecer a Dios nos ilustra que la desobediencia a Dios es el primer paso hacia el final de un servicio efectivo y agradable al Señor.
Metas de enseñanza-aprendizaje: Que el alumno demuestre su conocimiento de la desobediencia de Saúl y el nombramiento de David, y su actitud hacia las consecuencias trágicas de usurpar la autoridad de Dios en cualquier aspecto de nuestra vida.

―――――――Estudio panorámico del contexto ―――――――

A. Fondo histórico:

Con cierta madurez cronológica Saúl empieza su reinado. De inmediato se aboca a lo que hizo necesaria la monarquía desde el principio: la fuerza militar. Se registra la distribución de los guerreros entre los mandos de Saúl y Jonatán, su hijo. Los destacamentos se hacen geográficamente con cierta estrategia. Saúl se destaca como excelente guerrero y caudillo militar.

B. Enfasis:

Saúl actúa torpemente y es reprobado, 1 Samuel 13:1-23. Por una provocación de algunas tropas israelitas bajo el mando de Jonatán, las fuerzas filisteas, con números superiores amenazan a los israelitas. Saúl, queriendo asegurar la ayuda de Dios en batalla, pero sin la participación de Samuel, ofrece un holocausto. Como consecuencia Samuel advierte a Saúl que ya no cuenta con el favor de Dios, sino que otro será el rey.

Dios da victoria por medio de Jonatán, 1 Samuel 14:1-52. Jonatán y su escudero logran una victoria contra los filisteos, con la ayuda de Dios. Esto ocasiona gran espanto entre las fuerzas filisteas; Saúl aprovecha la situación reuniendo a todos los hebreos para derrotar a sus enemigos. Saúl exige que por disciplina sus soldados no coman mediante un juramento, so pena de muerte. Jonatán por ignorancia come, y finalmente es condenado por su padre a la muerte. Por la valentía de Jonatán el pueblo no permite que sea condenado.

Saúl desobedece al Señor y es reprobado, 1 Samuel 15:1-35. Aquí figura prominentemente una de las marcas del escritor del libro de Samuel: *cherem* (anatema) o sea la guerra santa en la que los enemigos son ofrecidos como holocausto a Jehovah. Trata la masacre como rito sagrado. Saúl no acata la orden de destruir a todos: salva al rey de los amalecitas y lo mejor del ganado. Saúl no cumplió como rey al desobedecer a Dios: éste desconoce a Saúl como rey. Samuel sintetiza el pensar de los profetas clásicos al afirmar que Dios prefiere la obediencia antes que los holocaustos.

Samuel unge a David como rey, 1 Samuel 16:1-13. Samuel aparentemente se deprimió por lo de Saúl, pero el Señor lo manda ir a Belén, a casa de Isaí para ungir al nuevo rey. Con el pretexto de ir a oficiar como sacerdote, por temor a Saúl, Samuel llega a Belén. Invita a Isaí y a siete de sus hijos a participar con él en la comida sacrificial y fraternal. Uno por uno los hijos son rechazados por Dios; al final mandan a llamar al más joven, a David. Dios lo aprueba como su nuevo ungido.

David toca el arpa para Saúl, 1 Samuel 16:14-23. Al ser rechazado por Dios Saúl ya no era apto para reinar; es más, a estas alturas parece haber sido un caso mental patológico, aunque la descripción se da en términos teológicos. Sus siervos le sugieren una terapia musical; mandan a buscar a David a quien recomiendan altamente como arpista. Saúl queda tan encantado con David y sus cualidades que lo hace su escudero; David permanece con Saúl, sirviendo como psiquiatra musical y hombre de confianza.

David vence a Goliat, 1 Samuel 17:1 a 18:5. He aquí otro ejemplo de la amalgama de tradiciones en una sola historia. Una tradición hace que David sea conocido por Saúl desde la casa de Isaí (16:19-23); otra sugiere que Saúl no conocía a David hasta que mató a Goliat (17:55-58). El historiador entreteje estas historias para demostrar que David es el ungido de Dios, el futuro rey de Israel. La derrota del mejor de los filisteos, Goliat, por un joven israelita sólo puede explicarse porque efectivamente el Espíritu de Dios estaba con él. Esto provoca que Jonatán haga un pacto de amistad con David, su amigo de por vida.

––––––––––––––––– Estudio del texto básico –––––––––––––––––

1 Saúl actúa torpemente, 1 Samuel 13:5, 8-14.

V. 5. Aunque los manuscritos hebreos no registran la edad de Saúl cuando comenzó a reinar (ver notas sobre v. 1 en RVA), sí tuvo la madurez y el respeto de sus súbditos como para formar un ejército considerable (13:2). Esto hacía falta, porque los *filisteos se reunieron para combatir contra Israel.* Aunque los enemigos de Israel siempre incursionaban en territorio israelita, parece que en esta ocasión se trataba de una ofensiva masiva, porque *3.000 carros, 6.000 jinetes y gente tan numerosa como la arena de la orilla del mar* se disponían a atacar (ver notas, RVA). Aparte de las 9.000 tropas "motorizadas", habría elevadísimo número de infantería, ¡tamaño ejército! Es obvio que los filisteos aventajaban numéricamente sobre Israel: destacaron sus tropas en *Micmas, al este de Bet-avén.* Micmas significa "lugar escondido". Era una ciudad en territorio de Benjamín, ubicada como a doce kilómetros al noreste de Jerusalén; estaba a 1.980 pies de altura, un excelente lugar para la guerra. Bet-avén quiere decir "casa de decepción" o "idolatría", formaba una de las fronteras de Benjamín; fue aquí donde Saúl derrotaría a los filisteos.

V. 8. Por los preparativos de los filisteos, los israelitas estaban muy amedrentados: algunos huyeron a la Transjordania, otros se escondían en cuevas o dondequiera pudieran. Saúl *esperó siete días,* porque Samuel aparentemente había convenido en buscar la ayuda de Dios en la batalla (ver 10:8). *El pueblo se le dispersaba.* Saúl veía que con cada día que pasaba, más gente se le iba por miedo o simplemente por falta de organización.

V. 9. *Traedme el holocausto y los sacrificios de paz.* Saúl hizo lo que no le incumbía: fungir como sacerdote de Jehovah. Estos oficios, por ley, quedaban exclusivamente en manos de los descendientes de Aarón; Saúl no lo era, ni mucho menos.

V. 10. *He aquí que venía Samuel.* Saúl en realidad sabía perfectamente que había hecho mal y que le serían pedidas cuentas. *Saúl le salió al encuentro para saludarle.* El hebreo reza literalmente "para bendecirlo" (RV-60 usa "bendecir").

V. 11. Samuel, al llegar, lo fustiga con toda la autoridad sacerdotal y profética. Saúl intenta justificar sus acciones, pero sin resultado positivo. Ni él mismo se creía justificado.

V. 12. Pareciera que Saúl mismo no pudo escapar del temor ante los filisteos; *Gilgal,* un lugar difícil de ubicar con certeza. Aquí Saúl fue ungido y también rechazado como rey. Para hacer justicia a Saúl, por lo menos reconocía que sin la presencia de Dios, la batalla se perdería.

V. 13. Saúl actuó torpe, ilegal y precipitadamente al ofrecer el sacrificio sin ser sacerdote. Samuel claramente le dice a Saúl que por esta actuación queda eliminado como fundador de una dinastía israelita. *Jehovah hubiera confirmado tu reino sobre Israel para siempre!,* unas palabras muy tristes para Saúl son pronunciadas profética y repetidamente por Samuel.

V. 14. Por no ser obediente, ahora Saúl será reemplazado por otro. Es obvio que el escritor bíblico hace alusión a David, pero sin mencionarlo por nombre. El reinado de Saúl será pasajero y plagado de problemas; el rey que lo sustituye será según su corazón. Esta frase no expresa simplemente que David será amado por Dios, sino que David hará cumplir la voluntad de Dios.

2 Saúl desobedece al Señor y es reprobado, 1 Samuel 15:2, 9, 22-24, 27, 28.

V. 2. Samuel como vocero profético de Dios, pronuncia una de las frases más clásicas de los profetas: *Así ha dicho Jehovah de los Ejércitos.* El nombre usado por el profeta es una combinación del nombre particular de Dios revelado a Moisés en Madián (Yahweh o Jehovah, "Señor") y *Sabaot* ("Huestes", "Ejércitos", bien celestiales o los de Israel). El título recalca a Dios como todopoderoso; parece reforzar la idea de Dios como rey. *Amalec,* el nieto de Esaú (Gén. 36:12) llegó a ser el epónimo (héroe o persona que da nombre a un pueblo) de sus descendientes que ocupaban el desierto al noreste de la península sinaítica y el Négev. Fueron los primeros en oponerse a los israelitas cuando salían de Egipto.

V. 9. A Saúl se le instruye que ha de efectuar una *cherem* (anatema) o guerra santa contra los amalecitas, algunos enemigos tradicionales acérrimos de los hebreos. El anatema consistía en destruir a toda una ciudad, sus habitantes (hombres, mujeres y niños), su ganado y todas las posesiones; esta destrucción era como un holocausto ofrecido a Dios. Era más un acto cúltico que guerrero. La presencia de esta práctica en nombre de Dios en el Antiguo Testamento es uno de los problemas éticos más difíciles que hay. Una solución medio satisfactoria es ver el anatema como un elemento cultural del contexto histórico. Ciertamente desde el punto de vista cristiano no se puede justificar. El Padre de Jesucristo no es asesino, cruel ni sanguinario.

El punto de este texto es simplemente que Saúl desobedeció lo que entendía ser las órdenes de Dios. Perdonaron la vida al rey de los amalecitas y se quedaron con lo mejor del ganado para ofrecerlo a Dios.

Vv. 22-24. Aunque las buenas intenciones de Saúl y el pueblo eran quedarse con los mejores animales para sacrificarlos a Dios, Samuel expresa una de las más grandes verdades de los profetas clásicos: *el obedecer es mejor que los sacrificios.* El que el autor escriba durante el período del profetismo clásico de Israel no puede sino influir sobre la forma de la narración. Saúl, al igual que generaciones posteriores de israelitas, pensaba que el cumplir con ritos podía eximirle de obedecer a Dios.

Vv. 27, 28. Saúl por su arrepentimiento busca que Samuel exteriorice su perdón y el de Dios al acompañarlo en adoración. Tanta es su angustia que cuando Samuel empieza a abandonarlo le rasga el manto, queriendo asirse de él. Samuel toma este acto como un paradigma para expresar que Dios le había arrancado el reino de Saúl para dárselo a otro mejor. No nos sorprende que sea David.

3 Samuel unge a David como rey, 1 Samuel 16:11-13.

Vv. 11-13. Aunque Samuel sufrió por el fracaso de Saúl, acata las órdenes de Dios de ungir al nuevo rey. *Isaí* es el padre de David, aunque el autor no menciona a éste hasta el final, algo típico de su estilo. Al nuevo ungido no le falta nada en comparación con Saúl: físicamente es bien parecido y de *tez sonrosada*, el mismo término empleado para describir al Esaú recién nacido (Gén. 25:25). Pero más que esto, David es sensible ante el Espíritu de Dios. Queda ungido por Samuel, pero el autor nos deja en suspenso respecto al resto de la historia.

4 David vence a Goliat, 1 Samuel 17:50, 51.

Vv. 50, 51. Estos dos textos narran la derrota de Goliat por David; el v. 50 viene siendo una especie de resumen del relato; el v. 51 simplemente agrega otros detalles. No están los dos textos en contradicción necesaria, aunque en uno de los textos David mata a Goliat con una piedra y en el otro lo mata con la misma espada del filisteo. De nuevo, puede ser que aquí se trate de dos tradiciones diferentes que han sido hilvanadas en una sola historia por el escritor. Por muy familiar que sea esta historia, reviste una gran verdad: el hombre obediente y sumiso a la voluntad de Dios, por "inexperto" que sea, goza de la presencia y el poder de Dios. David en un sentido muy real "es" Israel; Goliat "es" el pueblo filisteo. El verdadero Israel es el pueblo obediente y sumiso del pacto; éste goza de la presencia y el poder de Dios.

Aplicaciones del estudio

1. Nadie queda exento de la torpeza, 1 Samuel 13:13. Saúl demostró su torpeza al usurpar derechos que no le atañían. Excedió los límites establecidos. ¿Será este el problema de algunos "siervos" en nuestro medio?

2. ¿En qué se complace Dios?, 1 Samuel 15:22. Saúl opta por desobedecer. ¿Cuántas veces tapamos nuestras desobediencias a Dios con nuestros "sacrificios"? Analicemos y rectifiquemos nuestra adoración.

Ayuda homilética

Las marcas de un hombre de Dios
1 Samuel 16:11-13

Introducción: La historia de la unción de David por Samuel nos señala algunas pautas que una iglesia puede seguir para encontrar a "un hombre de Dios" para encargarle ciertas tareas.

I. El hombre de Dios a veces no es fácil de hallar (v. 11).
A. Por no ser el que el pueblo sugiere.
B. Por no estar disponible debido a su ocupación.
C. Por no presentar las credenciales esperadas.

II. El hombre de Dios se conoce por ciertas características (v. 12).
A. Escucha las opiniones de otros.
B. Es atrayente.
C. Es aprobado por Dios.

III. El hombre de Dios se somete a la voluntad de él (v. 13).
A. David se sometió a la dirección de Samuel.
B. David compartió su sometimiento a Dios con sus hermanos.
C. David estaba sumiso ante el Espíritu de Dios.

Conclusión: Aunque nos cueste mucho encontrar un hombre de Dios para nuestra iglesia, conviene que seamos persistentes en buscar a uno que haga la voluntad de Dios.

Lecturas bíblicas para el siguiente estudio

Lunes: 1 Samuel 18:6-16   **Jueves:** 1 Samuel 19:8-24
Martes: 1 Samuel 18:17-30   **Viernes:** 1 Samuel 20:1-23
Miércoles: 1 Samuel 19:1-7   **Sábado:** 1 Samuel 20:24-42

AGENDA DE CLASE

Antes de la clase
1. Procure conseguir el juego infantil "Escaleras y Serpientes". (Este juego ilustra recompensas de buenas acciones y consecuencias de acciones indebidas.)
2. Prepare una serie de situaciones que acarrean consecuencias negativas. Por ejemplo: Manejar con exceso de velocidad, salir al aire frío sin estar debidamente abrigado, llegar continuamente tarde al trabajo, no estudiar, o copiar en un examen, etc. Prepare las situaciones de acuerdo con los intereses del grupo con que está trabajando, sean jóvenes o adultos.
3. Haga una lista de citas que contienen mandamientos que Jesús nos dejó, por ejemplo: Mateo 5:23, 24, 44; 6:33a; 7:1; 18:21, 22; Lucas 10:27.

Comprobación de respuestas
JOVENES: **1.** a-3.000 carros, 6.000 jinetes, holocausto, reino. b-Jehovah salvar, Jehovah dio la victoria. c-Un muchacho, espada lanza y jabalina, nombre de Jehovah de los ejércitos. **2.** a-Obedecer su palabra. b-exitoso, agradable.
ADULTOS: **1.** a-El pueblo se dispersaba. b-Samuel no venía en el plazo señalado. c-Los filisteos se estaban reuniendo en Micmas. **2.** Uno que obedece la palabra del Señor. **3.** Obedecer, sacrificios, prestar atención, sebo, rebeldía, adivinación, obstinación, idolatría. **4.** El hombre considera la apariencia de las personas; Dios mira el corazón.

Ya en la clase
DESPIERTE EL INTERES
1. Muestre el juego infantil, y pregunte quién lo reconoce o se acuerda de qué se trataba. Comente que aunque es un juego que probablemente ya no nos interesa jugar, enseña una gran verdad: las acciones indebidas traen sus consecuencias negativas.
2. Divida la clase en dos o tres equipos, dependiendo de la cantidad de alumnos. Dígales que usted les va a decir una acción indebida (a todos los grupos, la misma) y que ellos, en grupo, por un minuto van a pensar en la mayor cantidad de consecuencias posibles por esa acción y anotarlas. Terminando el minuto verán cuál grupo pudo pensar en la mayor cantidad de consecuencias, ese grupo será el ganador. Repita el juego con tres situaciones diferentes.
3. Haga hincapié en que toda acción indebida, todo pecado, toda desobediencia a la larga traerá mal. Pero lo que acarrea más mal es cuando intencionalmente desobedecemos a Dios, menospreciando la autoridad que él tiene sobre nuestras vidas.

ESTUDIO PANORAMICO DEL CONTEXTO
1. Es importante hacer un breve repaso de dónde dejamos a Saúl en la lección anterior: ¿Qué fue lo que había logrado Saúl? ¿Cuál fue la razón de

su éxito en esa ocasión?

2. Ubique históricamente a los filisteos.

3. Presente a los nuevos personajes protagonistas de esta historia: Jonatán y David.

4. Destaque el hecho de que solamente el sacerdote estaba auto-rizado para ofrecer sacrificios, cosa que no le importó a Saúl.

ESTUDIO DEL TEXTO BASICO

1. Pida a un alumno, a quien tenga confianza, que pase al frente a dirigir la ejecución de los ejercicios de la primera sección del estudio del texto básico.

2. Divida a la clase en dos grupos. A cada grupo asígnele dos de las cuatro divisiones de que consta este estudio. Los primeros dos pasajes tienen que ver con la torpeza de Saúl y el correspondiente rechazo de parte de Jehovah. Los dos pasajes restantes enfocan al nuevo personaje en la historia del pueblo de Dios: David. Dé la oportunidad para que los mismos grupos decidan cuáles técnicas usarán para compartir con el resto del grupo lo que pudieron aprender.

APLICACIONES DEL ESTUDIO

1. Pida a diferentes alumnos que lean las aplicaciones dadas en los estudios, y que los comenten.

2. Haga destacar el hecho que para Dios la obediencia parcial no es suficiente; él exige la total, porque de otra manera somos culpables de rebelión. Pida a diferentes alumnos que lean las citas con los diferentes mandamientos de Jesús. Después de que se haya leído cada mandamiento, dé un tiempo para que los alumnos, de manera individual, se examinen y se pregunten: "¿Estoy obedeciendo este mandamiento parcial o totalmente?" Recuérdeles lo que aprendieron la semana anterior: Saúl ganó en ese entonces porque se sometió al Señor; en la lección de hoy perdió todo por su rebelión. Diga a sus alumnos que si ellos reconocen que verdaderamente están luchando para cumplir con algunos de estos mandamientos, sólo tienen que someterse a Dios y permitir que su Espíritu obre en ellos.

3. Guíe a los alumnos en una oración de arrepentimiento por su obediencia parcial, y en la que prometen someterse nueva y totalmente a la autoridad de Dios en sus vidas.

PRUEBA

Jóvenes y adultos tienen una prueba parecida. El primer ejercicio es de conocimiento, el segundo es de actitudes. Pida que si alguien quiere compartir con los demás su decisión en relación con el segundo ejercicio, que lo haga. Puede presentarse como un motivo de oración.

Saúl tiene celos de David

Contexto: 1 Samuel 18:6 a 20:43
Texto básico: 1 Samuel 18:6-12, 27-29; 20:14-17
Versículo clave: 1 Samuel 18:14
Verdad central: Los celos son un sentimiento negativo que puede destruir a quien los posee y al objeto de ellos.
Metas de enseñanza-aprendizaje: Que el alumno demuestre su conocimiento de lo que guió a Saúl a tener celos de David, y su actitud hacia la manera de evitar ser destruido o destruir a otra persona por causa de los celos.

——————Estudio panorámico del contexto ——————

A. Fondo histórico:

El darse cuenta de la pérdida de la aprobación divina hizo que se recrudecieran los celos que Saúl tenía hacia David. Tres veces Saúl intenta matarlo dentro del palacio durante sus ataques de celos. Además, rebaja el rango militar de David, pero esto sólo permite que tenga más contacto con el pueblo y que éste aumente su amor por David.

B. Enfasis:

Saúl tiene celos de David, 1 Samuel 18:6-16. Bases había para los celos de Saúl: la lealtad de su propio hijo, Jonatán, para con David (18:3); los éxitos militares de David que resultaron en la adulación del pueblo. Tal era el desorden mental de Saúl que permitió que los cantos de la mujeres lo sacaran de quicio. No hay cosa como los celos para carcomer el alma de uno (18:8).

David llega a ser yerno de Saúl, 1 Samuel 18:17-30. Las maquinaciones y el desdén de Saúl contra David no tienen parangón. Ofrece a su hija mayor en matrimonio (17:25), pero luego da la hija a otro (18:19). Mical, la hija menor de Saúl, amaba a David, y Saúl piensa utilizar el matrimonio de David con ésta como medio para que los filisteos lo maten. En vez del precio tradicional Saúl pide muestras de la matanza de 100 filisteos por David; éste logra esto con creces y se queda con Mical por esposa.

Jonatán aboga por David ante Saúl, 1 Samuel 19:1-7. Los celos sólo eran una parte de la enfermedad mental y emocional de Saúl; se palpa a cada paso su volubilidad. Saúl no era consecuente consigo mismo respecto a sus determinaciones; se dejó influir con una facilidad marcada. Aunque se había propuesto matar a David, Jonatán, el amigo de pacto, intercede por él ante su padre. Recuerda a Saúl que David no había hecho cosa alguna contra el rey sino sólo lo servía con fidelidad. Por esta intervención Saúl cambia de parecer respecto a David temporalmente.

Mical salva la vida de David, 1 Samuel 19:8-24. Por los crecientes éxitos militares de David, los celos de Saúl se agudizan. El desquiciado Saúl fracasa al intentar matar a David de nuevo; trama una emboscada, pero Mical se entera, y ayuda a David a huir. La esposa de David, mediante un ardid, desprecia a los soldados de su padre. Ante el reclamo de su padre, pretende haber sido amenazada por David. Enterándose Saúl del paradero de David junto a Samuel, envía fallidamente tres grupos de emisarios. Al fin, a Saúl le pasa igual que a ellos.

El pacto de David y Jonatán, 1 Samuel 20:1-23. Anímicamente David estaba deprimido, porque no se explicaba la enemistad de Saúl contra él. Acude a Jonatán para desahogarse; por una fiesta religiosa, le tocaba comer con Saúl, pero reconocía el peligro. Jonatán se las ingenia para que David sepa los ánimos de Saúl.

Jonatán ayuda a David a escapar, 1 Samuel 20:24-43. Saúl descubre la realidad en torno a la ausencia de David, y su furor se desata contra Jonatán (v. 24-34). Mediante la clave preestablecida por ambos, Jonatán comunica a David la intención de su padre. Después de partir el muchacho acompañante, David y Jonatán se reúnen; ambos expresan su pesar por el estado de las cosas. David ahora es prófugo, y Jonatán regresa a la ciudad.

──────────── **Estudio del texto básico** ────────────

1 Saúl tiene celos de David, 1 Samuel 18:6-12

V. 6. Es digno de notar que este pasaje registra el principio de los celos enfermizos de Saúl contra David. *Mientras ellos volvían*, es una frase un poco ambigua: ¿se tratará del regreso de Saúl y David o David en compañía de otros? La otra parte de la oración *cuando David regresaba* pareciera favorecer la segunda opción. El texto hebreo dice que las mujeres reciben al rey Saúl; pero la Septuaginta, versión griega del Antiguo Testamento, dice que ellas reciben a David, lo cual parecería más lógico según el contexto. Estas numerosas mujeres, como solían hacer, daban expresión a su gozo por la victoria de David sobre Goliat. Ellas mismas acompañaban sus danzas y cantos con instrumentos musicales que incluían liras de tres cuerdas.

V. 7. El canto de las mujeres era menos que bien recibido por Saúl. La verdad, si no hubiera sido por una predisposición a los celos en Saúl, las letras del canto no habrían sido ofensivas. Aunque las cifras *diez miles* (de David) son muy precisas, la expresión *sus miles* (de Saúl) es ambigua, podría ser "muchísimos". Sea esto como fuere, las mujeres simplemente celebraban las proezas de los dos.

V. 8. El escritor bíblico suaviza un poco su forma de expresión respecto al enojo de Saúl. *Saúl se enojó muchísimo*, bien podría leerse: "¡Saúl armó un berrinche! Dadas las condiciones emocionales de Saúl, no era ilógico que entendiera las palabras de las mujeres de la forma más literal. Sus gemidos, *¡No le falta más que el reino!*, aunque dichos sarcásticamente, resultaron

343

proféticos, la misma acción de Saúl condujo a que su profecía se realizase más pronto,

V. 9. Saúl es un perfecto ejemplo de lo que los celos pueden hacer en una persona; lo carcomían desde adentro, y todo lo que acontecía tenía matices de suspicacia; cada vez más Saúl se amargaba. El más dañado era él mismo.

Vv. 10-12. Tal fue su estado de celos que *un espíritu malo de parte de Dios se apoderó de Saúl.* Por su concepto de la absoluta soberanía de Dios, los hebreos creían que todo cuanto ocurría, lo bueno y lo malo, podían atribuírselo a él. El verbo hebreo *desvariaba* significa que Saúl "deliraba" o "decía locuras". David, sin tener las herramientas de la psiquiatría moderna, reconocía que Saúl estaba mal; cantaba para tratar de sosegarlo. Saúl estaba al borde de la locura, listo para traspasar a David con una lanza.

2 David llega a ser yerno de Saúl, 1 Samuel 18:27-29.

V. 27. Parece que David anhelaba ser el yerno del rey, mayormente por el prestigio. Saúl, aprovechándose de este deseo de David, le hace saber el precio matrimonial (pago del novio al padre de la novia) sin dinero ya que David no venía de una familia acaudalada; sólo había que matar a 100 filisteos; con esto Saúl pensaba deshacerse de David; sería matado en la refriega. Este acepta el reto y *mató a 200 hombres de los filisteos.* De nuevo le fue mal a Saúl. Lejos de perder la vida, David retornó aún más victorioso. *Llevó sus prepucios y los entregó todos al rey.* Uno de los términos más despectivos de los hebreos para con los gentiles era "incircuncisos". Esta acción de David sólo refleja algo de la crueldad y la barbarie que reinaban en aquellos tiempos. La Biblia no conoce la mojigatería, y es muy fiel en descubrirnos la crudeza de la realidad de los tiempos. Lo cierto es que, David logró lo que anhelaba: *Saúl le dio por mujer a su hija Mical.*

V. 28. Todo le salía mal a Saúl; y más se convencía de que *Jehovah estaba con David.* Esta frase significaba para Saúl que sus días estaban contados como rey. Reconocía que el Señor ya no estaba con él sino con David a quien odiaba a muerte. Esto sólo agudizaba aún más sus complejos de inferioridad y celos. Para colmo, *Mical, hija de Saúl le amaba,* a David. No tan sólo había llegado a ser propiedad de David (las esposas en aquellos tiempos eran así), sino que aun David le había usurpado el afecto de su hija. La pérdida de una propiedad es una cosa; la pérdida de la lealtad y el afecto de la hija es otra. Admitámoslo o no, los padres siempre resentimos al principio el que nuestras hijas quieran a otros. Este fenómeno casi universal, pero al extremo en Saúl, complicó más los sentimientos del rey.

V. 29. *Saúl temió aun más a David.* Con cada día que pasaba, Saúl rumiaba su situación; sus celos y temores se conjugaban para que todo fuera de mal en peor. *Y Saúl fue hostil a David todos los días.* ¿Nos podemos imaginar la atmósfera en el palacio real? David ya es el yerno; Saúl se ve obligado a tenerlo bajo su propio techo, y sin embargo, David representa una amenaza para el reinado de Saúl. La dinámica de la situación hogareña y familiar tiene que haber sido horrorosa e insoportable; dada la deteriorada condición emocional de Saúl, se tiene que preguntar ¿Cómo harían David y Mical para aguantar tal situación?

3 **El pacto de David y Jonatán, 1 Samuel 20:14-17.**
No tan sólo Mical (19:8-17), la hija de Saúl, sino ahora Jonatán, su hijo, participan en el rescate de David. Jonatán promete medir los ánimos de su padre respecto a David y mantenerlo informado. La situación inmediata se presenta debido a una fiesta religiosa en la que David debe hacer acto de presencia, comiendo con el rey. Jonatán jura a David que le avisará si Saúl sigue de humor asesino. Jonatán ora porque Dios sea con David al igual que había estado con su padre.

V. 14. *Y si quedo vivo, muéstrame la misericordia de Jehovah, para que yo no muera.* Estas palabras, aunque un poco enigmáticas, pueden significar que una vez que David sea rey, que no lo destruya a él; la práctica tradicional era erradicar a la familia del rey anterior y a todos sus seguidores. Esto, desde luego, impediría sublevaciones posteriores de parte de ellos.

V. 15. *Cuando Jehovah destruya de la tierra*, tanto Jonatán como el escritor bíblico expresan la idea de que Dios mismo estaría actuando en y por medio de los victoriosos sobre el régimen de su padre. *No elimines para siempre tu misericordia de mi casa.* Jonatán no tan sólo hace una solicitud, sino que, en efecto, afirma lo que sucedería. Pese al maltrato que Saúl le dio siempre, David nunca le faltó respeto, ni buscó venganza sobre la familia de Saúl.

V. 16. *Así Jonatán hizo un pacto con la casa de David,* palabras que reflejan la iniciativa tomada otra vez por Jonatán (18:3), porque hubiera paz siempre entre sus descendientes y los de David. Este pacto (convenio, promesa de lealtad) está basado en el amor profundamente fraternal que sienten el uno por el otro. Este pacto se asemeja al que había entre Dios e Israel: un pacto basado en el amor leal, duradero y tenaz. *¡Jehovah lo demande de mano de los enemigos de David!* Esta es una especie de juramento en el que se pide que Jehovah destruya a Jonatán por medio de los mismos enemigos de David si no cumple su parte del pacto.

V. 17. *Jonatán hizo jurar de nuevo a David*, al igual que Jonatán había jurado. Los pactos de la antigüedad en Israe, siempre involucraban la participación de por lo menos dos partes. Un tipo era el pacto de soberanía que era impuesto por un superior a un inferior, por un rey conquistador sobre un pueblo subyugado, en el que se estipulaban las condiciones para que el pueblo conquistado diera lealtad al nuevo rey. Otro tipo común de pacto era el que se hacía entre iguales. Este es el tipo de pacto que se hace entre Jonatán y David. Lejos de ser impuesto, está fundado en el amor leal de los pactantes.

───────── **Aplicaciones del estudio** ─────────

1. La ambición equivocada cuesta caro, 1 Samuel 18:27. David, destinado divinamente a ser rey, ambiciona ser sólo el yerno del rey. La ambición equivocada en la iglesia puede costar caro también.

2. "Júrame", 1 Samuel 20:17. Hay una canción popular ya "clásica", del trío "Los Tres Diamantes" de México, con este mismo título. Esto viene al caso, porque nos recuerda, al igual que entre Jonatán y David, que hace falta renovar nuestras promesas de lealtad al Señor.

─────────────── **Ayuda homilética** ───────────────

El precio de la ambición mal puesta
1 Samuel 18:27-29

Introducción: La ambición humana puede ser buena y puede ser mala. Todo depende de la meta deseada. Puede ser que una ambición sana sea despistada y mal dirigida. Cuando esto sucede, se paga caro por tal ambición.

I. La ambición mal puesta cuesta caro en vidas humanas, v. 27.
    A. David, por su ambición, toma la vida de 200 hombres.
    B. Adolfo Hitler, por su ambición, mató a seis millones.
    C. Dictadores, por su ambición, condenan a muerte a miles.
II. La ambición mal puesta cuesta caro en relaciones dañadas, v. 28.
    A. La relación entre Saúl y su hija quedó afectada: relaciones familiares.
    B. La relación entre Saúl y David quedó más dañada: relaciones entre jefes y subalternos.
III. La ambición mal puesta cuesta caro en actitudes de otros, v. 29.
    A. Puede incrementar el temor.
    B. Puede aumentar la hostilidad.

Conclusión: En la vida cristiana hay que hacer todo lo posible porque una sana ambición no sea mal encaminada o mal dirigida. Pidámosle a Dios que nos ayude a evitar la ambición mal puesta.

Lecturas bíblicas para el siguiente estudio

Lunes: 1 Samuel 21:1-9   **Jueves**: 1 Samuel 22:6-10
Martes: 1 Samuel 21:10-15   **Viernes**: 1 Samuel 22:11-17
Miércoles: 1 Samuel 22:1-5   **Sábado**: 1 Samuel 22:18-23

AGENDA DE CLASE

Antes de la clase

Pida a varios alumnos que con anterioridad se preparen para hacer breves dramas basados en las siguientes situaciones: Para jóvenes: (1) Lilia está descontrolada porque Ernesto pretende a Lucy en lugar de a ella. Se propone desacreditar a Lucy y ganar el cariño de Ernesto. (2) Tanto Efraín como Alfredo se disputan un premio de ciencia en la escuela. Efraín se propone ganarlo a como dé lugar. Adultos: (1) Marisela está indignada: a su vecina Cleotilde su esposo la va a llevar por tercera vez en el año de viaje a la playa. Marisela no ha ido ni siquiera "a la esquina". Cuando llega su esposo, le expresa esa indignación y lo que él tiene que hacer al respecto. (2) Tomás siente que le acaban de hacer la mayor injusticia; a un compañero de trabajo que tiene menos tiempo que él en la empresa le acaban de dar mayor sueldo que el que él percibe. ¿Cómo se apropiará de lo que le corresponde?

Comprobación de respuestas

JOVENES: **1.** a-Porque el pueblo de Israel prefería David. b-Jehovah estaba con David, no con Saúl. **2.** a-Lanza, b-Mical, c-Saúl, d- Jonatán, e- un ídolo, f-Nayot, g-de Dios, h-cabra. **3.** a-v. 1, b-v. 9, c-v. 27, d-v. 33, e- v. 39, f-v. 42.

ADULTOS: **1.** a-Enojo, b-miedo, c-desconfianza, d-hostilidad. **2.** a- David, b-Mical, c-Jonatán, d-David. **3.** a-F, b-F, c-V, d-V, e-V. **4.** Carcoma en los huesos, porque destruye las entrañas del hombre (o algo semejante).

Ya en la clase
DESPIERTE EL INTERES

1. Pida a los actores que presenten las situaciones sugeridas. Después de cada dramatización, coméntenlas brevemente. **2.** Pregunte: ¿Cuáles son otros efectos y consecuencias de los celos? Después de que contesten, antícipeles que hoy verán los efectos que acarrearon los celos en la vida del rey Saúl y de otros.

ESTUDIO PANORAMICO DEL CONTEXTO

1. Presente al nuevo personaje de la historia: Goliat. **2.** Comente con sus alumnos el hecho de que en los territorios donde había reyes, muchas veces se usurpaba el trono. Saúl lo sabía, de allí que tenía gran terror y celos infundados. **3.** Recuerde a sus alumnos la costumbre en el tiempo de los reyes de recibir con cantos y danzas a los guerreros que volvían triunfantes de la batalla. Esa fue una de las razones que causó los celos de Saúl en contra de David.

ESTUDIO DEL TEXTO BASICO

1. Dedique unos minutos al cumplimiento de los ejercicios que se sugieren al principio de esta sección.

2. Pida que todos juntos lean en 1 Samuel 18:6-12. Saúl tiene celos de David. Presente usted el comentario exegético y explicativo de esta división. Aquí sobresale la actitud de Saúl quien a estas alturas de la historia, estaba en franca decadencia como soberano y como individuo. El camino más fácil para evadir su realidad fue culpando a otros de su desgracia.

3. Pida a un alumno que pase al frente a leer en 1 Samuel 18:27-29. El fracaso del plan de Saúl. Aclare a sus alumnos que la decisión de Saúl de ofrecer a su hija en casamiento era una costumbre muy usual entre los hebreos. Vale la pena mencionar que David en ningún momento estaba pretendiendo usurpar el trono de Saúl. Sus triunfos más bien obedecían a un plan de Dios de carácter universal.

4. Lea usted mismo el pasaje de 1 Samuel 20:14-17. El pacto de David y Jonatán. Pida a una persona de la clase que relate brevemente lo que significa para ella la amistad. Presente la información subrayando la importancia de la relación entre David y Jonatán.

APLICACIONES DEL ESTUDIO

Jóvenes y Adultos: Hagan una lista de todas las consecuencias que trajeron los celos de Saúl, tanto personales, familiares, para con las terceras personas y nacionales. Ahora, hagan otra lista de aquellas cosas y situaciones en nuestras vidas que generalmente acarrean celos. ¿Cuáles pueden ser las consecuencias de obrar en base a éstos? Pida a sus alumnos que de manera personal, piensen en algo que les está motivando celos. Anímeles a pedir perdón a Dios y poner dicha situación en las manos de él. Destaque el punto tres...el amor y la amistad es una solución siempre. **Adultos:** Comenten ampliamente la Aplicación número 1 del Libro del Alumno.

PRUEBA

Termine esta sección, aplicando la evaluación por medio de preguntas que aparecen en los libros respectivos de alumnos.

La venganza de Saúl

Contexto: 1 Samuel 21:1 a 22:23
Texto básico: 1 Samuel 21:1-3, 6, 9; 22:11-19
Versículo clave: 1 Samuel 22:2
Verdad central: La venganza de Saúl contra los sacerdotes de Nob por haber ayudado a David, nos ilustra las consecuencias trágicas de este sentimiento.
Metas de enseñanza-aprendizaje: Que el alumno demuestre su conocimiento de los eventos que estimularon el sentimiento de venganza en el corazón de Saúl, y su actitud hacia los pasos que puede dar para eliminar el sentimiento de venganza.

--------------- Estudio panorámico del contexto ---------------

A. Fondo histórico:

Nob, era una ciudad en territorio de la tribu de Benjamín. Se hallaba entre Anatot y Jerusalén (Neh. 11:31-32; Isa. 10:32). Esta ciudad se había convertido en el centro de actividad sacerdotal después de la destrucción de Silo más o menos 1.000 años antes de Cristo. En el estudio de hoy esta ciudad es el escenario de una tragedia para los sacerdotes del pueblo hebreo.

B. Enfasis:

David acude a Ajimelec en Nob, 1 Samuel 21:1-9. Ya de prófugo David huye a Nob, una ciudad que quedaba a como kilómetro y medio al noreste de Jerusalén. David da señas de haber salido apresuradamente porque llega hambriento y sin armamento. Allí estaba Ajimelec, jefe de un grupo de sacerdotes hebreos. Este provee para David alimento, aunque sea pan consagrado para el culto. Lo provee también para algunos hombres que, según David, se le unirían posteriormente, ya que éstos presuntamente son guerreros. David pide y recibe del sacerdote la espada con la que había matado a Goliat. La presencia de Doeg augura mal.

David finge estar loco, 1 Samuel 21:10-15. Al llegar a Gat, territorio filisteo, David se encuentra en situación difícil al ser reconocido por siervos de Aquis, el rey enemigo. No le queda otra sino fingir la locura ante el pueblo, especialmente porque los filisteos ya lo creían rey de Israel (v. 11). Parece que su actuación surtió efecto, ya que no le hicieron daño. El que haya salido ileso puede achacarse o a la superstición del pueblo respecto a los dementes, o porque lo creían inocuo por su locura. Lo irónico es que David llevaba la espada con la que había matado a Goliat, el paladín de los filisteos.

David es hecho jefe de una banda, 1 Samuel 22:1-5. Escapándose de los filisteos, David huye a Adulam ("lugar sellado"), una ciudad que quedaba a unos ocho kilómetros de Bet-semes en Judá. Noticia de su presencia allí llega a los amigos y familiares de David. Muchos de los marginados y los oprimidos por Saúl llegan a unírse a David para formar un grupo guerrero. Pasan a Moab, territorio al oriente del Jordán, y logran asilo de parte de los edomitas para los más indefensos de su grupo. Gadi, un profeta hebreo que ayudaría a David en el futuro, le aconseja que regrese a territorio de Judá.

Doeg el edomita delata a Ajimelec, 1 Samuel 22:6-10. Saúl todavía deliraba y refunfuñaba por lo de David. Estaba en Gabaa, posiblemente en Masada, un monte inaccesible y fácil de proteger militarmente. Reúne a sus oficiales de más confianza, y los fustiga, acusándoles de no ayudarlo en la persecución de David. Es más, no le habían revelado la acción de Jonatán para proteger a David. Un prosélito edomita, Doeg, le cuenta de la ayuda que Ajimelec había dado a David. Sus motivos son obvios al lector.

Saúl ordena matar a los sacerdotes de Nob, 1 Samuel 22:11-17. La magnitud del enfermizo estado mental de Saúl se aprecia en este relato. Su paranoia era tal que se imaginaba que todos estaban en su contra; hasta acusa a Ajimelec y toda su casa de conspiración. Está empecinado en que David lo asecha, ignorando que él mismo asecha a David. Aunque Ajimelec valientemente intenta justificar su acción y también la de David, Saúl irracionalmente manda matar a Ajimelec y los demás sacerdotes con él. Sus militares se niegan a cometer tal sacrilegio.

Doeg cumple la orden de Saúl, 1 Samuel 22:18-23. Viéndose frustrado en su mortal orden colérica, Saúl ocupa la maldad de un asalariado edomita; aquí se ve no tan sólo la acción de un hombre perverso, sino se registra el desprecio legendario de los hebreos por los edomitas que se remontaban hasta el tiempo de Esaú (Gén. 25:19-30). No tan sólo Doeg mata a 85 sacerdotes, sino se dedica a destruir al estilo de la *cherem* (anatema, guerra santa) a Nob. Pero esta matanza no era dedicada a Jehovah, sino a la crueldad asesina de Saúl. Sólo Abiatar escapa; huye a David, y éste se atribuye la causa de la matanza; luego protege a Abiatar.

———————— **Estudio del texto básico** ————————

1 David acude a Ajimelec, 1 Samuel 21:1-3.

V. 1. Siguiendo el orden del texto hebreo, 1 Samuel 20:43 corresponde al primer versículo del capítulo 21. De modo que David, ante el aviso de Jonatán, huye de la presencia de Saúl; su huida lo lleva a la ciudad de *Nob. Ajimelec* era el jefe de los sacerdotes descendientes de la familia de Elí. ¿Por qué David huiría a la presencia de los sacerdotes? Sólo puede conjeturarse, pero probablemente sentía más apoyo de aquellos que sabrían de la unción de David por Samuel. Ajimelec no entiende por qué David llega sin acompañamiento pues sabía que era el yerno de Saúl y un gran guerrero.

V. 2. *David respondió al sacerdote Ajimelec.* David se siente obligado a ocultar su verdadera condición ante Saúl, e inventa una respuesta menos que veraz. No hay que ser demasiado severo con David; ¿Estaría tratando de no comprometer a los sacerdotes para su propia protección? Como quiera que sea, la respuesta de David es una mentira. Pese a la gran estima en que el escritor bíblico tenía a David, no intenta ocultar sus defectos.

V. 3. David llegó a Nob con hambre y sin armamento; sin más protocolo formal, exige que Ajimelec le provea de alimentos. Le pide cinco panes; ¿harían falta tantos para suplir las necesidades de los "jóvenes" que vendrían? Tal sería la implicación de David ante Ajimelec; la respuesta correcta probablemente está en que el hambre de David requería más de lo normal.

2 Ajimelec ayuda a David, 1 Samuel 21:6, 9.

V. 6. *Así el sacerdote le dio el pan sagrado.* En virtud de la explicación dada por David: "había sido comisionado por el rey en una tarea secreta", y su aparente necesidad de alimento, Ajimelec ofrece a David unos panes que debían ser comidos únicamente por personas ritualmente puras. Se trataba del pan descrito en Exodo 25:30; es un pan que debe estar siempre en una mesa delante del lugar santísimo en el tabernáculo. El pan se llamaba: "el pan de la Presencia". El sentido literal del hebreo es "pan del rostro". Consistía de doce panes sin levadura que eran reemplazados cada sábado con panes nuevos. Los panes dados a David eran los panes "viejos" que habían sido reemplazados por los nuevos. Estar ritualmente puro implicaba, entre otras cosas, que el hombre no hubiera entrado en relaciones sexuales; David había asegurado a Ajimelec que tanto él como sus ficticios "jóvenes" acompañantes guardaban esas condiciones.

V. 9. El jefe de los sacerdotes no tan sólo provee de pan a David, sino que, ante la solicitud de éste, le ofrece la *espada de Goliat el filisteo*. Cómo, cuándo y por qué esta espada había llegado a estar con los sacerdotes, sólo se puede conjeturar. El relato bíblico sólo se limita a decir que después de la batalla entre David y Goliat, el victorioso guardó sus armas (¿entre las cuales estaría la espada de Goliat?) en su morada (1 Sam. 17:54). Es evidente que bastante tiempo transcurrió entre la victoria sobre Goliat y la huida de David a Nob. *Detrás del efod.* Esta expresión ocasiona no poca extrañeza. El efod era una prenda usada por los sacerdotes principalmente como medio de averiguar una palabra del Señor. A veces era usado indebidamente como ídolo; solía exhibirse en el tabernáculo, y se usó como ídolo durante el período de los jueces (Jue. 8:27; 17:5, 6). ¿Habrían colocado la espada de Goliat en el tabernáculo como símbolo de la presencia de Dios con ellos contra los filisteos? *¡Ninguna hay como ésa! ¡Dámela!* David, carente de arma alguna, se sorprende por la presencia de la espada allí, pero es motivo de alegría para él, ya que había logrado una gran victoria con esa espada.

3 Saúl ordena matar a los sacerdotes de Nob, 1 Samuel 22:11-17.

Vv. 11-14. Por la delación de Doeg, un oportunista edomita, Saúl se entera de la ayuda prodigada por Ajimelec a David. Lo manda a buscar para que comparezca ante él junto con todos los demás sacerdotes. Al ser acusado, el sacerdote defiende honrada y tenazmente su actuación. ¿Acaso no había ayudado al hombre más leal al rey? ¿Acaso no era David el mismo yerno del rey? ¿No era David reconocido dentro de la casa real como una persona destacada? ¿Cómo, pues, se le puede acusar de sedición, si él sólo había querido ayudar al más allegado al rey?

V. 15. *¿Acaso fue aquel día la primera vez que consulté por él a Dios?* Con estas palabras Ajimelec intenta justificar su acción para con David; desde hacía tiempo oraba por él como líder de los hebreos y como miembro de la familia real. Parece que Ajimelec reconoce que su argumentación ante el rey no surte efecto positivo, y apela directamente porque no se les acuse falsamente a él y a los demás sacerdotes de una cosa que ignoraban totalmente.

V. 16. La irracional ira de Saúl revienta: *¡Morirás irremisiblemente, Ajimelec, tú y toda tu casa paterna!* El odio y celos que Saúl sentía contra David ahora los arroja sobre las personas más asequibles, los inocentes sacerdotes. *La casa paterna,* en este caso, alude a la familia sacerdotal; todos eran del linaje de Elí.

V. 17. *Entonces el rey dijo a los de su escolta,* posiblemente algunos de los mismos soldados a quienes David había capitaneado dentro de la guardia personal del rey. *¡Volveos y matad a los sacerdotes de Jehová!* Esta frase revela cuán distanciado Saúl se sentía de Dios; mientras más lejos de Dios uno está, menos humano es. Los soldados revestían más cordura y piedad que el rey; se negaron a cumplir la orden de Saúl.

4 Doeg cumple la orden de Saúl, 1 Samuel 22:18, 19.

V. 18. *Entonces el rey dijo a Doeg.* Viéndose frustrado por el incumplimiento de su orden por sus soldados de más confianza, Saúl, acude a un extranjero mercenario. Doeg, como edomita, aunque supuestamente un prosélito de la religión hebrea, no tendría el mismo respeto y sentimientos para con el sacerdocio que los soldados hebreos. *Doeg... mató aquel día a ochenta y cinco hombres que vestían efod de lino.* Fue una masacre de los indefensos e inocentes sacerdotes hebreos.

V. 19. *Y a Nob. . . hirió a filo de espada.* Parece que Doeg pudo lograr la cooperación de otros, porque hubiera sido difícil, para un solo hombre, destruir a toda una ciudad. A Nob, la ciudad de los sacerdotes de Jehová, se le trató como si se le aplicase las tácticas de la *Cherem,* la destrucción total de una población como un sacrificio a Dios. Se destruía toda la población, porque se la veía como una extensión de los sacerdotes.

————————Aplicaciones del estudio ————————

1. Hogar, dulce hogar, 1 Samuel 21:1a. En momentos de gran apuro e indecisión, David optó por huir a un lugar en donde sabía que encontraría respaldo y consuelo. Hoy todos nosotros sufrimos grandes pruebas y problemas. Acudamos ahora a nuestra familia espiritual, nuestra iglesia; a nuestros hermanos y nuestros padres en la fe.

2. El pan que satisface, 1 Samuel 21:9. David llegó a Nob físicamente hambriento; pidió pan al sacerdote. Se le dio el "pan de la Presencia" que sólo correspondía a los sacerdotes. Pese a esta aparente infracción de la ley, David sale bendecido. El Señor Jesús usa esta historia para enseñar que las necesidades de los hombres importan más que las leyes rituales.

3. ¿A quien obedecer?, 1 Samuel 22:19b. El rey les ordenaba matar a los sacerdotes, pero su fe les prohibía que lo hicieran. La enseñanza bíblica es que obedezcamos a las autoridades establecidas; solamente cuando una ley civil choca con las leyes de Dios el cristiano tiene que escoger y honrar a Dios.

―――――――――――**Ayuda homilética**―――――――――――

El arma que más sirve
1 Samuel 21:8, 9

Introducción: Las armas del creyente en sus batallas espirituales suelen ser distintas a las del mundo. Precisa que conozcamos cuáles son, de dónde provienen, en dónde se encuentran. Una historia antigua nos suple algunas sugerencias:

I. El arma espiritual que más sirve puede ser encontrada bajo circunstancias diversas, v. 8.
   A. Ajimelec, lejos de ser militar sino un líder espiritual, tenía el arma necesaria.
   B. Las armas que David creía ser más apremiantes no estaban disponibles.
II. El arma espiritual que más sirve puede haber tenido usos diversos, v. 9a.
   A. La espada era la que había servido para una gran victoria.
   B. La espada había sido utilizada antes por David.
   C. La espada estaba entre otras cosas sagradas.
III. El arma espiritual que más sirve es la que está disponible en el momento de más necesidad, v. 9b.
   A. La espada era la única que había entre los sacerdotes.
   B. La espada era la que más le urgía a David.
   C. La espada era la que más gusto le daba usar a David.

Conclusión: Cuando somos asediados en las batallas espirituales, urge que conozcamos cómo usar las armas espirituales que el Señor provee.

Lecturas bíblicas para el siguiente estudio

Lunes: 1 Samuel 23:1-13   **Jueves:** 1 Samuel 24:1-22
Martes: 1 Samuel 23:14-18   **Viernes:** 1 Samuel 25:1-44
Miércoles: 1 Samuel 23:19-29 **Sábado:** 1 Samuel 26:1-25

AGENDA DE CLASE

Antes de la clase

1. Escriba la palabra "VENGANZA" en la pizarra o en un cartel y, en sucesivas líneas, las palabras: "Una definición", "Posibles motivos" y "Los resultados". **2.** Tenga preparada una definición obtenida de un buen diccionario sobre el significado de venganza, junto con varios ejemplos bíblicos y modernos del acto de venganza. **3.** Pida a uno de los alumnos que se prepare para hablar del significado del "pan sagrado" (Exo. 25:30; Lev. 24:5-9). **4.** Pida a otro que prepare un informe sobre los edomitas (Num. 20:14-21; 2 Sam. 8:13-14). **5.** Haga la sección *Lea su Biblia y responda* que aparece en el libro de sus alumnos.

Comprobación de respuestas

JOVENES: **1.** d. Sacerdotes muertos. e. Ajimelec. f. Panes. b. Goliat. (a) Siervo de Saúl. (c) Loco. **2.** a. Goliat. b. Aquis,
c. Adulam. d. Ajimelec. e. Nob. f. Abiatar. **3.** a. Escribía en las puertada. b. Por el ofrecimiento que Saúl hizo. c. Sacerdotes, hombres, mujeres, niños y animales.

ADULTOS: **1.** a. Ajimelec, b. Doeg, c. Aquis, d. Gad, e. Abiatar. **2.** a-F, b-V, c-F, d-F, e-F. 3. Porque David era un hombre de confianza: era fiel servidor, el yerno del rey, el guardia personal de Saúl y un hombre ilustre en el palacio.

Ya en la clase
DESPIERTE EL INTERES

1. Invite a mirar la palabra "venganza" y a pensar en todas las palabras que les sugieren alguna relación con ella (tales palabras como represalia y revancha).
2. Pregunte sobre una definición adecuada de esta palabra.
3. Pida posibles motivos y los probables resultados del acto de venganza.
4. Pida ejemplos bíblicos (por ejemplo, Caín, los hermanos de José, etc.) y modernos (tales como el terrorismo).

ESTUDIO PANORAMICO DEL CONTEXTO

1. Presente la situación en la cual David se encontró. Mencione las amenazas constantes y peligrosas del rey Saúl.
2. Permita a los lectores leer y, si fuera posible, dramatizar 1 Sam. 21:1-15 y 2 Sam. 22:6-23. Se puede leer todo de una vez o se puede hacer por secciones.
3. Divida la clase en 3 grupos: el de David, el de Ajimelec y el de Saúl. Asigne a cada uno la lectura del contexto.
Pida que cada grupo se ponga en las "sandalias" de cada uno de los hombres y que explique por qué cada uno se sintió justificado en hacer lo que hizo.
4. JOVENES. Pueden usar la Biblia para revisar sus respuestas del "Lea su Biblia y responda". ADULTOS. Compartan sus respuestas a las preguntas 1, 2 en "Lea su Biblia y responda".

ESTUDIO DEL TEXTO BASICO

1. Examine las razones por las cuales David acude a Ajimelec. Pida a alguien que lea 1 Sam. 21:1-3. Explique el papel del sacerdote para el pueblo judío en el Antiguo Testamento. Pregúnteles: ¿Por qué Ajimelec se mostró sorprendido al encontrar a David? ¿Cuáles son algunos motivos posibles por los cuales David le mintió al sacerdote? Promueva un intercambio de opiniones con las preguntas: ¿Se justificaba que David mintiera? ¿Hay ocasiones en que podemos justificar la mentira?

2. Léase 1 Sam. 21:6, 9 y resuma la ayuda que Ajimelec le brindó a David. ¿Cuáles son las dos provisiones entregadas a David por el sacerdote? Solicite al alumno que preparó un informe sobre el significado del pan sagrado que comparta su investigación con los demás. Pregúnteles: ¿Cuál era el significado para David de la espada de Goliat? (1 Sam. 17:51).

3. Examine la "investigación real" que culminó en la orden de Saúl de asesinar a los sacerdotes de Nob. Pida a un voluntario leer 1 Sam. 22:11-13. Haga la pregunta: ¿Cuál es la acusación contra Ajimelec? ¿Está Saúl justificado en atacar la integridad del sacerdote? Si usted fuera Ajimelec, ¿qué haría? Pida a otro estudiante leer 1 Sam. 22:14, 15. Dígales: "En estos dos versículos, Ajimelec se defiende y da varias razones por las que le ayudó a David. ¿Cuáles son estas razones?" Escriba las ideas de los alumnos en la pizarra. ADULTOS. Lean su respuesta a la pregunta 3 en la sección "Lea su Biblia y responda". Examinen juntos 1 Samuel 22:16, 17. Haga esta pregunta: "¿Por qué quería Saúl vengarse de Ajimelec y su familia? Note el respeto que los servidores tenían para los hombres de Dios.

4. Considere la obediencia de Doeg y los resultados trágicos. Instrúyales a leer 1 Sam. 22:18, 19. Pídale al alumno que estudió sobre los edomitas que presente su informe. Explique que Doeg, un extranjero, no tenía los sentimientos de un judío para con los sacerdotes. Pídales que contestan estas preguntas: ¿Cuáles fueron los resultados de la venganza de Saúl contra David? ¿Cuáles son los resultados de la venganza nuestra contra nuestros "enemigos"?

APLICACIONES DEL ESTUDIO

1. Destaque nuevamente "los resultados de la venganza" presentados durante la sección "despierte el interés". **2.** Comente que muchas veces tratamos de justificar nuestra venganza para con otras personas, pero tenemos que admitir que nuestra actitud vengativa produce resultados catastróficos. **3.** Lea y comente las aplicaciones a la vida diaria dadas en el libro del alumno, dando ejemplos actuales en la vida diaria de los estudiantes para cada aplicación.

PRUEBA

Anime a los que desean compartir su lucha con la venganza a hacerlo. JOVENES: desafíeles para que respondan juntos al primer ejercicio y después para que reflexionen individualmente antes de firmar el segundo. ADULTOS: revise las respuestas, haciendo hincapié en el número dos.

David perdona a Saúl

Contexto: 1 Samuel 23:1 a 26:25
Texto básico: 1 Samuel 24:6, 15-19; 25:32-35, 39; 26:8-11, 21-24
Versículo clave: 1 Samuel 26:24
Verdad central: Las dos ocasiones cuando David perdonó a Saúl nos ilustran los beneficios de vivir de acuerdo con la voluntad de Dios y obedecer su palabra.
Metas de enseñanza-aprendizaje: Que el alumno demuestre su conocimiento de las dos ocasiones cuando David perdonó a Saúl en reconocimiento de la voluntad del Señor, y su actitud para desarrollar un espíritu perdonador.

─────── Estudio panorámico del contexto ───────

A. Fondo histórico:

Algunos lugares y ciudades importantes mencionados en este estudio son difíciles de ubicar exactamente, pero conviene acercarse a ellos en un mapa del Antiguo Testamento.

Queila, una ciudad amurallada que quedaba cerca de Adulam. *Zif,* una aldea de Judá a como cinco kilómetros al sureste de Hebrón. *Jesimón* era una área desértica entre Hebrón y el mar Muerto. *Maón* era una aldea en el área. *En-guedi,* un manantial rodeado de peñas en medio del desierto de Judá cerca del mar Muerto.

B. Enfasis:

David libra la ciudad de Queila, 1 Samuel 23:1-13. Las simpatías de David con Judá eran firmes, una oportunidad de demostrar tal actitud la proveyeron los filisteos que saqueaban Queila. Sin presencia sacerdotal o profética, David consulta a Dios dos veces antes de combatir contra los filisteos, la segunda vez en virtud del amedrentamiento de sus tropas. Con la seguridad infundida por Dios, David ataca a los filisteos y los derrota. Saúl amenaza con atrapar a David en Queila, pero Abiatar le aconseja que abandone la ciudad. De nuevo los planes de Saúl se frustran.

Reencuentro de David y Jonatán, 1 Samuel 23:14-18. Saliendo de Queila, David huye a los escarpados contornos despoblados de Zif. Los asedios de Saúl se hicieron más difíciles por la topografía. Por el peligro continuo, David acude a Hores ("bosque"), a tres kilómetros de Zif en donde Jonatán lo encuentra. A estas alturas David estaría muy descorazonado, pero como siempre, la lealtad de Jonatán lo alienta. La renovación del pacto entre los dos sirvió de gran estímulo.

Saúl rodea a David, 1 Samuel 23:19-29. Por la perfidia de algunos zifitas (comp. 1 Sam. 26:1-15), Saúl es avisado del paradero de David. El rey procura la ayuda de los oportunistas para dar con el escondite preciso de David. Saúl y sus secuaces se acercan a David, pero se demuestra de nuevo la protección de Dios; Saúl se ve obligado a abandonar la búsqueda debido a "seguridad nacional". No sabe que David está al otro lado de la montaña.

David perdona la vida a Saúl, 1 Samuel 24:1-22. Saúl sigue la asechanza: David huye unos 25 kilómetros más adentro del desierto de Judá a En-guedi. Fuera de este oasis sólo hay peñascos, buen escondrijo. Dios llevó a Saúl a la misma cueva en donde estaba David, sin que aquél lo supiera. David tuvo la oportunidad de matarlo, pero sólo corta una parte de su manto, acción que ocasionó profundo arrepentimiento a Saúl. David sube a Masada con sus tropas.

David perdona la afrenta de Nabal, 1 Samuel 25:1-44. Por haber protegido a sus pastores, David pide a Nabal algunas provisiones para sus hombres. Nabal, conocido por insensato, desdeña a David. David se propone matar a todos los de Nabal, pero Abigaíl, su mujer, se entera y sabiamente ofrece a David más de lo solicitado. El enojo de David es apaciguado por Abigaíl, y agradece a Dios que no haya matado por el enojo. Cuando Nabal descubre lo que pasó, muere inesperadamente. David toma a Abigaíl por esposa.

David perdona de nuevo la vida a Saúl, 1 Samuel 26:1-25. Las similitudes entre este relato y el anterior hacen que algunos crean que son sólo dos versiones de la misma historia. No obstante, hay diferencias significativas. En el primer relato David actuaba pasivamente bajo la dirección divina. En éste hay más intervención humana. El papel que juega Abner, el general, también es significativo. En resumen, David sigue mostrando su respeto por la casa de Saúl y por éste como el ungido de *Yahweh.*

────────────── **Estudio del texto básico** ──────────────

1 David perdona la vida a Saúl, 1 Samuel 24:6, 15-19.

V. 6. David y sus hombres, siendo perseguidos por Saúl, se hallan en el área de En-guedi. Se presenta una oportunidad para matar a Saúl cuando éste entra a la misma cueva donde está David; los compañeros de David le instan a matar a Saúl, citando un oráculo que no se constata en ningún otro lugar (v. 4). *Jehovah me libre de hacer tal cosa contra mi Señor, el ungido de Jehovah.* David, para convencer a Saúl de que no es su enemigo, corta sólo una parte del manto del rey sin que éste se percate de ello. Es posible que David, al cortar el manto, estuviera uniéndose a Samuel en el rechazo de Saúl como el rey (15:27). Esto explicaría su remordimiento (vv. 5, 6). Al fin, David demuestra su lealtad y simpatía para con la casa de Saúl pese a la actitud vengativa de éste.

V. 15. Al salir de la cueva Saúl, David hace que reconozca quién le habla y quién le había perdonado la vida. David, el respetuoso de siempre, insinúa que la actitud irracional de Saúl contra él obedece a la influencia malvada de otros, declara su propia inocencia, promete no agredir nunca a Saúl pese a las asechanzas de éste contra David. *Que Jehovah sea el juez y juzgue entre tú y yo.* En efecto, David anuncia que ante Dios él es inocente de todo agravio contra el rey; David está convencido de que Dios lo protegerá, y proféticamente afirma su futuro reino.

V. 16. *¿No es ésa tu voz, David, hijo mío?* Ante las palabras de David, Saúl no tan sólo reconoce quién las pronuncia, sino que también reconoce que él ha incurrido en una gran injusticia. Su arrepentimiento, aunque provisorio, es sincero. El que haya hablado a David como hijo (no sólo un yerno) en una campaña vengativa, demuestra de nuevo su inestabilidad emocional.

V. 17. *Tú eres más justo que yo.* Saúl, habiéndose unido anteriormente a una banda de profetas, ahora, sin saberlo, anuncia el tenor del reinado futuro de David. Aunque la confesión de Saúl se limita textualmente a la superioridad de la justicia de David por haberle perdonado la vida, el autor bíblico da a entender que la justicia ha de caracterizar al reinado de David. Al fin y al cabo David es el prototipo del Mesías venidero.

V. 18. *Jehovah me entregó en tu mano, y tú no me mataste.* Saúl, al igual que todo creyente, ve la mano de Dios en eventos destacados. Dios había hecho conjugar los elementos necesarios para que David tuviera la oportunidad de acabar con Saúl. Dios quería que Saúl entendiera el respeto que David sentía para con el rey.

V. 19. *Cuando un hombre halla a su enemigo, ¿lo deja ir sano y salvo?* Saúl reconoce que si él hubiera tenido la oportunidad de matar a David, lo habría hecho sin pensarlo dos veces. David en cambio, demostró su calibre de realeza al obrar justa y misericordiosamente con Saúl. Este ahora reconoce que David será rey, y su reino será muy distinto al suyo.

2 David perdona la afrenta de Nabal, 1 Samuel 25:32-35, 39.

V. 32. La historia muy realista del carácter de Nabal y su trato desdeñoso a David ofrece una oportunidad más al escritor bíblico para demostrar adicionales factores positivos en torno al futuro rey de Israel. Nabal, cuyo nombre ilustra su carácter: "fatuo" o "malcriado", opta por desconocer la protección brindada por David a sus pastores; rehúsa contribuir con alguna asistencia a David en momento de necesidad. David, al principio airado, piensa matarlo con toda su familia. Abigaíl, la sabia esposa de Nabal, impide esto al salir al encuentro de David con disculpas y provisiones. *¡Bendito sea Jehovah Dios de Israel, que te envió hoy a mi encuentro!* David también reconoce la mano de Dios en los eventos de la vida. Si no hubiera sido por la actuación de Abigaíl, David habría asesinado a mucha gente inocente. Agradece a Dios su intervención por medio de Abigaíl. Es significativo que un hombre de la estirpe de David reconozca y aprecie que Dios emplea al sexo femenino para lograr sus propósitos.

V. 33. *Bendita seas tú.* David no tan sólo alaba a Dios, sino que también pide la bendición de Dios sobre Abigaíl, porque esta mujer sirvió para que David no tuviera que sufrir posteriormente la vergüenza y el pesar de haber matado injustamente en un momento de coléra.

V. 34. *Vive Jehovah Dios de Israel que me ha impedido hacerte daño.* El escritor bíblico afirma el antiguo sentido de la justicia: al haber rescatado a David de la comisión de un acto vergonzoso, asume la responsabilidad por la venganza sobre Nabal. Al fin y al cabo le toca a Dios administrar la justicia en el sentido cabal. *No le habría quedado a Nabal ni un solo hombre con vida.* Este es un perfecto ejemplo en donde los traductores bíblicos se sienten obligados a suavizar algunas expresiones históricas pero crudas. Las palabras "con vida" son sólo un eufemismo por otra expresión. Véase la nota al pie de la página en la RVA.

V. 35. Al recibir las provisiones de la mano de Abigaíl, David le asegura su respeto y su admiración. El que posteriormente Nabal muera "de causas naturales" y que Dios permita que Abigaíl llegue a ser su esposa es visto por el escritor bíblico como una reivindicación de la inocencia y el honor de David. El Señor mismo había protegido a David.

V. 39. *¡Jehovah mismo ha hecho caer la maldad de Nabal sobre su propia cabeza!* Lejos de ver la muerte de Nabal como una consecuencia natural de sus vicios y su mal genio, David expresa el sentir del escritor bíblico al atribuir la muerte de Nabal a la justicia de Dios. Aunque cristianamente nos es difícil achacar la muerte de nadie directamente a Dios, hay que reconocer que él establece leyes naturales y morales, cuando los hombres optan por infringirlas, se destruyen a sí mismos.

3 David perdona de nuevo la vida a Saúl, 1 Samuel 26:8-11, 21-24.

V. 8. *¡Hoy ha entregado Dios a tu enemigo en tu mano!* Esta vez no es David el que atenta contra la vida de Saúl sino Abisai, su sobrino. Este, de muy buena gana, quisiera acabar con la vida de Saúl que dormía rodeado de soldados, incluso protegido por el general Abner. Abisai ruega a David que le dé la palabra y que acabará con Saúl de una sola lanzada.

V. 9. *No lo mates,* es la respuesta de David. De nuevo, se asegura la simpatía y lealtad de David para la casa de Saúl como *el ungido de Jehovah.*

V. 10. Aquí David exterioriza lo que en realidad iría a suceder. Es la convicción de David que cualquier retribución al ungido debe darse sólo por Dios. *Jehovah mismo lo herirá... o irá a la guerra y perecerá.* Estas palabras demuestran cómo los eventos históricos y los propósitos de Dios coinciden a la larga.

V. 11. *Toma la lanza... y la cantimplora.* Estas pertenecían a Saúl, las cosas más necesarias para el guerrero y por ende, nunca distantes de su persona. Al tomarlas, David dejaba bien en claro que pudiera haber matado a Saúl, pero no lo hizo.

V. 21. Saúl al fin reconoce, fugazmente, que David lo tiene en alta estima. Su propia actuación es inexcusable.

V. 22. David devuelve la lanza, pero todavía con cierta cautela; conoce la volubilidad de Saúl. Saúl había hablado suavemente en ocasiones anteriores sólo para luego perseguirlo, y David no quería exponerse innecesariamente al riesgo.

Vv. 23, 24. Tal como David había perdonado la vida a Saúl, ahora pide que Saúl corresponda, permitiendo que permanezca en Judá. Separarse de la tierra de Jehovah implicaba perder sus bendiciones.

──────────Aplicaciones del estudio ──────────

1. El trato a los ungidos de Jehovah, 1 Samuel 24:6. Por muchos defectos humanos que tenga nuestro pastor, se le debe respetar y respaldar en sus funciones como tal. Oremos por el ungido de Dios en nuestra iglesia.
2. Expresemos nuestro agradecimiento, 1 Samuel 25:32. Conviene que no tan sólo sintamos el agradecimiento sino también lo expresemos cuantas veces podamos.

──────────Ayuda homilética ──────────

Cómo reaccionar ante la ayuda de Dios cuando erramos
1 Samuel 25:32-35

Introducción: Algunos de nuestros errores más grandes son impedidos por Dios; él interviene de varios modos para que nosotros y otros no sufran por esos errores. También podemos observar cómo reaccionar ante esta ayuda divina.

I. La reacción de agradecimiento, v. 32.
　　A. David bendice a Dios por haber enviado a Abigaíl.
　　B. David bendice a Abigaíl por haberlo encontrado.
II. La reacción de reconocimiento, vv. 33, 34.
　　A. David reconoce la sabiduría y ayuda de Abigaíl.
　　B. David reconoce la intervención de Dios.
　　C. David reconoce lo que Abigaíl hizo por otros.
III. La reacción de comportamiento, v. 35.
　　A. David recibe lo ofrecido de Abigaíl.
　　B. David ofrece paz y protección a Abigaíl.
　　C. David escucha y respeta a Abigaíl.

Conclusión: Debemos reaccionar con agradecimiento a las personas que nos han ayudado a evitar cometer errores.

Lecturas bíblicas para el siguiente estudio

Lunes: 1 Samuel 27:1-4　　　　**Jueves:** 1 Samuel 28:1, 2
Martes: 1 Samuel 27:5-7　　　　**Viernes:** 1 Samuel 28:3-19
Miércoles: 1 Samuel 27:8-12　　**Sábado:** 1 Samuel 28:20-25

AGENDA DE CLASE

Antes de la clase
1. Pida a un alumno que prepare un resumen interesante de los escapes difíciles de David en 1 Samuel 23:19-29. **2.** Prepare a dos alumnos para presentar un simulación. Un alumno debe estudiar la vida de Nabal (1 Sam. 25:2-211, 36-38) y prepararse para presentar un monólogo dramático de tres minutos. Una alumna debe representar el papel de Abigaíl, también preparando un monólogo de tres minutos (otra opción, en lugar de monólogos, el maestro puede entrevistarlos). **3.** En la pizarra escriba el título de la lección y prepare dos columnas: Consecuencias del rencor y consecuencias del perdón. 4. Haga la sección Lea su Biblia y responda.

Comprobación de respuestas
JOVENES: **1.** (b) dos. (c) Cinco. (d) Cien. (a) Docientos. **2.** a. Jonatán. b. David. c. Saúl. d. Nabal. e. Samuel. f. Abner. g. Abigaíl. h. Abisai. **3.** a. Queila. b. Los filisteos habían atacado su país. c. Que no destruiría su descendencia. d. Por haberle evitado vengarse de Nabal.
ADULTOS: **1.** a. 600. b. 3000. c. 3000, 1000. d. 200 panes, 2 tinajas, 5 ovejas, 5 medidas, 100 tortas y 200 panes de higo. **2.** 1-e, 2-i,3-a, 4-h, 5-f, 6-b, 7-j, 8-d, 9- g, 10-c.

Ya en la clase
DESPIERTE EL INTERES
1. Cuente la siguiente historia: Un hombre dejó a su esposa cristiana y su hija para servir en el ejército durante la Segunda Guerra Mundial. La esposa se quedó muy preocupada cuando las cartas de su esposo iban llegando con menos regularidad. Finalmente perdió contacto con su esposo. Después de varios meses, ella recibió la noticia devastadora que su esposo iba a quedarse en la tierra lejana con su nueva "mujer". Abandonada y desesperanzada, la mujer crió a su niña sin dejar de amar a su esposo infiel. Después de muchos años el hombre, enfermo y arrepentido, le escribió a su exesposa para pedirle perdón y para buscar ayuda para la hija que él había engendrado con su segunda mujer. Después de la muerte del hombre, esta fiel esposa no sólo invitó a la hija ilegítima a vivir con ella, sino también invitó a la mamá de ella para que compartiera la misma casa. **2.** Pregunte: ¿Es esta historia un ejemplo de perdón cristiano? ¿Por qué? **3.** Pregunte: ¿Es usted capaz de perdonar así? ¿Por qué? o ¿por qué no?

ESTUDIO PANORAMICO DEL CONTEXTO
1. Presente un resumen breve de la experiencia de David en la ciudad de Queila. Indique que, aunque David libra esta ciudad de la amenaza filistea, los habitantes iban a entregarlo en mano de Saúl. **2.** Mencione el reencuentro de David y Jonatán en el desierto de Zif y el pacto hecho

entre los dos. **3.** Pida al alumno preparado que cuente los "escapes difíciles" de David en 1 Samuel 23:19-24:22. **4.** Enfatice la experiencia de David con la bella Abigaíl y la "bestia" Nabal. **5.** Demuestre cómo David rehusó vengarse de Saúl cuando le fue dada una segunda oportunidad.

ESTUDIO DEL TEXTO BASICO

1. Examine cómo David perdonó la vida al rey Saúl. Pida a los alumnos que lean 1 Samuel 24:6, 15-19. Pregúnteles: ¿Por qué David no quiso matar a Saúl en esta "oportunidad dorada"? Mencione que David ya había sido ungido también (1 Sam. 16), pero Saúl no tenía miedo de buscar y asesinar a David. Haga la pregunta: ¿Cuál fue la respuesta de Saúl cuando se dio cuenta de que David le perdonó la vida? Note las tres re-ferencias al nombre de Jehovah en las palabras de Saúl en los versículos 18, 19 y 21. Hágales saber que no basta hablar de Jehovah si no estamos dispuestos a obedecerlo.

2. Considere el perdón que David extendió a Nabal por causa de la intercesión de Abigaíl. Llame ante la clase a los dos alumnos que presentarán los monólogos (o las entrevistas). Contraste las reacciones ofensivas de Nabal y las acciones nobles de Abigaíl. Pida a un voluntario que lea 1 Samuel 25:32-35, 39. Haga las preguntas: ¿Por qué bendijo David a Jehovah? En la opinión de David, ¿qué hizo Abigaíl? Según el v. 39, ¿de quién es la venganza? JOVENES, revisen las preguntas.

3. Lean 1 Samuel 26:8-11 y examinen la segunda oportunidad que David tenía para matar a Saúl. Pregunte: ¿Por qué David no le dio a Abisaí el permiso de asesinar a Saúl? ¿Si usted hubiera sufrido la persecución que David tuvo que enfrentar, haría lo que hizo David? ¿Cuáles pertenencias reales fueron confiscadas por David? Ahora pida a un alumno que lea 1 Samuel 26:21-24. Pregunte: ¿Cuál era la reacción del rey Saúl? ¿Le parece a usted que Saúl es sincero en su arrepentimiento? ¿Por qué? o ¿por qué no? Contraste las acciones consistentes de David en preservar la vida de Saúl, y las acciones contradictorias del rey.

APLICACIONES DEL ESTUDIO

1. Promueva la oportunidad de intercambiar opiniones sobre las consecuencias del rencor amargado y del perdón "dulce". Pregunte: ¿Qué pasa si no estoy dispuesto a perdonar a una persona que me ha herido? **2.** Dé oportunidad para que sean leídas y comentadas las aplicaciones prácticas que presenta el libro de alumnos en este estudio. **3.** Ofrezca la oportunidad para que algunos estudiantes compartan experiencias personales en cuanto a la necesidad de perdonar.

PRUEBA

Dé oportunidad para que respondan a los ejercicios de prueba. JOVENES. Les es menester recordar la importancia del perdón y de la reconciliación. Haga hincapié en las preguntas 1 y 3. ADULTOS. Deben ser honestos ante Dios en responder la pregunta 2. Si hay tiempo, lean juntos Proverbios 16:7.

Unidad 12

Saúl y la espiritista de Endor

Contexto: 1 Samuel 27:1 a 28:25
Texto básico: 1 Samuel 27:5, 6; 28:1, 2, 4-7, 11, 15-23
Versículo clave: 1 Samuel 28:15
Verdad central: El relato de la consulta que Saúl hizo a la espiritista de Endor nos ilustra que las personas que no obedecen a Dios sufren una penosa angustia y desesperación.
Metas de enseñanza-aprendizaje: Que el alumno demuestre su conocimiento de las circunstancias y el estado de ánimo que impulsaron a Saúl a consultar a la espiritista de Endor, y su actitud para establecer una relación de obediencia a Dios.

────────── **Estudio panorámico del contexto** ──────────

A. Fondo histórico:

Siclag era un pueblo que quedaba a unos 25 kilómetros al suroeste de Gat. Estaba ubicada en la frontera entre el territorio filisteo y el israelita. Su posición era ideal para las incursiones de David a tierra israelita. El pueblo de Siclag quedó en manos israelitas desde esta época en adelante.

B. Enfasis:

David se refugia entre los filisteos, 1 Samuel 27:1-4. David reconoce que no habría seguridad para él mientras viviera Saúl. Entonces opta por huir de territorio israelita para refugiarse entre los filisteos. David con su séquito, por ser "enemigos" de Saúl, son recibidos por los filisteos como amigos. David tuvo que ser excelente político para convencer a los filisteos de su amistad sin a la vez destruir su imagen como israelita en Judá. Lo hizo magistralmente.

David reside en Siclag, 1 Samuel 27:5-7. Aquis regaló una ciudad fronteriza, Siclag, a David. Este se había ganado la confianza de Aquis de tal modo que el filisteo quería hacer a David su guarda personal. A David le convenía no estar en la ciudad real, Gat, por motivos que se aclararán posteriormente.

Incursiones de David desde Siclag, 1 Samuel 27:8-12. David hace que Aquis crea que incursiona en territorio de Judá para saquear y matar; en realidad, David mataba a algunos beduinos no israelitas, y llevaba su botín a Aquis como si fuera de los israelitas. Los de Gesur eran un pequeño grupo nómada que vagaba por el desierto al norte de Egipto. Los amalequitas eran el remanente que quedó en el sur de Judá después de la matanza de Saúl (15:4-9). De los de Gezer no se sabe nada.

Los filisteos se alistan contra Israel, 1 Samuel 28:1, 2. A todo lo largo de dieciséis meses David había podido evitar contacto bélico con los israelitas sin que Aquis se enterase. Ahora, los filisteos se disponen a atacar a las fuerzas de Saúl; Aquis espera que David junto con sus 600 hombres, lo ayuden en la batalla.

Saúl acude a la espiritista de Endor, 1 Samuel 28:3-19. Saúl se halla en grandes apuros: los filisteos lo tienen amedrentado y no tiene por quién lograr una palabra del Señor. Samuel ya murió, Jehovah no respondía mediante los medios hebreos más comunes para dar a conocer su voluntad. Pese a sus propias órdenes contra la necromancia (consultar a los muertos), Saúl manda a buscar una espiritista hebrea de Endor ("manantial de aldea"). El antiguo Israel creía que la necromancia era posible pero prohibida por ser de origen pagano (Lev. 19:31). El mensaje desde allende la tumba es aciago: las tropas israelitas serán vencidas y Saúl morirá.

Saúl ante la predicción de su muerte, 1 Samuel 28:20-25. Saúl, el rey que se negaba a reconocer que Dios lo había desechado, ahora queda postrado. La actitud tierna de la mujer de Endor para con Saúl refleja un respeto de parte del escritor bíblico también. Pese a sus enormes problemas, Saúl había contribuido a la historia de Israel.

────────────────── **Estudio del texto básico** ──────────────────

1 David se refugia entre los filisteos, 1 Samuel 27:5, 6.

V. 5. *Si he hallado ahora gracia ante tus ojos,* son palabras que reflejan el estado de cosas entre David y Aquis, el rey filisteo de Gat. David había hecho todo lo posible por ganarse la confianza de Aquis al fingir ser enemigo de Saúl. Hay que recordar que Saúl era el enemigo de David, pero éste no era enemigo de aquél. David no había podido convencer a los demás líderes filisteos de su amistad tanto como a Aquis. Su engaño funcionó porque durante toda su estadía entre los filisteos no mató a ningún hebreo. *¿Por qué ha de habitar tu siervo contigo en la ciudad real?* David había pedido que los filisteos le diesen a él y a sus 600 hombres (y sus familias) un lugar donde vivir. No era conveniente para David vivir en la ciudad real por dos razones: (1) por estar bajo escrutinio demasiado severo de los filisteos; (2) por arriesgar ante los hebreos su lealtad.

V. 6. *Aquel día Aquis le dio la ciudad de Siclag.* Esta ciudad era ventajosa para David por su ubicación, era una ciudad fronteriza entre el territorio de los filisteos y el de las tropas de Saúl. Era una ubicación ideal para hacer las incursiones contra los beduinos no hebreos en el desierto palestino. Aquis no sabría a ciencia cierta de la procedencia del botín que David le llevaba, supuestamente de los hebreos. *Por esto Siclag pertenece a los reyes de Judá, hasta el día de hoy.* No se sabe cómo este pueblo llegó a estar en manos de Aquis, pero siempre se asociaba con las ciudades ocupadas por tribus hebreas (Jos. 15:31; 19:5). La expresión *hasta ahora* se refiere a la fecha de la hechura del libro de Samuel, siglos después de los eventos narrados.

2 Saúl consulta a la espiritista de Endor, 1 Samuel 28:1, 2, 4-7, 11.

V. 1. *Los filisteos reunieron sus tropas en un ejército para combatir contra Israel.* Varios factores se conjugaron para hacer que Saúl hiciera la visita a la espiritista: (1) sus propias políticas insensatas y derrochadoras en las que dedicaba tiempo, tropas y dinero en cuestiones personales; por ejemplo, la persecución de David; estas cosas sólo podían redundar en fuerzas debilitadas; (2) su propia condición emocional cada vez más deteriorada; (3) el rechazo divino no reconocido por su parte; (4) la amenaza de las tropas filisteas. *Bien sabes que debes ir conmigo a la campaña tú con tus hombres.* He aquí, la prueba final que David tendría que afrontar; hasta ese momento había podido persuadir a Aquis de su lealtad a él y de su supuesta enemistad contra Saúl.

V. 2. *Sabrás, pues, lo que puede hacer tu servidor.* Sólo podemos imaginarnos lo que David estaría pensando dentro de sí, pero respondió con cierto aire de jactancia. Alude a sus supuestas escaramuzas contra tropas de los hebreos en las que, en realidad, mataba sin misericordia a algunos indefensos beduinos en el desierto. El caso es que ahora David literalmente está entre la proverbial espada y la pared, porque debe servir como el guarda personal de Aquis, el filisteo. Esto refleja el grado de confianza que el rey tenía para con David, pero también refleja la situación difícil en la que David se hallaba. Saúl tiene que haberse enterado de la amenaza de los filisteos y la presencia de David entre ellos. ¡Qué terror! ¡Los enemigos acérrimos de Israel siendo auxiliados por su supuesto peor rival y el próximo rey de Israel!

V. 4. *Sunem*, el destacamento de las tropas filisteas, quedaba a unos diez kilómetros al noroeste del manantial en el monte de Gilboa. A su vez, según la cronología un tanto confusa del autor bíblico, las tropas hebreas bajo el mando de Saúl estaban acampadas en *Gilboa*. El significado de este nombre es incierto, pero tal vez signifique "colinas" o en su defecto, "fuente burbujeante". Fue aquí mismo en donde Saúl y sus tres hijos encontrarían la muerte.

V. 5. El escritor bíblico no indica si el número de filisteos sería el factor causante del temor de Saúl o, si su propia condición emocional se prestaría para tal reacción. El contexto bíblico parece indicar que el temor puede haber resultado del hecho de que Saúl no conocía la voluntad de Dios en el asunto, ni cuál sería el desenlace de la batalla. *Se estremeció en gran manera*, hablando de su corazón, es mucho más que un palpitar rápido; es un cuadro de puro terror.

V. 6. *Pero Jehovah no le respondió ni por sueños, ni por Urim, ni por los profetas.* Saúl, en condición de ansiedad máxima, procura que Dios le revele cómo terminará el conflicto. Quiere emplear todos los medios usuales y normales entre los hebreos para recibir un oráculo de Dios. Sus sueños, lejos de dar palabra de Dios, sólo eran pesadillas; no había voz profética legítima desde que Samuel lo abandonó (15:35); no había sacerdote que le orientara desde la matanza de los sacerdotes por Doeg (22:23). Ni los dados sagrados (el Urim) revelaban algo. El cuadro triste es que Saúl había sido cortado de toda comunicación con el Señor. Aunque hubiera querido usurpar de nuevo el papel del sacerdote y del profeta, Dios no le contesta.

V. 7. *Buscadme una mujer que sepa evocar a los muertos.* Saúl mismo, aplicando la ley de Moisés, había proscrito la necromancia en Israel, so pena de muerte. Pese a esto, ahora la desesperación de Saúl lo obliga a buscar consejos de un muerto mediante una espiritista.

V. 11. *Haz que suba Samuel.* Viéndose abandonado por todos, no le queda otra sino recurrir a una práctica ilícita para conocer la voluntad de Dios; pide que Samuel aparezca para aconsejarle. Samuel era el profeta que más había ayudado a Saúl al principio

3 Las consecuencias del pecado de Saúl, 1 Samuel 28:15-19.

V. 15. Saúl oye la voz de Samuel con tono de regaño; había estado en "Seol", el paradero de todos los muertos. ¡Aunque no era un lugar envidiable, era mejor que hablar con Saúl! El pobre Saúl exterioriza su frustración incomprensible a Samuel al no poder lograr "palabra de Jehovah".

Vv. 16-18. *¿Para qué me preguntas a mí?* Samuel, en vida, le había dicho ya a Saúl que había sido rechazado por Dios, ya que había frustrado el propósito de Dios respecto a los amalequitas. Saúl, en lugar de reinar según Dios, se había hecho enemigo de Dios y usurpador del mando divino. Samuel advierte a Saúl que por eso "está como está".

V. 19. Saúl oye de parte de Samuel justo lo que no quería oír: se acababa su reino; sería dado a otro, y pronto el rey de Israel se hallaría en el lugar de los muertos igual que Samuel. Sus hijos estarían con él también, lo cual significaba que su linaje se veía amenazado. Su posteridad estaba en juego.

4 Saúl ante la predicción de su muerte, 1 Samuel 28:20-23.

La altura de Saúl se exageró al caer al suelo en un desmayo ante las noticias aciagas de Samuel. La misma mujer de Endor, habiendo perdido su temor, ahora ministra a su rey de la forma más tierna. Le ofrece alimento, pero Saúl tiene que ser convencido por ella y sus allegados de que coma; recibe el alimento, pero regresa a sus tropas como un hombre condenado y sin esperanzas.

──────── Aplicaciones del estudio ────────

1. De la sartén al fuego, 1 Samuel 28:1 y 2. David huye de Saúl a territorio filisteo. Toda su estadía allí era peligrosa, porque David se vio obligado a mentir, matar a inocentes, vivir con la suspicacia de muchos. Ante problemas reales o imaginarios solemos huir en lugar de enfrentarlos. En nuestro medio casi siempre es mejor encarar nuestras dificultades frontalmente con la ayuda de nuestros allegados. Huir de las dificultades casi siempre resulta en problemas mayores.

2. Cuando Dios no contesta, 1 Samuel 28:6. Saúl usó todos los medios conocidos durante su época para recibir una palabra del Señor. Pese a esto Dios no le contestó. Son muchas las veces que los creyentes oramos y, según nosotros, no recibimos una contestación. Dios siempre contesta la oración, ya sea positiva o negativamente.

3. Los amigos inesperados, 1 Samuel 28:21, 22. Saúl había experimentado el golpe más grande de su vida al recibir el mensaje de Samuel desde la tumba. La espiritista pese a su practica ilícita, se trocó en una buena amiga en los momentos más críticos. ¿Cuántos de nosotros no nos sorprendemos por el origen de la ayuda en nuestros momentos de más necesidad?

Ayuda homilética

Las consecuencias del pecado
1 Samuel 28:16-19

Introducción: El orgullo que resulta en la desobediencia siempre tiene consecuencias funestas. Estas se detallan en nuestro pasaje.

I. El pecado resulta en la rotura de comunicación entre el pecador y Dios, v. 16.
   A. El difunto Samuel indica que Saúl no tenía derecho a consultarlo a él, ya que era profeta de Dios.
   B. Saúl ahora contempla a Dios como enemigo que no se comunica con él.

II. El pecado resulta en la pérdida de oportunidades de servicio y victorias, vv. 17. 19a.
   A. Por el pecado Saúl perdió el privilegio de gobernar en nombre de Dios.
   B. Por el pecado Saúl vio que sus privilegios eran dados a otro.

III. El pecado resulta en la separación entre el hombre y Dios, y entre el hombre y el hombre, v. 19b.
   A. El Seol era lugar de los muertos.
   B. El pecado de Saúl lo separó de David y de sus demás súbditos.

Conclusión: Cuando el pecado reina en nuestra vida, experimentamos una sensación de pérdida: de comunicación, de oportunidades de servicio y victorias y de la sensación de la presencia de Dios y de los demás.

Lecturas bíblicas para el siguiente estudio

Lunes: 1 Samuel 29:1-11   **Jueves**: 1 Samuel 30:9-19
Martes: 1 Samuel 30:1-5   **Viernes**: 1 Samuel 30:20-31
Miércoles: 1 Samuel 30:6-8   **Sábado:** 1 Samuel 31:1-13

AGENDA DE CLASE

Antes de la clase
1. Busque en los periódicos nacionales o en revistas conocidas algún resumen sobre la brujería, el espiritismo u otra actividad relacionada con la práctica del ocultismo (inclusive los horóscopos). Si hay suficiente información, se puede preparar una cartulina con varios reportajes. **2.** Prepare la pizarra para anotar las ideas de los alumnos durante la "lluvia de ideas". **3.** Responda a las preguntas hechas en el libro del alumno en la sección *Estudio del texto básico.*

Comprobación de respuestas
JOVENES: 1. b, e, f. 2. (c) Gilboa, (d) Endor, (f) Gat, (a) Ramá, (b) Sunem, (e) Siclag. 3. a, c, f. 4. a, b, d, e, g, i, l.
ADULTOS: 1. a. por sueños, b. por Urim, c. por los profetas. 2. a. estaba atemorizado al ver el ejército filisteo, b. Jehovah no le respondió. 3. a. Las naciones paganas que iban a desalojar; b. una abominación a Jehovah, c. los echa de delante de ti, d. debe ser íntegro para con Jehovah su Dios.

Ya en la clase
DESPIERTE EL INTERES
1. Lea por lo menos uno de los reportajes sobre un aspecto de las prácticas ocultistas que usted halló en los periódicos. **2.** Pida que los alumnos compartan su reacción al reportaje. **3.** Pregunte: ¿Por qué buscan muchas personas ayuda hoy día en la brujería o en religiones ocultistas? ¿Es suficiente confiar en Dios, o debemos buscar una "segunda opinión" para asegurar el éxito de nuestra vida? **4.** Comente que Saúl buscó la ayuda de una bruja porque, en su desobediencia, había perdido la habilidad de escuchar la voz de Dios.

ESTUDIO PANORAMICO DEL CONTEXTO
1. Explique por qué David buscó refugio entre los filisteos, los enemigos de Israel. **2.** Describa el plan de David de ganar el favor de Aquis y, a la vez, mantener buenas relaciones con Israel; David era un estratega maestro. **3.** Enfatice el dilema de David cuando fue invitado a luchar al lado de Aquis contra Israel. **4.** Comente la razón por qué Saúl apela a la necromancia (a pesar de su prohibición) y los resultados trágicos para Saúl.

ESTUDIO DEL TEXTO BASICO
1. Examine las razones y las consecuencias del intento de David de buscar refugio entre los filisteos. Solicite que lean 1 Samuel 27:5, 6. Pida a los alumnos que se pongan en el lugar de David y que participen en una "lluvia de ideas" al responder a estas preguntas: ¿Por qué David buscaba refugio entre los enemigos más odiados de Israel? ¿Cuáles eran las ventajas y las desventajas de huir donde Aquis? Escriba sus ideas en la pizarra. Ahora pídales que traten de entender la solicitud del punto de vista de

Aquis, rey de los filisteos. Recuérdeles del encuentro previo de David y Aquis (1 Sam. 21:10-15). Pregunte: ¿Cuáles serían las ventajas y las desventajas de permitir la presencia de David en territorio filisteo?

2. *Lean 1 Samuel 28:1, 2, 4-7, 11 y observen la experiencia de Saúl con la espiritista de Endor.* Comente: David huyó del enemigo, buscando una "base de operaciones" fuera de la amenaza constante del rey Saúl. Ahora Saúl huye también, buscando desesperadamente una palabra de Dios. Pregunte: ¿Cuáles son los tres medios a través de los cuales Jehová se había comunicado con su pueblo (1 Sam. 28:6)? ¿Por qué el rey escogió desobedecer su propia ley, la cual condenaba la necromancia? ADULTOS, revisen la pregunta 2 en la sección *Lea su Biblia y responda.* Haga esta observación: Como creyentes, sabemos que el Señor quiere revelarse a nosotros a través de su Palabra; también tenemos el gran privilegio de hablar directamente con el en la oración. Pero, cuando usted ora y no recibe la respuesta deseada, ¿busca otras fuentes de dirección espiritual? Mencione que algunos buscan ayuda en movimientos religiosos y filosofías modernas que son completamente contrarios al evangelio.

3. *Examine las consecuencias del pecado del rey Saúl en 1 Samuel 28:15-19.* Haga una lista de las consecuencias del pecado de Saúl expuestas en este pasaje. ADULTOS, revisen la pregunta 3c. Pregunte: Según la Escritura, ¿producen consecuencias nuestros pecados? Pídales que den ejemplos de las consecuencias de varias formas de pecado. Mencione la verdad central de Romanos 6:23.

4. *Lean 1 Samuel 28:20-23 para considerar a Saúl ante la predicción de su muerte.* Pregunte: ¿Cómo reaccionó Saúl al escuchar la predicción de su muerte? ¿Puede usted identificarse con esta reacción de terror?

APLICACIONES DEL ESTUDIO

1. Recalque nuevamente el hecho de que el ocultismo hoy día tiene un gran número de adeptos. 2. Note que muchos buscan "respuestas fáciles" o una justificación para su estilo de vida. Muchos quieren vivir sin tener que preocuparse con la realidad que un día van a rendirle cuentas al único Dios verdadero y santo. 3. Permita la lectura de las aplicaciones prácticas que plantea el libro del alumno, y las que aparecen en el libro del maestro si el tiempo lo permite.

PRUEBA

1. Invítelos a reflexionar y a orar delante del Señor antes de responder a la sección *Prueba.* 2. ADULTOS, hagan hincapié en la primera "prueba", analizando las emociones de Saúl. JOVENES. Pregunte: ¿En qué confía usted? ¿Está confiando sólo en Cristo para darle propósito y esperanza, o está buscando otras "fuentes" de dirección y satisfacción? 3. Anime a sus alumnos a hacer las actividades de la sección *Prueba* (ADULTOS, prueba 2; JOVENES, pruebas 1 y 2). 4. Anímelos a confiar sólo en Dios.

Obediencia *versus* desobediencia

Contexto: 1 Samuel 29:1 a 31:13
Texto básico: 1 Samuel 30:1, 2, 6-8, 16-19; 31:1-7
Versículo clave: 1 Samuel 30:6
Verdad central: El relato de la victoria de David y el trágico final de la vida de Saúl nos ilustran la bendición de obedecer y las consecuencias de no obedecer a Dios.

Metas de enseñanza-aprendizaje: Que el alumno demuestre su conocimiento del resultado de la obediencia tanto como la consecuencia de la desobediencia a Dios, y su actitud de obedecer a Dios.

Estudio panorámico del contexto

A. Fondo histórico:

Los amalequitas eran nómadas que habitaban los desiertos de la península sinaítica y el Neguev. No fueron destruidos totalmente hasta el siglo VIII a. de J.C. (1 Crón. 4:43).

Néguev, significa "seco". Era la región árida al sur del territorio israelita.

B. Enfasis:

David es excluido de ir contra Israel, 1 Samuel 29:1-11. Al formarse los ejércitos filisteos en una sola unidad para ir a guerrear contra Saúl, los líderes principales descubren que David y sus tropas se encuentran entre ellos. Esto desagrada sobremanera a algunos de ellos, y exigen a Aquis que ordene a David regresar a Siclag con sus tropas. Este pasaje demuestra que: (1) Aunque David había podido convencer totalmente a Aquis de su lealtad, no lo había hecho con los demás filisteos; (2) Aquis no era uno de los líderes principales entre las fuerzas de los filisteos.

Los amalequitas atacan Siclag, 1 Samuel 30:1-5. Por frustrado que se haya sentido David al no poder acompañar a los filisteos en su campaña militar, el Señor tenía sus razones para hacerlo volver a Siclag; algunos amalequitas, antiguos enemigos de Israel, habían saqueado el pueblo en donde David y todas las familias de sus tropas vivían; habían llevado cautivos a todos los habitantes. David y sus tropas se dedican a lamentar la situación, sin poder hacer nada en el momento.

David consulta al Señor, 1 Samuel 30:6-8. La amargura de David obedecía no tan sólo a la pérdida de sus esposas, sino que todas sus tropas se volvían en su contra, amenazando matarlo, por culparlo de la suerte de sus familias. En desesperación, David llama a Abiatar, el único sacerdote sobreviviente de la familia de Elí; pide que traiga el efod, una prenda sacerdotal que se usaba para recibir "una palabra del Señor". Si bien Jehovah no le respondió a Saúl, a David sí. El Dios de Israel hace saber a David que debe ir tras los amalequitas para librar a los cautivos. Su victoria sería segura.

David se venga de los amalequitas, 1 Samuel 30:9-19. Pese a haber hecho una recorrida tortuosa de más de 140 kilómetros entre Afec y Siclag, David y sus tropas emprenden la búsqueda de los amalequitas. Por la fatiga, y tal vez para no cometer el mismo error táctico de Siclag, David deja a 200 hombres para cuidar de sus provisiones; David y 400 hombres encuentran abandonado y casi muerto a un joven egipcio, esclavo de un amalequita. Este revela el paradero de los crueles amalequitas, y David los vence; recupera todo lo perdido y más, ya que se quedó con todo el botín de los amalequitas.

David reparte el botín, 1 Samuel 30:20-31. Al regresar al arroyo de Besor (a unos 25 kilómetros de Siclag), David se topó con un problema: algunos de los hombres que habían peleado contra los amalequitas no querían compartir el botín con sus compañeros que habían quedado atrás. David reconoce que la victoria se debió a la mano del Señor, y por eso exige que el botín se comparta por partes iguales. Esta práctica se hizo ley en Israel y duró hasta los días del autor del libro de Samuel. El botín también se repartió entre hebreos, amigos de David, en distintas partes de Israel.

Muerte de Saúl y de sus hijos, 1 Samuel 31:1-13. El escritor bíblico culmina la historia con la derrota rotunda de los israelitas y la muerte de Saúl y sus tres hijos.

───────────── **Estudio del texto básico** ─────────────

1 Los amalequitas atacan Siclag, 1 Samuel 30:1, 2.

V. 1. *Al tercer día:* Habiendo sido rechazados como combatientes por los filisteos, David y sus 600 hombres habían partido para Siclag al rayar el día. Tardaron tres días en recorrer los 140 kilómetros de territorio filisteo. El cansancio debe haber sido mucho. *Los amalequitas habían hecho una incursión en el Néguev y en Siclag.* Estos descendientes de Amalec, nieto de Esaú (Gén. 36:12), a quienes Saúl se había negado erradicar, ahora en forma acostumbrada atacan a quien encuentran. En el caso de esta ciudad, Siclag, la dejaron en ruinas, incendiándola.

V. 2. *También se habían llevado... a todos.* Parece que este ataque había sido punitivo (27:8-12), y querían dañar cuanto pudieran a los israelitas. Entre las cautivas iban las dos esposas de David. David se dio cuenta de su error táctico al no dejar a nadie en la ciudad para protegerla; se había llevado a todos sus guerreros a pelear al lado de Aquis. Por la bondad de Dios, los amalequitas no mataron a sus cautivos, pues los querían como esclavos.

2 David consulta al Señor, 1 Samuel 30:6-8.

V. 6. *David estaba muy angustiado, porque el pueblo hablaba de apedrearlo.* La angustia de David era triple: (1) había cometido un gran disparate táctico al dejar su ciudad indefensa; (2) la pérdida de sus esposas; (3) la desilusión de sus guerreros que querían matarlo por su error como líder militar y por la pérdida de sus familiares y posesiones. Pareciera que todo estaba perdido y que todos estaban en su contra, pero David tenía un aliado que no le fallaría: el Señor.

V. 7. *David dijo al sacerdote Abiatar, hijo de Ajimelec.* Saúl había mandado matar a todos los sacerdotes que habían socorrido a David; el único sobreviviente fue Abiatar. Este era el último del linaje sacerdotal de Elí. Este, habiendo sido rescatado por David, ahora viene en su ayuda. *Tráeme, por favor, el efod.* David reconoce que quedaba un medio por el cual se podía lograr una consulta con el Señor: el efod. Este era una prenda de vestir, tipo de delantal, usada por los sacerdotes. Llegó a usarse como medio de comunicación con Jehovah, aunque a veces se usaba como ídolo por algunos.

V. 8. *¿He de perseguir a esa banda? ¿La podré alcanzar?* David, ante su fracaso en Siclag, necesita la palabra confortante del Señor. Tácticamente, el encontrar a los amalequitas sería casi como buscar la proverbial aguja en el pajar. Humanamente sería casi imposible, pero David sabía que si Dios estaba con él, la cosa estaba segura. *Persíguela, porque de cierto la alcanzarás y librarás a los cautivos.* La respuesta del Señor no tardó en llegar; David escuchó lo que quería oír; pese a la enorme dificultad en dar con una banda de maleantes en una área tan extensa, tendría éxito en su empresa.

3 David se venga de los amalequitas, 1 Samuel 30:16-19.

V. 16. *Entonces los llevó.* Palabras alusivas a un joven egipcio que había sido abandonado por su amo amalequita en el desierto para que muriera de hambre y de sed. David lo había encontrado, y le había rescatado la vida con alimentos y agua. Por su gratitud a David y por venganza contra su amo cruel, el joven lleva a David y sus tropas al lugar en donde estaban acampados. *Y he aquí estaban desparramados sobre la superficie de toda la tierra, comiendo, bebiendo.* Pareciera que los amalequitas estaban celebrando sus victorias sobre los hebreos y sobre los filisteos, tal vez mediante una ceremonia religiosa pagana.

V. 17. David y sus tropas los observaron hasta e] amanecer cuando atacaron ferozmente, aunque numéricamente más débiles; siguieron la batalla hasta el atardecer; la venganza de David sobre los amalequitas fue total excepto por algunos jinetes que lograron escapar en sus camellos. Estos 400 jóvenes representaban la crema y nata de las fuerzas amalequitas. El uso de estos animales indica la naturaleza de su estilo de vida: la de beduinos.

Vv. 18, 19. *Así libró David todo lo que habían tomado los amalequitas.* El botín recogido por David era mucho mayor que lo perdido cuando el ataque de los amalequitas sobre Siclag. Esto se debe a que los beduinos amalequitas habían estado tomando botín a todos los grupos filisteos y hebreos atacados por ellos. Lo bonito de todo fue que todos los cautivos fueron recobrados, incluso las dos esposas de David. Era evidente que la mano de Dios estaba con David.

4 La muerte de Saúl y de sus hijos, 1 Samuel 31:1-7.

V. 1. *Los filisteos combatieron contra Israel.* Se trata de la batalla final entre las fuerzas filisteas y las hebreas capitaneadas por el rey Saúl en la que los hebreos son derrotados y Saúl y sus hijos son muertos. El escritor bíblico ha arreglado sus materiales justo para demostrar que esto es lo que pasa a su pueblo cuando ignora los propósitos de Dios. Esta batalla tuvo lugar *en el monte de Gilboa.* En realidad la derrota vergonzosa de las tropas hebreas tuvo lugar en las faldas de este monte; era uno de los lugares que daba al valle de Jezreel, la misma región en donde David había dado muerte a Goliat.

V. 2. *Los filisteos siguieron de cerca a Saúl y a sus hijos;* no era ningún secreto para los amalequitas quiénes dirigían las tropas israelitas; por esto centraron sus esfuerzos en ellos. *Y mataron a Jonatán, a Abinadab y a Malquisúa, hijos de Saúl.* Sólo tres de sus hijos son muertos aquí; Isboset (Isbaal) no participó en la batalla, por lo tanto quedó ileso (ver 2 Sam. 2:8).

V. 3. Parece que desde lejos los amalequitas en conjunto mandaron una "lluvia" de flechas, y una alcanzó a Saúl a quien hirió de tal modo que ya no podía huir.

V. 4. Saúl, viéndose incapacitado de huir y no queriendo verse capturado por los amalequitas, pide a su escudero que lo acabe de matar. Este, por miedo de matar al ungido de Jehovah, se niega a hacerlo. Según este relato, pareciera que Saúl cometió suicidio, aunque posteriormente un amalequita diría a David que él mató a Saúl (2 Sam. 1:6-10).

Vv. 5-7. La derrota de Saúl y sus fuerzas fue total; cundió el pánico entre los hebreos por todas partes, inclusive en la Transjordania y más allá de la planicie de Jezreel. Muchos de los hebreos se vieron obligados a huir, y los amalequitas ocuparon sus ciudades. Toda esta historia ilustra magistralmente el gran tema del escritor bíblico: "La obediencia conlleva bendición; la desobediencia acarrea destrucción."

Aplicaciones del estudio

1. "Le pagaron con la misma moneda", 1 Samuel 30:1, 2. Es muy posible que los amalequitas que atacaron a Siclag eran los mismos a quienes David había atacado anteriormente. Es imposible que nosotros vivamos en base a mentiras o engaños sin que fomentemos ese mismo espíritu. A la larga, nosotros pagaremos las consecuencias.

2. El fortalecimiento en Jehovah, 1 Samuel 30:6-8. Cuando David "se fortaleció en Jehovah su Dios", buscó "saber la voluntad de Dios" mediante el uso del efod. Pensamos que el fortalecimiento de Dios sólo viene para calmar nuestras ansias; sin embargo, el verdadero fortalecimiento viene cuando buscamos la voluntad de Dios y nos dedicamos a hacerla.

3. "Nadie es una isla en sí mismo", 1 Samuel 31:7. La política y las acciones de Saúl, contrarias a la voluntad de Dios, resultaron en el sufrimiento de todo un pueblo. Los errores de los líderes son pagados por el pueblo. Lo vivimos en nuestras familias; lo vivimos en nuestras iglesias. Nuestras acciones, lejos de afectarnos sólo a nosotros mismos, siempre afectan a otros.

Cómo derrotar al enemigo
1 Samuel 30:15-17

Introducción: David tuvo enemigos militares; nosotros tenemos enemigos espirituales; las tácticas para lograr la victoria sobre los enemigos son iguales. Veamos algunas de ellas.

I. **La derrota del enemigo requiere de aliados, v. 15.**
   A. David reconoció la necesidad de la ayuda del muchacho.
   B. David hizo las cosas necesarias para lograr esa ayuda.
   C. David aseguró a su aliado de su cooperación.
II. **La derrota del enemigo requiere que observemos y conozcamos al enemigo, v. 16.**
   A. David no atacó a los amalequitas sin observar las condiciones en las que se hallaban.
   B. David dedicó tiempo para planear su ataque.
III. **La derrota del enemigo requiere que dediquemos los esfuerzos y el tiempo necesarios, v. 17.**
   A. David no escatimó nada en su ataque.
   B. David no aflojó su mano en el ataque hasta la derrota.
   C. David tomó en cuenta quienes escaparon.

Conclusión: En nuestra guerra espiritual contra las fuerzas malignas hay que usar buenas tácticas, buscar aliados, observar y conocer a nuestro enemigo, dedicar el tiempo y los esfuerzos para lograr la victoria.

Lecturas bíblicas para el siguiente estudio

Lunes: Lucas 1:1, 2   **Jueves:** Hechos 1:1, 2
Martes: Lucas 1:3   **Viernes:** Colosenses 4:14
Miércoles: Lucas: 1:4   **Sábado**: Lucas 24:44

Estimado maestro(a):
Es el tiempo de obtener el siguiente libro para su propia preparación y la adecuada orientación a sus alumnos.

AGENDA DE CLASE

Antes de la clase

1. Consiga un mapa del territorio judío durante el imperio de David. Durante la clase el maestro indicará la ubicación de Siclag, el monte Gilboa y Bet-seán. **2.** Escriba en la pizarra la frase: "La obediencia significa...", dejando mucho espacio para las respuestas de los alumnos. **3.** Prepare un cartel con dos columnas encabezadas con las palabras: *Obediencia* y *Desobediencia.* **4.** Pida a un alumno que lea 1 Sam. 30:11-16 y presente un resumen de la ayuda dada a David por el joven egipcio (el alumno puede presentar un monólogo, haciendo el papel del egipcio). **5** Haga la sección *Lea su Biblia y responda* que aparece en el libro de los alumnos.

Comprobación de respuestas

JOVENES: 1. a. Jonatán, Abinadab, Malquisúa. b. Bet-sán, c. Gilboa, d. Astarot. 2. b, d, f, g. 3. (c) Se quedaron en Besor. (d) Subieron con David. (b) Montaron sobre camellos. (d) Acompañaron a David. 4. a. Porque los príncipes filisteos no quisieron. b. Fue asolada por los amalequitas.

ADULTOS: 1. a. F, b. F, c. V, d. F, e. F. 2. a. tres hijos murieron, b. murió (se suicidó). c. Muchos murieron y todos huyeron de las ciudades. d. Israel y su Dios fueron burlados en los templos paganos. 3. Rescataron su cadáver (y los de sus hijos) y sepultaron los restos, los había librado del ataque amonita.

Ya en la clase
DESPIERTE EL INTERES

1. Mientras que los alumnos entren a la clase, pida que cada uno complete la frase en la pizarra: "La obediencia significa..." **2.** Después de que todos hayan tenido la oportunidad de escribir sus ideas, léalas y anímelos para que compartan sus reacciones a las definiciones. **3.** Comparta una experiencia en su propia vida de obediencia o desobediencia y hable brevemente de las consecuencias resultantes.

ESTUDIO PANORAMICO DEL CONTEXTO

1. Explique el dilema en el cual David se halló al ser invitado a marchar en la retaguardia con Aquis contra Israel. Haga hincapié en las quejas (probablemente justificadas) de los jefes de los filisteos y la exclusión de David y sus hombres de la batalla. **2.** Solicite a un alumno que resuma a grandes rasgos la represalia de los amalequitas contra Siclag, la reacción de David y sus hombres y su persistencia en recuperar sus familias y pertenencias. **3.** Destaque los acontecimientos trágicos de la batalla entre los filisteos y las tropas de Saúl. Hable sobre el cumplimiento de la palabra de Dios y las consecuencias amargas de la desobediencia.

ESTUDIO DEL TEXTO BASICO

1. Examine el ataque de los amalequitas contra Siclag. Pida a un voluntario que lea 1 Samuel 30:1, 2. Explique quiénes eran los amalequitas (un buen diccionario bíblico puede ayudarle, junto con la información en el libro de los alumnos adultos). Indique la ubicación de Siclag en el mapa. Enfatice que, aunque los amalequitas incendiaron toda la ciudad, no mataron a nadie, en contraste con la estrategia de David contra los amalequitas en 1 Samuel 27:8, 9.

2. Lean 1 Samuel 30:6-8 e investiguen la actitud de David ante su problema. Pregunte: ¿Cuál era la condición de David? ¿Cuál era la actitud del pueblo con David? Dígales que el líder, no importa que tan bueno que sea, siempre va a recibir la crítica de los demás cuando hay pérdida, frustración e ira. Pida que los alumnos piensen en varias reacciones posibles de un líder que se encuentre en tal situación (por ejemplo: el líder puede: huir de la situación; tratar de apedrear a los "críticos" primero; buscar a Dios; etc.). Comente que David buscó fortaleza en Jehovah (lea Salmo 27:1).

3. Lean 1 Samuel 30:16-19 y guíe a los alumnos en la consideración de cómo David se venga de los amalequitas. Pida al alumno preparado que cuente la historia (o presente el monólogo) del joven egipcio quien le ayudó a David (1 Sam. 30:11-16). Note que este hombre "rechazado" por los amalequitas participó en la victoria de las tropas de David. Haga hincapié en el hecho que David lo recuperó *todo.* Pregunte: Según esta escritura, ¿cuáles son las consecuencias evidentes de la obediencia de David?

4. Trate el tema de la muerte de Saúl y de sus hijos, enfatizando las consecuencias de la desobediencia. Lea dramáticamente 1 Sam. 30:1-7.

5. Indíqueles la ubicación del monte Gilboa en el mapa. Pregunte: Según este pasaje, ¿cuáles son las consecuencias evidentes de la desobediencia de Saúl? ADULTOS, revisen la pregunta 2 en la sección *Lea su Biblia y responda.*

APLICACIONES DEL ESTUDIO

1. Pida al grupo que medite y comparta, de su propia experiencia, las consecuencias de la obediencia y de la desobediencia. Pida a un estudiante que escriba las respuestas en el cartel con las dos columnas preparadas. **2** Comente que a veces no tomamos en cuenta la verdad que hay consecuencias inevitables trágicas de nuestra desobediencia. A la vez, debemos regocijarnos de que hay bendiciones inevitables también si estamos dispuestos a obedecer al Señor. **3.** Invítelos a compartir las aplicaciones que aparecen en el libro del alumno, leyéndolas ante la clase.

PRUEBA

1. Anime a todos los alumnos a completar las actividades de la sección *Prueba* en sus libros. **2.** Solicite a algunos de ellos que compartan con la clase las decisiones tomadas. **3.** Anímelos a poner en práctica durante esta semana su compromiso de obediencia.

¡HAGALO AUN MEJOR!

> "Todo lo que te venga
> a la mano para hacer,
> hazlo con empeño."
> **Eclesiastés 9:10**

CASA BAUTISTA DE PUBLICACIONES
Departamento de Enseñanza Bíblica

El Proceso de Enseñanza-Aprendizaje

¿Qué son las metas?

Para entender las metas es necesario traer a la mente algunos principios importantes de la educación. Primero, para determinar los contenidos del libro que usted tiene en sus manos, se ha recurrido a la programación. "Programar es estructurar actividades y situaciones conducentes a la adquisición de conocimiento, a la capacitación y adquisición de destrezas." Para que una programación sea buena debe cumplir con ciertas características:

1. Debe estar diseñada en función de los fines educativos y estar estructurada en un orden lógico.
2. Debe estar basada en las necesidades psicosociales de los alumnos y obedecer a un propósito determinado.
3. Debe tener en cuenta la materia que será enseñada.

Toda programación debe ser flexible. Esta flexibilidad dará margen a la creatividad e iniciativa del profesor y del alumno, y permitirá hacer adaptaciones cuando sea necesario. Este factor permite que la literatura que tienen en sus manos sea aplicable a las situaciones de cada país, ciudad, iglesia y de cada alumno. La programación también permite que usted pueda distinguir objetivos generales y específicos. Los generales se derivan de los fines que se pretende alcanzar. Los específicos, son las metas concretas, los cambios que se desea lograr en la conducta del alumno.

En el caso de *La Biblia, Libro por Libro* usted reconocerá los objetivos generales en la página 4 del libro del Maestro y luego donde se describe el contenido de cada Unidad. Cada uno guardará un orden lógico que irá desde una declaración amplia, hasta la expresión del concepto básico seleccionado para cada Unidad.

Enseguida encontrará los objetivos específicos, los cuales serán reconocidos por el nombre de Metas. Como tal, la Meta le ayudará a saber el resultado principal del aprendizaje que se desea obtener en cada estudio. De esta manera ella contesta preguntas tales como: ¿Conocimiento de qué? ¿Comprensión de qué? ¿Cuál actitud, hacia qué o quién? ¿Destreza para hacer qué? Con todo esto, la meta limita el tema a una "proporción adecuada".

A continuación encontrará tres características fundamentales que usted debe observar en una meta de enseñanza-aprendizaje.

1. Una meta dice lo que debería pasarle al "alumno" como resultado del proceso de aprendizaje, ¡no al maestro!
2. Como el aprendizaje produce cambios, la Meta debe indicar al área donde ese cambio se debe lograr (conocimiento, actitud, o destreza física).
3. Expresa una proporción adecuada del contenido que el "alumno" debe aprender.

Entonces, ¿qué es una meta? La Meta es una declaración que nos ayuda a saber el resultado principal del proceso de enseñanza-aprendizaje que se desea obtener (o lograr) en cada estudio o sesión de clase. La Meta limita el tema a una "proporción adecuada" y nos ayuda a ver hacia dónde nos dirigimos.

Modelos Para el Proceso de Enseñanza-Aprendizaje

LeRoy Ford

Modelos para el Proceso de Enseñanza-Aprendizaje

Casa Bautista de Publicaciones
0-311-11042-8
CBP No. 11042
Tamaño: 5.5 x 8.5 pulgadas
312 páginas

Este es un libro para maestros y ayudantes de maestros. Es útil para enseñanza secular o religiosa, para profesionales de la educación o para los que no lo son. Enseña a planear y evaluar los resultados del proceso de enseñanza-aprendizaje. Está diseñado para el autoaprendizaje efectivo, pero se puede usar en situaciones de aula.

El doctor **LeRoy Ford,** es un experto en el campo de la enseñanza. Fue editor de currículo de una de las casas evangélicas publicadoras más grandes del mundo y profesor de instrucción programada y filosofía de la educación del Seminario Bautista del Sudoeste, en Forth Worth, Texas.

Características: Es útil para el estudio individual o en grupos * Contiene decenas de ejercicios prácticos * Cada unidad termina con una actividad para evaluar cuánto ha aprendido.

Mercado: Maestros de escuela dominical * Escritores * Maestros de escuela y profesores universitarios * Líderes de Educación Cristiana.

Bases para la Educación Cristiana

Hayward Armstrong

Casa Bautista de Publicaciones
0-311-11048-7
CBP No. 11048
Tamaño: 5.5 x 7.25
190 páginas

En este libro se desarrollan las bases imprescindibles para un programa educativo serio en las iglesias locales. Se analizan las bases bíblicas, históricas, socio-culturales, sicológicas y organizacionales de la educación cristiana. No es un estudio meramente teórico, sino que hay una referencia permanente a la vida práctica de las iglesias.

El doctor **Hayward Armstrong,** es misionero de la Junta Foránea y su ministerio se ha desarrollado en varios países de América Latina; especialmente en el campo de la educación cristiana por extensión.

Características: El libro se desarrolla en cinco bases mayores * Cada base se desarrolla en varios capítulos * Cada capítulo termina con preguntas para el repaso y temas de Discusión.

Mercado: Pastores * Profesores de Seminario * Educadores * Estudiantes de Educación Cristiana.

El Proceso de Enseñanza-Aprendizaje
¿Qué Son los Indicadores?

Como en casi todas las cosas, "el mundo busca indicadores o señales de progreso. Los viajeros buscan carteles o señales de indicación en el camino. Los carteles le dicen cuánto más y hacia dónde se debe viajar para alcanzar la meta... La temperatura indica lo 'justo' de la sopa. La altura indica lo 'justo' de las sillas; lo blando indica lo 'justo' de la cama. Usted sigue probando hasta descubrir la sopa, la silla y la cama que responden mejor" a las necesidades que cada uno tiene. Así lo afirma LeRoy Ford en su libro Modelos para el Proceso de Enseñanza-Aprendizaje.

Veamos en el siguiente ejemplo la presencia de la Meta y también "el indicador". Este último nos dirá cuándo el participante llegó o cumplió con esa Meta.

Meta: El alumno demostrará su conocimiento de los libros del Nuevo Testamento. Lo hará por medio de decir (o anotar) de memoria y en orden cada uno de ellos.

Como podemos ver, los "indicadores" nos facilitan la tarea educativa porque nos dan elementos clave en relación con lo que queremos lograr en la vida de los alumnos. También nos permiten hacer una evaluación constante y más real de lo aprendido. Las siguientes tres declaraciones nos dirán en forma resumida el trabajo de los Indicadores:

1. Los Indicadores dicen lo que el "alumno" hará para indicar o demostrar qué ha aprendido.

2. Los Indicadores dicen cuál es el "nivel aceptable" de ejecución del alumno.

3. Los Indicadores describen las "condiciones" o circunstancias en las cuales el alumno deberá hacer su demostración.

De esta manera podemos entender que los "indicadores" son "señales" por medio de las cuales tanto el maestro como el alumno pueden saber que éste ha alcanzado la Meta. Además, el indicador dice lo que el maestro aceptará como evidencia de que el alumno va hacia la Meta, o que la ha alcanzado.

En el caso de *La Biblia, Libro por Libro*, al final de su "Agenda de Clase", encontrará la sección "Prueba". Allí encontrará las instrucciones para poner en funciones a los indicadores que permitirán verificar si los alumnos han alcanzado la Meta del día.

En resumen, "una meta y sus indicadores operativamente formulados, nos ayudan a ver hacia dónde nos dirigimos, y nos dicen cómo podemos saber que hemos llegado."

Por eso es tan importante tomar en cuenta estos elementos al prepararse para desarrollar cada estudio. Tome en cuenta la Meta y adecúela a las capacidades y condiciones de sus alumnos.

También tenga en cuenta que lo valioso de la Meta y los Indicadores no está en el sistema en sí mismo, sino en la fuerza motivadora que usted le infunda al utilizarlos.

Pedagogía Fructífera

Findley B. Edge

Este libro trata muy acertadamente cómo mejorar la enseñanza bíblica. Usted encontrará aquí valiosa ayuda práctica e inspiración para esta fase sobresaliente de la obra evangélica. Los principios presentados aquí no son solamente teoría. Han sido usados por numerosos maestros en muchas iglesias. El libro es práctico y provee de numerosos ejemplos e ilustraciones de los principios que son discutidos.

El doctor **F. B. Edge** fue un destacado profesor en la Escuela de Educación Religiosa del Seminario del Sudoeste en Forth Worth, Texas, y colaborador de la Junta de Escuelas Dominicales.

Características: Edición con un apéndice programado para su estudio * ilustraciones y ejemplos que se aplican junto con el contenido.

Mercado: Profesores de Seminarios y Escuelas Superiores * Líderes de Educación Religiosa * Maestros de Escuela Dominical.

Casa Bautista de Publicaciones
0-311-11025-8
CBP No. 11025
Tamaño: 5.5 x 8.5 pulgadas
194 páginas

Pedagogía Ilustrada I

LeRoy Ford y Doug Dillard

Valiéndose de dibujos al estilo de tiras cómicas, de ideas pertinentes y de explicaciones breves, el doctor Ford presenta gráficamente los principios de aprendizaje y lo esencial de los buenos métodos de enseñanza. Diagramas gráficos subrayan los conceptos básicos de cómo el aprendizaje ocurre y de cómo se le puede mejorar.

El doctor **LeRoy Ford,** es un experto en el campo de cómo enseñar. Fue editor de currículo de una de las casas evangélicas publicadoras más grandes del mundo y profesor de instrucción programada y filosofía de la educación del Seminario Bautista del Sudoeste, en Forth Worth, Texas.

Características: Un libro no tradicional, en realidad un "libro de cuadros" * De fácil lectura y de aun más fácil aplicación * Cuadros con declaraciones breves acerca de los principios de aprendizaje * Preguntas para su consideración.

Mercado: Maestros * Pastores * Líderes de Educación Cristiana * Profesores de Educación Cristiana.

Casa Bautista de Publicaciones
0-311-11001-0
CBP No. 11001
Tamaño: 5.5 x 8.25 pulgadas
142 páginas

El Proceso de Enseñanza-Aprendizaje

El Plan de Clase

"Nunca antes había preparado un plan escrito para enseñar una clase, pero sin duda lo haré de aquí en adelante, pues me da confianza porque sé lo que estoy haciendo. Jamás imaginé que enseñar podría ser algo tan maravilloso."

Este testimonio nos coloca en la vía de un secreto que todo maestro de la Biblia debe tener: el gozo de enseñar con un muy bien preparado plan de clase. Por supuesto, requiere tiempo elaborar un buen plan para enseñar una lección, pero paga con creces el esfuerzo invertido.

Un buen plan de clase ayuda a usar el tiempo sabiamente. Le da al maestro un sentido de dirección y le ayuda a guiar la reunión de estudio hacia la meta. Aún más importante, un plan cuidadosamente elaborado, libra al maestro de la incertidumbre que provoca el hacer algo equivocado.

El plan de clase es como una estrategia en el campo de juego, como los planos para un arquitecto, como la estrategia para una batalla. Es la mejor garantía contra lo imprevisto.

Los bosquejos y las notas para exponer los contenidos de un pasaje bíblico ayudan pero NO son un plan de clase. Un plan de clase es un diseño para enseñar el contenido del pasaje. Un bosquejo del contenido nos dice lo que será enseñado; un plan de clase nos dice cómo será enseñado.

Los ingredientes principales

En los materiales de enseñanza bíblica encontrará varias sugerencias para un plan o agenda de clase, según el caso. Aunque estos bosquejos guardan una estructura similar en cada caso, debemos evitar la tentación de querer vaciar cada lección con el mismo molde. Por ello, aunque el esqueleto o el bosquejo sea igual, su plan de clase deberá estar nutrido con los elementos principales que harán de él esa herramienta valiosa en el desarrollo de su lección o estudio bíblico.

Captar el interés del alumno: La primera función del plan de clase es hacer que el alumno desee estudiar la lección.

Como usted sabe, los alumnos no siempre vienen al salón de clase con ganas de aprender.

Están pensando en sus problemas, intereses, trabajos y relaciones sociales. Entonces el reto es encontrar la manera de atraer la mente del alumno, de captar su atención.

Dirigir las actividades de aprendizaje: Esta segunda función constituye el corazón del plan de clase. Aquí las actividades de estudio de la Biblia deben ser numerosas y variadas. Ellas deben conducir al alumno a la meta, tomar en cuenta el tiempo disponible y deben ser apropiadas a las habilidades del alumno.

Relacionar la lección a la vida: Esta tercera función significa "remachar" la lección; es decir, "fijar con seguridad, sujetar, afianzar" lo aprendido.

Entonces, use los planes y agendas de clase que se sugieren en cada estudio. Adáptelos, nútralos y disfrute del gozo de enseñar a otros sabiendo lo que hará en cada momento de su clase.

Metodología Pedagógica

Findley B. Edge

Casa Bautista de Publicaciones
0-311-11026-6
CBP No. 11026
Tamaño: 5x 8 pulgadas
160 páginas

Metodología Pedagógica es una obra escrita para ayudar a los que participan en la tarea didáctica de iglesias e instituciones cristianas. El autor sugiere el uso del libro como texto básico para reuniones semanales con los maestros de enseñanza bíblica en una iglesia local. Igualmente servirá como libro de texto para estudiantes de pedagogía cristiana en seminarios e institutos bíblicos.

El doctor **Findley B. Edge** fue un destacado profesor en la escuela de Educación Religiosa del Seminario del Sudoeste y colaborador de la Junta de Escuelas Dominicales de los bautistas del Sur.

Características: Abundante en ejemplos prácticos para utilizar lo aprendido * Guía para enseñar cada capítulo como una lección a un grupo de estudiantes.

Mercado: Maestros que quieren superarse * Pastores * Profesores de Seminarios e Institutos * Aspirantes a maestros.

Ayudas Visuales: Cómo Realizarlas

LeRoy Ford

Casa Bautista de Publicaciones
0-311-24304-9
CBP No. 24304
Tamaño: 5x 8 pulgadas
160 páginas

Este libro responde a preguntas tales cómo: "¿Por qué usar ayudas visuales? ¿Cómo usarlas? ¿Cuándo usarlas? y... ¿cómo realizarlas?" Y para responder y entenderlas mejor, se presentan 51 dibujos que ilustrán cómo realizarlas y utilizarlas en manera fácil, útil y exitosa.

El doctor **LeRoy Ford,** es un experto en el campo de cómo enseñar. Fue editor de currículo de una de las casas evangélicas publicadoras más grandes del mundo y profesor de instrucción programada y filosofía de la educación del Seminario Bautista del Sudoeste, en Forth Worth, Texas.

Características: 51 dibujos que ilustran las ayudas visuales * Un capítulo con algunos principios básicos * Abundantes explicaciones para confeccionar cada ayuda visual.

Mercado: Maestros de Educación Cristiana * Maestros de educación secular * Pastores * Predicadores * Conferencistas.

TESALONICENSES: El Señor Viene

Juan Carlos Ceballos

Casa Bautista de Publicaciones
0-311-04361-5
CBP No. 04361
Tamaño: 4 3/4 x 7 pulgadas
160 páginas

Este volumen de la Colección Estudios Bíblicos Básicos es un comentario que incluye las dos cartas que escribió el apóstol Pablo a los creyentes de Tesalónica. Ambas cartas se complementan maravillosamente y presentan, en germen, muchos de los temas que posteriormente serán desarrollados por el Apóstol. Un buen estudio de estas cartas, con un sabor latinoamericano a la conceptualización tanto como a las aplicaciones prácticas.

El licenciado **Juan Carlos Ceballos** es originario del Ecuador y es un estudioso serio de la Biblia, especialmente del Nuevo Testamento; también ha sido pastor por varios años y profesor del Seminario Teológico Bautista en su país.

Características: Puede ser usado como herramienta de estudio personal y estudio en clases * Contiene actividades de aprendizaje personal después de cada capítulo * Ideas para organizar estudios bíblicos.

Mercado: Pastores * Profesores * Maestros * Institutos bíblicos * Creyentes en general.

GALATAS: Libertad en Cristo

Howard P. Colson - Robert Dean

Casa Bautista de Publicaciones
0-311-04337-9
CBP No. 04337
Tamaño: 4 3/4 x 7 pulgadas
160 páginas

Gálatas: Libertad en Cristo, habla con toda autoridad a nuestra generación. Trata de asuntos vitales para todo ser humano. Su mensaje básico es que Cristo nos liberta; nos liberta del pecado, y nos liberta de la ley. Aunque los que ya han aceptado a Cristo como su Señor y Salvador han conseguido esa precisa libertad, no deben olvidar a aquellos que todavía no la tienen.

El doctor **Howard P. Colson** un asesor editorial de publicaciones de la Convención Bautista del Sur.

El doctor **Robert Dean** es editor de la Junta de Escuelas Dominicales de los bautistas del Sur.

Características: Puede ser usado como herramienta de estudio personal y estudio en clases * Contiene un resumen y aplicaciones prácticas después de cada capítulo * Contiene preguntas de repaso.

Mercado: Pastores * Profesores * Maestros * Institutos bíblicos * Creyentes en general.